CW00418923

Werke in vier Bänden

Theodor Storm

Werke in vier Bänden

Band 2

Könemann

Die vorliegende Ausgabe folgt dem Text der Ausgabe »Theodor Storm. Sämtliche Werke in vierzehn Teilen«, herausgegeben von Alfred Biese, Leipzig o. J. Die Orthographie (Groß- und Kleinschreibung, Zusammenschreibung) entspricht weitestgehend der Vorlage. Nur wo es uns für das leichtere Verständnis unabdingbar erschien oder es darum ging, sinnentstellende Fehler zu tilgen, wurde in den Text eingegriffen. Dies betrifft jedoch nur ganz wenige Stellen.

Herausgegeben von Rolf Toman
Herstellungsleiter: Detlev Schaper
Herstellungsassistenz: Nicola Leurs
Covergestaltung: Peter Feierabend
Satz und Gestaltung: Thomas Paffen, Münster
Printed in Hungary
ISBN 3-8290-0883-X

10 9 8 7 6 5 4 3 2 1

Inhalt

Eine biographische Skizze zu Theodor Storm findet der Leser am Ende des vierten Bandes.

Am Kamin

(1862)

I

»Ich werde Gespenstergeschichten erzählen! – Ja, da klatschen die jungen Damen schon alle in die Hände.«

»Wie kommen Sie denn zu Gespenstergeschichten, alter Herr?«

»Ich? – das liegt in der Luft. Hören Sie nur, wie draußen der Oktoberwind in den Tannen fegt! Und dann hier drinnen dies helle Kienäpfelfeuerchen!«

»Aber ich dächte, die Spukgeschichten gehörten gänzlich zum Rüstzeug der Reaktion?«

»Nun, gnädige Frau, unter Ihrem Vorsitz wollen wir es immer darauf wagen.«

»Machen Sie nicht solche Augen, alter Herr!«

»Ich mache gar keine Augen. Aber wir wollen Stühle um den Kamin setzen. – So! die Chaiselongue kann stehenbleiben. – Nein, Klärchen, nicht die Lichter ausputzen! Da merkt man Absicht, und ... *et cetera.*«

»So fang' denn endlich an!«

»In meiner Vaterstadt ...«

»Wart' noch; ich will mich vor dem Kamin auf den Teppich legen und Kienäpfel zuwerfen.«

»Tu' das! – Also ein Arzt in meiner Vaterstadt hatte einen vierjährigen Knaben, welcher Peter hieß.«

»Das fängt sehr trocken an!«

»Klärchen, paß auf deine Kienäpfel! – Dem kleinen Peter träumte eines Nachts – –«

»Ach – – Träumen!«

»Was Träumen? Meine Damen, ich muß dringend bitten. Soll ich an einer zurückgetretenen Spukgeschichte ersticken?«

»Das ist keine Spukgeschichte; Träumen ist nicht Spuken.«

»Halt' den Mund, liebes Klärchen! – Wo war ich denn?«

»Du warst noch nicht weit.«

»Sßt! – Der Vater erwachte eines Nachts – still, Klärchen! – von dem ängstlichen Geschrei des Jungen, welcher neben seinem Bette schlief. Er nahm ihn zu sich und suchte ihn zu ermuntern, aber das Kind war gar nicht zu beruhigen. – ›Was fehlt dir, Junge?‹ – ›Es war ein großer Wolf da, er war hinter mir, er wollte mich fressen.‹ – ›Du träumst ja, mein Kind!‹ – ›Nein, nein, Papa, es war ein wirklicher Wolf; seine rauhen Haare sind an mein Gesicht gekommen.‹ – Er begrub den Kopf an seines Vaters Brust und wollte nicht wieder in sein Korbbettchen zurück. So schlief er endlich ein. Draußen vom Turme hörte der Doktor nach einiger Zeit eins schlagen.

Im Hause des Arztes lebte eine ältliche Schwester desselben, welche den kleinen Peter ganz besonders in ihr Herz geschlossen hatte. – Es war eigentlich eine Range, der Junge; in einer Abendgesellschaft bei seinen Eltern hatte er uns einmal alle Sardellen von den Butterbröten weggefressen. Aber das tat der Liebe der Tante keinen Eintrag.

Am anderen Morgen, als der Doktor aus seinem Schlafzimmer trat, war sie die erste, die ihm begegnete. ›Denke dir, Karl, was mir geträumt hat!‹ – ›Nun?‹ – ›Ich hatte mich in einen Wolf verwandelt und wollte den kleinen Peter fressen; ich trabte auf allen vieren, während der Junge schreiend vor mir her lief.‹ – ›Hu! – Weißt du nicht, wieviel Uhr es gewesen?‹ – ›Es muß nach Mitternacht gewesen sein; genauer kann ich es nicht bestimmen.‹«

»Nun, und weiter, alter Herr?«

»Nichts weiter; damit ist die Geschichte aus.«

»Pfui! Die Tante ist ein Werwolf gewesen!«

»Ich kann versichern, daß sie eine vortreffliche Dame war. Aber Klärchen, leg' einmal Kienäpfel auf!«

»Ja – aber Träumen ist doch nicht Spuken –«

»Ärgere den alten Herrn nicht! Siehst du, ich weiß besser mit ihm umzugehen. Da erscheint der Trank, bei dem der selige Hoffmann seine Serapionsgeschichten erzählte. – Setzen Sie die Bowle vor den Kamin, Martin! – Es ist auch eine halbe Flasche Maraschino dazu, alter Herr!«

»Ich küsse Ihnen die Hand, gnädige Frau.«

»Das verstehen Sie ja gar nicht!«

»Ich kann das eigentlich nicht bestreiten. In meiner Heimat tut man nicht dergleichen; indessen ich beginne wenigstens schon davon zu reden.«

»Trinken Sie lieber einmal! – Klärchen, damit du was zu tun hast, schenk' einmal die Gläser voll!«

»Ich weiß nicht, meine Damen, ob Sie jemals durch die Marsch gefahren sind! Im Herbst und bei Regenwetter will ich es Ihnen nicht gewünscht haben; in trockner Sommerzeit aber kann es keinen besseren Weg geben, der feine graue Ton, aus welchem der Boden besteht, ist dann fest und eben, und der Wagen geht sanft und leicht darüber hin. Vor einigen Jahren führten mich Geschäfte nach der kleinen Stadt T. im nördlichen Schleswig, welche mitten in der nach ihr benannten Marsch liegt. Am Abend war ich in der Familie des dortigen Landschreibers. Nach dem Essen, als die Zigarren angezündet waren, gerieten wir unversehens in die Spukgeschichten, was dort eben nicht schwer ist; denn die alte Stadt ist ein wahres Gespensternest und noch voll von Heidenglauben. Nicht allein, daß allezeit ein Storch auf dem Kirchturm steht, wenn ein Ratsherr sterben soll; es geht auch nachts ein altes glasäugiges dreibeiniges Pferd durch die Straßen, und wo es stehen bleibt und in die Fenster guckt, wird bald ein Sarg herausgetragen. ›De Hel‹ nennen es die Leute, ohne zu ahnen, daß es das Roß ihrer alten Todesgöttin ist, welche selbst zugunsten des Klapperbeins seit lange den Dienst hat quittieren müssen. Von den mancherlei derartigen Gesprächen und Erzählungen jenes Abends ist mir indessen nur eine einfache Geschichte im Gedächtnis geblieben.

›Es war vor etwa zehn Jahren‹ – so erzählte unser Wirt –, ›als ich mit einem jungen Kaufmann und einigen anderen Bekannten eine Lustfahrt nach einem Hofe machte, welcher dem Vater des ersteren gehörte und durch einen sogenannten Hofmann verwaltet wurde. Es war das schönste Sommerwetter; das Gras auf den Fennen funkelte nur so in der Sonne, und die Stare mit ihrem lustigen Geschrei flogen in ganzen Scharen zwischen dem weidenden Vieh umher. Die Gesellschaft im Wagen, der sanft über den ebenen Marschweg dahinrollte, befand sich in der heitersten Laune; niemand mehr als unser junger kaufmännischer Freund. Plötzlich aber, als wir eben an einem blühenden Rapsfelde vorüberfuhren, verstummte er mitten im lebhaftesten Gespräch, und seine Augen nahmen einen so seltsamen glasigen Ausdruck an, wie ich ihn nie zuvor an einem lebenden Menschen gesehen hatte. Ich, der ich ihm gegenüber saß, ergriff seinen Arm und schüttelte ihn. ‚Fritz, Fritz, was fehlt dir?' fragte ich. Er atmete tief auf; dann sagte er, ohne mich anzusehen: ‚Das war mal eine schlimme Stelle!' – ‚Eine schlimme Stelle? Es geht ja wie auf der Diele!' – ‚Ja', entgegnete er, noch immer wie im Traum, ‚es war doch nicht gut darüber wegzukommen.' – Allmählich ermunterte er sich, und sein Gesicht erhielt wieder Leben und Ausdruck; aber er wußte auf unsere Fragen keine andere Antwort zu geben. Dieses kleine Ereignis, was allerdings für den Augenblick die Stimmung etwas herabdrückte, war indessen, nachdem wir den Hof erreicht hatten, durch die Heiterkeit der Umgebung und unsere eigene Jugend bald vergessen. Wir ließen uns durch die alte Wirtschafterin den Kaffee in der Gartenlaube anrichten, wir gingen auf die Fennen, um die Ochsen zu besehen, und nachdem abends die mitgebrachten Flaschen in Gesellschaft des alten Hofmannes geleert waren, fuhren wir alle vergnügt, wie wir ausgefahren waren, wieder heim.

Acht Tage später war unser Freund des Nachmittags im Auftrage seines Vaters nach dem Hofe hinausgeritten. Am Abend kam sein Pferd allein zurück. Der alte Herr, der eben aus seinem *L'hombre*-Klub nach Hause gekommen war, machte sich sogleich mit allen seinen Leuten auf, um nach seinem einzigen Sohn zu suchen. Als sie mit ihren Handlaternen an jenes blühende Rapsfeld kamen, fanden sie ihn tot am Wege liegen. Was die Ursache seines Todes gewesen, vermag ich nicht mehr anzugeben.«

»Und geht es noch so rüstig
Hin über Stein und Steg,
Es ist eine Stelle am Wege,
Du kommst darüber nicht weg.«

»Aha! Unser poetischer Freund improvisiert.«

»Das nicht, Herr Assessor; der Vers ist schon gedruckt. Aber Klärchen scheint wieder mit meiner Geschichte nicht zufrieden zu sein; sie rührt mir gar zu ungeduldig in der Bowle.«

»Ich? – Da hast du ein Glas Punsch! – Ich sage schon gar nichts mehr.«

»Nun, so höre!

Mein Barbier – von dem hab' ich diese Geschichte – ist der Sohn eines Tuchmachers. Als der Vater noch jung war, kam er eines Abends auf seiner Gesellenwanderung in eine kleine schlesische Stadt. Auf der Herberge erfuhr er, daß er bei einem der ältesten Meister in Arbeit treten könne. – ›Will nur hoffen, daß es mit dir Bestand haben wird‹, setzte der Herbergswirt hinzu. – ›Mit Gunst, Herr Vater‹, entgegnete der Gesell, ›traut Ihr mir nicht oder fehlt's da wo im Hause bei den Meistersleuten?‹ – Der Wirt schüttelte den Kopf. – ›Was denn aber, Herr Vater?‹ – ›Es ist nur‹, sagte der Alte, ›seit sie da drei Gesellen haben wollen, ist der dritte nach Monatsfrist allzeit wieder fremd geworden.‹

Unser Geselle ließ sich das nicht anfechten, sondern ging noch an demselben Abend zu seinem neuen Meister. Er fand ein paar alte Leute, die ihn freundlich ansprachen, und zur Stärkung nach der Wanderung ein solides, bürgerliches Abendbrot. Als es Schlafenszeit war, führte der Meister ihn selbst durch einen langen Gang des Hintergebäudes in das obere Stockwerk und wies ihm dort seine Schlafkammer an. Der Gelaß für die beiden anderen Gesellen befinde sich unten; es sei aber darin nicht Platz für ein drittes Bett.

Als der Meister ihm gute Nacht gewünscht, stand der junge Mann noch einen Augenblick und horchte, wie sich die Schritte des Alten über die Treppe hinab entfernten und dann unten in dem langen Gange allmählich verloren. Hierauf besah er sich sein neues Quartier. – Es war eine lange, äußerst schmale Kammer mit kahlen, weißen Wänden; unten, die ganze Breite der Querwand einnehmend, stand das Bett; daneben ein kleiner Tisch und ein kleiner Stuhl aus Föhrenholz; das war die ganze Ausstattung. Das einzige sehr hohe Fenster mit kleinen, in Blei gefaßten Scheiben schien, soviel er bei dem Mondschein draußen erkennen konnte, nach einem großen Garten hinaus zu liegen. – Aber er hatte das alles mit schon träumenden Augen angesehen, und nachdem er sich unter das derbe Deckbett gestreckt und das Licht ausgelöscht hatte, fiel er bald in einen tiefen Schlaf.

Wie lange derselbe gedauert, konnte er später nicht angeben; er wußte nur, daß er durch ein Geräusch, das mit ihm in der Kammer war, auf eine jähe Art erweckt worden sei. Und bald hörte er deutlich ein Kehren wie mit einem scharfen Reisbesen, das von der Richtung des Fensters her allmählich sich nach der Tiefe der Kammer zu bewegte. Er richtete sich auf und blickte mit aufgerissenen Augen vor sich hin; die Kammer war fast hell vom Mondschein; die eine Wand war ganz davon beleuchtet; aber er vermochte nichts zu sehen als den völlig leeren Raum.

Plötzlich, und ehe es noch ganz in seine Nähe gekommen, war alles wieder still. Er horchte noch eine Weile und suchte sich vergebens einen Vers darauf zu machen; endlich, ermüdet wie er war, fiel er aufs neue in einen festen Schlaf.

Am anderen Morgen, als zwischen ihm und dem Meister die Sache zur Sprache kam, erfuhr er von diesem, daß allerdings einzelne, welche vor ihm in der Kammer geschlafen, ein Ähnliches dort gehört haben wollten; es sei indes immer nur zur Zeit des Vollmonds gewesen und übrigens niemandem etwas dadurch zu nahe geschehen. – Der junge Tuchmacher ließ sich beruhigen; und in den Nächten, die nun folgten, wurde auch sein Schlaf durch nichts gestört. Dabei ging ihm im Hause alles nach Wunsch; Arbeit und Verdienst war regulär, und auch mit seinen beiden Nebengesellen hatte er sich auf guten Fuß gestellt.

So ging ein Tag nach dem anderen hin, bis endlich wieder die Zeit des Vollmonds herangekommen war. Aber er hatte nicht darauf geachtet, denn es war schwere, bedeckte Luft, und kein Schein fiel in die Kammer, als er sich am Abend schlafen legte. – Da plötzlich erweckte ihn wieder jener schon halbvergessene Ton. Eifriger noch und schärfer, so dünkte es ihn, als das erstemal kehrte und fegte es bei ihm in der Kammer, und seltsamerweise, jetzt, wo es fast dunkel war, meinte er gegen das Fenster hin einen sich bewegenden Schatten zu sehen. Aber, wie zuerst, wurde auch jetzt nach einer Weile alles wieder still, ohne daß es sein Bett erreicht oder daß er etwas Genaueres zu erkennen vermocht hätte. Er konnte indessen diesmal den Schlaf so bald nicht wiederfinden und hörte vom Kirchturm eine Stunde nach der anderen schlagen; endlich brach draußen der Mond durch die Wolken und schien in die Kammer, aber er beleuchtete nur die nackten Wände.

Der Gesell, so wenig angenehm ihm diese Dinge waren, beschloß bei sich, gegen jedermann zu schweigen, am wenigsten aber sich von jenem Unheimlichen vom Platze verdrängen zu lassen. – Wie gewöhnlich gingen auch die nun folgenden Nächte ohne Störung vorüber. – Nach Verlauf eines Monats kehrte er spät in der Nacht von einem benachbarten Orte zurück, wohin ihn sein Meister mit einem Geschäftsauftrage gesandt hatte. Er ging, als die Stadt erreicht war, nicht durch die Straßen, sondern an der Stadtmauer entlang, um durch den Garten in das Hinterhaus zu gelangen, wozu er den Schlüssel von seinem Meister erhalten hatte. Es war heller Mondschein. Schon in der Nähe des Hauses, während er zwischen den Rabatten auf dem geraden Stiege des Gartens entlang ging, warf er zufällig einen Blick nach dem Fenster seiner Kammer hinauf. – Da saß oben ein Ding, ungestaltig und molkig, und guckte durch die Scheiben in den Garten hinab.

Der junge Mann verlor plötzlich die Lust, mit solcher Gesellschaft noch länger in Quartier zu liegen. Er kehrte um und suchte sich für diese Nacht ein Unterkommen in der Herberge. Am anderen Morgen aber – so erzählte mir sein Sohn – nahm er seinen Abschied und verließ die Stadt, ohne jemals erfahren zu haben, womit er so lange in einer Kammer gehaust habe.«

»Kann ich mir auch nichts 'bei denken.«

»Geht mir ebenso, alter Herr.«

»Ich dächte doch, das wäre eine echte, rechte Spukgeschichte; oder was fehlt denn noch daran?«

»Sie hat keine Pointe.«

»So? – Aber ein Teil dieser Geschichten tritt eben mit dem Reiz des Rätsels an uns heran und drängt uns, den Dingen nachzuspüren, die, wenngleich selber längst vergangen, noch solche Schatten aus dem leeren Raume fallen lassen.«

»Nun, und Ihre Geschichte?«

»Will ich ganz dem Scharfsinn der Damen überlassen und Ihnen lieber etwas anderes erzählen, wo ein solcher Zusammenhang sich von selbst ergibt, indem der Reflex der Begebenheit mit dieser selbst scheinbar in einen Moment zusammenfällt.

Auf dem Gymnasium zu H. hatte ich einen Schulkameraden, einen fleißigen und geschickten Menschen, mit welchem ich, da er in meiner Nachbarschaft wohnte, in fast täglichem Verkehr lebte. Als er eben in Sekunda eingetreten war, starb der Vater, welcher ein kleines städtisches Amt bekleidet hatte, und hinterließ Sohn und Witwe in den bedrängtesten Umständen. – Mit Hilfe von Stipendien, deren es dort viele gab, hätte mein Freund dessenungeachtet wohl seinen Plan, die Rechte zu studieren, durchführen können; aber der lebhafte Wunsch, schon jetzt etwas zu verdienen und dadurch die letzten Jahre seiner alternden Mutter zu erleichtern, veranlaßte ihn, vom Gymnasium abzugehen und auf dem dortigen Amtshause als Lohnschreiber einzutreten. Unser Umgang wurde dadurch nicht unterbrochen; wir machten wie sonst des Mittags unseren gemeinschaftlichen Spaziergang, und abends, wenn er aus seiner Kanzlei nach Hause gekommen war, saßen wir in dem von ihm und seiner Mutter gemeinschaftlich bewohnten Zimmer und nahmen miteinander die Lektionen durch, welche am folgenden Tage in der Schule vorkommen sollten; denn er hatte seine Lebenspläne keineswegs gänzlich aufgegeben, und wo der Abend nicht reichte, nahm er unbedenklich die Nacht zu Hilfe. So habe ich manche Stunde dort verbracht in gemeinsamer Arbeit oder in gemütlichem Gespräch. Die Mutter pflegte mit ihrem Strickzeug neben uns vor der kleinen Lampe zu sitzen. Ich sehe noch das stille, etwas kränkliche Gesicht, wenn sie mitunter von der Arbeit aufblickte und mit einem Ausdruck der Sorge und der zärtlichsten Verehrung die Augen auf ihrem einzigen Kinde ruhen ließ. Er nahm dann wohl, wenn er es bemerkte, ihre blasse Hand und hielt sie fest in der seinigen, während er in dem vor ihm liegenden Buche weiterlas. Aber es ging dann nicht wie sonst, es war, als wenn die Zärtlichkeit für seine Mutter ihm die Gedanken zerstreute, und ich erinnere mich noch, wie ihm bei solchem Anlaß plötzlich die Tränen aus den Augen sprangen und er dann mit einem Lächeln und einem kurzen Blick auf sie ihre Hand sanft in ihren Schoß zurücklegte. Es war eine Luft des Friedens und der Stille in diesem Zimmer, wie ich sie nirgend sonst empfunden habe. An der einen Wand stand ein altes dürftiges Klavier; mitunter sangen wir daran; dann legte die alte Frau ihr Strickzeug in den Schoß, und war es zufällig eine Melodie aus ihrer Jugend, so stand sie auch wohl auf und ging mit unhörbaren Schritten und leise vor sich hin summend im Zimmer auf und ab. Wenn es aber an der Wand auf der kleinen Schwarzwälder Uhr zehn geschlagen hatte, begann sie allmählich einen unruhigen Blick auf die große dunkle Gardinenbettstelle zu werfen, die im Hintergrunde des geräumigen Zimmers stand. Dann nahmen wir unsere Bücher, sagten ihr gute Nacht und gingen eine Treppe tiefer in die kleine Schlafkammer ihres Sohnes, wo wir noch einige Stunden unsere Studien fortzusetzen pflegten. Sie mochte dann schon ruhig in dem oberen Zimmer schlummern; denn es lag nach einem inneren Hofe, wo die nächtliche Ruhe durch nichts gestört wurde.

Aber dieses Leben mit seinem bescheidenen Glücke sollte nach einigen Jahren sein Ende erreichen. Kurz vor meinem Abgang zur Universität erkrankte die Mutter. Es war der Keim des Todes, der lange schon in ihr gelegen und nun zur Entfaltung kam; weder sie noch ihr Sohn verkannten das. Auf ihren Wunsch besuchte ich sie noch einmal, ehe ich abreiste. Das sonst so freundliche Zimmer war jetzt düster und öde, die Fenster tief verhangen, und aus den Kissen unter dem dunklen Betthimmel sah das leidende Gesicht der guten Frau. Während ihre magere Hand die meinige ergriff, sagte sie nur: ›So leben Sie denn recht wohl!‹ Aber wir fühlten beide, daß das ein Abschied für das Leben sei.

Was nun folgt, habe ich später aus dem Munde meines Freundes gehört; denn ich selbst verließ schon am Tage darauf die Stadt. – Er hatte sich, als die Schwäche der Mutter plötzlich in ungewöhnlicher Art zugenommen, die Erlaubnis ausgewirkt, seine Arbeiten im Hause zu fertigen, und saß nun im Krankenzimmer an dem entlegensten Fenster, von dem er ein wenig die Gardine zurückgeschlagen, bald emsig schreibend, bald einen sorglichen Blick nach den dunklen Vorhängen des Bettes hinüberwerfend. Wenn die Mutter wachte, saß er in dem alten Lehnstuhl vor ihrem Bett und sprach leise zu ihr oder las ihr aus der Bibel vor; oder er war nur bei ihr, daß ihre Augen zärtlich auf ihm ruhen konnten. Dort blieb er auch des Nachts sitzen, und wenn die Kranke im Anschauen seines blassen, überwachten Antlitzes ihn bat: ›Georg, leg' dich schlafen! Georg, du hältst es ja nicht aus!‹ oder wenn sie ihm versicherte: ›Geh nur; gewiß, es hat heut nacht noch nicht Gefahr‹, so faßte er nur um so fester die heiße Hand der Mutter, als müsse sie gerade jetzt, wenn er sich entfernen wollte, ihm entrissen werden.

Eines Nachts aber, da eine Linderung der Schmerzen eingetreten war und da er sich kaum mehr aufrechtzuerhalten vermochte, hatte er sich dennoch überreden lassen. – Unten in seiner Kammer lag er unausgekleidet auf seinem Bette; traumlos, in tiefem, bleiernem Schlaf. Oben beim Schein der Nachtlampe in sanftem Schlummer hatte er die Mutter zurückgelassen. Währenddes verging die Nacht, und der Tag fing eben an zu grauen; da wurde er plötzlich wie mit sanfter Gewalt aus dem Schlaf emporgezogen. Als er aufblickte, sah er die Tür der Kammer geöffnet und eine Hand, die mit einem weißen Tuch zu ihm hereinwehte. Unwillkürlich sprang er vom Bett auf; aber er hatte sich geirrt, die Tür seiner Kammer war eingeklinkt, wie er in der Nacht sie aus der Hand gelassen. Fast ohne Gedanken ging er die Treppe zu dem Krankenzimmer hinauf. – Es war still drinnen, die Nachtlampe war herabgebrannt, und unter dem dunklen Betthimmel fand er beim trüben Schein der Dämmerung die Leiche seiner Mutter. Als er sich bückte, um die Hand der Toten an seinen Mund zu drücken, die über den Rand des Bettes herabhing, faßte er zugleich ihr weißes Schnupftuch, das sie zwischen den geschlossenen Fingern hielt.«

»Und Ihr Freund? – Wie ist es dem ergangen?«

»Es ist ihm gut ergangen; denn er hat nach mancher Not und schweren Arbeit seinen Lebensplan verwirklicht; und er lebt noch jetzt wie unter den Augen und in der Gegenwart seiner Mutter; ihre Liebe, die sie so ohne Rückfall ihm im Leben gab, ist ihm ein Kapital geworden, das auch in den schwersten Stunden ihn nicht hat darben lassen.

Aber Klärchen, was hältst du denn die Hände vor den Augen?«

»Oh – mir graut nicht.«

»Aber du weinst ja!«

»Ich? – – Warum erzählst du auch so dumme Geschichten!«

»Nun! So mag es denn die letzte sein; ich wüßte für heute auch nichts Besseres zu erzählen.«

II

»Aber es ist noch einmal wieder Sommer geworden, alter Herr! Wo bleiben da unsere Geschichten? Ein Kaminfeuer läßt sich doch bei sechzehn Grad Wärme nicht anzünden!«

»Gnädige Frau, wenn es auch wetterleuchtet draußen, wir sind immerhin schon dicht an den November. Der Teetisch tut es auch für heute; lassen Sie nur den Kessel sausen, ich meinerseits bin mit dem Akkompagnement zufrieden. Freilich –«

»Was denn freilich?«

»Wenn der Teekessel ein Vertreter des häuslichen Herdes sein soll, so muß er unbedingt auf einem Kohlenbecken kochen, und zwar auf Torfkohlen, gehörig durchgeglühten. Das hält auch besser Dauer als jene ungemütliche Maschinerie.«

»Nun, alter Herr, es soll mir auf ein Kännchen Sprit nicht ankommen!«

»Bleibt aber doch immerhin die Apothekerflamme der Berceliuslampe! – Indessen, da es hierorts weder einen Torf noch einen Teekomfort gibt – Sie kennen das Ding wohl nicht einmal? –, so akzeptiere ich das Kännchen Sprit.«

»Nun, so tun Sie Ihre Mauskiste auf! Was haben Sie zu erzählen?«

»Ich habe heute, da ich an einem neu eröffneten Putzladen vorbeiging, lebhaft einer alten Freundin in der Heimat gedenken müssen. Sie war die Tochter eines Handwerkers aus einem Nachbarstädtchen und wohnte längere Zeit in einem meinen Eltern gehörigen Häuschen, dessen Hof an den Garten unseres Wohnhauses grenzte. Sehr gegen ihre Neigung suchte sie ihren Unterhalt durch Putzarbeiten zu erwerben, die sie für die weibliche Bevölkerung der Umgegend verfertigte. Auch verhehlte sie sich keineswegs, daß ihr die Sache ziemlich übel von der Hand ging; und wenn sie nur irgend Feierabend machen konnte, schloß sie die verhaßte Arbeit in die Kommodenschublade und nahm statt dessen eins ihrer geliebten Bücher zur Hand, oder sie griff auch wohl selbst zur Feder und brachte eine kleine Geschichte oder irgendeinen sinnigen Gedanken zu Papier. Die Beschränktheit ihrer Lebensverhältnisse, verbunden mit dem Drang, allerlei feingeistige Nahrung zu sich zu nehmen – denn Rahels Briefe waren ihre Lieblingskost –, hatten eine seltsame, aber nicht uninteressante Aufftassung der Dinge bei ihr hervorgebracht; und wir haben über das Gartenstaket hinweg manch kurzweiliges Plauderstündchen miteinander abgehalten.«

»Hans!«

»Was denn, Frau?«

»Du verdunkelst da etwas. – Durch jenes Häuschen führte ein Richtweg nach der Hauptstraße; und neben dem Wege war das Stübchen der Putzmacherin. Gesteh' es nur, Hans; dort hast du gesessen, zwischen Lilien und Rosen!«

»Aber, meine Damen, meine Freundin war keineswegs eine Sandsche Geneviève, sondern eine gesetzte, hagere Person von fünfundvierzig Jahren!«

»Aber sie hatte noch sehr blanke, braune Augen, Hans, und die lebhafte Röte ihres Angesichts zeugte von der Erregbarkeit ihres Herzens, und wenn sie mir damals auch in gewählten Worten ihre Freude über unsere Verlobung aussprach, weil der böse Leumund die Besuche des jungen Mannes nun nicht mehr mißdeuten könnte, so habe ich doch darin das verhüllte Bekenntnis gegenseitiger Neigung nicht verkennen können.«

»Ich will unsere beiderseitige Zuneigung keineswegs herabsetzen. Jene Äußerung meiner Freundin aber dürfte wohl nur von einer übermäßigen Jungfräulichkeit herrühren, wie sie durch ein zu langes Verweilen im ledigen Stande mitunter hervorgetrieben wird. Denn als sie später dennoch sich verheiratete und zum Erstaunen der Welt eines tüchtigen Knaben genas, hat sie sich anfänglich nicht überwinden können, den Jungen an die Brust zu legen, weil, wie sie sich ausdrückte, das Kind anderen Geschlechts sei.«

»Hans! – – Du lügst ja; sie hat sich ja gar nicht verheiratet.«

»Nicht? – Nun, da verwechsle ich die Geschichte. Sei dem wie ihm wolle, diese meine Freundin, der ich ein treues Gedächtnis bewahre, war im Heimlichen wie im Unheimlichen sehr zu Hause. Von ihren mancherlei Geschichten ist mir indessen – verzeih, Klärchen! – nur ein Traum im Gedächtnis geblieben!

›Es existierte‹ – so erzählte sie mir – ›vorzeiten in unserer Gegend eine reiche holländische Familie, welche allmählich fast alle großen Höfe in der Nähe meiner Vaterstadt in Besitz bekommen hatte – vorzeiten, sage ich; denn das Glück der van A... hatte nicht standgehalten. In meiner Kindheit lebte von der ganzen Familie nur noch eine alte Dame, die Witwe des längst verstorbenen Pfenningmeisters van A..., die übrigen Glieder der Familie waren gestorben, zum Teil auf seltsame und gewalttätige Weise ums Leben gekommen; und von den ungeheuren Besitzungen war nur noch ein altes Giebelhaus in der Stadt zurückgeblieben, in welchem die Letzte dieses Namens den Rest ihrer Tage in Einsamkeit verlebte. Ich habe sie damals oft gesehen, das schmale, scharfgeschnittene Gesicht von dem dichten Haubenstriche eingefaßt; aber wir Kinder hatten Scheu vor ihr, es lag etwas in ihren Augen, das uns erschreckte. Auch ging allerlei unheimliches Gerede, nicht allein über den Erwerb des Vermögens in früherer Zeit, sondern auch über die Mittel, durch welche der verstorbene Pfenningmeister den Ruin desselben aufzuhalten versucht habe. Ob es ein Mißbrauch seines Amtes oder was es sonst gewesen sein sollte, erinnere ich mich nicht mehr; wohl aber, daß man die überlebende Witwe als die eigentliche Urheberin davon betrachtete. Gleichwohl war es immer eine Art Fest für mich, wenn ich, wie dies wohl bei einer Bestellung für meine Eltern geschah, einige Minuten in ihrem hohen, mit altmodischen Seltsamkeiten angefüllten Zimmer verweilen durfte. Ich sehe sie noch vor mir, wie sie neben dem Glasschrank strack und steif in ihrem Lehnstuhl saß, zwischen Schriften und Rechnungsbüchern umhertastend oder ein großes Strickzeug mit ihren hageren Fingern bewegend. Nur einmal habe ich einen anderen Menschen als ihre alte Magd bei ihr angetroffen; und die kurze Szene, von der ich damals Augenzeuge wurde, machte auf mich einen tiefen Eindruck, ohne daß ich mir über die Bedeutung derselben klar zu werden vermocht hätte. Es war ein zerlumptes Weib aus der Stadt, das vor der alten Dame stand. Bei meinem Eintritt warf sie ihr einen harten Speziestaler vor die Füße und ging dann unter höhnenden, leidenschaftlichen Worten zur Tür hinaus. Die Frau van A..., die nichts darauf erwidert hatte, stand jetzt von ihrem Lehnstuhl auf und ging, ohne von mir Notiz zu nehmen, eine lange Weile im Zimmer auf und ab, indem sie die Hände umeinanderwand und halblaute klagende Worte hervorstieß. – Plötzlich eines Morgens hieß es, daß sie gestorben sei, und schon am Nachmittag wußte ich mich in das Sterbehaus zu schleichen und betrachtete durch das Fenster der Stubentür mit einem aus Grauen und Neugier gemischten Gefühl das wachsbleiche Gesicht, das aus den weißen Kissen der Alkovenbettstelle hervorragte. Dann nach einigen Tagen kam die Begräbnisfeier; ich verspeiste mit großem Appetit die leckeren Butterkrinkel, die beim Leichenschmaus in der Nachbarschaft verteilt wurden, und sah von unseren Treppensteinen aus den mit schwarzem Tuch bezogenen Sarg aus dem alten Hause hinaus- und die lange Straße hinabtragen.

Einige Wochen später träumte mir, daß ich in der Dämmerung auf unserem langen Hausflur spielte. Bei der immer stärker hereinbrechenden Dunkelheit überfiel mich mit einem Male ein Gefühl von Einsamkeit, und ich wollte eben in die Stube zu meiner Mutter gehen, als ich die Haustürglocke schellen und die alte Frau van A... hereintreten sah. Ich war mir vollständig bewußt, daß sie tot sei, und schlüpfte, da sie näher kam, nur kaum an ihr vorbei in die Wohnstube, wo meine Mutter eben das Licht angezündet hatte. Während ich zu ihr lief und mich an ihrer Schürze festhielt, bemerkte ich, daß die Verstorbene in eine bunte Nachtjacke und einen weißen wollenen Unterrock gekleidet war, wie ich sie in frühen Morgenstunden wohl mitunter gesehen hatte. Sie ging auf den kleinen, in die Wand gemauerten Beilegeofen zu und streichelte mit zitternden Händen die daran befindlichen Messingknöpfe; dabei wandte sie den Kopf zu meiner Mutter und sagte mit einer traurigen Stimme: ‚Ach, Frau Nachbarin, darf ich mich wohl ein bißchen wärmen? Mich friert so sehr!‘ Und als sie leise vor sich hin seufzend noch eine Weile stehen blieb, bemerkte ich, daß unten der Saum ihres wollenen Rockes an mehreren Stellen angebrannt war. – – Wie der Traum ausgegangen, weiß ich nicht; ich dachte am anderen Morgen nicht eben lange daran und sagte auch niemandem davon. Aber er erneuerte sich. – Einige Nächte darauf träumte mir, daß ich abends wie gewöhnlich mit meiner Näharbeit neben meiner Mutter in der Stube sitze, da schellte es draußen an der Haustür. ‚Sieh zu, wer da ist!‘ sagte meine Mutter; und als ich die Tür öffne, um hinauszusehen, steht wieder die Frau van A... vor mir, in derselben Kleidung, wie ich sie das vorige Mal gesehen. Von dem entsetzlichsten Grauen befallen, springe ich zurück und krieche längs der Wand unter den großen Tisch, welcher in der Ecke am Fenster stand. Wie das erstemal ging die Frau, leise vor sich hin jammernd, an den Ofen. ‚Mich friert, ach, wie mich friert!‘ sagte sie, und ich hörte deutlich, wie ihre Zähne aufeinanderschlugen. Bei dem Schein des auf dem Tische stehenden Lichtes bemerkte ich jetzt auch, daß sie bloße Füße hatte; aber seltsamerweise, es waren große Brandwunden an denselben, und auch der wollene Rock war heute weit mehr verbrannt als in der vorigen Nacht. Und dabei stand sie fortwährend und klammerte sich mit den Händen an den Ofen, nur mitunter einen Seufzer oder ein tiefes Stöhnen ausstoßend.

Der Traum wollte mich diesmal am Morgen nicht wieder verlassen. Während des Frühstücks duldete mein Vater nicht, daß irgend etwas Aufregendes oder Unangenehmes von uns vorgebracht wurde. Als aber später meine Mutter aufstand und in die Küche ging, folgte ich ihr und erzählte ihr dort genau, was mir in den beiden Nächten geträumt hatte. Ich sehe noch die Bestürzung, die sich während meiner Erzählung in ihrem Gesicht ausdrückte. Ich hatte kaum geendet, als sie die Hände über dem Kopf zusammenschlug und in ihrer plattdeutschen Mundart ausrief: ‚Herr Gott im Himmel, ganz min egen Droom!‘ – Dann erzählte sie mir, wie sie in denselben Nächten im Traum genau dasselbe erlebt hatte wie ich. – – Später hat sich indessen der Traum bei uns nicht wiederholt.‹«

»Woher ist die tote Frau gekommen?«

»Ich kann Ihnen hierauf leider keine Antwort geben.

Aber zwei andere Fragen treten bei dieser Geschichte, an deren Wahrheit ich keinen Grund zu zweifeln habe, wenigstens an mich noch näher heran. War der eine Traum nur die Quelle des anderen, wie das bei dem Wolfe so augenscheinlich der Fall zu sein scheint, oder gab es noch ein Drittes, worin dieselben ihren gemeinsamen Ursprung hatten? –

Lassen Sie mich Ihnen indessen sogleich noch einen anderen Vorfall erzählen.

Vor einigen Jahren verlebte ich, wie Sie wissen, mit meiner Frau ein paar Wochen auf dem Gute meines Bruders. Wenn wir des Tags zwischen Wiesen und Kornfeldern umhergeschlendert oder auch wohl mit den Kindern in den nahen Wald gefahren waren, so stand abends im Hause ein sehr behaglicher Teetisch für uns bereit, an dem sich auch wohl der eine oder andere von den benachbarten Hofbesitzern einzufinden pflegte. Bei solcher Veranlassung beklagte sich eines Abends mein Bruder gegen seinen nächsten Gutsnachbar, einen Mann, mit dem es sich sehr angenehm plauderte, daß ihm seit einiger Zeit fortwährend kleine Quantitäten Frucht von seinem Boden abhanden gekommen, ohne daß er den Dieb zu entdecken vermocht hätte. Nachdem alles durchgesprochen war, was etwas zur Aufklärung der Sache dienen mochte, sagte Herr B...r: ›Mir selbst ist es in einem ähnlichen Falle nach dem Sprichwort ergangen: Gott gibt's den Trägen im Schlaf!‹ – Auf näheres Befragen erzählte er dann folgendes:

›Wie Sie wissen, pflegte ich die zu meinem Haferboden führende Falltür jeden Abend mit einem Vorlegeschloß zu verschließen und den Schlüssel beim Zubettgehen mit in meine Schlafkammer zu nehmen. So habe ich es schon seit vielen Jahren gehalten. In dem Herbste, ehe Sie im Frühjahr darauf in unsere Nachbarschaft kamen, bemerkte ich mehrfach, wenn ich des Morgens auf den Boden kam, daß in der Nacht jemand, und zwar in scheinbarer Hast, über dem Hafer gewesen sei. Denn es war bald an dem einen, bald an dem anderen Ende des Haufens darin gewühlt, und eine Menge Körner lagen unordentlich über die Dielen zerstreut, was ich an den Abenden vorher, wo ich zufällig auch dort gewesen war, nicht bemerkt hatte. Mein erster Gedanke war, daß mein Kutscher, dem ich seit einiger Zeit, zu seinem großen Ärger, die Rationen für die Pferde etwas beschränkt hatte, aus Liebe zu dem armen Viehzeug zum Spitzbuben geworden sei. Allein aus verschiedenen Gründen mußte ich den Verdacht aufgeben.

Da träumte mir eines Nachts, ich stehe im Mondschein auf dem Haferboden am Fenster. Wie ich dahingelangt sein sollte, wußte ich nicht anzugeben; denn es war mir sehr wohl bewußt, daß die Falltür verschlossen sei. Plötzlich höre ich unter derselben einen Schlüssel in dem Vorlegeschloß umdrehen; gleich darauf hebt sich die Tür, und ich sehe bei der im dem Raume herrschenden Mondhelle das Gesicht eines Menschen von der Treppe her auftauchen, in dem ich deutlich einen alten Arbeiter erkannte, der schon seit vielen Jahren bei mir gearbeitet und den ich in keiner Weise in Verdacht gehabt hatte. Während er noch mit dem Arm die Tür zurückdrängt, scheint auch er mich gewahr zu werden, denn die Tür fällt wieder zu, und ich sehe nichts mehr.

Aber ich erwache. Das Gesicht war so lebhaft gewesen, daß mir das Herz klopfte, und dabei schien der Mond so grell in die Kammer; gerade wie ich es im Traum gesehen. Ich wollte aufstehen und die Sache sogleich untersuchen, aber ich schalt mich einen Narren; auch war es kalt draußen, über den Hof zu gehen, und das Bett war so behaglich warm. Mit einem Wort, ich konnte mich nicht überwinden und schlief endlich wieder ein.

Am anderen Morgen, als ich beim Frühstück saß, trat der alte Martin zu mir in die Stube. Er sah verstört aus, drehte seine Mütze in den Händen und stand eine ganze Weile vor mir, ohne ein Wort hervorbringen zu können. ‚Jagen Sie mich nicht fort, Herr‘, sagte er endlich, ‚es ist aus großer Not geschehen.‘ – ‚Wie meint Er das, Martin?‘ fragte ich. – Er sah mich an. ‚Ich wollte auch schon sogleich auf den Boden zurück‘, sagte er dann, ‚aber ich war so sehr erschrocken, als ich Sie da so am Fenster stehen sah.‘ – Während ich in diesem Augenblick vielleicht nicht weniger erschrak, erfuhr ich nach und nach die näheren Umstände des Diebstahls und die unglücklichen Verhältnisse, die den bisher ehrlichen Mann zum Verbrecher gemacht hatten.‹

Hier schwieg der Erzähler. Von meinem Bruder erfuhr ich später, daß er dem alten Martin damals gründlich geholfen und ihn auch bis zu dessen Tode auf dem Hofe behalten hat. – – Da hätten wir also eine Geschichte, wo der Wachende durch den Träumenden zum Visionär wird. – Aber der Tee dürfte indessen fertig sein; vielleicht ist Klärchen so gütig?«

»Aber was sehen Sie denn so in die Tasse, alter Herr? Er ist vorschriftsmäßig präpariert.«

»O der! Der prophezeit aus der Teetasse oder vielmehr aus der Tasse Tee wie die Hexe aus dem Kaffeesatz. Nämlich nicht etwa das Schicksal, sondern den Bildungsgrad der Familie, in der die Tasse präsentiert wird; und wenn wir hier nicht so ganz unzweifelhaft gebildete Leute wären, ich glaube, er wäre imstande, mitunter daran zu zweifeln.«

»Was ist das, alter Herr! Verteidigen Sie sich, oder – prophezeien Sie lieber einmal; Sie haben die Tasse ja in Händen.«

»Meine gnädigste Frau, Sie werden mir zugeben, daß, so wie das Bier der Feind, so der Tee der Freund der denkenden Menschen ist; und es dürfte daher die Art, wie dieser Freund in einem Hause be- respektive mißhandelt, wie er serviert und genossen wird zu allerlei nicht gar zu fehltreffenden Schlußfolgerungen in der angedeuteten Beziehung berechtigen.«

»Das ist ja aber eine ganz unverschämte Theorie!«

»Ich will mich schlafen legen; denn jetzt folgt das ganze Rezept der Teebereitung.«

»Nein, Kläre, es folgt nicht, obgleich so etwas von einem Küstenmenschen zu hören Euch hier nur ersprießlich sein könnte.«

»Seien Sie nicht so grob, alter Herr!«

»Ich bestrafe mich durch Schweigen. Aber Herr T. wird Ihnen die Geschichte erzählen, die ich ihm schon seit lange am Gesichte angesehen habe.«

»Sie haben nicht fehlgesehen; es ist mir allerdings etwas eingefallen, das sich dem vorhin Erzählten anschließt, nur daß es noch um einen Schritt darüber hinausgeht.«

»Wir sind bereit, zu hören.«

»›Als ich vor einigen Jahren, es war um Ostern, in B. in Garnison stand‹ – so erzählte mir der Hauptmann von K. –, ›wollten die dortigen Offiziere einer schönen Fremden, mit der wir den Winter über viel und gern getanzt hatten, einen Abschiedsball geben. Eine unumgängliche Reparatur war Veranlassung, daß wir auf den Saal des Kasinos verzichteten und uns nach einem anderen Lokal umtun mußten. Das hatte indessen in B., das an dergleichen Räumlichkeiten etwa nicht reich ist, seine Schwierigkeiten. Es wurde ein Komitee von vier Festordnern niedergesetzt, zu denen auch ich gehörte, und demselben das ganze Arrangement der Sache, vor allem aber die Aufspürung des Ballsaales, aufgetragen. Endlich nach vielen Bemühungen war er gefunden; in einem großen, ziemlich baufälligen Hause der Vorstadt, das in früheren Jahren, als B. noch Universitätsstadt war, zum öffentlichen Tanzlokale gedient hatte. Jetzt wurde es in seinen oberen Räumlichkeiten als Kornspeicher benutzt; der ungeheure Saal selbst stand gegenwärtig leer und ungebraucht. Aber mochte er schon in seinen besten Zeiten sich nur einer bescheidenen Ausrüstung erfreut haben, jetzt, mit den vor Feuchtigkeit triefenden Wänden, mit der dumpfen

Luft hinter den geschlossenen Fensterläden dünkte er mich beim ersten Eintritt in der Tat wie eine große Gruft. Desto mehr gab es für uns zu tun; denn wodurch ließe sich ein tanzlustiges Offizierkorps wohl entmutigen. Es gab indessen ein neues Hindernis zu überwinden. Der Pächter des Hauses hatte eben eine Quantität Korn gekauft, welche in den nächsten Tagen auf dem Saal gelagert werden sollte, da die Böden so gut wie besetzt waren. Wir ließen uns auch das nicht anfechten; wir gingen zu dem Herrn Agenten, wir plauderten mit ihm, wir machten uns liebenswürdig und brachten es auch wirklich dahin, daß der nachgiebige Mann, augenscheinlich wider bessere Einsicht, das Korn in den oberen Räumen des Gebäudes unterbringen ließ. Dann wurden Maurer, Tischler, Tapezierer in Arbeit gesetzt; in dem alten Saale wurde gelüftet, gehämmert, drapiert und gestrichen; und täglich ging einer oder der andere von uns dahin, um die Arbeiten zu beaufsichtigen und anzuordnen. – Plötzlich, zu meinem großen Bedauern, wurde ich nach H. abkommandiert. Da war kein Ausweg, ich mußte auf den Ball verzichten. An meiner Stelle trat auf meinen Vorschlag der Hauptmann v. L. in das Festkomitee, mein ältester und intimster Jugendfreund.

Ein paar Tage, nachdem ich meinen neuen Bestimmungsort erreicht hatte, saß ich eines Nachmittags, mit Briefschreiben beschäftigt, auf meinem Zimmer. Ich schrieb an L., den ich um die Nachsendung einiger Effekten und die Bezahlung einiger kleiner Schulden ersuchen wollte. Ich hatte auch sonst noch so manches auf dem Herzen, was ich dem Freunde mitteilen mußte. So saß ich, ganz in meinen Brief vertieft. Als ich aber zufällig einmal die Augen aufschlage, sehe ich zu meiner Verwunderung L. selbst in der Ecke des Zimmers stehen und mit sonderbar ausdruckslosen Augen nach mir hinstarren. Er sprach nicht; aber er führte mit einer schwerfälligen Gebärde die Hand an die Lippen und schien sich damit etwas aus dem Munde zu ziehen. Es kam mir vor, als ob es Getreidekörner seien. Indem ich aber die Augen anstrengte, um schärfer zu sehen, wurde die Gestalt undeutlich, und bald sah ich nichts mehr als die nackten Wände. Erst jetzt, als ich mich in dem hellen Zimmer wieder allein fand, überkam mich das Gefühl des Unheimlichen; ich stand auf und verschloß den angefangenen Brief in meinen Sekretär, ich konnte mich nicht überwinden, ihn zu Ende zu schreiben.

Einige Tage darauf erhielt ich von einem anderen Kameraden die Nachricht, daß an jenem Vormittage der mit Getreide überlastete Boden oberhalb des Saales eingestürzt sei. Als man das Korn hinweggeräumte, hatte man unter demselben die Leiche des Hauptmanns v. L. gefunden, der, da die Arbeiter zum Mittagessen fortgegangen waren, sich zur Zeit des Unfalls allein in dem schon fast vollendet umgestalteten Festlokale aufgehalten hatte.‹«

»Horatio sagt, es sei nur Einbildung!«

»Wer sprach da? – Du, Alexius? Endlich?«

»Ich habe schon zu Anfang eurer Geschichte hier an der Portiere gestanden und zugehört, wie ihr von den Träumenden auf den Sterbenden gekommen seid. Es bleibt nun noch eins übrig; und wenn ihr hören wollt, so werde ich mich nicht scheuen, diesen letzten Schritt zu tun. – Nein, bleibt nur ruhig sitzen! Es läßt sich auch von hier aus erzählen.

Ich habe diese seltsame Geschichte von einem nahen Verwandten, der sie zum Teil selbst erlebt, teils später aus nächster Quelle erfahren hat. Er hielt sich vor mehreren Jahren vorübergehend in B. auf, wo derzeit auch der in wissenschaftlichen und künstlerischen Kreisen bekannte Geheime Medizinalrat W... lebte. Eines Abends, da er in Gesellschaft mit demselben zusammentraf, geriet die Unterhaltung in Veranlassung eines soeben erschienenen Buches ›Über das Leben der Seele‹, unmerklich in jene dunkle Region, wo wir so gern mit unsicherem Finger umhertasten. Man besprach die Fortexistenz der Seele nach dem Vergehen des Körpers und endlich auch die Möglichkeit einer Einwirkung der Toten auf die Lebendigen. Der alte Medizinalrat hatte bei dieser letzten Wendung des Gesprächs schweigend in seinem Lehnstuhl gesessen. Nun erhob er den weißgepuderten Kopf und sagte: ›Meine verehrten Herrschaften, wenn dergleichen möglich wäre, so würde ich es ohne Zweifel an mir erfahren haben; ich will auch nicht leugnen, daß mir mitunter die Gedanken so gekommen sind; jedoch geschehen ist mir niemals etwas.‹ Auf näheres Andringen fuhr er dann fort: ›Es ist kein Hehl dabei, ich kann es in diesem vertrauten Kreise wohl mitteilen, zumal Sie den, welchen es betrifft, gekannt und auch wohl wertgehalten haben. Ich meine unseren verstorbenen Freund, den Justizrat Z. Sie werden sich erinnern, daß er jahrelang an einem Herzleiden kränkelte, bis es endlich seinem tätigen Leben ein plötzliches Ziel setzte. Der Zustand des Kranken war derart, daß darüber die differentesten Meinungen bei den zu Rate gezogenen Ärzten herrschten. – Während der letzten Monate hatte ich mit diesem werten Freunde, der sich rücksichtlich des annahenden Todes keineswegs einer Täuschung hingab, vielfache Gespräche gepflogen, wie wir sie heute abend hier gehört haben; namentlich liebte er es, sich hypothetischen Grübeleien über einen notwendigen Zusammenhang des Körpers mit der Seele hinzugeben. Nur daraus vermag ich es zu erklären, daß der sonst so verständige Mann von einer fast unbegreiflichen Angst vor einer demnächstigen Sektion seiner Leiche heimgesucht wurde, welche er andererseits von der wissenschaftlichen Neugier meiner Herren Kollegen mit gutem Grund erwarten konnte.

So kam es eines Abends, daß ich, der ich ihn mit jeweiliger Zuziehung des Professors X. in den letzten Jahren behandelt hatte, ihm auf sein dringendes Verlangen das feierliche Versprechen gab, bei Eintritt des Todes die Eröffnung seiner Leiche unter jeder Bedingung zu verhindern. – Kurz ehe dieser erfolgte, mußte ich in Veranlassung einer amtlichen Kommission die Stadt verlassen, nachdem ich die Sorge für diesen wie für meine anderen Kranken dem Professor X. übertragen hatte. – Ich kehrte erst nach mehrtägiger Abwesenheit in die Stadt zurück. Es war schon dunkel. Als ich an dem Hause des Justizrats Z. vorüberfuhr, sah ich mit Verwunderung, daß die beiden Wohnzimmer desselben hell erleuchtet waren; das fiel mir auf, denn die Fenster des Krankenzimmers lagen nach dem Hofe hinaus. Ich ließ den Kutscher halten und begab mich nun unmittelbar aus dem Wagen in das Haus. Bei meinem Eintritt in das erste Zimmer blinkten mir von seiner Kommode die Skalpelle und sonstige Gerätschaften entgegen; dabei der für einen Anatomen unverkennbare signifikante Geruch. Aus der angrenzenden Stube hörte ich die diktierende Stimme des Professors X.; ich brauchte nichts weiter zu erfahren, ich wußte alles, was geschehen war. – Als ich die zweite Tür öffnete, sah ich den Leichnam meines Freundes auf dem Tische liegen; er war schon eröffnet, die Intestina zum Teil herausgenommen, die Sektion in vollem Gange. Ich war heftig bewegt – und statt auf die gelehrten Auseinandersetzungen des Professors X. und des ihm assistierenden Arztes einzugehen, teilte ich ihnen meine dem Toten gegebene feierliche Zusage mit. Die Herren wollten dieselbe zwar nur als ein Beruhigungsmittel gelten lassen, wie solches dem Kranken wohl ohne weitere Absicht gegeben wird, indessen schließlich mußten sie mir dennoch versprechen, von weiterem Verfahren abzustehen und die herausgenommenen Teile in den Körper zurückzulegen. Ich verließ sie dann und fuhr nach meiner Wohnung; ermüdet von der Reise, voll Schmerz um den Tod des Freundes und belastet mit einer unheimlichen Trauer, daß ich ihm das gegebene Wort nun dennoch nicht hatte halten können. – Es ist nun fast ein Jahr vergangen, aber gleichwohl – ich bin niemals daran gemahnt worden.‹

Der Medizinalrat schwieg, und es entstand eine augenblickliche Stille in der Gesellschaft, die wohl dem Andenken des Verstorbenen gelten mochte. Mit einem Male aber richteten sich die Blicke der Anwesenden wieder auf den Erzähler, der seinen Lehnstuhl verlassen hatte und mit vorgestreckten Händen in der Stellung eines Horchenden dastand. In dem faltenreichen alten Gesicht war der Ausdruck der höchsten Spannung, ja der Bestürzung nicht zu verkennen. Nach einer Weile hörte man ihn halblaut, wie zu sich selber, sagen: ›Das ist entsetzlich!‹ Als hierauf der Herr des Hauses, einer seiner ältesten Freunde, ihn sanft bei der Hand ergriff, richtete er sich langsam auf und blickte in der Gesellschaft umher, als wolle er gewiß werden, wo er sich befinde. ›Meine verehrten Herrschaften‹, sagte er dann, ›ich habe soeben etwas erfahren – was und woher, erlassen Sie mir, Ihnen mitzuteilen! Nur so viel mag ich sagen, daß meine vorhin geäußerten Ansichten dadurch im wesentlichen berichtigt werden dürften. – Zugleich muß ich bitten, mich für heute abend zu entlassen; ich habe einen notwendigen Gang zu tun.‹ – – Der Medizinalrat nahm Hut und Stock und verließ die Gesellschaft. Als er draußen war, ging er quer über den Markt nach der Wohnung des Professors X., den er in seinem Studierzimmer antraf. Er redete ihn ohne weiteres an: ›Sie erinnern sich noch des Justizrats, Herr Professor, und der von Ihnen geleiteten Sektion seiner Leiche?‹ – ›Gewiß, Herr Medizinalrat.‹ – ›Auch des mir bei dieser Gelegenheit gegebenen Versprechens?‹ – ›Auch dessen.‹ – ›Aber Sie haben mich getäuscht, Herr Kollege!‹ – ›Ich verstehe Sie nicht, Herr Kollege.‹ – ›Sie werden mich schon verstehen, wenn Sie mir nur erlauben wollen, dort einige Bücher in dem dritten Fach Ihres Repositoriums hinwegzuräumen!‹ – Und ehe der andere noch zu antworten vermochte, war der aufgeregte Greis schon herangetreten, und nachdem er mit zitternden Händen einige Bände beiseite gelegt, holte er aus der Ecke des Faches einen Glashafen hervor, in welchem sich ein Präparat in Spiritus befand. Es war ein ungewöhnlich großes menschliches Herz. – ›Es ist das Herz meines Freundes‹, sagte er, das Glas mit beiden Händen fassend; ›ich weiß es, aber der Tote muß es wiederhaben; noch heute, diese Nacht noch!‹ – Der Professor wurde bestürzt; er war überzeugt, daß kein Mensch dem Medizinalrate seinen heimlichen Besitz verraten haben konnte. Aber er gestand demselben, daß in der Tat an jenem Abend das anatomische Gelüste über seine Gewissenhaftigkeit den Sieg davongetragen habe. – – Das Herz des Toten wurde noch in derselben Nacht zu ihm in den Sarg gelegt.«

»Pfui! Wer befreit mich von diesem Schauder?«

»Schauder? Du sprichst ja wie ein moderner Literarhistoriker.«

»Ich? Weshalb?«

»Weil du in dem Grauen nur die Gänsehaut siehst.«

»Nun, und was wäre es denn anders?«

»Was es anders wäre? – – Wenn wir uns recht besinnen, so lebt doch die Menschenkreatur, jede für sich, in fürchterlicher Einsamkeit; ein verlorener Punkt in dem unermessenen und unverstandenen Raum. Wir vergessen es; aber mitunter dem Unbegreiflichen und Ungeheuren gegenüber befällt uns plötzlich das Gefühl davon; und das, dächte ich, wäre etwas von dem, was wir Grauen zu nennen pflegen.«

»Unsinn! Grauen ist, wenn einem nachts ein Eimer mit Gründlingen ins Bett geschüttet wird; das hab' ich schon gewußt, als meine Schuhe noch drei Heller kosteten.«

»Hast recht, Klärchen! Oder wenn man abends vor Schlafengehen unter alle Betten und Kommoden leuchtet, und ich weiß eine, die das sehr eifrig ins Werk setzen wird. Es könnte sogar sehr bald geschehen, denn es ist spät, meine Herrschaften; Bürger-Bettzeit, wie ich fast in dieser auserwählten Gesellschaft gesagt hätte.«

Der kleine Häwelmann

Ein Kindermärchen

Es war einmal ein kleiner Junge, der hieß Häwelmann. Des Nachts schlief er in einem Rollenbett und auch des Nachmittags, wenn er müde war; wenn er aber nicht müde war, so mußte seine Mutter ihn darin in der Stube umherfahren, und davon konnte er nie genug bekommen.

Nun lag der kleine Häwelmann eines Nachts in seinem Rollenbett und konnte nicht einschlafen; die Mutter aber schlief schon lange neben ihm in ihrem großen Himmelbett. »Mutter«, rief der kleine Häwelmann, »ich will fahren!« Und die Mutter langte im Schlaf mit dem Arm aus dem Bett und rollte die kleine Bettstelle hin und her, und wenn ihr der Arm müde werden wollte, so rief der kleine Häwelmann: »Mehr, mehr!« und dann ging das Rollen wieder von vorne an. Endlich aber schlief sie gänzlich ein; und so viel Häwelmann auch schreien mochte, sie hörte es nicht; es war rein vorbei. – – Da dauerte es nicht lange, so sah der Mond in die Fensterscheiben, der gute alte Mond, und was er da sah, war so possierlich, daß er sich erst mit seinem Pelzärmel über das Gesicht fuhr, um sich die Augen auszuwischen; so etwas hatte der alte Mond all sein Lebtag nicht gesehen. Da lag der kleine Häwelmann mit offenen Augen in seinem Rollenbett und hielt das eine Beinchen wie einen Mastbaum in die Höhe. Sein kleines Hemd hatte er ausgezogen und hing es wie ein Segel an seiner kleinen Zehe auf; dann nahm er ein Hemdzipfelchen in jede Hand und fing mit beiden Backen an zu blasen. Und allmählich, leise, leise, fing es an zu rollen, über den Fußboden, dann die Wand hinauf, dann kopfüber die Decke entlang und dann die andere Wand wieder hinunter. »Mehr, mehr!« schrie Häwelmann, als er wieder auf dem Boden war; und dann blies er wieder seine Backen auf, und dann ging es wieder kopfüber und kopfunter. Es war ein großes Glück für den kleinen Häwelmann, daß es gerade Nacht war und die Erde auf dem Kopfe stand; sonst hätte er doch gar zu leicht den Hals brechen können.

Als er dreimal die Reise gemacht hatte, guckte der Mond ihm plötzlich ins Gesicht. »Junge«, sagte er, »hast du noch nicht genug?« –

»Nein«, schrie Häwelmann, »mehr, mehr! Mach' mir die Tür auf! Ich will durch die Stadt fahren; alle Menschen sollen mich fahren sehen.« – »Das kann ich nicht«, sagte der gute Mond; aber er ließ einen langen Strahl durch das Schlüsselloch fallen; und darauf fuhr der kleine Häwelmann zum Hause hinaus.

Auf der Straße war es ganz still und einsam. Die hohen Häuser standen im hellen Mondschein und glotzten mit ihren schwarzen Fenstern recht dumm in die Stadt hinaus; aber die Menschen waren nirgends zu sehen. Es rasselte recht, als der kleine Häwelmann in seinem Rollenbett über das Straßenpflaster fuhr; und der gute Mond ging immer neben ihm und leuchtete. So fuhren sie Straßen aus, Straßen ein; aber die Menschen waren nirgends zu sehen. Als sie bei der Kirche vorbeikamen, da krähte auf einmal der große goldene Hahn auf dem Glockenturme. Sie hielten still. »Was machst du da?« rief der kleine Häwelmann hinauf. – »Ich krähe zum erstenmal!« rief der goldene Hahn herunter. – »Wo sind denn die Menschen?« rief der kleine Häwelmann hinauf. – »Die schlafen«, rief der goldene Hahn herunter, »wenn ich zum drittenmal krähe, dann wacht der erste Mensch auf.« – »Das dauert mir zu lange«, sagte Häwelmann, »ich will in den Wald fahren, alle Tiere sollen mich fahren sehen!« – »Junge«, sagte der gute alte Mond, »hast du noch nicht genug?« – »Nein«, schrie Häwelmann, »mehr, mehr! Leuchte, alter Mond, leuchte!« Und damit blies er die Backen auf, und der gute alte Mond leuchtete, und so fuhren sie zum Stadttor hinaus und übers Feld und in den dunkeln Wald hinein. Der gute Mond hatte große Mühe, zwischen den vielen Bäumen durchzukommen; mitunter war er ein ganzes Stück zurück, aber er holte den kleinen Häwelmann doch immer wieder ein.

Im Walde war es still und einsam; die Tiere waren nicht zu sehen; weder die Hirsche noch die Hasen, auch nicht die kleinen Mäuse. So fuhren sie immer weiter, durch Tannen- und Buchenwälder, bergauf und bergab. Der gute Mond ging nebenher und leuchtete in alle Büsche; aber die Tiere waren nicht zu sehen; nur eine kleine Katze saß oben in einem Eichbaum und funkelte mit den Augen. Da hielten sie still. »Das ist der kleine Hinze!« sagte Häwelmann, »ich kenne ihn wohl; er will die Sterne nachmachen.« Und als sie weiterfuhren, sprang die kleine Katze mit von Baum zu Baum. »Was machst du da?« rief der kleine Häwelmann hinauf. – »Ich illuminiere!« rief die kleine Katze herunter. – »Wo sind denn die anderen Tiere?« rief der kleine Häwelmann hinauf. – »Die schlafen«, rief die kleine Katze herunter und sprang wieder einen Baum weiter; »horch nur, wie sie schnarchen!« – »Junge«, sagte der gute alte Mond, »hast du noch nicht genug?« – »Nein«, schrie Häwelmann, »mehr, mehr! Leuchte, alter Mond, leuchte!« Und dann blies er die Backen auf, und der gute alte Mond leuchtete; und so fuhren sie zum Walde hinaus und dann über die Heide bis ans Ende der Welt, und dann gerade in den Himmel hinein.

Hier war es lustig; alle Sterne waren wach und hatten die Augen auf und funkelten, daß der ganze Himmel blitzte. »Platz da!« schrie Häwelmann und fuhr in den hellen Haufen hinein, daß die Sterne links und rechts vor Angst vom Himmel fielen. – »Junge«, sagte der gute alte Mond, »hast du noch nicht genug?« – »Nein!« schrie der kleine Häwelmann, »mehr, mehr!« Und – hast du nicht gesehen! fuhr er dem alten guten Mond quer über die Nase, daß er ganz dunkelbraun im Gesicht wurde. »Pfui!« sagte der Mond und nieste dreimal »Alles mit Maßen!« Und damit putzte er seine Laterne aus, und alle Sterne machten die Augen zu. Da wurde es im ganzen Himmel auf einmal so dunkel, daß man es ordentlich mit Händen greifen konnte. »Leuchte, alter Mond, leuchte!« schrie Häwelmann, aber der Mond war nirgends zu sehen und auch die Sterne nicht; sie waren schon alle zu Bett gegangen. Da fürchtete der kleine Häwelmann sich sehr, weil er so allein im Himmel war. Er nahm seine Hemdzipfelchen in die Hände und blies die Backen auf; aber er wußte weder aus noch ein, er fuhr kreuz und quer, hin und her, und niemand sah ihn fahren, weder die Menschen noch die Tiere, noch auch die lieben Sterne.

Da guckte endlich unten, ganz unten am Himmelsrande ein rotes rundes Gesicht zu ihm herauf, und der kleine Häwelmann meinte, der Mond sei wieder aufgegangen. »Leuchte, alter Mond, leuchte!« rief er. Und dann blies er wieder die Backen auf und fuhr quer durch den ganzen Himmel und gerade drauflos. Es war aber die Sonne, die gerade aus dem Meer heraufkam. »Junge«, rief sie und sah ihm mit ihren glühenden Augen ins Gesicht, »was machst du hier in meinem Himmel?« Und – eins, zwei drei! nahm sie den kleinen Häwelmann und warf ihn mitten in das große Wasser. Da konnte er schwimmen lernen.

Und dann?

Ja und dann? Weißt du nicht mehr? Wenn ich und du nicht gekommen wären und den kleinen Häwelmann in unser Boot genommen hätten, so hätte er doch leicht ertrinken können!

Hinzelmeier

Eine nachdenkliche Geschichte

Die weiße Wand

In einem alten weitläuftigen Hause wohnten Herr Hinzelmeier und die schöne Frau Abel; sie waren nun schon ins zwölfte Jahr verheiratet, ja die Leute in der Stadt zählten ihnen nach, daß sie zusammen schon fast an die achtzig Jahre auf dem Nacken hätten, und noch immer waren sie jung und schön und hatten weder ein Fältchen vor der Stirn noch ein Hahnepfötchen unter den Augen. Daß dies nicht mit rechten Dingen zugehe, war nun freilich klar genug, und wenn die Hinzelmeierschen aufs Tapet kamen, so tranken die Stadtkaffeetanten drei Näpfchen mehr als am ersten Ostersonntagnachmittage. Die eine sagte: »Sie haben einen Jungbrunnen im Hofe!« Die andere sagte: »Es ist eine Jungfernmühle!« Die dritte sagte: »Ihr Bube, das Hinzelmeierlein, ist mit einer Glückshaube auf die Welt gekommen, und nun tragen die Alten sie wechselweise, Nacht um Nacht!« Das kleine Hinzelmeierlein dachte nun freilich nicht dergleichen; es kam ihm im Gegenteil ganz natürlich vor, daß seine Eltern immer jung und schön waren; aber gleichwohl bekam auch er sein Nüßchen, das er vergeblich zu knacken suchte.

Eines Herbstnachmittags, da es schon gegen das Zwielicht ging, saß er in dem langen Korridor des oberen Stockwerks und spielte Einsiedler; denn weil die silbergraue Katze, welche sonst bei ihm zur Schule ging, eben in den Garten hinabgeschlichen war, um nach den Buchfinken zu sehen, so hatte er mit dem Professorspiel für heute aufhören müssen. Er saß nun als Einsiedler in einem Winkel und dachte sich allerhand, wohin wohl die Vögel flögen, und wie die Welt draußen wohl aussehen möge, und noch viel Tiefsinnigeres; denn er wollte der Katze darüber auf den anderen Tag einen Vortrag halten – als er seine Mutter, die schöne Frau Abel, an sich vorübergehen sah. »Heisa, Mutter!« rief er; aber sie hörte ihn nicht, sondern ging mit raschen Schritten an das Ende des Korridors; hier blieb sie stehen und schlug mit dem Schnupftuch dreimal gegen die weiße Wand. – Hinzelmeier zählte in Gedanken, »ein« – »zwei«, und kaum hatte er »drei« gezählt, als er die Wand sich lautlos öffnen und seine Mutter dadurch verschwinden sah; kaum konnte der Zipfel des Schnupftuchs noch mit hindurchschlüpfen, so ging alles mit einem leisen Klapp wieder zusammen, und der Einsiedler dachte nun auch noch darüber nach, wohin doch wohl seine Mutter durch die Wand gegangen sei. Darüber ward es allmählich dunkler, und das Dämmern in seinem Winkel war schon so groß geworden, daß es ihn ganz verschlungen hatte, da machte es, wie zuvor, einen leisen Klapp, und die schöne Frau Abel trat aus der Wand wieder in den Korridor hinein. Ein Rosenduft schlug dem Knaben entgegen, wie sie an ihm vorüberstrich. »Mutter, Mutter!« rief er; aber er hielt sie nicht zurück; er hörte, wie sie die Treppe hinab und in das Zimmer des Vaters ging, wo er am Vormittag sein Schaukelpferd an den messingenen Ofenknopf gebunden hatte. Nun hielt es ihn nicht länger, er sprang durch den Korridor und ritt wie der Wind das Treppengeländer hinab. Als er ins Zimmer trat, war es voller Rosenduft, und es schien ihm fast, als wäre seine Mutter selber eine Rose, so leuchtend war ihr Antlitz. Hinzelmeier wurde ganz nachdenklich.

»Liebe Mutter«, sagte er endlich, »weshalb gehst du denn immer durch die Wand?«

Und als Frau Abel hierauf verstummte, sagte der Vater: »Ei nun, mein Sohn, weil die anderen Leute immer durch die Tür gehen.«

Das war dem Hinzelmeier schon einleuchtend; bald aber wollte er mehr erfahren.

»Wohin gehst du denn, wenn du durch die Wand gehst?« fragte er weiter. »Und wo sind denn die Rosen?«

Aber ehe er sich's versah, hatte der Vater ihn kopfüber aufs Schaukelpferd gestülpt, und die Mutter sang das schöne Lied:

»Hatto von Mainz und Poppo von Trier
Ritten zusammen aus Lünebier;
Hatto hott hott! immer im Trott!
Poppo hopp hopp! immer Galopp!

Ein, zwei, drei!
Zelle vorbei;
Ein, zwei, drei, vier!
Nun sind wir schon hier.«

»Bind' es los! bind' es los!« rief Hinzelmeier; und der Vater band das Rößlein vom Ofenknopf, und die Mutter sang, und der Reiter ritt hopp hinauf und hopp hinab und hatte bald alle Rosen und weißen Wände in der ganzen Welt vergessen.

Der Zipfel

Nun gingen manche Jahre hin, ohne daß Hinzelmeier eine Wiederholung des Wunders erlebt hätte; er dachte daher auch überall nicht mehr daran, obgleich seine Eltern jung und schön blieben, wie sie es immer gewesen waren, und oftmals auch im Winter der wunderbare Rosenduft sie umgab.

In dem einsamen Korridor des oberen Stockwerks war Hinzelmeier jetzt nur selten noch zu finden; denn die Katze war vor Alter gestorben, und so war seine Schule aus Mangel an Schülern von selber eingegangen.

Es war ihm nun schon fast so, als müßte um einige Jahre der Bart zu wachsen anfangen; da ging er eines Nachmittags wieder in den alten Korridor hinauf, um die weißen Wände zu besichtigen; denn er wollte auf den Abend das berühmte Schattenspiel »Nebukadnezar und sein Nußknacker« zur Aufführung bringen. In dieser Absicht war er an das Ende des Ganges gekommen und betrachtete die weiße Querwand von oben bis unten, als er zu seiner Verwunderung den Zipfel eines Schnupftuches daraus hervorhängen sah. Er bückte sich, um es genauer zu betrachten; in der Ecke stand: A. H.; das konnte nichts anderes heißen als: Abel Hinzelmeier; es war das Schnupftuch seiner Mutter. Nun fing's in seinem Kopfe an zu schnurren, und die Gedanken arbeiteten rückwärts, weiter und weiter, bis sie bei dem ersten Kapitel dieser Geschichte plötzlich haltmachten. Hierauf suchte er das Schnupftuch aus der Wand herauszuziehen, was ihm auch nach einem etwas schmerzhaften Experimente glücklich gelang; dann schlug er, wie einst die schöne Frau Abel, dreimal mit dem Tuch gegen die Wand; und »ein – zwei – drei –!« tat sie sich lautlos voneinander, Hinzelmeier schlüpfte hindurch und stand – wohin er am wenigsten zu gelangen dachte – auf dem Hausboden. Aber es war nicht daran zu zweifeln; dort stand der Urgroßmutterschrank mit den wackelköpfigen Pagoden, daneben seine eigne Wiege und weiterhin das Schaukelpferd, lauter ausgedientes Gerät; unter dem Balken längs an eisernen Haken hingen wie immer des Vaters lange Mäntel und Reisekragen und drehten sich langsam um sich selbst, wenn der Zug durch die offenen Bodenluken hereinstrich. »Sonderbar!« sagte Hinzelmeier, »warum ging die Mutter denn doch immer durch die Wand?« Da er indessen außer den bekannten Gegenständen nichts bemerken konnte, so wollte er durch die Bodentür wieder ins Haus hinabgehen. Allein die Tür war nicht da. Er stutzte einen Augenblick und meinte anfänglich, sich nur geirrt zu haben, weil er von einer anderen Seite, als gewöhnlich, hinaufgelangt war. Er wandte sich daher und ging zwischen die Mäntel durch nach dem alten Schranke, um sich von hier aus zurechtzufinden; und richtig, dort gegenüber war die Tür; er begriff nicht, wie er sie hatte übersehen können. Als er aber darauf zuging, erschien ihm plötzlich wieder alles so fremd, daß er zu zweifeln begann, ob er auch vor der rechten Tür stehe. Allein soviel er wußte, gab es hier keine andere. Was ihn am meisten verwirrte, war, daß die eiserne Klinke fehlte und auch der Schlüssel abgezogen war, der sonst immer aufzustecken pflegte. Er legte daher sein Auge an das Schlüsselloch, ob er vielleicht jemanden auf der Treppe oder dem Vorplatz gewahren könne, der ihn herabließe. Zu seinem Erstaunen sah er aber nicht auf die dunkle Treppe, sondern in ein helles, geräumiges Zimmer, von dessen Dasein er bisher keine Ahnung gehabt hatte.

In der Mitte desselben gewahrte er einen pyramidenförmigen Schrein, der von zwei goldschimmernden Türen verschlossen und mit wunderlicher Schnitzarbeit verziert war. Hinzelmeier wußte nicht recht, ob das enge Schlüsselloch seinen Blick verwirrte, aber es war ihm fast, als wenn die Gestalten der Schlangen und Eidechsen in der braunen Laubgirlande, welche sich an den Kanten hinunterzog, auf und ab raschelten, ja mitunter sogar die geschmeidigen Köpfe auf den Goldgrund der Tür hinüberreckten. Dies alles beschäftigte den Knaben so, daß er nun erst die schöne Frau Abel und ihren Eheherrn bemerkte, welche mit geneigtem Haupte vor dem Schrein niedergekniet waren. Unwillkürlich hielt er den Atem an, um nicht bemerkt zu werden, und nun hörte er die Stimme seiner Eltern in leisem Gesange:

»Rinke, ranke, Rosenschein,
Tu' dich auf, du goldner Schrein!
Tu' dich auf und schließ' uns ein,
Rinke, ranke, Rosenschein!«

Während des Gesanges erstarrte in dem Laubwerk das Leben des Gewürms; die goldenen Türen gingen langsam auf und zeigten in dem Inneren des Schrankes einen kristallenen Becher, in welchem eine halberschlossene Rose auf schlankem Schafte stand. Allmählich öffnete sich der Kelch; weiter und weiter, bis eins der schimmernden Blätter sich ablöste und zwischen die Knienden hinabfiel. Ehe es aber den Boden erreichte, zerstob es klingend in der Luft und füllte das Gemach mit rosenrotem Nebel.

Ein starker Rosenduft quoll durch das Schlüsselloch; der Knabe preßte sein Auge an die Öffnung, aber er gewahrte nichts als dann und wann ein Leuchten, das in der roten Dämmerung aufbrach und wieder verschwand. Nach einer Weile hörte er Schritte an der Tür; er wollte aufspringen, aber ein heftiger Schmerz an der Stirn raubte ihm die Besinnung.

Die Rose

Als Hinzelmeier aus der Betäubung erwachte, lag er in seinem Bette; Frau Abel saß neben ihm und hielt seine Hand in der ihren. Sie lächelte, da er die Augen zu ihr aufschlug, und der Abglanz der Rose lag auf ihrem Antlitz. »Du hast zuviel erlauscht, um nicht noch mehr erfahren zu müssen«, sagte sie. »Nur darfst du für heute dein Bett nicht verlassen; aber währenddessen will ich dir das Geheimnis deiner Familie mitteilen. Du bist jetzt groß genug, um es zu wissen.«

»Erzähle nur, Mutter«, sagte Hinzelmeier und legte den Kopf zurück in die Kissen. Und dann erzählte Frau Abel: »Weit von dieser kleinen Stadt liegt der uralte Rosengarten, von dem die Sage geht, er sei am sechsten Schöpfungstage mit erschaffen worden. Innerhalb seiner Mauer stehen tausend rote Rosenbüsche, welche nie zu blühen aufhören; und jedesmal, wenn in unserem Geschlecht, welches in vielen Zweigen durch alle Länder der Welt verbreitet ist, ein Kind geboren wird, springt eine neue Knospe aus den Blättern. Jeder Knospe ist eine Jungfrau zur Pflegerin bestellt, welche den Garten nicht verlassen darf, bis die Rose von dem geholt worden, durch dessen Geburt sie entsprossen ist. Eine solche Rose, welche du vorhin gesehen hast, besitzt die Kraft, ihren Eigentümer zeitlebens jung und schön zu erhalten. Daher versäumt denn nicht leicht jemand, sich seine Rose zu holen; es kommt nur darauf an, den rechten Weg zu finden; denn der Eingänge sind viele und oft verwunderliche. Hier führt es durch einen dicht verwachsenen Zaun, dort durch ein schmales Winkelpförtchen, mitunter« – und Frau Abel sah ihren Eheherrn, der eben ins Zimmer trat, mit schelmischen Augen an – »mitunter auch durchs Fenster!«

Herr Hinzelmeier lächelte und setzte sich neben das Bett seines Sohnes.

Dann erzählte Frau Abel weiter: »Auf diese Weise wird die größte Zahl der Jungfrauen aus ihrer Gefangenschaft erlöst und verläßt mit dem Besitzer der Rose den Garten. Auch deine Mutter war eine Rosenjungfrau und pflegte sechzehn Jahre lang die Rose deines Vaters. Wer aber an dem Garten vorübergeht, ohne einzukehren, der darf niemals dahin zurück; nur der Rosenjungfrau ist es nach dreimal drei Jahren gestattet, in die Welt hinauszugehen, um den Rosenherrn zu suchen und sich durch die Rose aus der Gefangenschaft zu erlösen. Findet sie in dieser Zeit ihn nicht, so muß sie in den Garten zurück und darf erst nach wiederum dreimal drei Jahren noch einmal den Versuch erneuern; aber wenige wagen den ersten, fast keine den zweiten Gang; denn die Rosenjungfrauen scheuen die Welt, und wenn sie ja in ihren weißen Gewändern hinausgehen, so gehen sie mit niedergeschlagenen Augen und zitternden Füßen; und unter hundert solcher Kühnen hat kaum eine einzige den wandernden Rosenherrn gefunden. Für diesen aber ist dann die Rose verloren, und während die Jungfrau zu ewiger Gefangenschaft zurückgegangen ist, hat auch er die Gnade seiner Geburt verscherzt und muß wie die gewöhnliche Menschheit kümmerlich altern und vergehen. – Auch du, mein Sohn, gehörst zu den Rosenherren, und kommst du in die Welt hinaus, dann vergiß den Rosengarten nicht.«

Herr Hinzelmeier neigte sich zur Frau Abel und küßte ihre seidenen Haare; dann sagte er, freundlich des Knaben andere Hand ergreifend: »Du bist jetzt groß genug! Möchtest du wohl in die Welt hinaus und eine Kunst erlernen?«

»Ja«, sagte Hinzelmeier, »aber es müßte eine große Kunst sein; so eine, die sonst noch niemand hat erlernen können.«

Frau Abel schüttelte sorgenvoll den Kopf; der Vater aber sagte: »Ich will dich zu einem weisen Meister bringen, der viele Meilen von hier in einer großen Stadt wohnt; da magst du dir selbst eine Kunst erwählen.«

Das war Hinzelmeier zufrieden.

Einige Tage darauf packte Frau Abel einen großen Koffer mit unzählig vielen Kleidern, und Hinzelmeier selber legte noch ein Rasierzeug hinein, damit er den Bart, wenn er käme, sogleich wieder abschneiden könne. Dann fuhr eines Tages der Wagen vor die Tür, und als die Mutter ihren Sohn zum Abschied umarmte, sagte sie unter Tränen zu ihm: »Vergiß die Rose nicht!«

Krahirius

Als Hinzelmeier ein Jahr bei dem weisen Meister gewesen war, schrieb er seinen Eltern, er habe sich nun eine Kunst erwählt, er wolle den *Stein der Weisen* suchen; nach zwei Jahren werde der Meister ihn lossprechen, dann wolle er auf die Wanderschaft und nicht eher zurückkehren, als bis er den Stein gefunden habe. Dies sei eine Kunst, welche noch von niemand erlernt worden; denn auch der Meister sei eigentlich nur ein Altgesell, da der Stein noch keineswegs von ihm gefunden sei.

Als die schöne Frau Abel diesen Brief gelesen hatte, faltete sie ihre Finger ineinander und rief: »Ach, er wird nimmer in den Rosengarten kommen! Es wird ihm gehen wie unseres Nachbars Kasperle, der vor zwanzig Jahren ausgezogen und nimmer wieder nach Hause gekommen ist!«

Herr Hinzelmeier aber küßte seine schöne Frau und sagte: »Er mußte seinen Weg gehen! Ich wollte auch einmal den Stein der Weisen suchen und habe statt dessen die Rose gefunden.«

So blieb denn Hinzelmeier bei dem weisen Meister; und allmählich ging die Zeit herum. – –

Es war schon tief in der Nacht. Hinzelmeier saß vor einer qualmenden Lampe über einen Folianten gebückt. Aber es wollte ihm heute nicht gelingen; er fühlte es in seinen Adern klopfen und gären, es überfiel ihn eine Angst, als könne ihm auf immer das Verständnis für die tiefe Weisheit der Formeln und Sprüche verlorengehen, welche das alte Buch bewahrte.

Mitunter wandte er sein blasses Gesicht ins Zimmer zurück und starrte gedankenlos in den Winkel, wo die grämliche Gestalt seines Meisters vor einem niedrigen Herde zwischen glühenden Kolben und Tiegeln hantierte; mitunter, wenn die Fledermäuse an den Scheiben vorüberstrichen, sah er verlangend in die Mondnacht hinaus, die wie ein Zauber draußen über den Feldern lag. Neben dem Meister kauerte die Kräuterfrau am Boden. Sie hatte den grauen Hauskater auf dem Schoß und stäubte ihm sanft die Funken aus dem Pelz. Manchmal, wenn es so recht behaglich knisterte und das Tier vor angenehmem Grausen mauzte, langte der Meister liebkosend nach ihm zurück und sagte hustend: »Die Katze ist die Genossin des Weisen!«

Plötzlich scholl von außen her, von der First des Daches, das unter dem Fenster lag, ein langgezogener, sehnsüchtiger Laut, wie dessen von allen Tieren nur die Katze und nur im Lenze mächtig ist. Der Kater richtete sich auf und krallte seine Klauen in die Schürze des alten Weibes. Noch einmal rief es draußen. Da sprang das Tier mit einem derben Satz auf den Fußboden und über Hinzelmeiers Schultern durch die Scheiben ins Freie, daß die Glasscherben klingend hinterdreinstoben.

Ein süßer Primelduft strich mit dem Zug ins Zimmer. Hinzelmeier sprang empor. »Es ist Frühling, Meister!« rief er und warf seinen Stuhl zurück.

Der Alte senkte seine Nase noch tiefer in den Tiegel. Hinzelmeier ging auf ihn zu und packte ihn an der Schulter. »Hört Ihr's nicht, Meister?« Der Meister griff sich in den graugemischten Bart und stierte den Jungen blöd durch seine grüne Brille an.

»Das Eis birst!« rief Hinzelmeier, »es läutet in der Luft!«

Der Meister faßte ihn ums Handgelenk und begann die Pulsschläge zu zählen. »Sechsundneunzig!« sagte er bedenklich. – Aber Hinzelmeier achtete dessen nicht, sondern verlangte seinen Abschied, und noch in selber Stunde. Da hieß der Meister ihn Stab und Ranzen nehmen und trat mit ihm vor die Haustür, von wo sie weit ins Land hineinsehen konnten. Die unabsehbare Ebene lag in klarem Mondenlicht zu ihren Füßen. Hier standen sie still; das Antlitz des Meisters war gefurcht von tausend Runzeln, sein Rücken war gebeugt, sein Bart hing tief über seinen braunen Talar hinab; er sah unsäglich alt aus. Auch Hinzelmeiers Gesicht war blaß, aber seine Augen leuchteten. »Deine Zeit ist um«, sprach der Meister zu ihm. »Knie nieder, damit du losgesprochen werdest!« Dann zog er ein weißes Stäbchen aus dem Ärmel, und dem Knienden dreimal damit den Nacken berührend, sprach er:

»Das Wort ist gegeben
Unter die Geister;
Ruf es ins Leben,
So bist du der Meister.
Vorhanden ist es in keinem Reich.
Es ist ein Name, ein Dunst;
Finden und schaffen zugleich,
Das ist die Kunst!«

Dann hieß er ihn aufstehen. Ein Frösteln durchfuhr den Jüngling, als er in das greise, feierliche Angesicht des Meisters blickte. Er nahm Stab und Ranzen vom Boden und wollte von dannen gehen, aber der Meister rief: »Vergiß den Raben nicht!« Er griff mit der hageren Faust in seinen Bart und riß ein schwarzes Haar heraus. Das blies er durch die Finger; da schwang es sich als *Rabe* in die Luft.

Nun schwenkte er den Stab im Kreise um sein Haupt, und wie er schwenkte, flog der Rabe; dann streckte er den Arm aus, und der Vogel setzte sich auf seine Faust. Hierauf hob er die grüne Brille von seiner Nase; und während er sie auf des Raben Schnabel klemmte, sprach er:

»Wege sollst du weisen,
Krahirius sollst du heißen!«

Da schrie der Rabe: »Krahira! krahira!« und schlüpfte mit ausgespreizten Flügeln auf Hinzelmeiers Schulter. Der Meister aber sprach zu diesem:

»Wanderspruch und Wanderbuch
Hast du nun; und nun genug!«

Dann wies er mit dem Finger in das Tal hinab, wo der unendliche Weg über die Ebene lief, und während Hinzelmeier, mit dem Reisehut grüßend, in die Frühlingsnacht hinausging, schwang Krahirius sich auf und flog zu seinen Häupten.

Der Eingang zum Rosengarten

Die Sonne stand schon hoch am Himmel. Hinzelmeier hatte einen Richtweg über ein Feld mit grüner Wintersaat eingeschlagen, das sich unabsehbar vor ihm ausdehnte. Zu Ende desselben führte der Steig durch eine Öffnung des Walles auf einen geräumigen Platz hinaus, und Hinzelmeier stand vor den Gebäuden eines großen Bauernhofes. Es hatte zuvor geregnet; nun dampften die Strohdächer in der herben Frühlingssonne. Er stieß seinen Wanderstab in den Boden und blickte zur First des Wohnhauses hinauf, wo ein Volk von Sperlingen sein Wesen trieb. Plötzlich sah er aus einem der beiden weißen Schornsteine eine glänzende Scheibe in die Luft steigen, sich langsam im Sonnenscheine wenden und darauf wieder in den Schornstein hinabfallen.

Hinzelmeier zog seine Taschenuhr hervor. »Es ist Mittag!« sagte er, »sie backen Eierkuchen.« – Ein lieblicher Duft verbreitete sich, und wieder stieg ein Eierkuchen in den Sonnenschein hinauf und sank nach einer kurzen Weile in den Schornstein zurück.

Der Hunger meldete sich; Hinzelmeier trat ins Haus und gelangte über einen breiten Flur in eine hohe, geräumige Küche, wie solche in größeren Gehöften zu sein pflegen. Am Herde, auf dem ein helles Reisigfeuer brannte, stand eine stämmige Bäuerin und tat den Teig in die zischende Pfanne.

Krahirius, der lautlos hinterdrein geflogen war, setzte sich auf den Herdmantel, während Hinzelmeier fragte, ob er für Geld und gute Worte eine Mahlzeit hier bekommen könne.

»Hier ist kein Wirtshaus!« sagte die Frau und schwang ihre Pfanne, daß der Eierkuchen prasselnd in den schwarzen Schlot hinauffuhr und erst nach einer ganzen Weile mit der Oberseite in die Pfanne zurückklatschte. Hinzelmeier griff nach seinem Stecken, den er beim Eintritt an die Tür gestellt hatte; allein die Alte fuhr mit der Gabel in den Eierkuchen und stülpte ihn rasch auf eine Schüssel.

»Nun, nun!« sagte sie, »so war es nicht gemeint, setz' Er sich nur; hier ist just einer fertig.« Dann schob sie ihm einen hölzernen Stuhl an den Küchentisch und setzte den dampfenden Kuchen nebst Brot und einem Kruge jungen Landweins vor ihn hin.

Das ließ Hinzelmeier sich gefallen und hatte bald die derbe Speise und ein gut Teil des festen Roggenbrots verzehrt. Dann setzte er den Krug an den Mund und tat einen herzhaften Zug auf die Gesundheit der Alten, und dann zu seiner eigenen Gesundheit noch manchen anderen hinterher. Das machte ihn so vergnügt, daß er ganz wie von selber zu singen anhub. »Er ist ja ein lustiger Mensch!« rief die Alte von ihrem Herde hinüber. Hinzelmeier nickte; ihm fielen auf einmal alle Lieder wieder ein, die er vorzeiten im elterlichen Hause von seiner schönen Mutter gehört hatte. Nun sang er sie, eines nach dem anderen:

»Das macht, es hat die Nachtigall
Die ganze Nacht gesungen;
Da sind von ihrem süßen Schall,
Da sind von Hall und Widerhall
Die Rosen aufgesprungen.

Sie war doch sonst ein wildes Blut,
Nun geht sie tief in Sinnen;
Trägt in der Hand den Sommerhut
Und duldet still der Sonne Glut
Und weiß nicht, was beginnen.

Das macht, es hat die Nachtigall
Die ganze Nacht gesungen!« – –

Da wurde in der Wand, dem Herde gegenüber, unter den Reihen der blanken Zinnteller ein Schiebefensterchen zurückgezogen, und ein schönes blondes Mädchen, es mochte des Hauswirts Tochter sein, steckte neugierig den Kopf in die Küche.

Hinzelmeier, der das Klirren der Fensterscheiben vernommen hatte, hörte auf zu singen und ließ seine Augen an den Wänden der Küche umherwandern; über das Butterfaß und die blanken Käsekessel und über den breiten Rücken der Alten bis an das offene Schiebfensterchen, wo sie an zwei anderen jungen Augen hängenblieben.

Das Mädchen wurde ganz rot. – »Er singt schön!« sagte sie endlich.

»Es kam mir nur so«, erwiderte Hinzelmeier. »Ich singe sonst gar nicht.«

Dann schwiegen beide eine Weile, und man hörte nur das Zischen der Pfanne und das Prasseln der Eierkuchen.

»Der Kaspar singt auch schön!« hub das Mädchen wieder an.

»Freilich wohl!« meinte Hinzelmeier.

»Ja«, sagte das Mädchen, »aber so schön wie Er macht er's doch nicht. Wo hat Er denn das schöne Lied her?«

Hinzelmeier antwortete nicht darauf, sondern trat auf einen umgestürzten Zuber, der unter dem Schiebefenster stand, und sah an dem Mädchen vorbei in die Kammer. – Drinnen war voller Sonnenschein. Auf den roten Fliesen der Diele lagen die Schatten von Nelken- und Rosenstöcken, welche seitwärts vor einem Fenster stehen mochten. Plötzlich wurde im Hintergrund der Kammer eine Tür aufgerissen. Der Frühlingswind brauste herein und riß dem Mädchen ein blauseidenes Band von der Riegelhaube; dann fuhr er durchs Schiebfenster und trieb seine Beute kreiselnd in der Küche umher. Hinzelmeier aber warf seinen Hut danach und fing es wie einen Sommervogel.

Das Fenster war ein wenig hoch. Er wollte es dem Mädchen hinauflangen, sie bückte sich zu ihm heraus; da fuhren beide mit den Köpfen aneinander, daß es krachte. Das Mädchen schrie, die Zinnteller klirrten, Hinzelmeier wurde ganz konfus.

»Er hat einen gar wackeren Kopf!« sagte das Mädchen und wischte sich mit ihrer Hand die Tränen von den Wangen. Als aber Hinzelmeier sich das Haar aus der Stirn strich und ihr herzhaft ins Gesicht schaute, da schlug sie die Augen nieder und fragte: »Er hat sich doch kein Leids getan?«

Hinzelmeier lachte. »Nein, Jungfer«, rief er – er wußte selbst nicht, wie es ihm auf einmal einfallen mußte – »nehm' Sie mir's nicht übel, aber Sie hat gewiß schon einen Schatz?«

Sie setzte die Faust unters Kinn und wollte ihn trotzig ansehen, aber ihre Augen blieben an den seinen hängen. – »Er faselt wohl?« sagte sie leise.

Hinzelmeier schüttelte den Kopf; es wurde ganz still zwischen den beiden.

»Jungfer!« sagte nach einer Weile Hinzelmeier, »ich möchte Ihr das Band in die Kammer bringen!«

Das Mädchen nickte.

»Wo geht denn aber der Weg?«

Es klang ihm in den Ohren: »Mitunter auch durchs Fenster!« – Das war die Stimme seiner Mutter. Er sah sie an seinem Bette sitzen; er sah sie lächeln; es war ihm plötzlich, als stehe er in einem rosenroten Nebel, der aus dem offenen Schiebfenster in die Küche hereinzog. Er trat wieder auf den Zuber und legte seine Hände um den Nacken des Mädchens. Da sah er durch die offene Kammertür in einen Garten, darinnen standen die blühenden Rosenbüsche wie ein rotes Meer, und in der Ferne sangen kristallene Mädchenstimmen:

»Rinke, ranke, Rosenschein,
Tu' dich auf und schließ' uns ein!«

Hinzelmeier drängte das Mädchen sanft in die Kammer zurück und stemmte die Hände auf das Fensterbrett, um sich mit einem Satz hineinzuschwingen, da hörte er es »krahira, krahira!« über seinem Kopfe schwirren, und ehe er sich's versah, ließ der Rabe die grüne Brille aus der Luft und gerade auf seine Nase fallen. Nur wie im Traume sah er noch das Mädchen die Arme nach ihm ausstrecken; dann war auf einmal alles vor seinen Augen verschwunden; aber in weiter Ferne sah er durch die grünen Gläser eine dunkle Gestalt in einem tiefen Felsenkessel sitzen, welche mit einem Stemmeisen eifrig in den Grund zu bohren schien.

Ein Meisterschuß

»Der sucht den Stein der Weisen!« dachte Hinzelmeier, und seine Wangen begannen zu brennen; er schritt wacker auf die Erscheinung los;

aber es war weiter, als es durch die Brillengläser aussah; er rief dem Raben, der mußte mit seinen Flügeln ihm die Schläfe fächeln. Erst nach Stunden hatte er den Grund der Schlucht erreicht. Nun sah er eine schwarze, rauhe Gestalt vor sich, die hatte zwei Hörner an der Stirn und einen langen Schwanz, den ließ sie hinter sich über das Gestein hinabhängen. Bei Hinzelmeiers Ankunft nahm sie das Stemmeisen zwischen die Zähne und begrüßte ihn mit dem verbindlichsten Kopfnicken, während sie mit der Schwanzquaste den Bohrstaub zusammenfegte. Hinzelmeier wurde fast um die Anrede verlegen, deshalb nickte er jedesmal mit gleicher Verbindlichkeit wieder, so daß also diese Komplimente von beiden Seiten eine Zeitlang fortdauerten. Endlich sagte der andere: »Sie kennen mich wohl nicht?«

»Nein«, sagte Hinzelmeier, »Sind Sie vielleicht ein Pumpenmeister?«

»Ja«, sagte der andere, »so etwas Ähnliches; ich bin der Teufel.«

Das wollte Hinzelmeier nicht glauben; aber der Teufel sah ihn mit zwei solchen Eulenaugen an, daß er am Ende gründlich überzeugt wurde und ganz bescheiden sagte: »Dürfte ich mir die Frage erlauben, ob Sie mit diesem ungeheuern Loch ein physikalisches Experiment beabsichtigen?«

»Kennen Sie die *ultima ratio regum*?« fragte der Teufel.

»Nein«, sagte Hinzelmeier. »Die *ratio regum* hat nichts mit meiner Kunst zu schaffen.«

Der Teufel kratzte sich mit dem Pferdehuf hinter den Ohren und sagte dann, einen überlegenen Ton annehmend: »Mein Kind, weißt du, was eine Kanone ist?«

»Freilich«, sagte Hinzelmeier lächelnd; denn das ganze hölzerne Arsenal aus seiner Knabenzeit sah er plötzlich im Geiste vor sich aufgepflanzt.

Der Teufel klatschte vor Vergnügen mit seinem Schwanze auf den Felsen. »Drei Pfund Schießpulver, ein Fünkchen Höllenfeuer dazu; dann –!« Hier steckte er die eine Tatze in das Bohrloch, und indem er die andere auf Hinzelmeiers Schulter legte, sagte er vertraulich: »Die Welt ist unregierlich geworden! Ich will sie in die Luft sprengen.«

»Alle Wetter«, schrie Hinzelmeier, »das ist ja aber eine Radikalkur, eine wahre Pferdekur!«

»Ja«, sagte der Teufel, »*ultima ratio regum!* versichere Sie, es gehört eine übermenschlich gute Natur dazu, um so etwas auszuhalten! Aber nun entschuldigen Sie ein Weilchen; ich muß ein wenig inspizieren.« Mit diesen Worten zog er den Schwanz zwischen die Schenkel und sprang in das Bohrloch hinab. Da überfiel den Hinzelmeier auf einmal eine ganz übernatürliche Courage, so daß er bei sich beschloß, den Teufel aus der Welt zu schießen. Mit fester Hand zog er seine Zunderbüchse aus der Tasche, pinkte Feuer und warf es in das Bohrloch; dann zählte er: »Ein – zwei –« aber er hatte noch nicht »drei« gezählt, so entlud sich diese grundlose Pistole ihres Schusses samt ihrer Vorladung. Die Erde machte einen fürchterlichen Seitensprung durch den Himmel. Hinzelmeier stürzte in die Knie; der Teufel aber flog wie eine Bombe durch die Luft, von einem Planetensystem in das andere, wo ihn die Anziehungskraft unseres Weltkörpers nicht mehr erreichen konnte. Hinzelmeier blickte ihm eine Weile nach; als er aber immer weiter und weiter flog und gar nicht damit aufhören wollte, so gingen ihm endlich die Augen über. Sobald daher die Erde sich insoweit beruhigt hatte, daß mit zwei Beinen wieder auf ihr zu stehen war, sprang er auf und blickte um sich her. Zu seinen Füßen gähnte ihn der schwarze ausgebrannte Mörser an; von Zeit zu Zeit quoll eine Wolke braunen Rauchs heraus und zog sich träge an den Felsen hin. Aber schon brach die Sonne durch den Dunst und vergoldete überall die Spitzen des Gesteines. Da nahm Hinzelmeier seine Tabakspfeife aus der Tasche, und die blauen Wolken vor sich hinblasend, rief er triumphierend: »Den Stein des Anstoßes habe ich aus der Welt geschossen; wohlan! der Stein der Weisen kann mir nicht entgehen!«

Dann setzte er seine Wanderung fort, und Krahirius flog zu seinen Häupten.

Die Rosenjungfrau

Aber er wanderte hin und her, kreuz und quer, er wurde müder und müder, sein Rücken wurde gekrümmt; aber immer fand er doch den Stein der Weisen nicht. So waren neun Jahre dahingegangen, als er eines Abends in ein Wirtshaus einkehrte, welches am Eingange einer großen Stadt belegen war. Krahirius nahm sich mit der Klaue die Brille herunter und putzte sie an seinen Flügeln; dann setzte er sie wieder auf und hüpfte in die Küche. Als die Hausleute ihn sahen, lachten sie über seine Brille, nannten ihn »Herr Professor« und warfen ihm die fettsten Bissen vor.

»Wenn Ihr der Herr des Vogels seid«, sagte der Wirt zu Hinzelmeier, »so ist nach Euch gefragt worden.«

»Freilich bin ich das –«, sagte Hinzelmeier.

»Wie heißt Ihr denn?«

»Ich heiße Hinzelmeier.«

»Ei, ei«, sagte der Wirt, »Ihren Herrn Sohn, den Gemahl der schönen Frau Abel, den kenne ich recht wohl.«

»Das ist mein Vater«, sagte Hinzelmeier verdrießlich, »und die schöne Frau Abel ist meine Mutter.«

Da lachten die Leute und sagten, der Herr sei außerordentlich spaßhaft. Hinzelmeier aber sah vor Zorn in einen blanken Kessel.

Da starrte ihm ein grämliches Angesicht entgegen, voll Runzeln und Hahnepfötchen, und er gewahrte nun wohl, daß er abscheulich alt geworden sei.

»Ja, ja!« rief er und schüttelte sich, als gelte es, aus einem schweren Traum zu kommen. »Wo war es doch? Ich war ja dicht davor.« Dann erkundigte er sich bei dem Wirte, wer nach ihm gefragt habe.

»Es war nur eine arme Dirne«, sagte der Wirt, »sie trug ein weißes Kleid und ging mit nackten Füßen.«

»Das war die Rosenjungfrau!« rief Hinzelmeier.

»Ja«, antwortete der Wirt, »ein Sträußermädel mag es wohl sein, sie hatte aber nur noch eine Rose in ihrem Körbchen.«

»Wohin ist sie gegangen?« rief Hinzelmeier.

»Wenn Ihr sie sprechen müßt«, sagte der Wirt, »so werdet Ihr sie schon in der Stadt an einer Straßenecke finden können.«

Als Hinzelmeier das gehört hatte, schritt er eilig zum Hause hinaus und in die Stadt hinein; Krahirius, die Brille auf dem Schnabel, flog krächzend hinterher. Es ging aus einer Straße in die andere, und an allen Ecksteinen standen Blumenmädchen; aber sie trugen plumpe Schnallenschuhe und boten schreiend ihre Ware feil. Das waren keine Rosenjungfrauen. – Endlich, als schon die Sonne hinter den Häusern hinab war, gelangte Hinzelmeier an ein altes Haus, aus dessen offener Tür ein zartes Leuchten auf die dämmerige Gasse herausdrang. Krahirius warf den Kopf zurück und schlug ängstlich mit den Flügeln; Hinzelmeier aber achtete dessen nicht und trat über die Schwelle in einen weiten Hausflur, der ganz von rotem Schimmer erfüllt war. Tief im Hintergrunde, auf der untersten Stufe einer Wendeltreppe, sah er ein blasses Mädchen sitzen; in einem Körbchen, das sie auf ihrem Schoße hielt, lag eine rote Rose, aus deren Kelch das zarte Licht hervorbrach. Das Mädchen schien ermüdet; denn sie setzte eben die Lippen von einem irdenen Wasserkruge, der ihr von einem kleinen Knaben mit beiden Händen vorgehalten wurde. Ein großer Hund, der neben ihr an der Treppe lag und, wie das Kind, hier zu Hause zu gehören schien, legte den Kopf an ihr weißes Gewand und leckte ihre nackten Füße. – »Das ist sie!« sagte Hinzelmeier, und seine Schritte wurden unsicher vor Hoffen und Erwarten. Und als die Jungfrau nun ihr Antlitz gegen ihn erhob, da fiel es ihm wie Schuppen von den Augen, und er erkannte mit einem Male das Mädchen aus der Bauernküche; nur trug sie heute nicht das bunte Mieder, und das Rot auf ihren Wangen war nur der Abglanz von dem Rosenlichte.

»O du!« rief Hinzelmeier, »nun wird noch alles, alles gut!«

Sie streckte die Arme nach ihm aus; sie wollte lächeln, aber die Tränen sprangen ihr in die Augen. »Wo ist Er denn so lange in der Welt umhergelaufen?« sagte sie.

Und als er nun in ihre Augen sah, da erschrak er vor lauter Freude; denn dort stand sein eigenes Bild, aber kein Bild, wie es ihn kurz vorher aus dem kupfernen Kessel angeglotzt hatte; nein, ein Gesicht, so jung und frisch und lustig, daß er laut aufjauchzen mußte; er hätte es um alle Welt nicht lassen können.

Da quoll von der Straße her ein Menschenschwarm ins Haus, schreiend und mit den Händen fechtend. »Hier steht der Herr des Vogels!« rief ein untersetztes Männlein; dann drangen alle auf Hinzelmeier ein.

Dieser faßte die Hand des Mädchens und fragte: »Was ist es mit dem Raben?«

»Was es ist?« sagte der Dicke, »dem Herrn Bürgermeister hat er die Perücke gestohlen!« – »Ja, ja«, riefen alle, »und nun sitzt es draußen auf der Dachrinne, das Ungetüm, und hat die Perücke in den Klauen und glotzt ihre Wohlweisheit durch seine grünen Brillengläser an!«

Hinzelmeier wollte reden, aber sie nahmen ihn in ihre Mitte und schoben ihn gegen die Tür. Mit Schrecken fühlte er die Hand der Rosenjungfrau aus der seinen gleiten. So kam er auf die Straße.

Droben auf der Dachrinne des Hauses saß noch immer der Rabe und sah mit seinen schwarzen Augen lauernd auf die aus dem Hause Kommenden hinab. Plötzlich öffnete er die Klaue; und während die Bürger mit Stöcken und Regenschirmen nach der Perücke ihres Bürgermeisters in der Luft umherlangten, hörte Hinzelmeier es »krahira, krahira!« über seinem Haupte schwirren, und in demselben Augenblick saß auch die grüne Brille schon auf seiner Nase.

Da war auf einmal die Stadt vor seinen Augen verschwunden; aber durch die Brillengläser sah er zu seinen Füßen ein grünes Tal mit Meierhöfen und Dörfern. Sonnenbeschienene Wiesen zogen sich ringsumher, auf welchen barfüßige Dirnen mit blanken Milcheimern durch das Gras schritten, während in weiterer Entfernung von den Dörfern junge Kerle die Sense schwangen. Was aber Hinzelmeiers Augen fesselte, war die Gestalt eines Menschen in rot und weißer Bluse, mit einer spitzen Kappe auf dem Kopfe, welcher inmitten einer Wiese mit auf den Knien gestützten Armen in nachdenklicher Stellung auf einem Steine zu sitzen schien.

Nachbars Kasperle

Da dachte Hinzelmeier: »Das ist der Stein der Weisen!« und ging geraden Weges auf ihn zu. Der Mensch aber beharrte in seiner nachdenklichen Stellung, nur daß er zu Hinzelmeiers Erstaunen seine große Nase wie Gummielastikum über das Kinn herabzog.

»Ei, lieber Herr, was treibt Ihr denn da?« rief Hinzelmeier.

»Das weiß ich nicht«, sagte der Mann, »aber ich habe da eine verwünschte Glocke an der Mütze, die mich abscheulich im Denken stört.«

»Warum zupft Ihr Euch denn aber so entsetzlich an der Nase?«

»Oh«, sagte der Mensch und ließ den Nasenzipfel fahren, daß er mit einem Klaps wieder in seine alte Form zurückschnellte – »da bitte ich um Entschuldigung; aber ich leide oftmals an Gedanken, denn ich suche den Stein der Weisen.«

»Mein Gott!« sagte Hinzelmeier, »da seid Ihr wohl gar des Nachbars Kasperle, der gar nicht wieder nach Haus gekommen ist?«

»Ja«, sagte der Mensch und reichte Hinzelmeier die Hand, »der bin ich.«

»Und ich bin Nachbars Hinzelmeier«, sagte dieser, »und suche auch den Stein der Weisen.«

Hierauf reichten sie sich noch einmal die Hände und kreuzten dabei die Finger auf eine Weise, woran sie sich gegenseitig als Eingeweihte erkannten. Dann sagte Kasperle: »Ich suche den Stein der Weisen jetzt nicht mehr.«

»Da reist Ihr vielleicht nach dem Rosengarten?« rief Hinzelmeier.

»Nein«, sagte Kasperle, »ich suche den Stein nicht mehr; aber ich habe ihn bereits gefunden.«

Da verstummte Hinzelmeier eine ganze Zeitlang; endlich faltete er andächtig die Hände und sagte feierlich: »Es mußte schon so kommen, ich wußte es wohl; denn ich habe vor neun Jahren den Teufel aus der Welt geschossen.«

»Das muß sein Sohn gewesen sein«, sagte der andere, »dem alten Teufel bin ich noch vorgestern begegnet.«

»Nein«, sagte Hinzelmeier, »es war der alte Teufel; denn er hatte Hörner vor der Stirn und einen Schwanz mit schwarzer Quaste. Aber erzählt mir doch, wie Ihr den Stein gefunden habt.«

»Das ist einfach«, sagte Kasperle; »dort unten im Dorfe wohnen lauter dumme Leute, die nur mit Schafen und Rindvieh verkehren; sie wußten nicht, welchen Schatz sie besaßen; da habe ich ihn in einem alten Keller gefunden und mit drei Sechslingen das Pfund bezahlt. Und nun denke ich bereits seit gestern darüber nach, wozu er nütze sei, und hätte es vermutlich schon gefunden, wenn mich die verwünschte Glocke nicht dabei gestört hätte.«

»Lieber Herr Kollege!« sagte Hinzelmeier, »das ist eine höchst kritische Frage, woran *vor* Euch wohl noch kein Mensch gedacht hat! Aber wo habt Ihr denn den Stein?«

»Ich sitze drauf«, sagte Kasperle und zeigte aufstehend Hinzelmeier den runden, wachsgelben Körper, worauf er bisher gesessen hatte.

»Ja«, sagte Hinzelmeier, »es ist kein Zweifel, Ihr habt ihn wirklich gefunden; aber nun laßt uns bedenken, wozu er nütze sei.«

Damit setzten sie sich einander gegenüber auf den Boden, indem sie den Stein zwischen sich nahmen und die Ellenbogen auf ihre Knie stützten.

So saßen und saßen sie; die Sonne ging unter, der Mond ging auf, und noch immer hatten sie nichts gefunden. Mitunter fragte der eine: »Habt Ihr's? Aber der andere schüttelte immer mit dem Kopfe und sagte: »Nein, ich nicht; habt Ihr's?« Und dann antwortete der andere: »Ich auch nicht.«

Krahirius ging ganz vergnügt im Grase auf und nieder und fing sich Frösche. Kasperle zupfte sich schon wieder an seiner schönen, großen Nase; da ging der Mond unter, und die Sonne kam herauf, und Hinzelmeier fragte wieder: »Habt Ihr's?« Und Kasperle schüttelte wieder den Kopf und sagte: »Nein, ich nicht; habt Ihr's?« Und Hinzelmeier antwortete trübselig: »Ich auch nicht.«

Dann dachten sie wieder eine ganze Weile nach; endlich sagte Hinzelmeier: »So müssen wir erst die Brille polieren, dann werden wir hernach schon sehen, wozu er nütze sei.« Und kaum hatte Hinzelmeier seine Brille abgenommen, so ließ er sie vor Erstaunen ins Gras fallen und rief: »Ich hab' es! Herr Kollege, man muß ihn *essen!* Nehmt nur gefälligst die Brille von Eurer schönen Nase.«

Da nahm auch Kasperle die Brille herunter, und nachdem er seinen Stein eine Weile betrachtet hatte, sagte er: »Dieses ist ein sogenannter Lederkäse und muß mit des Himmels Hilfe gegessen werden. Bedienen Sie sich, Herr Kollege!«

Und nun zogen beide ihre Messer aus der Tasche und hieben wacker in den Käse ein. Krahirius kam herbeigeflogen, und nachdem er die Brille aus dem Grase aufgesammelt und über seinen Schnabel geklemmt hatte, setzte er sich gemächlich zwischen die Essenden und schnappte nach den Rinden.

»Ich weiß nicht«, sagte Hinzelmeier, nachdem der Käse verzehrt war, »mir ist unmaßgeblich zumute, als wäre ich dem Stein der Weisen um ein Erkleckliches nähergerückt.«

»Wertester Herr Kollege«, erwiderte Kasperle, »Ihr sprecht aus meiner Seele. So laßt uns denn ungesäumt unsere Wanderung fortsetzen.«

Nach diesen Worten umarmten sie sich; Kasperle ging nach Westen, Hinzelmeier nach Osten, und zu seinen Häupten, die Brille auf dem Schnabel, flog Krahirius.

Der Stein der Weisen

Aber er wanderte hin und her, kreuz und quer, sein Haar ergraute, seine Beine wurden wankend; am Stabe ging er von Land zu Land, und immer fand er doch den Stein der Weisen nicht. So waren noch einmal neun Jahre vergangen, als er eines Abends, wie er es jeden Abend zu tun pflegte, in ein Wirtshaus trat. Krahirius putzte wie gewöhnlich seine Brille und hüpfte dann in die Küche, um sich sein Abendbrot zu betteln. Hinzelmeier trat in die Stube und lehnte seinen Stab in die Kachelofenecke; dann setzte er sich still und müde in den großen Lehnstuhl. Der Wirt stellte einen Krug Wein vor ihn hin und sagte freundlich: »Ihr scheint müde, lieber Herr; trinket nur, das wird Euch stärken!«

»Ja«, sagte Hinzelmeier und faßte den Krug mit beiden Händen, »sehr müde; ich bin lange gewandert, sehr lange.« Dann schloß er die Augen und tat einen durstigen Zug aus dem Weinkruge.

»Wenn Ihr der Herr des Vogels seid, so glaube ich fast, es ist nach Euch gefragt worden«, sagte der Wirt. »Wie heißet Ihr denn, lieber Herr?«

»Ich heiße Hinzelmeier.«

»Nun«, sagte der Wirt, »Euren Enkel, den Gemahl der schönen Frau Abel, den kenne ich recht wohl.«

»Das ist mein Vater«, sagte Hinzelmeier, »und die schöne Frau Abel ist meine Mutter.«

Der Wirt zuckte mit den Achseln, und indem er sich nach seiner Schenke wandte, sagte er bei sich selber: »Der arme alte Mann ist kindisch geworden.«

Hinzelmeier ließ den Kopf auf seine Brust sinken und erkundigte sich, wer nach ihm gefragt habe.

»Es war nur eine arme Dirne«, sagte der Wirt, »sie trug ein weißes Kleid und ging mit nackten Füßen.« Da lächelte Hinzelmeier und sagte leise: »Das war die Rosenjungfrau, nun wird es bald besser werden. Wohin ist sie gegangen?«

»Es schien ein Blumenmädchen zu sein«, sagte der Wirt, »wenn Ihr sie sprechen wollt, Ihr werdet sie leicht an den Straßenecken finden können.«

»Ich muß ein Weilchen schlafen«, sagte Hinzelmeier, »gebt mir eine Kammer, und wenn der Hahn kräht, dann klopft an meine Tür.«

Nun gab der Wirt ihm eine Kammer, und Hinzelmeier legte sich zur Ruhe. Er träumte von seiner schönen Mutter; er lächelte, sie sprach im Traume zu ihm. Da flog Krahirius durch das offene Fenster und setzte sich zu seinen Häupten auf das Bett. Er sträubte seine schwarzen Federn und hackte mit seiner Klaue sich die Brille von dem Schnabel. Dann stand er unbeweglich auf einem Bein und sah auf den Schlafenden hinunter. Der träumte weiter, und seine schöne Mutter sprach zu ihm: »Vergiß die Rose nicht!« Der Schlafende nickte leise mit dem Kopfe; der Rabe aber öffnete die Klaue und ließ die Brille auf seine Nase fallen.

Da verwandelten sich seine Träume; seine eingefallenen Wangen begannen zu zucken, er streckte sich lang aus und stöhnte. – So kam die Nacht.

Als im Zwielicht der Hahn gekräht hatte, klopfte der Wirt an die Kammertür; Krahirius reckte die Flügel und zupfte seinen Federbalg zurecht; dann schrie er: »Krahira! krahira!« Hinzelmeier richtete sich mühsam auf und starrte um sich her; da sah er durch die Brille, die noch auf seiner Nase saß, zur Kammertür hinaus, über ein weites, ödes Feld; dann weiterhin auf einem mählich ansteigenden Hügel; auf diesem, unter dem Rumpfe einer alten Weide, lag ein grauer, flacher Stein; die Gegend war einsam, kein Mensch zu sehen.

»Das ist der Stein der Weisen!« sagte Hinzelmeier zu sich selber. »Endlich, endlich wird er dennoch mein werden!«

Hastig warf er seine Kleider über, nahm Stab und Ranzen und schritt zur Tür hinaus. Krahirius flog zu seinen Häupten, knappte mit dem Schnabel und schlug beim Fliegen Purzelbäume in der Luft. So wanderten sie viele Stunden. Endlich schienen sie ihrem Ziele näher zu kommen; aber Hinzelmeier war ermüdet, seine Brust keuchte, der Schweiß troff von seinen weißen Haaren; er stand still und stützte sich auf seinen Stab. Da kam aus der Ferne, hinter ihm, ganz aus der Ferne, fast wie ein Traum, ein Gesang zu ihm herüber:

»Rinke, ranke, Rosenschein,
Laß ihn nicht allein, allein!
Halt' ihn fest und hol' ihn ein,
Rinke, ranke, Rosenschein.«

Das spann sich wie ein goldenes Netz um ihn her; er ließ den Kopf auf seine Brust sinken; aber Krahirius schrie: »Krahira! krahira!« Da war das Lied verschollen, und als Hinzelmeier die Augen wieder aufschlug, stand er am Fuße des Hügels.

»Nur eine kleine Weile noch«, sagte er zu sich selber und ließ noch einmal seine müden Füße wandern. Als er aber den großen, breiten Stein allmählich in der Nähe sah, da dachte er: »Den wirst du nimmer heben.«

Endlich hatten sie die Höhe erreicht, Krahirius flog voran mit ausgebreiteten Schwingen und ließ sich auf den Baumstamm nieder; Hinzelmeier wankte zitternd hinterher. Als er aber den Baum erreicht hatte, brach er zusammen, der Wanderstab glitt aus seiner Hand, sein Kopf sank auf den Stein zurück; doch in demselben Augenblick fiel auch die Brille von seiner Nase. Da sah er tief am Horizonte, am Rande der öden Ebene, die er durchwandert hatte, die weiße Gestalt der Rosenjungfrau; und noch einmal hörte er aus weiter Ferne:

»Rinke – ranke – Rosenschein.«

Er wollte aufstehen, aber er vermochte es nicht mehr; er streckte seine Arme aus, aber ein Frösteln lief über seine Glieder; der Himmel wurde grau und grauer, der Schnee fing an zu fallen, Flocke um Flokke, es schimmerte und klirrte und zog weiße Schleier zwischen ihm und der fernen, nebelhaften Gestalt. Er ließ die Arme fallen, seine Augen sanken ein, sein Atem hörte auf. Auf dem Weidenstumpf zu seinen Häupten steckte der Rabe den Schnabel zum Schlaf in seine Flügeldecken. – Der Schnee fiel über sie beide.

Die Nacht kam, und nach der Nacht kam der Morgen, und mit dem Morgen kam die Sonne, die schmolz den Schnee hinweg, und mit der Sonne kam die Rosenjungfrau; die löste ihre Flechten und kniete neben dem Toten, daß die blonden Haare sein bleiches Antlitz ganz bedeckten, und weinte, bis der Tag verging. Als aber die Sonne erlosch, gurrte der Rabe im Schlaf und rauschte mit den Federn. Da richtete die zarte Gestalt der Jungfrau sich vom Boden auf, mit ihrer weißen Hand ergriff sie den Raben bei den Flügeln und schleuderte ihn in die Luft, daß er krächzend in den grauen Himmel hineinflog, sie pflanzte die rote Rose an den Stein und sang dazu:

»Nun streck' die Würzlein tief hinab,
Nun wirf die Blättlein übers Grab,
Und singt der Wind im Abendschein,
Dann sprich auch du ein Wort darein,
Mit rinke, ranke, Rosenschein!«

Dann zerriß sie ihr weißes Kleid vom Saum bis an den Gürtel und ging zu ewiger Gefangenschaft in den Rosengarten zurück.

Geschichten aus der Tonne

Vorwort

Die nachstehenden Geschichten, welche ich in der ersten Auflage unter dem Titel »Drei Märchen« in die Welt gehen ließ, haben es erfahren müssen, daß sie von manchem sonst guten Freunde ihres Verfassers lediglich um dieser Überschrift willen ungelesen beiseitegeschoben wurden; selbst die Versicherung des derzeitigen Vorwortes, daß das zweite Stück mehr in dem vornehmen Gewand der Sage auftrete, das dritte mehr eine »seltsame Historie« sei, hat dagegen nicht verfangen wollen. – Es ist so unbequem, die traute Alltagswelt mit einer anderen zu vertauschen, wo es vielleicht statt auf der Eisenbahn mit Siebenmeilenstiefeln durch die Luft geht. Überdies aber – und nicht mit Unrecht –, das Märchen hat seinen Kredit verloren; es ist die Werkstatt des Dilettantismus geworden, der seine Pfuscherarbeit mit bunten Bildern überkleistert und in den zahllosen Jugendschriften einen lebhaften Markt damit eröffnet; das Wenige, was von echter Meisterhand in dieser Dichtungsart geleistet ist, verschwindet in diesem Wuste.

In besserer Beachtung solcher Umstände ist das Büchlein beim Antritt seiner zweiten Reise auf einen unverfänglicheren Namen umgetauft, wobei eine noch immer anheimelnde Jugenderinnerung die Patenstelle übernommen hat.

Einer unserer wackersten Spielkameraden war »Hans Räuber«, der Sohn eines armen Schuhflickers und schon seit Jahren ein Stadt-Waisenkind; den Beinamen hatte er sich in unserem beliebtesten Spiele »Räuber und Soldat« durch seine ausgezeichneten Leistungen in der ersteren Eigenschaft verdient. Außerdem aber besaß dieser ehrliche und spaßhafte Bursche noch eine andere von uns sehr geschätzte Fähigkeit.

An den langen Herbstabenden, wo uns für die ausgelassenen Spiele nach der Schulzeit gar bald das Licht ausging, pflegten wir uns auf den Stufen irgendeiner Haustreppe zusammenzufinden, und nun hieß es: »Stücken vertellen!« und auch hier war wieder Hans der »Baas«; Gott weiß, woher ihm die seltsamen Geschichten anflogen, mit denen er uns bald vor Grauen zu schütteln, bald das hellste Lachen hervorzurufen wußte. In dieser Jahreszeit des Stücken-Erzählens wurden insbesondere die Gestalten unseres heimischen Volksglaubens so lebendig in uns, daß wir einmal ganz deutlich den Niß Puk aus einer Dachöffnung von meines Vaters Stallgebäude herausgucken sahen und, mit Hirschfänger und Blumenstöcken bewaffnet, einen zwar vergeblichen Feldzug über sämtliche Böden gegen den Hauskobold unternahmen.

Je heimlicher wir unsere Märchenbude aufgeschlagen hatten, desto schöner hörten sich die Geschichten an. Mich namentlich trieb diese Vorliebe für versteckte Erzählungsplätzchen zur Entdeckung immer neuer Schlupfwinkel; der beste Fund aber, der mir dabei gelang, war eine große leere Tonne, welche in unserem sogenannten Packhause unweit der Schreiberstube stand. Diese Tonne war bald das Allerheiligste, das nur von mir und Hans bezogen wurde; hier kauerten wir abends nach der Rechenstunde zusammen, nahmen meine kleine Handlaterne, die wir zuvor mit ausreichenden Lichtendchen versehen hatten, auf den Schoß und schoben ein paar auf der Tonne liegende Bretter wieder über die Öffnung, so daß wir wie im heimlichsten Stübchen uns gegenübersaßen. Wenn dann die Leute abends in die Schreibstube gingen und ein Gemurmel aus der Tonne aufsteigen hörten, auch wohl einzelne Lichtstrahlen daraus hervorschimmern sahen, so konnte der alte Schreiber nicht genug die wunderliche Ursache davon berichten.

Wo aber waren indessen Hans und ich? – Ging es auch sachte aufwärts, so ging es doch endlich hübsch über die Alltagswelt hinweg, daß der Schul- und sonstige Erdenstaub lustig aus den flatternden Gewändern flog. Die alte Gelehrtenschule mit ihren irregulären Verben, der dumpfe Keller mit der häßlichen Lehmdiele, auf der das Bett des Waisenknaben stand – im Nebel der Tiefe lag es unter uns, während wir die reine Luft der Höhe atmeten.

Aber selbst zu uns hinauf drang die Sopranstimme der Magd, die, wenn es neun vom Turm geschlagen hatte, mich von der Hoftür aus zum Abendessen rief. Plötzlich saßen wir wieder in unserer engen Tonne; noch einmal dehnten wir uns, daß die Wände knackten, und kletterten dann über den Rand derselben in das Alltagsleben zurück; aber noch lange nachher mußte es uns jeder vom Gesichte ablesen können, daß wir in uns einen Glanz trugen, der nicht von dieser Welt war. – –

Vierzig Jahre und darüber sind seitdem verflossen. Meinen Hans Räuber hat ein seltsames Geschick betroffen; er ist in seinem Alter noch einmal ein Stadt-Waisenkind geworden.

Ob er für einen Sterblichen doch zu oft in jene Region hinaufgeflogen war? – Nachdem er ein Vierteljahrhundert der Alltagswelt als tüchtiger Schiffszimmermann gedient hatte, wurde er krank und konnte sich lange Jahre hindurch nicht mehr in ihr zurechtfinden. So kam er in ein städtisches Asyl. Aber er ist allmählich wieder genesen; es geht ihm wohl; er arbeitet nach Belieben, und er arbeitet gern und gut; seine Frau zwar hat er längst begraben, aber seine Kinder weiß er in der Ferne wohlversorgt. Wenn sein rotes, ehrliches Gesicht mit den nun ergrauten Haaren mir begegnet, dann nicken wir uns zu, und seine braunen Augen leuchten schelmisch, als wollten sie mir sagen: »Weißt du noch – das wissen wir beide nur allein –, wie wir damals in der Tonne saßen! Das war schöne Zeit!«

Möge der freundliche Leser nun erproben, ob diesen neuen *»Geschichten aus der Tonne«* etwas von der Kraft der alten innewohne. Zu lange soll die Fahrt nicht dauern, und so hoch soll sie auch nicht gehen, daß die praktischen Köpfe unserer neuen Zeit dabei von Schwindel könnten befallen werden.

Husum, im März 1873. *Theodor Storm*

Die Regentrude

Einen so heißen Sommer, wie nun vor hundert Jahren, hat es seitdem nicht wieder gegeben. Kein Grün fast war zu sehen; zahmes und wildes Getier lag verschmachtet auf den Feldern.

Es war an einem Vormittag. Die Dorfstraßen standen leer; was nur konnte, war ins Innerste der Häuser geflüchtet; selbst die Dorfkläffer hatten sich verkrochen. Nur der dicke Wiesenbauer stand breitspurig in der Torfahrt seines stattlichen Hauses und rauchte im Schweiße seines Angesichts aus seinem großen Meerschaumkopfe. Dabei schaute er schmunzelnd einem mächtigen Fuder Heu entgegen, das eben von seinen Knechten auf die Diele gefahren wurde. – Er hatte vor Jahren eine bedeutende Fläche sumpfigen Wiesenlandes um geringen Preis erworben, und die letzten dürren Jahre, welche auf den Feldern seiner Nachbarn das Gras versengten, hatten ihm die Scheuern mit duftendem Heu und den Kasten mit blanken Krontalern gefüllt.

So stand er auch jetzt und rechnete, was bei den immer steigenden Preisen der Überschuß der Ernte für ihn einbringen könne. »Sie kriegen alle nichts«, murmelte er, indem er die Augen mit der Hand beschattete und zwischen den Nachbarsgehöften hindurch in die flimmernde Ferne schaute; »es gibt gar keinen Regen mehr in der Welt.« Dann ging er an den Wagen, der eben abgeladen wurde; er zupfte eine Handvoll Heu heraus, führte es an seine breite Nase und lächelte so verschmitzt, als wenn er aus dem kräftigen Duft noch einige Krontaler mehr herausriechen könne.

In demselben Augenblicke war eine etwa fünfzigjährige Frau ins Haus getreten. Sie sah blaß und leidend aus, und bei dem schwarzseidenen Tuche, das sie um den Hals gesteckt trug, trat der bekümmerte Ausdruck ihres Gesichts nur noch mehr hervor. »Guten Tag, Nachbar«, sagte sie, indem sie dem Wiesenbauer die Hand reichte, »ist das eine Glut; die Haare brennen einem auf dem Kopfe!«

»Laß brennen, Mutter Stine, laß brennen«, erwiderte er, »seht nur das Fuder Heu an! Mir kann's nicht zu schlimm werden!«

»Ja, ja, Wiesenbauer, Ihr könnt schon lachen; aber was soll aus uns anderen werden, wenn das so fortgeht!«

Der Bauer drückte mit dem Daumen die Asche in seinen Pfeifenkopf und stieß ein paar mächtige Dampfwolken in die Luft. »Seht Ihr«, sagte er, »das kommt von der Überklugheit. Ich hab's ihm immer gesagt; aber Euer Seliger hat's alleweg besser verstehen wollen. Warum mußte er all sein Tiefland vertauschen! Nun sitzt Ihr da mit den hohen Feldern, wo Eure Saat verdorrt und Euer Vieh verschmachtet.«

Die Frau seufzte.

Der dicke Mann wurde plötzlich herablassend. »Aber, Mutter Stine«, sagte er, »ich merke schon, Ihr seid nicht von ungefähr hierhergekommen; schießt nur immer los, was Ihr auf dem Herzen habt!«

Die Witwe blickte zu Boden. »Ihr wißt wohl«, sagte sie, »die funfzig Taler, die Ihr mir geliehen, ich soll sie auf Johanni zurückzahlen, und der Termin ist vor der Tür.«

Der Bauer legte seine fleischige Hand auf ihre Schulter. »Nun macht Euch keine Sorge, Frau! Ich brauche das Geld nicht; ich bin nicht der Mann, der aus der Hand in den Mund lebt. Ihr könnt mir Eure Grundstücke dafür zum Pfande einsetzen; sie sind zwar nicht von den besten, aber mir sollen sie diesmal gut genug sein. Auf den Sonnabend könnt Ihr mit mir zum Gerichtshalter fahren.«

Die bekümmerte Frau atmete auf. »Es macht zwar wieder Kosten«, sagte sie, »aber ich danke Euch doch dafür.«

Der Wiesenbauer hatte seine kleinen klugen Augen nicht von ihr gelassen. »Und«, fuhr er fort, »weil wir hier einmal beisammen sind, so will ich Euch auch sagen, der Andrees, Euer Junge, geht nach meiner Tochter!«

»Du lieber Gott, Nachbar, die Kinder sind ja miteinander aufgewachsen!«

»Das mag sein, Frau; wenn aber der Bursche meint, er könne sich hier in die volle Wirtschaft einfreien, so hat er seine Rechnung ohne mich gemacht!«

Die schwache Frau richtete sich ein wenig auf und sah ihn mit fast zürnenden Augen an. »Was habt Ihr denn an meinem Andrees auszusetzen?« fragte sie.

»Ich an Eurem Andrees, Frau Stine? – Auf der Welt gar nichts! Aber« – und er strich sich mit der Hand über die silbernen Knöpfe seiner roten Weste – »meine Tochter ist eben meine Tochter, und des Wiesenbauers Tochter kann es besser belaufen.«

»Trotzt nicht zu sehr, Wiesenbauer«, sagte die Frau milde, »ehe die heißen Jahre kamen –!«

»Aber sie sind gekommen und sind noch immer da, und auch für dies Jahr ist keine Aussicht, daß Ihr eine Ernte in die Scheuer bekommt. Uns so geht's mit Eurer Wirtschaft immer weiter rückwärts.«

Die Frau war in tiefes Sinnen versunken; sie schien die letzten Worte kaum gehört zu haben. »Ja«, sagte sie, »Ihr mögt leider recht haben, die Regentrude muß eingeschlafen sein; aber – sie kann geweckt werden!«

»Die Regentrude?« wiederholte der Bauer hart. »Glaubt Ihr auch an das Gefasel?«

»Kein Gefasel, Nachbar!« erwiderte sie geheimnisvoll. »Meine Urahne, da sie jung gewesen, hat sie selber einmal aufgeweckt. Sie wußte auch das Sprüchlein noch und hat es mir öfters vorgesagt; aber ich habe es seither längst vergessen.«

Der dicke Mann lachte, daß ihm die silbernen Knöpfe auf seinem Bauche tanzten. »Nun, Mutter Stine, so setzt Euch hin und besinnt Euch auf Euer Sprüchlein. Ich verlasse mich auf mein Wetterglas, und das steht seit acht Wochen auf beständig Schön!«

»Das Wetterglas ist ein totes Ding, Nachbar; das kann doch nicht das Wetter machen!«

»Und Eure Regentrude ist ein Spukeding, ein Hirngespinst, ein Garnichts!«

»Nun, Wiesenbauer«, sagte die Frau schüchtern, »Ihr seid einmal einer von den Neugläubigen!«

Aber der Mann wurde immer eifriger. »Neu- oder altgläubig!« rief er, »geht hin und sucht Eure Regenfrau und sprecht Euer Sprüchlein, wenn Ihr's noch beisammenkriegt! Und wenn Ihr binnen heut und vierundzwanzig Stunden Regen schafft, dann –!« Er hielt inne und paffte ein paar dicke Rauchwolken vor sich hin.

»Was dann, Nachbar?« fragte die Frau.

»Dann – – dann – zum Teufel, ja, dann soll Euer Andrees meine Maren freien!«

In diesem Augenblicke öffnete sich die Tür des Wohnzimmers, und ein schönes schlankes Mädchen mit rehbraunen Augen trat zu ihnen auf die Durchfahrt hinaus. »Topp, Vater«, rief sie, »das soll gelten!«

Und zu einem ältlichen Mann gewandt, der eben von der Straße her ins Haus trat, fügte sie hinzu: »Ihr habt's gehört, Vetter Schulze!«

»Nun, nun, Maren«, sagte der Wiesenbauer, »du brauchst keine Zeugen gegen deinen Vater aufzurufen; von meinem Wort da beißt dir keine Maus auch nur ein Titelchen ab.«

Der Schulze schaute indes, auf seinen langen Stock gestützt, eine Weile in den freien Tag hinaus; und hatte nun sein schärferes Auge in der Tiefe des glühenden Himmels ein weißes Pünktchen schwimmen sehen oder wünschte er es nur und glaubte es deshalb gesehen zu haben, aber er lächelte hinterhaltig und sagte: »Mög's Euch bekommen, Vetter Wiesenbauer, der Andrees ist allewege ein tüchtiger Bursch!«

Bald darauf, während der Wiesenbauer und der Schulze in dem Wohnzimmer des ersteren über allerlei Rechnungen beisammensaßen, trat Maren an der anderen Seite der Dorfstraße mit Mutter Stine in deren Stübchen. »Aber Kind«, sagte die Witwe, indem sie ihr Spinnrad aus der Ecke holte, »weißt du denn das Sprüchlein für die Regenfrau?«

»Ich?« fragte das Mädchen, indem sie erstaunt den Kopf zurückwarf.

»Nun, ich dachte nur, weil du so keck dem Vater vor die Füße tratst.«

»Nicht doch, Mutter Stine, mir war nur so ums Herz, und ich dachte auch, Ihr selber würdet's wohl noch beisammen bekommen. Räumt nur ein bissel auf in Eurem Kopfe; es muß ja noch irgendwo verkramet liegen!«

Frau Stine schüttelte den Kopf. »Die Urahne ist mir früh gestorben. Das aber weiß ich noch wohl, wenn wir damals große Dürre hatten, wie eben jetzt, und uns dabei mit der Saat oder dem Viehzeug Unheil zuschlug, dann pflegte sie wohl ganz heimlich zu sagen: ›Das tut der Feuermann uns zum Schabernack, weil ich einmal die Regenfrau geweckt habe!‹«

»Der Feuermann?« fragte das Mädchen, »wer ist denn das nun wieder?« Aber ehe sie noch eine Antwort erhalten konnte, war sie schon ans Fenster gesprungen und rief: »Um Gott, Mutter, da kommt der Andrees; seht nur, wie verstürzt er aussieht!«

Die Witwe erhob sich von ihrem Spinnrade: »Freilich, Kind«, sagte sie niedergeschlagen, »siehst du denn nicht, was er auf dem Rücken trägt? Da ist schon wieder eins von den Schafen verdurstet.« Bald darauf trat der junge Bauer ins Zimmer und legte das tote Tier vor den Frauen auf den Estrich. »Da habt ihr's!« sagte er finster, indem er sich mit der Hand den Schweiß von der heißen Stirn strich.

Die Frauen sahen mehr in sein Gesicht als auf die tote Kreatur. »Nimm dir's nicht so zu Herzen, Andrees!« sagte Maren. »Wir wollen die Regenfrau wecken, und dann wird alles wieder gut werden.«

»Die Regenfrau!« wiederholte er tonlos. »Ja, Maren, wer die wecken könnte! – Es ist aber auch nicht wegen dem allein; es ist mir etwas widerfahren draußen.« –

Die Mutter faßte zärtlich seine Hand. »So sag' es von dir, mein Sohn«, ermahnte sie, »damit es dich nicht siech mache!«

»So hört denn!« erwiderte er. – »Ich wollte nach unseren Schafen sehen und ob das Wasser, das ich gestern abend für sie hinaufgetragen, noch nicht verdunstet sei. Als ich aber auf den Weideplatz kam, sah ich sogleich, daß es dort nicht seine Richtigkeit habe; der Wasserzuber war nicht mehr, wo ich ihn hingestellt, und auch die Schafe waren nicht zu sehen. Um sie zu suchen, ging ich den Rain hinab bis an den Riesenhügel. Als ich auf die andere Seite kam, da sah ich sie alle liegen, keuchend, die Hälse lang auf die Erde gestreckt; die arme Kreatur hier war schon krepiert. Daneben lag der Zuber umgestürzt und schon gänzlich ausgetrocknet. Die Tiere konnten das nicht getan haben; hier mußte eine böswillige Hand im Spiele sein.«

»Kind, Kind«, unterbrach ihn die Mutter, »wer sollte einer armen Witwe Leides zufügen!«

»Hört nur zu, Mutter, es kommt noch weiter. Ich stieg auf den Hügel und sah nach allen Seiten über die Ebene hin; aber kein Mensch war zu sehen, die sengende Glut lag wie alle Tage lautlos über den Feldern. Nur neben mir auf einem der großen Steine, zwischen denen das Zwergenloch in den Hügel hinabgeht, saß ein dicker Molch und sonnte seinen häßlichen Leib. Als ich noch so halb ratlos, halb ingrimmig um mich her starrte, höre ich auf einmal hinter mir von der anderen Seite des Hügels her ein Gemurmel, wie wenn einer eifrig mit sich selber redet, und als ich mich umwende, sehe ich ein knorpsiges Männlein im feuerroten Rock und roter Zipfelmütze unten zwischen dem Heidekraut auf und ab stapfen. – Ich erschrak mich, denn wo war es plötzlich hergekommen! – Auch sah es gar so arg und mißgeschaffen aus. Die großen, braunroten Hände hatte es auf dem Rücken gefaltet, und dabei spielten die krummen Finger wie Spinnenbeine in der Luft. – Ich war hinter den Dornbusch getreten, der neben den Steinen aus dem Hügel wächst, und konnte von hier aus alles sehen, ohne selbst bemerkt zu werden. Das Unding drunten war noch immer in Bewegung; es bückte sich und riß ein Bündel versengten Grases aus dem Boden, daß ich glaubte, es müsse mit seinem Kürbiskopf vorn überschießen; aber es stand schon wieder auf seinen Spindelbeinen, und indem es das dürre Kraut zwischen seinen großen Fäusten zu Pulver rieb, begann es so entsetzlich zu lachen, daß auf der anderen Seite des Hügels die halbtoten Schafe aufsprangen und in wilder Flucht an dem Rain hinunterjagten. Das Männlein aber lachte noch gellender, und dabei begann es von einem Bein aufs andere zu springen, daß ich fürchtete, die dünnen Stäbchen müßten unter seinem klumpigen Leibe zusammenbrechen. Es war grausenvoll anzusehen, denn es funkte ihm dabei ordentlich aus seinen kleinen schwarzen Augen.«

Die Witwe hatte leise des Mädchens Hand gefaßt.

»Weißt du nun, wer der Feuermann ist?« sagte sie. Maren nickte.

»Das Allergrausenhafteste aber«, fuhr Andrees fort, »war seine Stimme. ›Wenn sie es wüßten, wenn sie es wüßten!‹ schrie er, ›die Flegel, die Bauerntölpel!‹ Und dann sang er mit seiner schnarrenden, quäkenden Stimme ein seltsames Sprüchlein; immer von vorn nach hinten, als könne er sich gar daran nicht ersättigen. Wartet nur, ich bekomm's wohl noch beisammen!«

Und nach einigen Augenblicken fuhr er fort:

»Dunst ist die Welle,
Staub ist die Quelle!«

Die Mutter ließ plötzlich ihr Spinnrad stehen, das sie während der Erzählung eifrig gedreht hatte, und sah ihren Sohn mit gespannten Augen an. Der aber schwieg wieder und schien sich zu besinnen.

»Weiter!« sagte sie leise.

»Ich weiß nicht weiter, Mutter; es ist fort, und ich hab's mir unterwegs doch wohl hundertmal vorgesagt.«

Als aber Frau Stine mit unsicherer Stimme selbst fortfuhr:

»Stumm sind die Wälder,
Feuermann tanzet über die Felder!«

da setzte er rasch hinzu:

»Nimm dich in acht!
Eh' du erwacht,
Holt dich die Mutter
Heim in die Nacht!«

»Das ist das Sprüchlein der Regentrude!« rief Frau Stine; »und nun rasch noch einmal! Und du, Maren, merk' wohl auf, damit es nicht wiederum verloren geht!«

Und nun sprachen Mutter und Sohn noch einmal zusammen und ohne Anstoß:

»Dunst ist die Welle,
Staub ist die Quelle!
Stumm sind die Wälder,
Feuermann tanzet über die Felder!

Nimm dich in acht!
Eh' du erwacht,
Holt dich die Mutter
Heim in die Nacht!«

»Nun hat alle Not ein Ende!« rief Maren; »nun wecken wir die Regentrude; morgen sind alle Felder wieder grün, und übermorgen gibt's Hochzeit!« Und mit fliegenden Worten und glänzenden Augen erzählte sie ihrem Andrees, welches Versprechen sie dem Vater abgewonnen habe.

»Kind«, sagte die Witwe wieder, »weißt du denn auch den Weg zur Regentrude?«

»Nein, Mutter Stine; wißt Ihr denn auch den Weg nicht mehr?«

»Aber, Maren, es war ja die Urahne, die bei der Regentrude war; von dem Wege hat sie mir niemals was erzählt.«

»Nun, Andrees«, sagte Maren und faßte den Arm des jungen Bauern, der währenddes mit gerunzelter Stirn vor sich hin gestarrt hatte, »so sprich du! Du weißt ja sonst doch immer Rat!«

»Vielleicht weiß ich auch jetzt wieder einen!« entgegnete er bedächtig. »Ich muß heute mittag den Schafen noch Wasser hinauftragen. Vielleicht daß ich den Feuermann noch einmal hinter dem Dornbusch belauschen kann! Hat er das Sprüchlein verraten, wird er auch noch den Weg verraten; denn sein dicker Kopf scheint überzulaufen von diesen Dingen.«

Und bei diesem Entschluß blieb es. So viel sie auch hin und wider redeten, sie wußten keinen besseren aufzufinden.

Bald darauf befand sich Andrees mit seiner Wassertracht droben auf dem Weideplatze. Als er in die Nähe des Riesenhügels kam, sah er den Kobold schon von weitem auf einem der Steine am Zwergloch sitzen. Er strählte sich mit seinen fünf ausgespreizten Fingern den roten Bart; und jedesmal, wenn er die Hand herauszog, löste sich ein Häufchen feuriger Flocken ab und schwebte in dem grellen Sonnenschein über die Felder dahin.

»Da bist du zu spät gekommen«, dachte Andrees, »heute wirst du nichts erfahren«, und wollte seitwärts, als habe er gar nichts gesehen, nach der Stelle abbiegen, wo noch immer der umgestürzte Zuber lag. Aber er wurde angerufen. »Ich dächte, du hätt'st mit mir zu reden!« hörte er die Quäkstimme des Koboldes hinter sich.

Andrees kehrte sich um und trat ein paar Schritte zurück. »Was hätte ich mit Euch zu reden«, erwiderte er; »ich kenne Euch ja nicht.«

»Aber du möchtest den Weg zur Regentrude wissen?«

»Wer hat Euch denn das gesagt?«

»Mein kleiner Finger, und der ist klüger als mancher große Kerl.«

Andrees nahm all seinen Mut zusammen und trat noch ein paar Schritte näher zu dem Unding an den Hügel hinauf. »Euer kleiner Finger mag schon klug sein«, sagte er, »aber den Weg zur Regenfrau wird er doch nicht wissen, denn den wissen auch die allerklügsten Menschen nicht.«

Der Kobold blähte sich wie eine Kröte und fuhr ein paarmal mit seiner Klaue durch den Feuerbart, daß Andreess vor der herausströmenden Glut einen Schritt zurücktaumelte. Plötzlich aber den jungen Bauern mit dem Ausdruck eines überlegenen Hohns aus seinen bösen, kleinen Augen anstarrend, schnarrte er ihn an: »Du bist zu einfältig, Andrees; wenn ich dir auch sagte, daß die Regentrude hinter dem großen Walde wohnt, so würdest du doch nicht wissen, daß hinter dem Walde eine hohle Weide steht!«

»Hier gilt's den Dummen spielen!« dachte Andrees; denn obschon er sonst ein ehrlicher Bursche war, so hatte er doch auch seine gute Portion Bauernschlauheit mit auf die Welt bekommen. »Da habt Ihr recht«, sagte er und riß den Mund auf, »das würde ich freilich nicht wissen!«

»Und«, fuhr der Kobold fort, »wenn ich dir auch sagte, daß hinter dem Walde die hohle Weide steht, so würdest du doch nicht wissen, daß in dem Baum eine Treppe zum Garten der Regenfrau hinabführt.«

»Wie man sich doch verrechnen kann!« rief Andrees. »Ich dachte, man könnte nur so geradeswegs hineinspazieren.«

»Und wenn du auch geradeswegs hineinspazieren könntest«, sagte der Kobold, »so würdest du immer noch nicht wissen, daß die Regentrude nur von einer reinen Jungfrau geweckt werden kann.«

»Nun freilich«, meinte Andrees, »da hilft's mir nichts; da will ich mich nur gleich wieder auf den Heimweg machen.«

Ein arglistiges Lächeln verzog den breiten Mund des Kobolds. »Willst du nicht erst dein Wasser in den Zuber gießen?« fragte er; »das schöne Viehzeug ist ja schier verschmachtet.«

»Da habt Ihr zum vierten Male recht!« erwiderte der Bursche und ging mit seinen Eimern um den Hügel herum. Als er aber das Wasser in den heißen Zuber goß, schlug es zischend empor und verprasselte in weißen Dampfwolken in die Luft. »Auch gut!« dachte er, »meine Schafe treibe ich mit mir heim, und morgen mit dem frühesten geleite ich Maren zu der Regentrude. Die soll sie schon erwecken!«

Auf der anderen Seite des Hügels aber war der Kobold von seinen Steinen aufgesprungen. Er warf seine rote Mütze in die Luft und kollerte sich mit wieherndem Gelächter den Berg hinab. Dann sprang er wieder auf seine dürren Spindelbeine, tanzte wie toll umher und schrie dabei mit seiner Quäkstimme ein Mal übers andere: »Der Kindskopf, der Bauernlümmel, dachte mich zu übertölpeln und weiß noch nicht, daß die Trude sich nur durch das rechte Sprüchlein wecken läßt. Und das Sprüchlein weiß keiner als Eckeneckepenn, und Eckeneckepenn, das bin ich!« –

Der böse Kobold wußte nicht, daß er am Vormittag das Sprüchlein selbst verraten hatte.

Auf die Sonnenblumen, die vor Marens Kammer im Garten standen, fiel eben der erste Morgenstrahl, als sie schon das Fenster aufstieß und ihren Kopf in die frische Luft hinausstreckte. Der Wiesenbauer, welcher nebenan im Alkoven des Wohnzimmers schlief, mußte davon erwacht sein; denn sein Schnarchen, das noch eben durch alle Wände drang, hatte plötzlich aufgehört. »Was treibst du, Maren?« rief er mit schläfriger Stimme. »Fehlt's dir denn wo?«

Das Mädchen fuhr sich mit dem Finger an die Lippen; denn sie wußte wohl, daß der Vater, wenn er ihr Vorhaben erführe, sie nicht aus dem Hause lassen würde. Aber sie faßte sich schnell. »Ich habe nicht schlafen können, Vater«, rief sie zurück, »ich will mit den Leuten auf die Wiesen; es ist so hübsch frisch heute morgen.«

»Hast das nicht nötig, Maren«, erwiderte der Bauer, »meine Tochter ist kein Dienstbot'.« Und nach einer Weile fügte er hinzu: »Na, wenn's dir Pläsier macht! Aber sei zur rechten Zeit wieder heim, eh' die große Hitze kommt. Und vergiß mein Warmbier nicht!« Damit warf er sich auf die andere Seite, daß die Bettstelle krachte, und gleich darauf hörte auch das Mädchen wieder das wohlbekannte, abgemessene Schnarchen.

Behutsam drückte sie ihre Kammertür auf. Als sie durch die Torfahrt ins Freie ging, hörte sie eben den Knecht die beiden Mägde wekken. »Es ist doch schnöd'«, dachte sie, »daß du so hast lügen müssen, aber« – und sie seufzte dabei ein wenig – »was tut man nicht um seinen Schatz.«

Drüben in seinem Sonntagsstaat stand schon Andrees ihrer wartend. »Weißt du dein Sprüchlein noch?« rief er ihr entgegen.

»Ja, Andrees! Und weißt du noch den Weg?« Er nickte nur.

»So laß uns gehen!« – Aber eben kam noch Mutter Stine aus dem

Hause und steckte ihrem Sohne ein mit Met gefülltes Fläschchen in die Tasche. »Der ist noch von der Urahne«, sagte sie, »sie tat allezeit sehr geheim und kostbar damit, der wird euch gut tun in der Hitze!«

Dann gingen sie im Morgenschein die stille Dorfstraße hinab, und die Witwe stand noch lange und schaute nach der Richtung, wo die jungen, kräftigen Gestalten verschwunden waren.

Der Weg der beiden führte hinter der Dorfmark über eine weite Heide. Danach kamen sie in den großen Wald. Aber die Blätter des Waldes lagen meist verdorrt am Boden, so daß die Sonne überall hindurchblitzte; sie wurden fast geblendet von den wechselnden Lichtern. – Als sie eine geraume Zeit zwischen den hohen Stämmen der Eichen und Buchen fortgeschritten waren, faßte das Mädchen die Hand des jungen Mannes.

»Was hast du, Maren?« fragte er.

»Ich hörte unsere Dorfuhr schlagen, Andrees.«

»Ja, mir war es auch so.«

»Es muß sechs Uhr sein!« sagte sie wieder. »Wer kocht denn dem Vater nur sein Warmbier? Die Mägde sind alle auf dem Felde.«

»Ich weiß nicht, Maren; aber das hilft nun doch weiter nicht!«

»Nein«, sagte sie, »das hilft nun weiter nicht. Aber weißt du denn auch noch unser Sprüchlein?«

»Freilich, Maren!

Dunst ist die Welle,
Staub ist die Quelle!«

Und als er einen Augenblick zögerte, sagte sie rasch:

»Stumm sind die Wälder,
Feuermann tanzet über die Felder!«

»Oh«, rief sie, »wie brannte die Sonne!«

»Ja«, sagte Andrees und rieb sich die Wange, »es hat auch mir ordentlich einen Stich gegeben.«

Endlich kamen sie aus dem Walde, und dort, ein paar Schritte vor ihnen, stand auch schon der alte Weidenbaum. Der mächtige Stamm war ganz gehöhlt, und das Dunkel, das darin herrschte, schien tief in den Abgrund der Erde zu führen. Andrees stieg zuerst allein hinab, während Maren sich auf die Höhlung des Baumes lehnte und ihm nachzublicken suchte. Aber bald sah sie nichts mehr von ihm, nur das Geräusch des Hinabsteigens schlug noch an ihr Ohr. Ihr begann angst zu werden, oben um sie her war es so einsam, und von unten hörte sie endlich auch keinen Laut mehr. Sie steckte den Kopf tief in die Höhlung und rief: »Andrees, Andrees!« Aber es blieb alles still, und noch einmal rief sie: »Andrees!« – Da nach einiger Zeit war es ihr, als höre sie es von unten wieder heraufkommen, und allmählich erkannte sie auch die Stimme des jungen Mannes, der ihren Namen rief, und faßte seine Hand, die er ihr entgegenstreckte. »Es führt eine Treppe hinab«, sagte er, »aber sie ist steil und ausgebröckelt, und wer weiß, wie tief nach unten zu der Abgrund ist!«

Maren erschrak. »Fürchte dich nicht«, sagte er, »ich trage dich; ich habe einen sicheren Fuß.« Dann hob er das schlanke Mädchen auf seine breite Schulter; und als sie die Arme fest um seinen Hals gelegt hatte, stieg er behutsam mit ihr in die Tiefe. Dichte Finsternis umgab sie; aber Maren atmete doch auf, während sie so Stufe um Stufe wie in einem gewundenen Schneckengange hinabgetragen wurde; denn es war kühl hier im Inneren der Erde. Kein Laut von oben drang zu ihnen herab; nur einmal hörten sie dumpf aus der Ferne die unterirdischen Wasser brausen, die vergeblich zum Licht emporarbeiteten.

»Was war das?« flüsterte das Mädchen.

»Ich weiß nicht, Maren.«

»Aber hat's denn noch kein Ende?«

»Es scheint fast nicht.«

»Wenn dich der Kobold nur nicht betrogen hat!«

»Ich denke nicht, Maren.«

So stiegen sie tiefer und tiefer. Endlich spürten sie wieder den Schimmer des Sonnenlichts unter sich, das mit jedem Tritte leuchtender wurde; zugleich aber drang auch eine erstickende Hitze zu ihnen herauf.

Als sie von der untersten Stufe ins Freie traten, sahen sie eine gänzlich unbekannte Gegend vor sich. Maren sah befremdet umher. »Die Sonne scheint aber doch dieselbe zu sein!« sagte sie endlich.

»Kälter ist sie wenigstens nicht«, meinte Andrees, indem er das Mädchen zur Erde hob.

Von dem Platze, wo sie sich befanden, auf einem breiten Steindamm, lief eine Allee von alten Weiden in die Ferne hinaus. Sie bedachten sich nicht lange, sondern gingen, als sei ihnen der Weg gewiesen, zwischen den Reihen der Bäume entlang. Wenn sie nach der einen oder anderen Seite blickten, so sahen sie in ein ödes, unabsehbares Tiefland, das so von aller Art Rinnen und Vertiefungen zerrissen war, als bestehe es nur aus einem endlosen Gewirr verlassener See- und Strombetten. Dies schien auch dadurch bestätigt zu werden, daß ein beklemmender Dunst, wie von vertrocknetem Schilf, die Luft erfüllte. Dabei lagerte zwischen den Schatten der einzelnstehenden Bäume eine solche Glut, daß es den beiden Wanderern war, als sähen sie kleine weiße Flammen über den staubigen Weg dahinfliegen. Andrees mußte an die Flocken aus dem Feuerbarte des Kobolds denken. Einmal war es ihm sogar, als sähe er zwei dunkle Augenringe in dem grellen Sonnenschein; dann wieder glaubte er deutlich neben sich das tolle Springen der kleinen Spindelbeine zu hören. Bald war es links, bald rechts an seiner Seite. Wenn er sich aber wandte, vermochte er nichts zu sehen; nur die glutheiße Luft zitterte flirrend und blendend vor seinen Augen. »Ja«, dachte er, indem er des Mädchens Hand erfaßte und beide mühsam vorwärtsschritten, »sauer machst du's uns; aber recht behältst du heute nicht!«

Weiter und weiter gingen sie, der eine nur auf das immer schwerere Atmen des anderen hörend. Der einförmige Weg schien kein Ende zu nehmen; neben ihnen unaufhörlich die grauen, halbentblätterten Weiden, seitwärts hüben und drüben unter ihnen die unheimlich dunstende Niederung.

Plötzlich blieb Maren stehen und lehnte sich mit geschlossenen Augen an den Stamm einer Weide. »Ich kann nicht weiter«, murmelte sie; »die Luft ist lauter Feuer.«

Da gedachte Andrees des Metfläschchens, das sie bis dahin unberührt gelassen hatten. – Als er den Stöpsel abgezogen, verbreitete sich ein Duft, als seien die Tausende von Blumen noch einmal zur Blüte auferstanden, aus deren Kelchen vor vielleicht mehr als hundert Jahren die Bienen den Honig zu diesem Tranke zusammengetragen hatten. Kaum hatten die Lippen des Mädchens den Rand der Flasche berührt, so schlug sie schon die Augen auf. »O«, rief sie, »auf welcher schönen Wiese sind wir denn?«

»Auf keiner Wiese, Maren; aber trink nur, es wird dich stärken!«

Als sie getrunken hatte, richtete sie sich auf und schaute mit hellen Augen um sich her. »Trink auch einmal, Andrees«, sagte sie; »ein Frauenzimmer ist doch nur ein elendiglich Geschöpf!«

»Aber das ist ein echter Tropfen!« rief Andrees, nachdem er auch gekostet hatte. »Mag der Himmel wissen, woraus die Urahne den gebraut hat!«

Dann gingen sie gestärkt und lustig plaudernd weiter. Nach einer Weile aber blieb das Mädchen wieder stehen. »Was hast du, Maren?« fragte Andrees.

»Oh, nichts; ich dachte nur –«

»Was denn, Maren?«

»Siehst du, Andrees! Mein Vater hat noch sein halbes Heu draußen auf den Wiesen; und ich gehe da aus und will Regen machen!«

»Dein Vater ist ein reicher Mann, Maren; aber wir anderen haben unser Fetzchen Heu schon längst in der Scheuer und unsere Frucht noch alle auf den dürren Halmen.«

»Ja, ja, Andrees, du hast wohl recht; man muß auch an die anderen denken!« Im stillen bei sich selber aber setzte sie nach einer Weile hinzu: »Maren, Maren, mach' dir keine Flausen vor; du tust ja doch alles nur von wegen deinem Schatz!«

So waren sie wieder eine Zeitlang fortgegangen, als das Mädchen plötzlich rief: »Was ist denn das? Wo sind wir denn? Das ist ja ein großer, ungeheurer Garten!«

Und wirklich waren sie, ohne zu wissen wie, aus der einförmigen Weidenallee in einen großen Park gelangt. Aus der weiten, jetzt freilich versengten Rasenfläche erhoben sich überall Gruppen hoher, prachtvoller Bäume. Zwar war ihr Laub zum Teil gefallen oder hing dürr oder schlaff an den Zweigen, aber der kühne Bau ihrer Äste strebte noch in den Himmel, und die mächtigen Wurzeln griffen noch weit über die Erde hinaus. Eine Fülle von Blumen, wie die beiden sie nie zuvor gesehen, bedeckte hier und da den Boden; aber alle diese Blumen waren welk und düftelos und schienen mitten in der höchsten Blüte von der tödlichen Glut getroffen zu sein.

»Wir sind am rechten Orte, denk' ich!« sagte Andrees.

Maren nickte. »Du mußt nun hier zurückbleiben, bis ich wiederkomme.«

»Freilich«, erwiderte er, indem er sich in dem Schatten einer großen Eiche ausstreckte. »Das übrige ist nun deine Sach'! Halt' nur das Sprüchlein fest und verred' dich nicht dabei!« –

So ging sie denn allein über den weiten Rasen und unter den himmelhohen Bäumen dahin, und bald sah der Zurückbleibende nichts mehr von ihr. Sie aber schritt weiter und weiter durch die Einsamkeit. Bald hörten die Baumgruppen auf, und der Boden senkte sich. Sie erkannte wohl, daß sie in dem ausgetrockneten Bette eines Gewässers ging; weißer Sand und Kiesel bedeckten den Boden, dazwischen lagen tote Fische und blinkten mit ihren Silberschuppen in der Sonne. In der Mitte des Beckens sah sie einen grauen, fremdartigen Vogel stehen; er schien ihr einem Reiher ähnlich zu sein, doch war er von solcher Größe, daß sein Kopf, wenn er ihn aufrichtete, über den eines Menschen hinwegragen mußte; jetzt hatte er den langen Hals zwischen den Flügeln zurückgelegt und schien zu schlafen. Maren fürchtete sich. Außer dem regungslosen, unheimlichen Vogel war kein lebendes Wesen sichtbar, nicht einmal das Schwirren einer Fliege unterbrach hier die Stille; wie ein Entsetzen lag das Schweigen über diesem Orte. Einen Augenblick trieb sie die Angst, nach ihrem Geliebten zu rufen, aber sie wagte es wiederum nicht; denn den Laut ihrer eigenen Stimme in dieser Öde zu hören, dünkte sie noch schauerlicher als alles andere.

So richtete sie denn ihre Augen fest in die Ferne, wo sich wieder dichte Baumgruppen über den Boden zu erheben schienen, und schritt weiter, ohne rechts oder links zu sehen. Der große Vogel rührte sich nicht, als sie mit leisem Tritt an ihm vorüberging, nur für einen Augenblick blitzte es schwarz unter der weißen Augenhaut hervor. – Sie atmete auf. – Nachdem sie noch eine weite Strecke hingeschritten, verengte sich das Seebette zu der Rinne eines mäßigen Baches, der unter einer breiten Lindengruppe durchführte. Das Geäste dieser mächtigen Bäume war so dicht, daß ungeachtet des mangelhaften Laubes kein Sonnenstrahl hindurchdrang. Maren ging in dieser Rinne weiter; die plötzliche Kühle um sie her, das hohe, dunkle Gewölbe der Wipfel über ihr; es schien ihr fast, als gehe sie durch eine Kirche. Plötzlich aber wurden ihre Augen von einem blendenden Licht getroffen; die Bäume hörten auf, und vor ihr erhob sich ein graues Gestein, auf das die grellste Sonne niederbrannte.

Maren selbst stand in einem leeren, sandigen Becken, in welches sonst ein Wasserfall über die Felsen hinabgestürzt sein mochte, der dann unterhalb durch die Rinne seinen Abfluß in den jetzt verdunsteten See gehabt hatte. Sie suchte mit den Augen, wo wohl der Weg zwischen den Klippen hinaufführe. Plötzlich aber schrak sie zusammen. Denn das dort auf der halben Höhe des Absturzes konnte nicht zum Gestein gehören; wenn es auch ebenso grau war und starr wie dieses in der regungslosen Luft lag, so erkannte sie doch bald, daß es ein Gewand sei, welches in Falten eine ruhende Gestalt bedeckte. – Mit verhaltenem Atem stieg sie näher. Da sah sie es deutlich; es war eine schöne, mächtige Frauengestalt. Der Kopf lag tief aufs Gestein zurückgesunken; die blonden Haare, die bis zur Hüfte hinabflossen, waren voll Staub und dürren Laubes. Maren betrachtete sie aufmerksam. »Sie muß sehr schön gewesen sein«, dachte sie, »ehe diese Wangen so schlaff und diese Augen so eingesunken waren. Ach, und wie bleich ihre Lippen sind! Ob es denn wohl die Regentrude sein mag? – Aber die da schläft nicht; das ist eine Tote! Oh, es ist entsetzlich einsam hier!«

Das kräftige Mädchen hatte sich indessen bald gefaßt. Sie trat ganz dicht herzu, und niederkniend und zu ihr hingebeugt, legte sie ihre frischen Lippen an das marmorblasse Ohr der Ruhenden. Dann, all ihren Mut zusammennehmend, sprach sie laut und deutlich:

»Dunst ist die Welle,
Staub ist die Quelle!
Stumm sind die Wälder,
Feuermann tanzet über die Felder!«

Da rang sich ein tiefer, klagender Laut aus dem bleichen Munde hervor; doch das Mädchen sprach immer stärker und eindringlicher:

»Nimm dich in acht!
Eh' du erwacht,
Holt dich die Mutter
Heim in die Nacht!«

Da rauschte es sanft durch die Wipfel der Bäume, und in der Ferne donnerte es leise wie von einem Gewitter. Zugleich aber, und, wie es schien, von jenseit des Gesteins kommend, durchschnitt ein greller Ton die Luft, wie der Wutschrei eines bösen Tieres. Als Maren emporsah, stand die Gestalt der Trude hoch aufgerichtet vor ihr. »Was willst du?« fragte sie.

»Ach, Frau Trude«, antwortete das Mädchen noch immer kniend. »Ihr habt so grausam lang' geschlafen, daß alles Laub und alle Kreatur verschmachten will!«

Die Trude sah sie mit weit aufgerissenen Augen an, als mühe sie sich aus schweren Träumen zu kommen.

Endlich fragte sie mit tonloser Stimme: »Stürzt denn der Quell nicht mehr?«

»Nein, Frau Trude«, erwiderte Maren.

»Kreist denn mein Vogel nicht mehr über dem See?«

»Er steht in der heißen Sonne und schläft.«

»Weh!« wimmerte die Regenfrau. »So ist es hohe Zeit. Steh' auf und folge mir, aber vergiß nicht den Krug, der dort zu deinen Füßen liegt!«

Maren tat, wie ihr geheißen, und beide stiegen nun an der Seite des Gesteins hinauf. – Noch mächtigere Baumgruppen, noch wunderbarere Blumen waren hier der Erde entsprossen, aber auch hier war alles welk und düftelos. – Sie gingen an der Rinne des Baches entlang, der hinter ihnen seinen Abfall vom Gestein gehabt hatte. Langsam und schwankend schritt die Trude dem Mädchen voran, nur dann und wann die Augen traurig umherwendend. Dennoch meinte Maren, es bleibe ein grüner Schimmer auf dem Rasen, den ihr Fuß betreten, und wenn die grauen Gewänder über das dürre Gras schleppten, da rauschte es so eigen, daß sie immer darauf hinhören mußte. »Regnet es denn schon, Frau Trude?« fragte sie.

»Ach nein, Kind, erst mußt du den Brunnen aufschließen!«

»Den Brunnen? Wo ist denn der?«

Sie waren eben aus einer Gruppe von Bäumen herausgetreten. »Dort!« sagte die Trude, und einige tausend Schritte vor ihnen sah Maren einen ungeheuren Bau emporsteigen. Er schien von grauem Gestein zackig und unregelmäßig aufgetürmt; bis in den Himmel, meinte Maren, denn nach oben hinauf war alles wie in Duft und Sonnenglanz zerflossen. Am Boden aber wurde die in riesenhaften Erkern vorspringende Fronte überall von hohen, spitzbogigen Tor- und Fensterhöhlen durchbrochen, ohne daß jedoch von Fenstern oder Torflügeln selbst etwas zu sehen gewesen wäre.

Eine Weile schritten sie gerade darauf zu, bis sie durch den Uferabsturz eines Stromes aufgehalten wurden, der den Bau rings zu umgeben schien. Auch hier war jedoch das Wasser bis auf einen schmalen Faden, der noch in der Mitte floß, verdunstet; ein Nachen lag zerborsten auf der trockenen Schlammdecke des Strombettes.

»Schreite hindurch!« sagte die Trude. »Über dich hat er keine Gewalt. Aber vergiß nicht, von dem Wasser zu schöpfen; du wirst es bald gebrauchen!«

Als Maren, dem Befehl gehorchend, von dem Ufer herabtrat, hätte sie fast den Fuß zurückgezogen, denn der Boden war hier so heiß, daß sie die Glut durch ihre Schuhe fühlte. »Ei was, mögen die Schuhe verbrennen!« dachte sie und schritt rüstig mit ihrem Kruge weiter. Plötzlich aber blieb sie stehen; der Ausdruck des tiefsten Entsetzens trat in ihre Augen. Denn neben ihr zerriß die trockene Schlammdecke, und eine große braunrote Faust mit krummen Fingern fuhr daraus hervor und griff nach ihr.

»Mut!« hörte sie die Stimme der Trude hinter sich vom Ufer her.

Da erst stieß sie einen lauten Schrei aus, und der Spuk verschwand.

»Schließe die Augen!« hörte sie wiederum die Trude rufen. – Da ging sie mit geschlossenen Augen weiter; als sie aber das Wasser ihren Fuß berühren fühlte, bückte sie sich und füllte ihren Krug. Dann stieg sie leicht und ungefährdet am anderen Ufer wieder hinauf.

Bald hatte sie das Schloß erreicht und trat mit klopfendem Herzen durch eins der großen, offenen Tore. Drinnen aber blieb sie staunend an dem Eingange stehen. Das ganze Innere schien nur ein einziger, unermeßlicher Raum zu sein. Mächtige Säulen von Tropfstein trugen in beinah unabsehbarer Höhe eine seltsame Decke; fast meinte Maren, es seien nichts als graue, riesenhafte Spinngewebe, die überall in Bauschen und Spitzen zwischen den Knäufen der Säulen herabhingen. Noch immer stand sie wie verloren an derselben Stelle und blickte bald vor sich hin, bald nach einer und der anderen Seite, aber diese ungeheuren Räume schienen außer nach der Fronte zu, durch welche Maren eingetreten war, ganz ohne Grenzen zu sein; Säule hinter Säule erhob sich, und wie sehr sie sich auch anstrengte, sie konnte nirgend ein Ende absehen. Da blieb ihr Auge an einer Vertiefung des Bodens haften. Und siehe! Dort, unweit von ihr, war der Brunnen; auch den goldenen Schlüssel sah sie auf der Falltür liegen.

Während sie darauf zuging, bemerkte sie, daß der Fußboden nicht etwa, wie sie es in ihrer Dorfkirche gesehen, mit Steinplatten, sondern überall mit vertrockneten Schilf- und Wiesenpflanzen bedeckt war. Aber es nahm sie jetzt schon nichts mehr wunder.

Nun stand sie am Brunnen und wollte eben den Schlüssel ergreifen; da zog sie rasch die Hand zurück. Denn deutlich hatte sie es erkannt: der Schlüssel, der ihr in dem grellen Licht eines von außen hereinfallenden Sonnenstrahls entgegenleuchtete, war von Glut und nicht von Golde rot. Ohne Zaudern goß sie ihren Krug darüber aus, daß das Zischen des verdampfenden Wassers in den weiten Räumen widerhallte. Dann schloß sie rasch den Brunnen auf. Ein frischer Duft stieg aus der Tiefe, als sie die Falltür zurückgeschlagen hatte, und erfüllte bald alles mit einem feinen, feuchten Staube, der wie ein zartes Gewölk zwischen den Säulen emporstieg.

Sinnend und in der frischen Kühle aufatmend, ging Maren umher. Da begann zu ihren Füßen ein neues Wunder. Wie ein Hauch rieselte ein lichtes Grün über die verdorrte Pflanzendecke, die Halme richteten sich auf, und bald wandelte das Mädchen durch eine Fülle sprießender Blätter und Blumen. Am Fuße der Säulen wurde es blau von Vergißmeinnicht; dazwischen blühten gelbe und braunviolette Iris auf und verhauchten ihren zarten Duft. An den Spitzen der Blätter klommen Libellen empor, prüften ihre Flügel und schwebten dann schillernd und gaukelnd über den Blumenkelchen, während der frische Duft, der fortwährend aus dem Brunnen stieg, immer mehr die Luft erfüllte und wie Silberfunken in den hereinfallenden Sonnenstrahlen tanzte.

Indessen Maren noch des Entzückens und Bestaunens kein Ende finden konnte, hörte sie hinter sich ein behagliches Stöhnen wie von einer süßen Frauenstimme. Und wirklich, als sie ihre Augen nach der Vertiefung des Brunnens wandte, sah sie auf dem grünen Moosrande, der dort emporgekeimt war, die ruhende Gestalt einer wunderbar schönen, blühenden Frau. Sie hatte ihren Kopf auf den nackten, glänzenden Arm gestützt, über den das blonde Haar wie in seidenen Wellen herabfiel, und ließ ihre Augen oben zwischen den Säulen an der Decke wandern.

Auch Maren blickte unwillkürlich hinauf. Da sah sie nun wohl, daß das, was sie für große Spinngewebe gehalten, nichts anderes sei als die zarten Florgewebe der Regenwolken, die durch den aus dem Brunnen aufsteigenden Duft gefüllt und schwer und schwerer wurden. Eben hatte sich ein solches Gewölk in der Mitte der Decke abgelöst und sank leise schwebend herab, so daß Maren das Gesicht der schönen Frau am Brunnen nur noch wie durch einen grauen Schleier leuchten sah. Da klatschte diese in die Hände, und sogleich schwamm die Wolke der nächsten Fensteröffnung zu und floß durch dieselbe ins Freie hinaus.

»Nun!« rief die schöne Frau. »Wie gefällt dir das?« Und dabei lächelte ihr roter Mund, und ihre weißen Zähne blitzten.

Dann winkte sie Maren zu sich, und diese mußte sich neben ihr ins Moos setzen; und als eben wieder ein Duftgewebe von der Decke niedersank, sagte sie: »Nun klatsch' in deine Hände!« Und als Maren das getan und auch diese Wolke, wie die erste, ins Freie hinausgezogen war, rief sie: »Siehst du wohl, wie leicht das ist! Du kannst es besser noch als ich!«

Maren betrachtete verwundert die schöne, übermütige Frau. »Aber«, fragte sie, »wer seid Ihr denn so eigentlich?«

»Wer ich bin? Nun, Kind, bist du aber einfältig!«

Das Mädchen sah sie noch einmal mit ungewissen Augen an; endlich sagte sie zögernd: »Ihr seid doch nicht gar die Regentrude?«

»Und wer sollte ich denn anders sein?«

»Aber verzeiht! Ihr seid ja so schön und lustig jetzt!«

Da wurde die Trude plötzlich ganz still. »Ja«, rief sie, »ich muß dir dankbar sein. Wenn du mich nicht geweckt hättest, wäre der Feuermann Meister geworden, und ich hätte wieder hinab müssen zu der Mutter unter die Erde.« Und indem sie ein wenig wie vor innerem Grauen die weißen Schultern zusammenzog, setzte sie hinzu: »Und es ist ja doch so schön und grün hier oben!«

Dann mußte Maren erzählen, wie sie hierhergekommen, und die Trude legte sich ins Moos zurück und hörte zu. Mitunter pflückte sie eine der Blumen, die neben ihr emporsproßten, und steckte sie sich oder dem Mädchen ins Haar. Als Maren von dem mühseligen Gange auf dem Weidendamm berichtete, seufzte die Trude und sagte: »Der Damm ist einst von euch Menschen selbst gebaut worden; aber es ist schon lange, lange her! Solche Gewänder, wie du sie trägst, sah ich nie bei ihren Frauen. Sie kamen damals öfters zu mir, ich gab ihnen Keime und Körner zu neuen Pflanzen und Getreiden, und sie brachten mir zum Dank von ihren Früchten. Wie sie meiner nicht vergaßen, so vergaß ich ihrer nicht, und ihre Felder waren niemals ohne Regen. Seit lange aber sind die Menschen mir entfremdet, es kommt niemand mehr zu mir. Da bin ich denn vor Hitze und lauter Langeweile eingeschlafen, und der tückische Feuermann hätte fast den Sieg erhalten.«

Maren hatte sich währenddessen ebenfalls mit geschlossenen Augen auf das Moos zurückgelegt, es taute so sanft um sie her, und die Stimme der schönen Trude klang so süß und traulich.

»Nur einmal«, fuhr diese fort, »aber das ist auch schon lange her, ist noch ein Mädchen gekommen, sie sah fast aus wie du und trug fast ebensolche Gewänder. Ich schenkte ihr von meinem Wiesenhonig, und das war die letzte Gabe, die ein Mensch aus meiner Hand empfangen hat.«

»Seht nur«, sagte Maren, »das hat sich gut getroffen! Jenes Mädchen muß die Urahne von meinem Schatz gewesen sein, und der Trank, der mich heute so gestärkt hat, war gewiß von Eurem Wiesenhonig!«

Die Regenfrau dachte wohl noch an ihre junge Freundin von damals; denn sie sagte: »Hat sie denn noch so schöne, braune Löckchen an der Stirn?«

»Wer denn, Frau Trude?«

»Nun, die Urahne, wie du sie nennst!«

»O nein, Frau Trude«, erwiderte Maren, und sie fühlte sich in diesem Augenblick ihrer mächtigen Freundin fast ein wenig überlegen – »die Urahne ist ja ganz steinalt geworden!«

»Alt?« fragte die schöne Frau. Sie verstand das nicht, denn sie kannte nicht das Alter.

Maren hatte große Mühe, ihr es zu erklären. »Merket nur«, sagte sie endlich, »graues Haar und rote Augen und häßlich und verdrießlich sein! Seht, Frau Trude, das nennen wir alt!«

»Freilich«, erwiderte diese, »ich entsinne mich nun; es waren auch solche unter den Frauen der Menschen; aber die Urahne soll zu mir kommen, ich mache sie wieder froh und schön.«

Maren schüttelte den Kopf. »Das geht ja nicht, Frau Trude«, sagte sie, »die Urahne ist ja längst unter der Erde.«

Die Trude seufzte. »Arme Urahne.«

Hierauf schwiegen beide, während sie noch immer behaglich ausgestreckt im weichen Moose lagen. »Aber Kind!« rief plötzlich die Trude »da haben wir über all dem Geplauder ja ganz das Regenmachen vergessen. Schlag' doch nur die Augen auf! Wir sind ja unter lauter Wolken ganz begraben; ich sehe dich schon gar nicht mehr!«

»Ei, da wird man ja naß wie eine Katze!« rief Maren, als sie die Augen aufgeschlagen hatte.

Die Trude lachte. »Klatsch' nur ein wenig in die Hände, aber nimm dich in acht, daß du die Wolken nicht zerreißt!«

So begannen beide leise in die Hände zu klopfen; und alsbald entstand ein Gewoge und Geschiebe, die Nebelgebilde drängten sich nach den Öffnungen und schwammen, eins nach dem anderen, ins Freie hinaus. Nach kurzer Zeit sah Maren schon wieder den Brunnen vor sich und den grünen Boden mit den gelben und violetten Irisblüten. Dann wurden auch die Fensterhöhlen frei, und sie sah weithin über den Bäumen des Gartens die Wolken den ganzen Himmel überziehen. Allmählich verschwand die Sonne. Noch ein paar Augenblicke, und sie hörte es draußen wie ein Schauer durch die Blätter der Bäume und Gebüsche wehen, und dann rauschte es hernieder, mächtig und unablässig.

Maren saß aufgerichtet mit gefalteten Händen. »Frau Trude, es regnet«, sagte sie leise.

Diese nickte kaum merklich mit ihrem schönen, blonden Kopfe; sie saß wie träumend.

Plötzlich aber entstand draußen ein lautes Prasseln und Heulen, und als Maren erschrocken hinausblickte, sah sie aus dem Bette des Umgebungsstromes, den sie kurz vorher überschritten hatte, sich ungeheure weiße Dampfwolken stoßweise in die Luft erheben. In demselben Augenblicke fühlte sie sich auch von den Armen der schönen Regenfrau umfangen, die sich zitternd an das neben ihr ruhende junge Menschenkind schmiegte. »Nun gießen sie den Feuermann aus«, flüsterte sie, »horch nur, wie er sich wehrt! Aber es hilft ihm doch nichts mehr.«

Eine Weile hielten sie sich so umschlossen; da wurde es still draußen, und es war nun nichts zu hören als das sanfte Rauschen des Regens. – Da standen sie auf, und die Trude ließ die Falltür des Brunnens herab und verschloß sie.

Maren küßte ihre weiße Hand und sagte: »Ich danke Euch, liebe Frau Trude, für mich und alle Leute in unserem Dorfe! Und« – setzte sie ein wenig zögernd hinzu – »nun möchte ich wieder heimgehen!«

»Schon gehen?« fragte die Trude.

»Ihr wißt es ja, mein Schatz wartet auf mich; er mag schon wacker naß geworden sein.«

Die Trude erhob den Finger. »Wirst du ihn auch später niemals warten lassen?«

»Gewiß nicht, Frau Trude!«

»So geh, mein Kind; und wenn du heimkommst, so erzähle den anderen Menschen von mir, daß sie meiner fürder nicht vergessen. – Und nun komm! Ich werde dich geleiten.«

Draußen unter dem frischen Himmelstau war schon überall das Grün des Rasens und an Baum und Büschen das Laub hervorgesprossen. – Als sie an den Strom kamen, hatte das Wasser sein ganzes Bette wieder ausgefüllt, und als erwarte er sie, ruhte der Kahn, wie von unsichtbarer Hand wieder hergestellt, schaukelnd an dem üppigen Grase des Uferrandes. Sie stiegen ein, und leise glitten sie hinüber, während die Tropfen spielend und klingend in die Flut fielen. Da, als sie eben an das andere Ufer traten, schlugen neben ihnen die Nachtigallen ganz laut aus dem Dunkel des Gebüsches. »O«, sagte die Trude und atmete so recht aus Herzensgrunde, »es ist noch Nachtigallenzeit, es ist noch nicht zu spät!«

Da gingen sie an dem Bach entlang, der zu dem Wasserfall führte. Der stürzte sich schon wieder tosend über die Felsen und floß dann strömend in der breiten Rinne unter den dunkeln Linden fort. Sie mußten, als sie hinabgestiegen waren, an der Seite unter den Bäumen hingehen. Als sie wieder ins Freie traten, sah Maren den fremden Vogel in großen Kreisen über einem See schweben, dessen weites Becken sich zu ihren Füßen dehnte. Bald gingen sie unten längs dem Ufer hin, fortwährend die süßesten Düfte atmend und auf das Anrauschen der Wellen horchend, die über glänzende Kiesel an dem Strande hinaufströmten. Tausende von Blumen blühten überall, auch Veilchen und Maililien bemerkte Maren, und andere Blumen, deren Zeit eigentlich längst vorüber war, die aber wegen der bösen Glut nicht hatten zur Entfaltung kommen können. »Die wollen auch nicht zurückbleiben«, sagte die Trude, »das blüht nun alles durcheinander hin.«

Mitunter schüttelte sie ihr blondes Haar, daß die Tropfen wie Funken um sie hersprühten, oder sie schränkte ihre Hände zusammen, daß von ihren vollen, weißen Armen das Wasser wie in eine Muschel hinabfloß. Dann wieder riß sie die Hände auseinander, und wo die hingesprühten Tropfen die Erde berührten, da stiegen neue Düfte auf, und ein Farbenspiel von frischen, nie gesehenen Blumen drängte sich leuchtend aus dem Rasen.

Als sie um den See herum waren, blickte Maren noch einmal auf die weite, bei dem niederfallenden Regen kaum übersehbare Wasserfläche zurück; es schauerte sie fast bei dem Gedanken, da sie am Morgen trockenen Fußes durch die Tiefe gegangen sei. Bald mußten sie dem Platze nahe sein, wo sie ihren Andrees zurückgelassen hatte. Und richtig! Dort unter den hohen Bäumen lag er mit aufgestütztem Arm; er schien zu schlafen. Als aber Maren auf die schöne Trude blickte, wie sie mit dem roten, lächelnden Munde so stolz neben ihr über den Rasen schritt, erschien sie sich plötzlich in ihren bäuerischen Kleidern so plump und häßlich, daß sie dachte: »Ei, das tut nicht gut, die braucht der Andrees nicht zu sehen!« Laut aber sprach sie: »Habt Dank für Euer Geleite, Frau Trude, ich finde mich nun schon selber!«

»Aber ich muß doch deinen Schatz noch sehen!«

»Bemüht Euch nicht, Frau Trude«, erwiderte Maren, »es ist eben ein Bursch wie die anderen auch und just gut genug für ein Mädel vom Dorf.«

Die Trude sah sie mit durchdringenden Augen an. »Schön bist du, Närrchen!« sagte sie und erhob drohend ihren Finger: »Bist du denn aber auch in deinem Dorf die Allerschönste?«

Da stieg dem hübschen Mädchen das Blut ins Gesicht, daß ihr die Augen überliefen. Die Trude aber lächelte schon wieder. »So merk' denn auf!« sagte sie; »weil nun doch alle Quellen wieder springen, so könnt ihr einen kürzeren Weg haben. Gleich unten links am Weidendamm liegt ein Nachen. Steigt getrost hinein; er wird euch rasch und sicher in eure Heimat bringen! – Und nun leb' wohl!« rief sie und legte ihren Arm um den Nacken des Mädchens und küßte sie. »Oh, wie süß frisch schmeckt doch solch ein Menschenmund!«

Dann wandte sie sich und ging unter den fallenden Tropfen über den Rasen dahin. Dabei hub sie an zu singen; das klang süß und eintönig; und als die schöne Gestalt zwischen den Bäumen verschwunden war, da wußte Maren nicht, hörte sie noch immer aus der Ferne den Gesang, oder war es nur das Rauschen des niederfallenden Regens.

Eine Weile noch blieb das Mädchen stehen; dann, wie in plötzlicher Sehnsucht, streckte sie die Arme aus. »Lebt wohl, schöne, liebe Regentrude, lebt wohl!« rief sie. – Aber keine Antwort kam zurück; sie erkannte es nun deutlich, es war nur noch der Regen, der herniederrauschte.

Als sie hierauf langsam dem Eingange des Gartens zuschritt, sah sie den jungen Bauer hoch aufgerichtet unter den Bäumen stehen. – »Wonach schaust du denn so?« fragte sie, als sie nähergekommen war.

»Alle Tausend, Maren!« rief Andrees, »was war denn das für ein sauber Weibsbild?«

Das Mädchen aber ergriff den Arm des Burschen und drehte ihn mit einem derben Ruck herum. »Guck' dir nur nicht die Augen aus!« sagte sie, »das ist keine für dich; das war die Regentrude!«

Andrees lachte. »Nun, Maren«, erwiderte er, »daß du sie richtig aufgeweckt hattest, das hab' ich hier schon merken können; denn so naß, mein' ich, ist der Regen noch nimmer gewesen, und so etwas von Grünwerden hab' ich auch all mein Lebtag noch nicht gesehen! – Aber nun komm! Wir wollen heim, und dein Vater soll uns sein Wort einlösen.«

Unten am Weidendamm fanden sie den Nachen und stiegen ein. Das ganze weite Tiefland war schon überflutet, auf dem Wasser und in der Luft lebte es von aller Art Gevögel; die schlanken Seeschwalben schossen schreiend über ihnen hin und tauchten die Spitzen ihrer Flügel in die Flut, während die Silbermöwe majestätisch neben ihrem fortschießenden Kahn dahinschwamm; auf den grünen Inselchen, an denen sie hier und dort vorbeikamen, sahen sie die Bruushähne mit den goldenen Kragen ihre Kampfspiele halten.

So glitten sie rasch dahin. Noch immer fiel der Regen, sanft, doch unablässig. Jetzt aber verengte sich das Wasser, und bald war es nur noch ein mäßig breiter Bach.

Andrees hatte schon eine Zeitlang mit der Hand über den Augen in die Ferne geblickt. »Sieh doch, Maren«, rief er, »ist das nicht meine Roggenkoppel?«

»Freilich, Andrees; und prächtig grün ist sie geworden! Aber siehst du denn nicht, daß es unser Dorfbach ist, auf dem wir fahren?«

»Richtig, Maren; aber was ist denn das dort? Das ist ja alles überflutet!«

»Ach, du lieber Gott!« rief Maren, »das sind ja meines Vaters Wiesen! Sieh nur, das schöne Heu, es schwimmt ja alles.«

Andrees drückte dem Mädchen die Hand. »Laß nur, Maren!« sagte er, »der Preis ist, denk' ich, nicht zu hoch, und meine Felder tragen ja nun um desto besser.«

Bei der Dorflinde legte der Nachen an. Sie traten ans Ufer, und bald gingen sie Hand in Hand die Straße hinab. Da wurde ihnen von allen Seiten freundlich zugenickt; denn Mutter Stine mochte in ihrer Abwesenheit doch ein wenig geplaudert haben.

»Es regnet!« riefen die Kinder, die unter den Tropfen durch über die Straße liefen. »Es regnet!« sagte der Vetter Schulze, der behaglich aus seinem offenen Fenster schaute und den beiden mit kräftigem Druck die Hand schüttelte. »Ja, ja, es regnet!« sagte auch der Wiesenbauer, der wieder mit der Meerschaumpfeife in der Torfahrt seines stattlichen Hauses stand. »Und du, Maren, hast mich heute morgen wacker angelogen. Aber kommt nur herein, ihr beiden! Der Andrees, wie der Vetter Schulze sagt, ist allewege ein guter Bursch, seine Ernte wird heuer auch noch gut, und wenn es etwan wieder drei Jahre Regen geben sollte, so ist es am Ende doch so übel nicht, wenn Höhen und Tiefen beieinanderkommen. Drum geht hinüber zu Mutter Stine, da wollen wir die Sache allfort in Richtigkeit bringen!«

Mehrere Wochen waren seitdem vergangen. Der Regen hatte längst wieder aufgehört, und die letzten schweren Erntewagen waren mit Kränzen und flatternden Bändern in die Scheuern eingefahren; da schritt im schönsten Sonnenschein ein großer Hochzeitszug der Kirche zu. Maren und Andrees waren die Brautleute; hinter ihnen gingen Hand in Hand Mutter Stine und der Wiesenbauer. Als sie fast bei der Kirchtür angelangt waren, daß sie schon den Choral vernahmen, den drinnen zu ihrem Empfang der alte Kantor auf der Orgel spielte, zog plötzlich ein weißes Wölkchen über ihnen am blauen Himmel auf, und ein paar leichte Regentropfen fielen der Braut in ihren Kranz. – »Das bedeutet Glück!« riefen die Leute, die auf dem Kirchhof standen. »Das war die Regentrude!« flüsterten Braut und Bräutigam und drückten sich die Hände.

Dann trat der Zug in die Kirche; die Sonne schien wieder, die Orgel aber schwieg, und der Priester verrichtete sein Werk.

Der Spiegel des Cyprianus

Das Grafenschloß – eigentlich war es eine Burg – lag frei auf der Höhe; uralte Föhren und Eichen ragten mit ihren Wipfeln aus der Tiefe; und über ihnen und den Wäldern und Wiesen, die sich unterhalb des Berges ausbreiteten, lag der Sonnenglanz des Frühlings. Drinnen aber waltete Trauer; denn das einzige Söhnlein des Grafen war von unerklärlichem Siechtum befallen; und die vornehmsten Ärzte, die herbeigerufen wurden, vermochten den Ursprung des Übels nicht zu erkennen.

Im verhangenen Gemache lag der Knabe schlafend mit blutlosem Antlitz. Zwei Frauen saßen je zu einer Seite des Bettes, mit dem gespannten Blick der Sorge ihn betrachtend; die eine alt, in der Kleidung einer vornehmeren Dienerin, die andere, unverkennbar die Dame des Hauses, fast jung noch, aber die Spuren vergangenen Leides in dem blassen, gütevollen Angesicht. – In den schönsten Tagen ihrer Jugend hatte der Graf um sie, das wenig begüterte Fräulein, geworben; aber da schon nichts mehr fehlte als das ausgesprochene Wort, hatte er sich abgewandt. Eine reiche, schöne Dame, die dem armen Fräulein den stattlichen Gemahl und dessen Herrschaft neidete, hatte den leichtblütigen Mann in ihrem Liebesnetz verstrickt; und während diese als Herrin in das Grafenschloß einzog, blieb die Verlassene in dem Witwenstübchen ihrer Mutter.

Aber das Glück der jungen Gräfin hatte keinen Bestand. Als sie nach Jahresfrist dem kleinen Kuno das Leben gegeben, wurde sie von einem bösen Kindbettfieber hingerafft; und als wiederum ein Jahr vorbei war, da wußte der Graf für sein verwaistes Söhnlein keine bessere Mutterhand als die, welche er einst verschmäht hatte. Und sie mit ihrem stillen Herzen vergab ihm alle Kränkung und wurde jetzt sein Weib. – So saß sie nun sorgend und wachend bei dem Kinde ihrer einstigen Nebenbuhlerin.

»Er schläft jetzt ruhig«, sagte die Alte; »Frau Gräfin sollten auch ein wenig ruhen.«

»Nicht doch, Amme«, erwiderte die sanfte Frau; »ich bedarf's noch nicht; ich sitze hier ja gut in meinem weichen Sessel.«

»Aber die vielen Nächte durch! Es ist doch nimmer ein Schlaf, wenn der Mensch nicht aus den Kleidern kommt.« Und nach einer Weile setzte sie hinzu: »Es hat nicht immer solche Stiefmütter gegeben hier im Schloß.«

»Du mußt mich nicht so loben, Amme!«

»Kennt Ihr denn nicht die Geschichte von dem Spiegel des Cyprianus?« sagte wiederum die Alte; und als die Gräfin es verneinte, fuhr sie fort: »So will ich sie Euch erzählen; es hilft die Gedanken zerstreuen. Und seht nur, wie das Kind schläft, der Atem geht ganz ruhig aus dem kleinen Munde! – Nehmt noch dies Kissen unterm Kreuz, und nun die Füßchen auf den Schemel hier! – Und nun wartet ein Weilchen, daß ich mich recht besinne.«

Dann, als die Gräfin sich in die Kissen gesetzt und ihr freundlich zugenickt hatte, begann die erfahrene Dienerin des Hauses ihre Erzählung:

»Vor über hundert Jahren hat einmal eine Gräfin in diesem Schlosse gelebt; die ist von allen Leuten nur die gute Gräfin genannt worden. Der Name hat auch recht gehabt; denn sie ist demütig in ihrem Herzen gewesen und hat die Armen und Niedrigen nicht gering geachtet. Aber eine frohe Gräfin ist sie nicht gewesen. Wenn sie unten im Dorf hilfebringend in die Wohnungen der Kätner gegangen, so hat sie mit Leid auf die Häuflein der Kinder geblickt, die ihr oft den Eingang in die niedrigen Türen versperrten, und dabei gedacht: ›Was gäbst du nicht hin um ein einziges solcher pausbäckiger Englein!‹ Denn schon zehn Jahre lebte sie mit ihrem Gemahl; aber ihre Ehe blieb ungesegnet; auch war ihr nicht, wie Euer Gnaden, ein mutterlos Kind vom Herrgott in den Arm gelegt, dem sie den Schatz ihrer Liebe hätte schenken können. Der Graf, sonst ein gerechter Mann und der guten Gräfin in Treuen zugetan, hatte begonnen, mitunter finster dreinzusehen, daß ihm der Erbe seiner großen Herrschaft noch immer nicht geboren wurde. – Du lieber Gott!« – unterbrach sich die Erzählerin – »den Reichen fehlt's; und die Armen wünschen oft vergebens, daß sie von ihrem Häuflein ein Englein oder zwei im Himmel hätten, die droben für sie beten könnten.«

»Erzähle weiter!« bat ihre Herrin; und die Alte fuhr fort:

»Es ist in der letzten Zeit des großen Krieges gewesen, und das Schloß hier noch oft von Feindes und Freundes Truppen überzogen worden, da hat es sich eines Tags begeben, daß ein alter Arzt, der mit den Schweden ins Land gekommen, bei einem Gefecht, dort hinten an dem Walde, von einer kaiserlichen Kugel verwundet worden, während er des Ausgangs harrend bei seinem Theriakskasten Wache hielt. Der Mann, welcher Cyprianus geheißen, ist hier ins Schloß getragen und, obwohl die Herrschaft gut kaiserlich gewesen, von der guten Gräfin mit großer Hingebung gepflegt worden. Sie hat eine glückliche Hand gehabt; doch ist viel Zeit darüber hingegangen. Der Friede ist schon geschlossen gewesen, als sie noch oft in dem kleinen Würzgärtlein hinter dem Schlosse an der Seite des genesenden Greises auf und ab gewandelt ist und seinen Reden von den Kräften und Geheimnissen der Natur gelauscht hat. Manchen Wink und manches Heilmittel aus den Kräutern der Berge hat er ihr angegeben, das später ihren Kranken zugute kommen konnte. Und so ist allmählich zwischen der schönen Frau und dem alten weisen Meister eine gegenseitige dankbare Freundschaft entstanden.

Um diese Zeit ist auch der Graf, welcher seit einem Jahre in der Armee des Kaisers mit zu Felde gelegen, auf sein Schloß zurückgekehrt. Als nun die erste Freude des Wiedersehens vorüber war, glaubte der Arzt mit seinen forschenden Augen den Zug eines stillen Kummers in dem Gesicht der guten Gräfin zu erkennen; doch die Bescheidenheit des Alters hatte immer noch eine Frage darüber auf seinen Lippen zurückgehalten. Als er aber eines Tages ein Weib von den schwarzen fahrenden Leuten, die derzeit unter ihrem Herzog Michel durch das ganze Reich zogen, aus ihrer Kammer schlüpfen sehen, da hat er abends beim Lustwandeln in dem Gärtlein ihre Hand genommen und ihr eindringlich zugeredet: ›Ihr wisset, gnädige Gräfin, ich trage ein väterlich Herz zu Euch; so saget mir auch, was ließet Ihr um Mittag, da Euer Herr sein Schläfchen tat, die arge Heidin in Eure Kammer?‹

Die gute Gräfin erschrak; aber als sie in das milde Gesicht des Greises sah, da sprach sie: ›Ich habe ein großes Leid, Meister Cyprianus, und möchte wissen, ob noch eine Zeit kommt, wo es von mir genommen wäre.‹

›So öffnet mir Euer Herz‹, entgegnete er; ›vielleicht, daß ich besseren Rat weiß als jene fahrenden Leute, die wohl den Betrug der Leichtgläubigen, aber keineswegs die Zukunft verstehen!‹

Auf diese Worte hat die Gräfin dem alten Meister ihren Kummer vertraut, und wie sie durch ihre Kinderlosigkeit sogar das Herz ihres Gemahls zu verlieren fürchte.

Sie gingen währenddessen an der Umfassungsmauer des Gärtleins entlang, und Cyprianus schaute über die untenliegenden Wälder hinaus, auf die schon der rote Abendschein sich legte. ›Die Sonne scheidet‹, sprach er; ›und wenn sie morgen emporsteigt, so muß sie mich auf der Reise nach meinem Heimatlande sehen. Aber ich schulde Euch Leben und Gesundheit, und so will ich denn gebeten haben, wollet eine Dankesgabe, die ich durch sichere Hand aus der Heimat an Euch senden werde, nicht verschmähen.‹

›So müßt Ihr wirklich fort, Meister Cyprianus‹, rief die trauernde Frau. ›Da wird mein liebreichster Tröster mich verlassen!‹

›Klaget darüber nicht, Frau Gräfin!‹ entgegnete er; ›die Gabe, von der ich sprach, ist ein *speculum*, zu deutsch ein Spiegel, unter sonderer Kreuzung der Gestirne und in der heilbringendsten Zeit des Jahres gefertigt. Wollet ihn in Eure Kammer stellen und dort nach Frauen Art gebrauchen, so dürfte er Euch bald bessere Kunde bringen als die trügerischen Leute der Heide.‹ – ›Man hält mich‹, setzte der Greis geheimnisvoll lächelnd hinzu, ›in meiner Heimat für nicht unkundig der Dinge der Natur.‹« Die Erzählerin unterbrach sich. – »Ihr wisset wohl, gnädige Frau, daß der Name Cyprianus später im ganzen Norden als eines mächtigen Zauberers bekannt geworden ist. Die Bücher, die er geschrieben, hat man nach seinem Tode in dem unterirdischen Gewölbe eines Schlosses an Ketten gelegt, weil man geglaubt hat, es seien böse, das Heil der Seele gefährdende Dinge darin enthalten. Aber die das getan, haben sich geirrt, oder sie sind selbst nicht reinen Herzens gewesen; denn – wie Cyprianus während seines Aufenthalts in diesem Hause oft gesagt haben soll – ›die Kräfte der Natur sind niemals böse in gerechter Hand‹.

Aber ich will in meiner Geschichte fortfahren. – Einige Monde später, nachdem der Meister unter trostvollem Zuspruch an die beiden Ehegatten das Schloß verlassen hatte, hielt eines Tages ein Wägelchen mit einer großen Holzkiste auf dem Hofe; und da der Graf und seine Gemahlin, welche in der Nachmittagsstunde müßig am Fenster standen, von Neugierde getrieben hinabgegangen waren, ward ihnen von dem Fuhrmann ein auf Pergament geschriebener Brief des Cyprianus überreicht. Die Kiste aber enthielt die bei seinem Abschiede verheißene Dankesgabe. ›Möge‹ – so lautete das Schreiben – ›dieser Spiegel so viele Tage der Freude Eurem Leben zulegen, als er mich Stunden heiligster Arbeit gekostet hat. Wollet aber nicht vergessen, das Letzte in allen Dingen steht allezeit in der Hand des unergründlichen Gottes. – Nur eines ist zu verhüten. Niemals darf das Bild einer argen Tat in diesen Spiegel fallen; die heilsamen Kräfte, welche bei seiner Anfertigung mitgewirkt haben, würden sich sonst in ihr Widerspiel verkehren; insonders möchte den Kindern, so – das walte Gott! – Euch bald umgeben werden, daraus eine tödliche Gefahr erwachsen, und nur eine Sühne, aus des Übeltäters eignem Blut entsprossen, vermöchte die Heilkraft des Spiegels wiederherzustellen. Allein die Güte Eures Hauses ist so groß, daß solches nicht geschehen kann; und somit wollet in Hoffnung und Vertrauen diese Gabe aus der Hand eines dankbaren Freundes empfangen.‹

Und wie der Meister es gewollt, in Hoffnung und Vertrauen empfingen die Ehegatten sein Geschenk. Als die Kiste in den Flur getragen und geöffnet war, zeigte sich zuerst ein Gestelle, künstlich in Bronze gearbeitet. Dann hob man den Spiegel heraus; ein hohes, schmales Glas von einem wunderbar bläulichen Lichtglanz. ›Ist es nicht, mein Gemahl‹, rief die Gräfin, die einen Blick hineingeworfen, ›als liege die drinnen abgespiegelte Welt in sanftem Mondenschein?‹ Der Rahmen war von geschliffenem Stahl, in dessen tausenden Facetten der gefangene und gebrochene Lichtstrahl wie in farbigem Feuer blitzte.

Bald war das schöne Werk in dem Schlafgemach der Eheleute aufgestellt, und an jedem Morgen, während die Dienerin ihr das blonde Haar strählte oder die seidene Flechte in einen Knoten legte, saß die gute Gräfin mit gefalteten Händen vor dem Spiegel des Cyprianus und schaute andächtig und voll Hoffnung in ihr eigenes liebes Antlitz. Wenn aber die Frühsonne auf die Facetten des Rahmens leuchtete, dann saß das Bild der schönen Frau wie in einem Kranz von Sternenfunken. Oft nach seinem ersten Gange durch Feld und Wald trat ihr Gemahl wieder in das Schlafgemach und lehnte schweigend hinter ihrem Stuhl; und wenn sie ihn dann im Spiegel sah, so meinte sie jedesmal, daß seine Augen weniger finster blickten.

Eine geraume Zeit war vergangen, als die Gräfin eines Morgens, da die Kammerzofe sie schon verlassen, im Vorübergehen noch einen Blick in den Spiegel tun wollte. Aber es schien ein Hauch auf dem Glase, so daß sie ihr Antlitz nicht deutlich zu sehen vermochte. Sie nahm ihr Schweißtüchlein und suchte es fortzuwischen; aber es half nicht; und sie sah nun wohl, daß es nicht ober-, sondern innerhalb dem Glase war. Näherte sie sich dem Spiegel, so trat ihr Antlitz klar daraus hervor; wenn sie aber weiter zurücktrat, so schwamm es wie ein rosiger Duft zwischen ihr und ihrem Spiegelgebilde. – Sinnend steckte sie ihr Tüchlein ein und ging den Tag über schweigend und voll stiller Ahnung im Hause umher, so daß ihr Gemahl, der ihr im Korridor begegnete, ausrief: ›Was lächelst du denn so selig, Herzensfraue?‹ – Sie schwieg noch immer und legte nur die Arme um seinen Hals und küßte ihn.

Tag für Tag aber, wenn ihr Gemahl und die Dienerin sie verlassen, stand sie in der Einsamkeit vor dem Spiegel des guten Meisters, und mit jedem Morgen sah sie das Rosenwölkchen deutlicher hinter dem Glase schwimmen.

So war der Mai gekommen, und von draußen aus dem Gärtlein wehte der Veilchenduft durchs offene Fenster; da trat die schöne Gräfin eines Morgens wieder vor den Spiegel. Kaum hatte sie hineingeblickt, da brach ein ›Ach!‹ des Entzückens aus ihren Lippen, und ihre Hände fuhren nach dem Herzen; denn in der Frühlingssonne, die hell in den Spiegel leuchtete, erkannte sie deutlich ein schlummerndes Kinderantlitz, das aus dem Rosenwölkchen blickte. Mit verhaltenem Atem stand sie; sie konnte sich an dem Anblick nicht ersättigen.

Da hörte sie von draußen vor der Brücke Hörnerschall, und sie entsann sich, es müsse ihr Gemahl sein, der von der Jagd zurückkehrte. Sie schloß die Augen und blieb wartend stehen, bis er, gefolgt von seinem Hunde, zu ihr ins Gemach trat. Dann umfing sie ihn mit beiden Armen, und in den Spiegel zeigend, sprach sie leise: ›Dich grüßt der Erbe deines Hauses!‹ – Nun hatte der gute Graf auch das kleine Antlitz in dem Rosenwölkchen erkannt; aber, der Freudenblitz aus seinen Augen verschwand auf einmal, und die Gräfin sah im Spiegel, wie er erblaßte. ›Siehst du es denn nicht?‹ flüsterte sie.

›Ich sehe es freilich, Herzensfraue‹, erwiderte er; ›aber es erschreckt mich, daß das Kindlein weint.‹

Sie kehrte sich zu ihm und wiegte das Haupt. ›Du törichter Mann‹, sprach sie, ›es schlummert, es lächelt ja im Traum.‹

Und so blieb es mit den beiden. Er ging in Sorge; sie aber rüstete heiteren Sinnes mit ihrer Schaffnerin die Wiege nebst den Daunenkissen und den kleinen zarten Gewändern für den künftigen Erben des Hauses. Mitunter, wenn sie vor dem Spiegel stand, streckte sie wohl wie in traumhafter Sehnsucht ihre Arme nach dem Rosenwölkchen aus, aber wenn dann ihre Finger an die kalte Spiegelfläche stießen, so ließ sie die Arme wieder sinken und gedachte an ein Wort des Cyprianus: ›Es will alles seine Zeit.‹

Und auch ihre Stunde kam. Das Wölkchen im Spiegel verschwand, und statt dessen lag ein rosiger Knabe auf dem weißen Leintuch ihres Bettes. Das gab große Freude im Schloß und drunten im Dorfe, und als der gute Graf morgens durch seine lachenden Fluren ritt, da ließ er dem wiehernden Goldfuchs die Zügel schießen und rief es jubelnd in den Sonnenschein hinaus: ›Mir ist ein Sohn geboren!‹

Nachdem die Gräfin als Sechswöchnerin ihren Kirchgang gehalten, sah man sie wiederum an warmen Sommertagen in die Kätnerhäuser des Dorfes gehen; nur daß sie jetzt nicht mehr in Leid auf die Bauernkinder herabsah. Sie stand oft lange und bückte sich zu ihnen und wies sie an in ihren Spielen; und wo sie einen recht kräftigen Jungen sah, da dachte sie auch wohl: ›Der Meine ist ihm doch noch über!‹

Aber, wie Cyprianus geschrieben hatte, das Letzte ruht in der Hand des unerforschten Gottes. – Mit dem Herbst fiel ein böses Fieber über das Dorf; die Menschen starben; doch ehe sie starben, lagen sie verschmachtend und hilfeflehend auf ihrem Lager. Und die gute Gräfin ließ nicht auf sich warten. Mit den Arkanen des alten Meisters ging sie in die Hütten; sie saß an den Betten der Kranken und wischte, wenn es zum Sterben ging, mit ihrem Tüchlein den letzten Schweiß von ihren Stirnen. Endlich aber, da der kleine Kuno die Hälfte seines ersten Jahres erreicht hatte, schritt der Tod, dem sie so manches Leben entrissen hatte, mit ihr selber nach dem Schloß hinauf; und nachdem ihre armen Wangen im Fieber wie zwei dunkle Rosen gebrannt hatten, streckte er sie weiß und kalt auf ihrem Lager aus. Da war alle Freude ausgetan. Der Graf ritt mit gesenktem Haupt durch seine Fluren und ließ sein Roß die Wege, die es wollte, suchen. ›Nun weiß ich, warum mein armes Knäblein schon vor der Geburt hat weinen müssen‹, so sprach er immer wieder bei sich selbst; ›denn Mutterlieb' ist nur einmal auf der Welt.‹

Einsam stand der kunstreiche Spiegel in dem Schlafgemach; und wie oft auch die Frühsonne ihre Funken auf den Stahlkranz des Rahmens streute, das Bild der guten Gräfin saß nicht mehr darin. ›Trage ihn fort‹, sagte der Graf eines Morgens zu seinem alten Hausmeister; ›das Blitzen tut meinen Augen weh!‹ – Der Hausmeister ließ den Spiegel in ein entlegenes Gemach des oberen Stockwerkes bringen, das derzeit zur Aufbewahrung allerlei alten Gewaffens diente; und als die Diener, die ihn hinaufgetragen, sich entfernt hatten, holte der alte Mann ein schwarzes Bahrtuch vom Begräbnis der guten Gräfin und verhing damit das Kunstwerk des Meisters Cyprianus, so daß kein Lichtstrahl fürder es berühren könnte.

Allein der Graf war noch jung; und als ein paar Jahre ins Land gegangen waren und der kräftige Knabe anfing, in den weiten Korridoren des Schlosses umherzutoben, da dachte der Graf: ›Es ziemte sich, daß du deinem Sohne eine neue Mutter suchtest, die ihn aufzöge in edler Sitte, wie es sich für deinen Erben ziemt.‹ Und weiter dachte er: ›Am Hofe des Kaisers sind viele holde Frauen; es sollte schlimm kommen, so du nicht die rechte fändest.‹ Auch eine Stimme war in seinen Ohren, die sprach: ›Eine Mutter für das Kind, ein Weib für dich; denn Frauenliebe ist ein süßer Trank!‹

Und so, als wieder einmal der Mai gekommen war, wurde das Reisezeug gerüstet, und der Graf zog mit seinem Knaben, von stattlicher Dienerschaft begleitet, nach der großen Stadt Wien.

Lange blieben sie aus, und der alte Hausmeister ging in den hohen, leeren Gemächern umher und ließ die Fenster aufsperren, damit das Geräte, das einst der guten Herrin gedient, in der eingeschlossenen Luft nicht zugrunde gehe. Endlich aber, da schon die Herbstfäden über die Felder flogen, langten nacheinander viele Kisten mit kostbaren Teppichen, goldgepreßten Ledertapeten und allerart modischen Dingen an, wie es von dem Gesinde dort nie zuvor gesehen war, und der Hausmeister erhielt Befehl, die großen Gemächer des Erdgeschosses für die neue Herrin zu bereiten.«

Die alte Erzählerin hielt einige Augenblicke inne; denn der kleine

Kranke hatte im Schlaf das Deckbett abgestoßen. Dann aber, als sie ihn sorgfältig wieder zugedeckt, und da der Knabe fort schlief, begann sie wieder:

»Ihr kennt sie, gnädige Gräfin; das lebensgroße Frauenbild, das im Rittersaal oben neben dem Kamin hängt, soll ihr ähnliches Konterfei sein. Es ist ein Füchschen mit goldrötlichem Haar, wie sie den Männern, insonders den älteren, so gefährlich sind. Ich habe sie mir oft drauf angesehen; wie sie den Kopf so leicht zurückwirft, und wie der Mund so süß und hinterhaltig lächelt und das goldfarbige Haar in freien Liebeslocken über den weißen Nacken weht, da hätte vielleicht auch ein kühleres Blut als das des guten Grafen nicht zu widerstehen vermocht. – Ich will nur das noch sagen, sie ist eine junge Witib gewesen; und soll ein Kind aus dieser ersten Ehe, ein Töchterlein, bei den Verwandten ihres verstorbenen Gemahls in der Kaiserstadt zurückgelassen haben. So viel ist gewiß, auf das Schloß hier ist diese Tochter nie gekommen.

Nun aber! Endlich rasselten die Wagen in den Schloßhof; und das versammelte Gesinde sah staunend zu, wie der Graf und eine fremdredende Kammerjungfer der Dame aus dem Wagen halfen. Und als sie nun in ihrem mandelfarbenen Seidenkleide mit leichtem Kopfneigen die Treppe emporschritt, da hörte ihr feines Ohr manch leis gerauntes, bewunderndes Wort über die Schönheit der neuen Herrin.

Erst als die Dame in der Tür verschwunden war, kam aus dem nachfolgenden Gesindewagen der kleine Kuno hervorgeklettert. ›Ei, Junker‹, rief eine rotwangige Magd ihm zu, ›habt Ihr eine schöne Mutter jetzt!‹ Aber der Knabe runzelte die Stirn und sagte trotzig: ›Es ist nicht meine Mutter!‹ Und der alte Hausmeister, der eben von der Begleitung der Herrschaft zurückkam, sagte finster zu der Dirne: ›Siehst du denn nicht, daß das der Sohn der guten Gräfin ist!‹ Und dem Knaben zärtlich in die blauen Augen sehend, nahm er ihn auf seinen Arm und trug ihn in sein väterliches Haus.

Dort waltete denn von nun an die fremde Frau. Das Gesinde pries ihre Leutseligkeit, und die Armen im Dorfe meinten bald, sie habe eine noch freigebigere Hand als die Verstorbene; nur auf die Kinder sehe sie gar nicht, und auch seine Not könne man ihr so nicht klagen wie einst der guten Gräfin. – Während sie aber die meisten der Schloßbewohner mit ihrer Schönheit bestrickte, hatte der Hausmeister nur kalte Blicke für sie; es mißfiel ihm, daß sie auch an Werktagen, wie er sagte, ›geschmückt wie eine Jesabel‹ einherging. Er traute den Liebkosungen nicht, womit sie zuweilen in seiner und des Grafen Gegenwart den kleinen Kuno überschüttete. Und auch den Knaben selbst gewann sie nicht damit; er hatte für sie nichts als ein schweigendes Anstarren; und wenn ihre Arme und Augen ihn losließen, so rannte er hinaus ins Freie, holte seine kleine Armbrust und schoß nach einem Holzvogel, den der Hausmeister ihm geschnitzt hatte; oder er saß abends in der Stube seines alten Freundes und bilderte in einem großen Buche von den Freuden des edlen Weidwerks. – Der gute Graf aber sah nichts als die Schönheit seines Weibes. Wenn er in das Zimmer und ihr entgegentrat, so stand sie lächelnd, bis er sie umfing; hatte sie der Tür den schönen Nacken zugewandt, so hob sie wohl das Handspieglein, das ihr an güldner Kette vom Gürtel herabhing, aus den Falten ihres Seidenrockes und nickte dem Eintretenden daraus entgegen.

Als aber das Frühjahr wiederkam, da befiel den Knaben ein Fieber, das er sich im feuchten Moose des Waldes geholt hatte, und er lag in unruhigem Krankenschlummer in seinen Kissen. Neben dem Bett stand der Stuhl der guten Gräfin mit der geschnitzten Lehne und dem blauen Sammetpolster, auf dem sie so oft vor dem Spiegel des Meisters Cyprianus gesessen hatte, einst als in der Frühlingsluft die Veilchendüfte zu ihr ins offene Fenster wehten. Jetzt blühten draußen wieder einmal die Veilchen; aber der Stuhl stand leer. Die schöne Stiefmutter war zwar auch zugegen und saß neben dem Grafen zu Füßen des kleinen Bettes; denn sie sah es wohl, wie der Vater um sein Kind sorgte, und wollte es an sich nicht fehlen lassen. Da rief der Knabe aus seinem Fieber: ›Mutter, Mutter!‹ und hob sich mit offenen Augen aus seinen Kissen. ›Hörst du, mein Gemahl!‹ sagte die schöne Frau, ›unser Sohn verlangt nach mir!‹ Als sie aber aufstand und sich zu ihm neigte, da streckte das Kind an ihr vorbei seine Arme nach dem leeren Stuhl der guten Gräfin.

Der Graf erblaßte, und von dem Leid plötzlicher Erinnerung bezwungen, fiel er neben dem Bett seines Sohnes in die Knie. Die stolze Frau trat zurück, und indem sie heimlich die kleine Faust um ihren Gürtel ballte, verließ sie das Gemach, um es nicht wieder zu betreten. Doch der Knabe wurde gesund auch ohne ihre Pflege.

Bald darauf, als draußen die Rosenknospen ausschlugen, genaß die Gräfin eines Söhnleins. Der Graf aber wußte nicht, weshalb es ihm so schwer aufs Herz fiel, als der kleine Kuno ihm mit dieser Nachricht entgegensprang. Zwar ließ er auch jetzt sein Roß aus dem Stalle führen, um mit seinen Gedanken in die Heide hinauszureiten; aber nicht, um sie jubelnd über Flur und See zu rufen. Als er eben im Bügel saß, hob der alte Hausmeister den kleinen Kuno zu ihm auf den Sattel und sagte: ›Vergeßt den Sohn der guten Gräfin nicht!‹ Der Vater schloß die Arme um sein Kind und ritt mit ihm bergauf und -ab, bis die Sonne hinabgesunken war; als sie aber bei der Heimkehr unter den Fenstern der Kapelle vorüberritten, in der die gräflichen Grabgewölbe waren, da ließ er sein Roß langsamer gehen und raunte in das Ohr des Knaben: ›Vergiß ihrer nicht; denn Mutterlieb' ist nur einmal auf der Welt!‹ – Als bei seinem Eintritt in das Zimmer der Wöchnerin die Wartefrau den Neugeborenen in seine Arme legte, überfiel ihn aufs neue das Heimweh nach der Toten, und er wußte es plötzlich, daß sie doch allein die Fraue seines Herzens gewesen war; der Knabe, obwohl sein eigen Blut, war ihm wie fremd, weil er nicht auch aus ihrem Blute war. – Die Augen der Gräfin, welche bald schöner als je aus ihren Wochen erstanden war, übten fürder keinen Zauber mehr auf ihn. Einsam ritt er durch die Felder; ein Wort des Meisters Cyprianus stand wie in dunkler Schrift vor seinen Augen: ›Rückwärts zu leben ist auch durch Gottes Hilfe nicht vergönnt!‹

Indessen wuchsen die beiden Knaben zusammen auf, und bald zeigte sich eine große Liebe zwischen ihnen. Als der kleine Wolf erst mit ins Freie konnte, wurde Kuno sein Lehrer in allen Künsten, die von den Knaben geübt werden. Er ließ ihn über Felsen und auf Bäume klettern, er schnitzte ihm die Bolzen für seine kleine Armbrust und schoß mit ihm nach der Scheibe oder wohl gar nach dem unerreichbaren Raubvogel, der über ihnen im Sonnenglanz revierte.

So war wieder einmal der Winter herangekommen, als eines Abends ein Mann in der Uniform eines kaiserlichen Feldobristen mit seinem Diener in den Schloßhof geritten kam. – Hager hat er geheißen, und ein hagerer, knochiger Mann soll es gewesen sein, mit eckiger Stirn und kleinen, grimmigen Augen; der struppige, strohgelbe Bart – so heißt es – habe ihm wie Strahlen vom Kinn und von den Nasenflügeln abgestanden. Er nannte sich einen Vetter von dem ersten Gemahl der Gräfin und war, wie er sagte, nur auf Besuch gekommen; aber er blieb von einer Woche in die andere und wurde allmählich als ein ständiger Hausgenosse angesehen. – Der Graf hatte sich anfänglich um den Besuch gar nicht gekümmert; aber der Obrist zeigte sich bald als einen Meister des edlen Weidwerks, und als der erste Schnee gefallen war, zogen die beiden Männer zusammen in das Tannendickicht, und von nun an hörte man fast täglich das Toben der Rüden und das ›Ho Ridoh‹ der Jäger durch den stillen Wald. Da, eines Nachmittags bei einer Sauhatz, tönte das Hifthorn des Obristen aus einem entlegenen Talgrunde, wohin er ohne Gefolge mit dem Grafen sich verloren hatte; und als der Rüdenmann und die Jäger, dem Rufe folgend, dort zusammentrafen, sahen sie das Wildschwein verendet zwischen den Tannen liegen; daneben aber lag auch der Graf in seinem Blute. Der Obrist stand auf seinen Jagdspeer gelehnt, das Hifthorn in der Hand. ›Eure Saufedern taugen nichts‹, sagte er kurz, ›der Keiler hat sie abgeschlagen‹; und als alle von Schreck gelähmt dastanden, blitzte er sie mit seinen kleinen, grimmen Augen an: ›Was steht ihr noch! Brecht Zweige zu einer Bahre und tragt euren Herrn ins Schloß!‹ Und die Leute taten, wie er befohlen hatte.

Der Graf aber ist nicht wieder mit dem Oberst auf die Jagd gezogen. Denn als der alte Hausmeister den Reitknecht nach einem Arzt entsenden wollte, damit die Wunde untersucht würde, erhielt er den Bescheid, der Arzt sei nimmer nötig, der Graf sei schon verschieden.

Und bald ruhte er im Grabgewölbe bei seiner guten Gräfin, und der kleine Kuno war ein vater- und mutterloses Kind. Der Obrist aber blieb nach wie vor im Schlosse, und die Gräfin duldete es, daß unmerklich ein Stück des Hausregiments nach dem anderen in seine Hand ging. Das Gesinde murrte zwar, wenn er sie mit seiner scharfen Stimme anherrschte; aber sie wagten es gleichwohl nicht, sich dem grimmen Manne zu widersetzen. – Auch mit den beiden Knaben machte er sich zu schaffen. Eines Morgens, als Kuno in den Stall hinabkam, stand neben dem Rappen des Obersten ein kleines schwarzes Nordlandsroß mit roter goldbestickter Schabracke. ›Das ist dein eigen‹, sagte der Oberst, der mit hineingetreten war, ›klettere hinauf, so zeig' ich dir, wie ein Mann zu Pferde sitzen muß.‹ Bald sorgte er, daß auch der kleine Wolf ein Roß bekam, und nun lehrte er die beiden reiten nach den Regeln der Kunst. Nicht lange, so sah man den hageren Obristen auf seinem hochbeinigen Rappen zwischen den beiden Knaben auf ihren kleinen Nordlandsrossen über die Felder reiten. Aber seltsame Reden waren es, die er dabei mit ihnen führte. Wenn sie, wie es bei Kindern geschieht, einmal in Zank gerieten, so bückte er sich von seinem hohen Rappen und flüsterte dem älteren zu: ›Du bist der Herr; vom Hof kannst du den Burschen jagen!‹ Und darauf zu dem jüngeren nach der anderen Seite: ›Er will's dir zeigen, daß du auf seinem Grund und Boden reitest!‹ Aber dergleichen Worte bewirkten nur, daß die Knaben sogleich von ihrem Streite abließen, ja wohl gar von ihren Rossen sprangen und sich weinend in die Arme fielen.

Der Obrist sah scharf; er hatte es wohl bemerkt, wie die Augen der schönen Gräfin, wenn sie den Stiefsohn mit ihrem eigenen aus der Tür gehen sah, von plötzlicher Finsternis befallen wurden, und wie dann ihre Blicke dem Fortgehenden hastig und feindselig nachjagten.

An einem sonnigen Nachmittage stand er mit ihr in dem Würzgärtlein, wo einst die gute Gräfin der Weisheit des Meisters Cyprianus gelauscht hatte. Als die stolze Frau über die Ringmauer auf die untenliegenden Wälder und Auen hinaussah, sagte er lauernd: ›Der Kuno tritt eine schöne Herrschaft an, wenn er zu seinen eigenen Jahren kommt.‹ Und als sie schwieg und nur mit finsteren Augen in die Ferne starrte, setzte er hinzu: ›Euer Wolf ist ein zartes Pflänzlein; aber der Kuno scheint fürs Regiment geboren; langlebig und handfest schaut er aus.‹

In diesem Augenblicke kamen auf der Wiese, die in der Tiefe unterhalb des Gärtleins lag, die beiden Knaben auf ihren Rossen dahergeflogen. Sie ritten so dicht nebeneinander, daß die braunen Locken Kunos mit den blonden des kleinen Wolf zusammenwehten. Das Roß des letzteren schüttelte die Mähne und wieherte laut in den Sonnenschein hinaus. Da erschrak die Mutter und stieß einen Schrei aus; aber Kuno schlang den Arm um seinen Bruder, und indem sie vorübertrabten, warf er einen stolzen, leuchtenden Blick zu den Obenstehenden hinauf.

›Wie gefallen Euch diese Augen, schöne Gräfin?‹ fragte der Oberst.

Sie stutzte und streifte mit einem unsicheren Blick über ihn hin.

›Wie meint Ihr das?‹ flüsterte sie dann.

Er aber, die Hand am Kinn, erwiderte ebenso: ›Rechnet auf mich, schöne Frau; der Oberst Hager ist Euer treuergebener Knecht!‹

Da raunte sie, und er sah, wie ihr Antlitz totenbleich wurde: ›Die Augen würden mir besser noch gefallen, wenn sie geschlossen wären.‹

›Und was gäbt Ihr drum, wenn Ihr sie in solcher Schönheit erblicken könntet?‹

Sie legte einen Augenblick ihre weiße Hand in die seine; dann warf sie die glänzenden Locken zurück und schritt, ohne sich umzublicken, aus dem Gärtlein.

Als eine Stunde später der kleine Kuno durch die Korridore des oberen Stockwerks streifte, sah er den Obersten in einer Fensternische stehen. Der Knabe wollte vorüber; denn der Mann schaute so unheimlich drein. Aber er wurde angerufen: ›Wohin rennst du, Junge?‹

›Nach der alten Rüstkammer‹, sagte Kuno, ›ich wollte meine Armbrust holen.‹

›So gehe ich mit dir.‹ Und der Oberst schritt neben dem Knaben her bis zu dem entlegenen Gemach, wo noch immer mit dem schweren Bahrtuch verhangen unter allerlei Gewaffen der Spiegel des Cyprianus stand. Als sie eingetreten waren, schob der Oberst den Eisenriegel vor und stellte sich mit dem Rücken gegen die Tür. Da aber der Knabe die wilden Augen des Mannes sah, schrie er: ›Hager, Hager, du willst mich töten!‹

›Du kannst nicht übel raten‹, sagte der Oberst und griff nach ihm. Aber der Knabe sprang unter seinen Händen fort und riß seine gespannte Armbrust von der Wand, die er tags vorher dorthin gehangen hatte. Er schoß, und den Eindruck seines Bolzens könnt Ihr noch heutzutage in dem schwarzen Eichengetäfel sehen; aber den Obristen traf er nicht.

Da warf er sich in die Knie und rief: ›Laß mich leben; ich schenke dir mein kleines Nordlandsroß und auch das schöne rote Sattelzeug!‹

Der finstere Mann stand mit untergeschlagenen Armen vor ihm. ›Dein Nordlandsroß‹, erwiderte er, ›läuft mir noch lange nicht schnell genug.‹

›Lieber Hager, laß mich leben!‹ rief der Knabe wieder; ›wenn ich groß bin, will ich dir mein Schloß geben und alle schönen Wälder, die dazugehören!‹

›Die will ich bälder noch bekommen‹, sagte der Oberst.

Da senkte der Knabe das Haupt und rief: ›So ergebe ich mich in die Allbarmherzigkeit Gottes!‹

›Das war das rechte Wort!‹ sagte der böse Mann. Aber der Knabe sprang noch einmal auf und flog den Wänden des Gemaches entlang; der Oberst jagte ihn wie ein Wildbret. Als sie aber an den verhangenen Spiegel kamen, verwickelte der Knabe seine Füße in dem Bahrtuch, daß er jählings zu Boden stürzte. Da war auch der böse Mann über ihm. – –

In demselben Augenblick – so wird erzählt –, als dieser zum Faustschlage ausholte und der Knabe die kleinen Hände schützend über seinem Herzen kreuzte, stand der alte Hausmeister tief unten im hintersten Verschlage des Kellers, wo ein Knecht mit der Abzapfung eines Fasses Ingelheimer beschäftigt war. ›Hast du nichts gehört, Kasper?‹ rief er und setzte das Lämpchen, das er in der Hand gehalten, auf das Faß.

Der Knecht schüttelte den Kopf.

›Mir war‹, sagte der Alte, ›als hörte ich den Junker Kuno meinen Namen rufen.‹

›Ihr irrt Euch, Meister‹, erwiderte der Knecht; ›hier unten hört sich nichts!‹

Eine Weile stand es an; da rief der Alte wieder: ›Um Gott, Kasper, da hat es nochmals mich gerufen; das war ein Notschrei aus meines Junkers Kehle!‹

Der Knecht fuhr in seiner Arbeit fort: ›Ich höre nur den roten Wein vom Fasse rinnen', sagte er.

Der Alte aber ließ sich nicht beruhigen; er stieg in das Schloß hinauf; er ging von Tür zu Tür, erst in dem Erdgeschoß und dann droben in dem oberen Stockwerk. Als er die Tür der entlegenen Rüstkammer öffnete, da leuchtete ihm der Spiegel des Cyprianus entgegen, auf den die Abendsonne schien. ›Wes ruchlose Hand hat denn das herabgerissen?‹ murmelte der Alte; als er aber das Bahrtuch vom Boden hob, sah er darunter den Leichnam des Knaben und sah die dunkeln Locken über den geschlossenen Augenlidern liegen.

Der alte Mann stürzte in die Knie und warf sich jammernd über ihn. Er löste die Kleider und suchte an dem Körper seines Lieblings nach der Spur des Todes. Aber er fand nichts als nur über dem Herzen einen dunkelroten Flecken. Lange blieb er noch finster und grübelnd auf den Knien liegen. Dann hüllte er den Knaben in das Bahrtuch, nahm in auf seine Arme und trug ihn in das Erdgeschoß hinab nach dem Zimmer der Gräfin. Als er eintrat, sah er die stolze Frau todbleich und zitternd vor dem Obersten stehen, der, wie es schien, halb mit Gewalt ihre Hand erfaßt hielt.

Da legte der Alte den Leichnam zwischen die beiden auf den Boden, und fest die Augen auf sie heftend, sprach er: ›Der Erbherr Graf Kuno ist tot; Euer Söhnlein, Frau Gräfin, ist jetzt der Erbe dieser Herrschaft.‹

Es mochte ein Monat nach dem Begräbnis des jungen Erbherrn sein, da lehnte die Gräfin eines Nachmittags an dem Geländer eines kleinen Söllers, der über der Tiefe schwebend von ihrem Zimmer den Austritt in die freie Luft gestattete. Der kleine Wolf stand neben ihr und betrachtete eine Schar von Vögeln, welche in den Wipfeln der von unten heraufragenden Föhren und Eichen mit lautem Geschrei ihr Wesen trieben.

›Sieh nur!‹ sagte die Gräfin. ›Sie beschreien den Kauz; dort sitzt er neben dem Astloch in der Eiche.‹ Und sie wies mit dem Finger vor sich hin.

Des Knaben Augen folgten mit Begierde. ›Ich seh' ihn schon, Mutter‹, sagte er; ›das ist der Totenvogel; er schrie vor meinem Fenster, als der arme Kuno starb.‹

›Hol' deine Armbrust und schieß ihn!‹ sagte die Mutter.

Der Knabe sprang aus dem Zimmer, die Treppen hinab und in den Stall. Dort lag die Armbrust neben seinem kleinen Roß. Aber die Sehne war zerrissen; er hatte sie lange nicht gebraucht; denn Kuno war nicht mehr da, der ihm die Bolzen schnitzte und den Holzvogel auf die Stange steckte. – Da lief er in das Schloß zurück. Er entsann sich, daß der Bruder seine Armbrust oben in der Rüstkammer aufzuhängen pflegte. Als er dort in dem entlegenen Teile des Schlosses angekommen war und sich mit Mühe durch die schwere Eichentür gedrängt hatte, leuchtete ihm der Spiegel des Cyprianus mit seinem bläulichen Schein entgegen. Die Stahlfacetten des Rahmens blitzten im letzten Strahl der

Abendsonne. Der Knabe hatte das noch nie gesehen; denn wenn er auch einmal mit dem Bruder hierhergekommen, so war doch das Kunstwerk stets mit dem schweren Bahrtuch verhangen gewesen. Jetzt stand er davor und besah staunend sein eigenes Bild in diesem Glanze; er schien die Armbrust ganz vergessen zu haben. – Es mußte indessen außer ihm selbst noch etwas in dem Spiegel sein, das seinen ganzen Sinn gefangennahm; denn er kniete nieder und legte die Stirn an das Glas, um so nahe als möglich hineinzuschauen.

Plötzlich aber griff er mit beiden Händen nach dem Herzen. Dann sprang er mit einem Wehschrei in die Höhe. ›Hilfe!‹ schrie er, ›Hilfe!‹ und noch einmal mir durchdringendem Zeter ›Hilfe!‹ Da hörte es die Mutter unten auf dem Söller; und in Todesangst irrte sie von Gang zu Gang, von Tür zu Tür. ›Wolf! Wo bist du, Wolf?‹ rief sie; ›so gib doch Antwort!‹ Und endlich kam sie in die rechte Tür. Da lag ihr Kind, sich im Todeskrampfe auf dem Boden windend.

Sie warf sich über ihn. ›Wolf! Wolf! Was ist geschehen?‹ rief sie.

»Der Knabe regte die verblaßten Lippen. ›Es hat mir einen Schlag aufs Herz getan‹, stammelte er.

›Wer, wer tat es?‹ flüsterte die Mutter. ›Wolf, sprich nur ein einziges Wort noch; wer hat das getan?‹

Der Knabe wies mit erhobenem Finger in den Spiegel. – Und das sterbende Kind in ihren Armen haltend, blickte sie vorgebeugt in das Glas des Cyprianus. Aber während des Schauens trat das Entsetzen in ihr Angesicht, und ihr lichtblaues Auge wurde steinern wie ein Diamant. Denn bei dem Abendschein, der durch die trüben Fenster brach, sah sie im tiefsten Grunde wie zusammengeballten Nebel die Gestalt eines Kindes; wie trauernd kauerte es am Boden und schien zu schlafen. Sie warf einen scheuen Blick hinter sich in das Zimmer; aber dort lag nur die Dämmerung in den Winkeln. Wieder, als ob es sie bannte, blickte sie mit gespannten Augen in den Spiegel, und noch immer war es dort. – Da fühlte sie den Kopf des kleinen Wolf ihren Armen entgleiten, und in demselben Augenblicke sah sie einen leichten Rauch gegen das Spiegelglas ziehen. Wie ein Hauch lief es darüber hin. Dann wurde das Glas wieder klar; aber hinter demselben zog es wie ein graues Wölkchen in die Tiefe; und jetzt plötzlich sah sie dort im Grunde des Spiegels zwei kleine Nebelgestalten, die sich umschlungen hielten.

Mit einem Schrei sprang die Gräfin empor; ihr Sohn lag regungslos mit wachsbleichem Antlitz; die offenstehenden blauen Lippen verkündeten den Tod. – Sie riß das seidene Wams von seiner Brust; da sah sie den dunkelroten Fleck auf seinem Herzen, den sie kurz zuvor auf der Brust des kleinen Kuno gesehen hatte. ›Hager, Hager!‹ schrie sie – denn das Geheimnis des Spiegels war ihr unbekannt – ›das ist deine Faust! Der war dir auch im Wege; aber noch bist du nicht der Herr im Schloß; und ich schwör's, so sollst es nimmer werden!‹

Sie ging hinab; sie suchte ihn; aber der Oberst war eben zur Jagd auf ein benachbartes Schloß geritten und hatte auf den morgenden Tag seine Rückkunft angesagt.

Der plötzliche Tod auch des letzten Grafensohnes verbreitete einen dumpfen Schrecken unter dem Gesinde. Auf Treppen und Gängen standen sie und raunten miteinander, und wenn die Gräfin nahte, stahlen sie sich scheu von dannen. Es wurde Nacht. Der Leichnam des kleinen Wolf war hinabgetragen und lag ausgestreckt auf seinem Bettchen in der Kammer. Aber der Gräfin ließ es bei dem Toten keine Ruh'. Im hellen Mondenschein, während alles schlief, stieg sie hinauf nach der Rüstkammer. Dort stand sie vor dem Spiegel, der in blauem Schimmer leuchtete, blickte mit starren Augen hinein und wand die Hände umeinander. Dann wieder, als jage sie ein plötzliches Grausen, stürzte sie aus dem Gemach und rannte durch alle Gänge, bis sie die Tür ihres Schlafgemachs erreicht und hinter sich ins Schloß geworfen hatte. – So verging die Nacht.

Als am anderen Morgen der Hausmeister in das Zimmer der Gräfin treten wollte, hörte er hart und heftig drinnen reden. Er erkannte die Stimme des Obristen, der eben zurückgekehrt war; und bald antwortete die Gräfin in gleicher Weise. Es waren Worte tödlichen Hasses, die der Alte hörte. Kopfschüttelnd trat er von der Tür zurück. ›Das sind die Gerichte Gottes!‹ sprach er und stieg ein paar Treppen höher nach der Platte des runden Turmes hinauf; denn ihm war, als müsse er Gottes freie Luft schöpfen.

Er lehnte sich über die Brüstung und blickte in den sonnigen Morgen hinaus. ›Wie schön die Wälder grünen!‹ sprach er vor sich hin. ›Und sie sind alle tot! Die gute Gräfin und der Graf, mein Junker Kuno und nun auch der kleine Wolf!‹ – Da hörte er unten auf dem Hofe ein Pferd aus dem Stalle ziehen; nicht lange darauf, so donnerte der Galoppschlag über die Zugbrücke; dann weniger hörbar draußen auf dem Wege und drüberhin aus den Kronen der alten Eichen, die zur Seite standen, flogen die Raben krächzend in die Luft.

In demselben Augenblicke kam von unten herauf ein Geschrei der Weiber; und als der Alte hinabgestiegen war, drang es von allen Seiten auf ihn ein, die Gräfin liege erschlagen in ihrem Blute. – ›Wo ist der Oberst?‹ fragte der Hausmeister. ›Fort ist er‹, rief der Reitknecht, der vom Hofe heraufkam, ›mitsamt seinem hochbeinigen Rappen.‹

Rasch wurde die Verfolgung von dem Alten angeordnet; aber am anderen Morgen kamen alle auf schaumbedeckten Rossen unverrichteter Sache wieder heim. – ›So laßt uns denn die Toten begraben‹, sprach er, ›und einen Boten senden an den neuen Herrn dieser schönen Güter!‹ Und so geschah es«, – schloß die Erzählerin ihren Bericht – »die Herrschaft kam an einen Vorfahren Eures Gemahls, welcher der nächste war dem Blute nach. Der alte Hausmeister soll noch lange nach seinem Antritt dort unten in dem Torhäuschen gewohnt haben, ein treuer Wächter an der Gruft seiner geliebten Herrschaft.«

»Das ist eine entsetzliche Geschichte!« sagte die Gräfin, als die Amme schwieg. »Aber hast du nicht gehört, wie der erste Gemahl jener unglücklichen Frau geheißen hat?«

»Freilich«, erwiderte die Alte, »ihr Witwenname steht auf dem Rahmen des Bildes.« Und hierauf nannte sie eines der ersten Adelsgeschlechter.

»Seltsam!« sagte die Gräfin, »so ist sie meine Urahne!«

Die Alte schüttelte den Kopf. »Unmöglich«, sagte sie, »Ihr, Frau Gräfin, aus dem Blute jener bösen Frau?«

»Es ist völlig gewiß, Amme; jene Tochter, die in Wien zurückblieb, wurde die Frau eines meiner Vorfahren.« – –

Das Gespräch wurde durch den Eintritt des Arztes unterbrochen. Der Knabe lag nach wie vor in todähnlichem Schlummer und erwachte auch nicht, als die Hand des Arztes an seinen kleinen Gliedern nach der Spur des Lebens forschte.

»Nicht wahr, er wird genesen?« sagte die Gräfin, indem sie angstvoll in das verschlossene Gesicht des Arztes blickte.

»Die Frage ist zuviel für einen Menschen«, erwiderte dieser; »aber Frau Gräfin müssen schlafen; das ist ganz notwendig.« Und als sie Gegenvorstellungen machte, fuhr er fort: »Es wird sich bis morgen mit dem Kranken nichts ereignen, ich hafte dafür; die Amme kann die Krankenwache halten.«

Endlich war sie überredet und begab sich in ihr Schlafgemach, da der Arzt erklärt hatte, das Haus nicht verlassen zu wollen, bis er dessen gewiß sei.

Als die Alte mit diesem allein war, fragte sie: »Seid Ihr dessen sicher, daß Frau Gräfin ruhig schlafen mag?«

»Für die angegebene Zeit, ja.«

»Und dann, Herr Doktor?«

»Dann, wenn Eure Herrschaft geschlafen hat, so mögt Ihr sie vorbereiten; denn der Knabe muß sterben.«

Die Alte blickte mit festen Augen auf den Arzt. »Ist das ganz gewiß?« fragte sie.

»Ganz gewiß, Amme; es müßte denn ein Wunder geschehen.« – –

Der Arzt hatte sich entfernt, und statt der Gräfin teilte jetzt eine junge Magd die Krankenwache mit der Alten. – Diese stützte den Kopf auf den Rand des Bettes und betrachtete das bleiche Antlitz des kleinen Kuno, in das der Tod schon seine scharfen Züge grub. »Ein Wunder!« murmelte sie ein paarmal. »Ein Wunder!«

Da regte der Knabe sich auf seinem Kissen. »Ich will mit den Kindern spielen!« flüsterte er.

Die Alte riß die Augen auf. »Mit was für Kindern?« fragte sie leise.

Und der Knabe sagte ebenso im Schlaf: »Mit den Spiegelkindern, Amme!«

Sie schrie fast auf. »Unglückskind, so hast du in den Spiegel des Cyprianus gesehen! – – Aber der soll ja in der Sakristei stehen; und die Sakristei ist ja vermauert!« – Sie sann einen Augenblick; dann sagte sie zu dem Mädchen: »Hol' mir den Vinzenz, Ursel!«

Vinzenz, der Reitknecht, kam. – »Bist du neulich bei dem Bau in der Kapelle gewesen?« fragte die Alte.

»Ich bin jeden Tag dort.«

»Ist die Sakristei auch eingerissen?«

»Das geschah schon vor vierzehn Tagen.«

»Hast du einen Spiegel dort gesehen?«

Er besann sich. »Nun freilich, es steht dort einer im Winkel; der Rahmen scheint von Stahl; aber der Rost hat ihn zerfressen.«

Die Alte gab ihm einen großen Teppich. »Verhänge den Spiegel sorgsam!« sagte sie. »Dann laß ihn hierher ins Zimmer tragen. Aber leise, damit der Knabe nicht erwacht.«

Vinzenz ging; und bald wurde von ihm und einem Arbeiter ein hohes, mit dem Teppich verhangenes Gerät in das Zimmer getragen.

»Ist das der Spiegel, Vinzenz?« fragte die Amme; und als er es bejaht hatte, fuhr sie fort: »Stell ihn zu Füßen des Bettes, so daß der kleine Kuno hineinblicken kann, sobald der Teppich fortgenommen ist.«

Nachdem der Spiegel aufgestellt war und die Träger sich entfernt hatten, setzte die Alte sich wieder an die Seite des Bettes. »Ein Wunder muß geschehen!« sprach sie vor sich hin. Dann saß sie mit geschlossenen Augen wie ein steinern Bild; unsichtbar aber kämpften in ihr Furcht und Hoffnung. Sie harrte auf die Rückkunft der Gräfin; aber wie lang mußte sie noch warten, bis der Schlaf die ganz verwachte Frau verlassen haben würde.

Da tat sich die Tür auf, und die Gräfin trat herein. »Es hat mich nicht schlafen lassen, Amme«, sagte sie; »verzeih' es mir! Du bist so treu und gut, und verständiger wohl als ich; und doch ist mir, ich dürfte das Bett des Kindes nicht verlassen.«

Die alte Frau antwortete nicht darauf. »Sagt mir noch einmal, Frau Gräfin«, sagte sie, und das Herz schlug ihr so gewaltig, daß sie die Worte kaum herausbrachte, »seid Ihr dessen ganz gewiß, daß jene böse Frau Eure Urahne gewesen ist?«

»Ich bin dessen ganz gewiß. Aber weshalb fragst du, Amme?«

Die Alte stand auf; und mit fester Hand riß sie den Teppich von dem Spiegel.

Die Gräfin schrie laut auf: »Mein Kind, mein Kind! Das ist der Spiegel des Cyprianus!« – Als sie aber einen Blick in den sanften Schein des Glases geworfen hatte, da sah sie darin den kleinen Kuno mit offenen Augen auf seinem Kissen liegen; sie sah ihn lächeln, und wie ein Hauch flog das Rot der Gesundheit auf seine Wangen. Sie wandte sich um; da saß er schon aufrecht, frisch und blühend.

»Die Kinder, die Kinder!« rief er mit heller, klingender Stimme und streckte die Arme nach dem Spiegel aus.

»Wo sind sie?« fragte die Gräfin.

»Dort, dort!« rief die Alte. »Seht nur, sie lächeln, sie nicken, ach! und sie haben Flügel; zwei Englein sind es!«

»Was sprecht Ihr?« sagte die Gräfin; »ich sehe sie ja nicht.«

»Dort, dort!« rief wieder der kleine Kuno. – »Ach!« setzte er traurig hinzu, »nun sind sie fortgeflogen.«

Da sank die alte Amme auf den Stuhl zurück. »Unser Kuno ist gerettet!« rief sie und brach in lautes Schluchzen aus. »Eure Liebe hat das getan und hat den Fluch hinweggenommen von dem Werke des alten Meisters!«

Die Gräfin aber stand und blickte selig lächelnd in den Spiegel. Auf seiner Fläche schwamm wie Duft ein Rosenwölkchen, und deutlich schimmerte ein schlummerndes Kindesantlitz daraus hervor. »Wolf soll es heißen, wenn's ein Knabe ist; Wolf und Kuno!« flüsterte sie leise. »Und laß uns beten, Amme, daß sie glücklicher werden als die, so einstens ihre Namen trugen!«

Bulemanns Haus

In einer norddeutschen Seestadt, in der sogenannten Düsternstraße, steht ein altes verfallenes Haus. Es ist nur schmal, aber drei Stockwerke hoch; in der Mitte desselben, vom Boden bis fast in die Spitze des Giebels, springt die Mauer in einem erkerartigen Ausbau vor, welcher für jedes Stockwerk nach vorne und an den Seiten mit Fenstern versehen ist, so daß in hellen Nächten der Mond hindurchscheinen kann.

Seit Menschengedenken ist niemand in dieses Haus hinein- und niemand herausgegangen; der schwere Messingklopfer an der Haustür ist fast schwarz von Grünspan, zwischen den Ritzen der Treppensteine wächst jahraus, jahrein das Gras. – Wenn ein Fremder fragt: »Was ist denn das für ein Haus?«, so erhält er gewiß zur Antwort: »Es ist Bulemanns Haus«; wenn er aber weiter fragt: »Wer wohnt denn darin?«, so antworten sie ebenso gewiß: »Es wohnt so niemand darin.« – Die Kinder auf den Straßen und die Ammen an der Wiege singen:

»In Bulemanns Haus,
In Bulemanns Haus,
Da gucken die Mäuse
Zum Fenster hinaus.«

Und wirklich wollen lustige Brüder, die von nächtlichen Schmäusen dort vorbeigekommen, ein Gequieke wie von unzähligen Mäusen hinter den dunkeln Fenstern gehört haben. Einer, der im Übermut den Türklopfer anschlug, um den Widerhall durch die öden Räume schollern zu hören, behauptet sogar, er habe drinnen auf den Treppen ganz deutlich das Springen großer Tiere gehört. »Fast«, pflegt er, dies erzählend, hinzuzusetzen, »hörte es sich an wie die Sprünge der großen Raubtiere, welche in der Menageriebude auf dem Rathausmarkte gezeigt wurden.«

Das gegenüberstehende Haus ist um ein Stockwerk niedriger, so daß nachts das Mondlicht ungehindert in die oberen Fenster des alten Hauses fallen kann. Aus einer solchen Nacht hat auch der Wächter etwas zu erzählen; aber es ist nur ein kleines altes Menschenantlitz mit einer bunten Zipfelmütze, das er droben hinter den runden Erkerfenstern gesehen haben will. Die Nachbarn dagegen meinen, der Wächter sei wieder einmal betrunken gewesen; sie hätten drüben an den Fenstern niemals etwas gesehen, das einer Menschenseele gleich gewesen.

Am meisten Auskunft scheint noch ein alter, in einem entfernten Stadtviertel lebender Mann geben zu können, der vor Jahren Organist an der St. Magdalenenkirche gewesen ist. »Ich entsinne mich«, äußerte er, als er einmal darüber befragt wurde, »noch sehr wohl des hageren Mannes, der während meiner Knabenzeit allein mit einer alten Weibsperson in jenem Hause wohnte. Mit meinem Vater, der ein Trödler gewesen ist, stand er ein paar Jahre lang in lebhaftem Verkehr, und ich bin derzeit manches Mal mit Bestellungen an ihn geschickt worden. Ich weiß auch noch, daß ich nicht gern diese Wege ging und oft allerlei Ausflucht suchte; denn selbst bei Tage fürchtete ich mich, dort die schmalen, dunkeln Treppen zu Herrn Bulemanns Stube im dritten Stockwerk hinaufzusteigen. Man nannte ihn unter den Leuten den ›Seelenverkäufer‹; und schon dieser Name erregte mir Angst, zumal daneben allerlei unheimlich Gerede über ihn im Schwange ging. Er war, ehe er nach seines Vaters Tode das alte Haus bezogen, viele Jahre als Superkargo auf Westindien gefahren. Dort sollte er sich mit einer Schwarzen verheiratet haben; als er aber heimgekommen, hatte man vergebens darauf gewartet, eines Tages auch jene Frau mit einigen dunkeln Kindern anlangen zu sehen. Und bald hieß es, er habe auf der Rückfahrt ein Sklavenschiff getroffen und an den Kapitän desselben sein eigen Fleisch und Blut nebst ihrer Mutter um schnödes Geld verkauft. – Was Wahres an solchen Reden gewesen, vermag ich nicht zu sagen«, pflegte der Greis hinzuzusetzen; »denn ich will auch einem Toten nicht zu nahe treten; aber so viel ist gewiß, ein geiziger und menschenscheuer Kauz war er; und seine Augen blickten auch, als hätten sie bösen Taten zugesehen. Kein Unglücklicher und Hilfesuchender durfte seine Schwelle betreten; und wann immer ich damals dort gewesen, stets war von innen die eiserne Kette vor die Tür gelegt. – Wenn ich dann den schweren Klopfer wiederholt hatte anschlagen müssen, so hörte ich wohl von der obersten Treppe herab die scheltende Stimme des Hausherrn: ›Frau Anken! Frau Anken! Ist Sie taub? Hört Sie nicht, es hat geklopft!‹ Alsbald ließen sich aus dem Hinterhause über Pesel und Korridor die schlurfenden Schritte des alten Weibes vernehmen. Bevor sie aber öffnete, fragte sie hüstelnd: ›Wer ist es denn?‹, und erst, wenn ich geantwortet hatte: ›Es ist der Leberecht!‹, wurde die Kette drinnen abgehakt. Wenn ich dann hastig die siebenundsiebzig Treppenstufen – denn ich habe sie einmal gezählt – hinaufgestiegen war, pflegte Herr Bulemann auf dem kleinen, dämmerigen Flur vor seinem Zimmer schon auf mich zu warten; in dieses selbst hat er mich nie hineingelassen. Ich sehe ihn noch, wie er in seinem gelbgeblümten Schlafrocke mit der spitzen Zipfelmütze vor mir stand, mit der einen Hand rücklings die Klinke seiner Zimmertür haltend. Während ich mein Gewerbe bestellte, pflegte er mich mit seinen grellen, runden Augen ungeduldig anzusehen und mich darauf hart und kurz abzufertigen. Am meisten erregten damals meine Aufmerksamkeit ein paar ungeheure Katzen, eine gelbe und eine schwarze, die sich mitunter hinter ihm aus seiner Stube drängten und ihre dicken Köpfe an seinen Knien rieben. – Nach einigen Jahren hörte indessen der Verkehr mit meinem Vater auf, und ich bin nicht mehr dort gewesen. – Dies alles ist nun über siebzig Jahre her, und Herr Bulemann muß längst dahin getragen sein, von wannen niemand wiederkehrt.« – – Der Mann irrte sich, als er so sprach. Herr Bulemann ist nicht aus seinem Hause getragen worden; er lebt darin noch jetzt.

Das aber ist so zugegangen.

Vor ihm, dem letzten Besitzer, noch um die Zopf- und Haarbeutelzeit wohnte in jenem Hause ein Pfandverleiher, ein altes verkrümmtes Männchen. Da er sein Gewerbe mit Umsicht seit über fünf Jahrzehenden betrieben hatte und mit einem Weibe, das ihm seit dem Tode seiner Frau die Wirtschaft führte, aufs spärlichste lebte, so war er endlich ein reicher Mann geworden. Dieser Reichtum bestand aber zumeist in einer fast unübersehbaren Menge von Pretiosen, Geräten und seltsamstem Trödelkram, was er alles von Verschwendern oder Notleidenden im Laufe der Jahre als Pfand erhalten hatte und das dann, da die Rückzahlung des darauf gegebenen Darlehns nicht erfolgte, in seinem Besitz zurückgeblieben war. – Da er bei einem Verkauf dieser Pfänder, welcher gesetzlich durch die Gerichte geschehen mußte, den Überschuß des Erlöses an die Eigentümer hätte herausgeben müssen, so häufte er sie lieber in den großen Nußbaumschränken auf, mit denen zu diesem Zwecke nach und nach die Stuben des ersten und endlich auch des zweiten Stockwerks besetzt wurden. Nachts aber, wenn Frau Anken im Hinterhause in ihrem einsamen Kämmerchen schnarchte und die schwere Kette vor der Haustür lag, stieg er oft mit leisem Tritt die Treppen auf und ab. In seinen hechtgrauen Rockelor eingeknöpft, in der einen Hand die Lampe, in der andern das Schlüsselbund, öffnete er bald im ersten, bald im zweiten Stockwerk die Stuben- und die Schranktüren, nahm hier eine goldene Repetieruhr, dort eine emaillierte Schnupftabaksdose aus dem Versteck hervor und berechnete bei sich die Jahre ihres Besitzes und ob die ursprünglichen Eigentümer dieser Dinge wohl verkommen und verschollen seien oder ob sie noch einmal mit dem Gelde in der Hand wiederkehren und ihre Pfänder zurückfordern könnten. – –

Der Pfandverleiher war endlich im äußersten Greisenalter von seinen Schätzen weggestorben und hatte das Haus nebst den vollen Schränken seinem einzigen Sohne hinterlassen müssen, den er während seines Lebens auf jede Weise daraus fernzuhalten gewußt hatte.

Dieser Sohn war der von dem kleinen Leberecht so gefürchtete Superkargo, welcher eben von einer überseeischen Fahrt in seine Vaterstadt zurückgekehrt war. Nach dem Begräbnis des Vaters gab er seine früheren Geschäfte auf und bezog dessen Zimmer im dritten Stock des alten Erkerhauses, wo nun statt des verkrümmten Männchens im hechtgrauen Rockelor eine lange, hagere Gestalt im gelbgeblümten Schlafrock und bunter Zipfelmütze auf und ab wandelte oder rechnend an dem kleinen Pulte des Verstorbenen stand. – Auf Herrn Bulemann hatte sich indessen das Behagen des alten Pfandverleihers an den aufgehäuften Kostbarkeiten nicht vererbt. Nachdem er bei verriegelten Türen den Inhalt der großen Nußbaumschränke untersucht hatte, ging er mit sich zu Rate, ob er den heimlichen Verkauf dieser Dinge wagen solle, die immer noch das Eigentum anderer waren und an deren Wert er nur auf Höhe der ererbten und, wie die Bücher ergaben, meist sehr geringen Darlehnsforderung einen Anspruch hatte. Aber Herr Bulemann war keiner von den Unentschlossenen. Schon in wenigen Tagen war die Verbindung mit einem in der äußersten Vorstadt wohnenden Trödler angeknüpft, und nachdem man einige Pfänder aus den letzten Jahren zurückgesetzt hatte, wurde heimlich und vorsichtig der bunte Inhalt der großen Nußbaumschränke in gediegene Silbermünzen umgewandelt. Das war die Zeit, wo der Knabe Leberecht ins Haus gekommen war. – Das gelöste Geld tat Herr Bulemann in große, eisenbeschlagene Kasten, welche er nebeneinander in seine Schlafkammer setzen ließ; denn bei der Rechtlosigkeit seines Besitzes wagte er nicht, es auf Hypotheken auszutun oder sonst öffentlich anzulegen.

Als alles verkauft war, machte er sich daran, sämtliche für die mögliche Zeit seines Lebens denkbare Ausgaben zu berechnen. Er nahm dabei ein Alter von neunzig Jahren in Ansatz und teilte dann das Geld in einzelne Päckchen je für eine Woche, indem er auf jedes Quartal noch ein Röllchen für unvorhergesehene Ausgaben dazulegte. Dieses Geld wurde für sich in einen Kasten gelegt, welcher nebenan in dem Wohnzimmer stand; und alle Sonnabendmorgen erschien Frau Anken, die alte Wirtschafterin, die er aus der Verlassenschaft seines Vaters mit übernommen hatte, um ein neues Päckchen in Empfang zu nehmen und über die Verausgabung des vorigen Rechenschaft zu geben.

Wie schon erzählt, hatte Herr Bulemann Frau und Kinder nicht mitgebracht; dagegen waren zwei Katzen von besonderer Größe, eine gelbe und eine schwarze, am Tage nach der Beerdigung des alten Pfandverleihers durch einen Matrosen in einem fest zugebundenen Sacke vom Bord des Schiffes ins Haus getragen worden. Diese Tiere waren bald die einzige Gesellschaft ihres Herrn. Sie erhielten mittags ihre eigene Schüssel, die Frau Anken unter verbissenem Ingrimm tagaus und -ein für sie bereiten mußte; nach dem Essen, während Herr Bulemann sein kurzes Mittagsschläfchen abtat, saßen sie gesättigt neben ihm auf dem Kanapee, ließen ein Läppchen Zunge hervorhängen und blinzelten ihn schläfrig aus ihren grünen Augen an. Waren sie in den unteren Räumen des Hauses auf der Mausjagd gewesen, was ihnen indessen immer einen heimlichen Fußtritt von dem alten Weibe eintrug, so brachten sie gewiß die gefangenen Mäuse zuerst ihrem Herrn im Maul hergeschleppt und zeigten sie ihm, ehe sie unter das Kanapee krochen und sie verzehrten. War dann die Nacht gekommen und hatte Herr Bulemann die bunte Zipfelmütze mit einer weißen vertauscht, so begab er sich mit seinen beiden Katzen in das große Gardinenbett im Nebenkämmerchen, wo er sich durch das gleichmäßige Spinnen der zu seinen Füßen eingewühlten Tiere in den Schlaf bringen ließ.

Dieses friedliche Leben war indes nicht ohne Störung geblieben. Im Laufe der ersten Jahre waren dennoch einzelne Eigentümer der verkauften Pfänder gekommen und hatten gegen Rückzahlung des darauf erhaltenen Sümmchens die Auslieferung ihrer Pretiosen verlangt. Und Herr Bulemann, aus Furcht vor Prozessen, wodurch sein Verfahren in die Öffentlichkeit hätte kommen können, griff in seine großen Kasten und erkaufte sich durch größere oder kleinere Abfindungssummen das Schweigen der Beteiligten. Das machte ihn noch menschenfeindlicher und verbissener. Der Verkehr mit dem alten Trödler hatte längst aufgehört; einsam saß er auf seinem Erkerstübchen mit der Lösung eines schon oft gesuchten Problems, der Berechnung eines sicheren Lotteriegewinnes, beschäftigt, wodurch er dermaleinst seine Schätze ins Unermeßliche zu vermehren dachte. Auch Graps und Schnores, die beiden großen Kater, hatten jetzt unter seiner Laune zu leiden. Hatte er sie in dem einen Augenblicke mit seinen langen Fingern getätschelt, so konnten sie sich im andern, wenn etwa die Berechnung auf den Zahlentafeln nicht stimmen wollte, eines Wurfs mit dem Sandfaß oder der Papierschere versehen, so daß sie heulend in die Ecke hinkten.

Herr Bulemann hatte eine Verwandte, eine Tochter seiner Mutter aus erster Ehe, welche indessen schon bei dem Tode dieser wegen ihrer Erbansprüche abgefunden war und daher an die von ihm ererbten Schätze keine Ansprüche hatte. Er kümmerte sich jedoch nicht um diese Halbschwester, obgleich sie in einem Vorstadtviertel in den dürftigsten Verhältnissen lebte; denn noch weniger als mit anderen Menschen liebte Herr Bulemann den Verkehr mit dürftigen Verwandten. Nur einmal, als sie kurz nach dem Tode ihres Mannes in schon vorgerücktem Alter ein kränkliches Kind geboren hatte, war sie hilfesuchend zu ihm gekommen. Frau Anken, die sie eingelassen, war horchend unten auf der Treppe sitzengeblieben, und bald hatte sie von oben die scharfe Stimme ihres Herrn gehört, bis endlich die Tür aufgerissen worden und die Frau weinend die Treppe herabgekommen war. Noch an demselben Abend hatte Frau Anken die strenge Weisung erhalten, die Kette fürderhin nicht von der Haustür zu ziehen, falls etwa die Christine noch einmal wiederkommen sollte.

Die Alte begann sich immer mehr vor der Hakennase und den grellen Eulenaugen ihres Herrn zu fürchten. Wenn er oben am Treppengeländer ihren Namen rief oder auch, wie er es vom Schiff her gewohnt war, nur einen schrillen Pfiff auf seinen Fingern tat, so kam sie gewiß, in welchem Winkel sie auch sitzen mochte, eiligst hervorgekrochen und stieg stöhnend, Schimpf- und Klageworte vor sich herplappernd, die schmalen Treppen hinauf.

Wie aber in dem dritten Stockwerk Herr Bulemann, so hatte in den unteren Zimmern Frau Anken ihre ebenfalls nicht ganz rechtlich erworbenen Schätze aufgespeichert. – Schon in dem ersten Jahre ihres Zusammenlebens war sie von einer Art kindischer Angst befallen worden, ihr Herr könne einmal die Verausgabung des Wirtschaftsgeldes selbst übernehmen, und sie werde dann bei dem Geize desselben noch auf ihre alten Tage Not zu leiden haben. Um dieses abzuwenden, hatte sie ihm vorgelogen, der Weizen sei aufgeschlagen, und demnächst die entsprechende Mehrsumme für den Brotbedarf gefordert. Der Superkargo, der eben seine Lebensrechnung begonnen, hatte scheltend seine Papiere zerrissen und darauf seine Rechnung von vorn wieder aufgestellt und den Wochenrationen die verlangte Summe zugesetzt. – Frau Anken aber, nachdem sie ihren Zweck erreicht, hatte zur Schonung ihres Gewissens und des Sprichworts gedenkend: »Geschleckt ist nicht gestohlen«, nun nicht die überschüssig empfangenen Schillinge, sondern regelmäßig nur die dafür gekauften Weizenbrötchen unterschlagen, mit denen sie, da Herr Bulemann niemals die unteren Zimmer betrat, nach und nach die ihres kostbaren Inhalts beraubten großen Nußbaumschränke anfüllte.

So mochten etwa zehn Jahre verflossen sein. Herr Bulemann wurde immer hagerer und grauer, sein gelbgeblümter Schlafrock immer fadenscheiniger. Dabei vergingen oft Tage, ohne daß er den Mund zum Sprechen geöffnet hätte; denn er sah keine lebenden Wesen als die beiden Katzen und seine alte halb kindische Haushälterin. Nur mitunter, wenn er hörte, daß unten die Nachbarskinder auf den Prellsteinen vor seinem Hause ritten, steckte er den Kopf ein wenig aus dem Fenster und schalt mit seiner scharfen Stimme in die Gasse hinab. – »Der Seelenverkäufer, der Seelenverkäufer!« schrien dann die Kinder und stoben auseinander. Herr Bulemann aber fluchte und schimpfte noch ingrimmiger, bis er endlich schmetternd das Fenster zuschlug und drinnen Graps und Schnores seinen Zorn entgelten ließ.

Um jede Verbindung mit der Nachbarschaft auszuschließen, mußte Frau Anken schon seit geraumer Zeit ihre Wirtschaftseinkäufe in entlegenen Straßen machen. Sie durfte jedoch erst mit dem Eintritt der Dunkelheit ausgehen und mußte dann die Haustür hinter sich verschließen.

Es mochte acht Tage vor Weihnachten sein, als die Alte wiederum eines Abends zu solchem Zwecke das Haus verlassen hatte. Trotz ihrer sonstigen Sorgfalt mußte sie sich indessen diesmal einer Vergessenheit schuldig gemacht haben. Denn als Herr Bulemann eben mit dem Schwefelholz sein Talglicht angezündet hatte, hörte er zu seiner Verwunderung es draußen auf den Stiegen poltern, und als er mit vorgehaltenem Licht auf den Flur hinaustrat, sah er seine Halbschwester mit einem bleichen Knaben vor sich stehen.

»Wie seid ihr ins Haus gekommen?« herrschte er sie an, nachdem er sie einen Augenblick erstaunt und ingrimmig angestarrt hatte.

»Die Tür war offen unten«, sagte die Frau schüchtern.

Er murmelte einen Fluch auf seine Wirtschafterin zwischen den Zähnen. »Was willst du?« fragte er dann.

»Sei doch nicht so hart, Bruder«, bat die Frau, »ich habe sonst nicht den Mut, zu dir zu sprechen.«

»Ich wüßte nicht, was du mit mir zu sprechen hättest; du hast dein Teil bekommen; wir sind fertig miteinander.«

Die Schwester stand schweigend vor ihm und suchte vergebens nach dem rechten Worte. – Drinnen wurde wiederholt ein Kratzen an der Stubentür vernehmbar. Als Herr Bulemann zurückgelangt und die Tür geöffnet hatte, sprangen die beiden großen Katzen auf den Flur hinaus und strichen spinnend an dem blassen Knaben herum, der sich furchtsam vor ihnen an die Wand zurückzog. Ihr Herr betrachtete ungeduldig die noch immer schweigend vor ihm stehende Frau. »Nun, wird's bald?« fragte er.

»Ich wollte dich um etwas bitten, Daniel«, hub sie endlich an. »Dein Vater hat ein paar Jahre vor seinem Tode, da ich in bitterster Not war, ein silbern Becherlein von mir in Pfand genommen.«

»Mein Vater von dir?« fragte Herr Bulemann.

»Ja, Daniel, dein Vater; der Mann von unser beider Mutter. Hier ist der Pfandschein; er hat mir nicht zuviel darauf gegeben.«

»Weiter!« sagte Herr Bulemann, der mit raschem Blicke die leeren Hände seiner Schwester gemustert hatte.

»Vor einiger Zeit«, fuhr sie zaghaft fort, »träumte mir, ich gehe mit meinem kranken Kinde auf dem Kirchhofe. Als wir an das Grab unserer Mutter kamen, saß sie auf ihrem Grabsteine unter einem Busch voll blühender weißer Rosen. Sie hatte jenen kleinen Becher in der Hand, den ich einst als Kind von ihr geschenkt erhalten; als wir aber nähergekommen waren, setzte sie ihn an die Lippen; und indem sie dem Knaben lächelnd zunickte, hörte ich sie deutlich sagen: ›Zur Gesundheit!‹ – Es war ihre sanfte Stimme, Daniel, wie im Leben; und diesen Traum habe ich drei Nächte nacheinander geträumt.«

»Was soll das?« fragte Herr Bulemann.

»Gib mir den Becher zurück, Bruder! Das Christfest ist nahe; leg' ihn dem kranken Kinde auf seinen leeren Weihnachtsteller!«

Der hagere Mann in seinem gelbgeblümten Schlafrocke stand regungslos vor ihr und betrachtete sie mit seinen grellen, runden Augen. »Hast du das Geld bei dir?« fragte er. »Mit Träumen löst man keine Pfänder ein.«

»O Daniel!« rief sie, »glaub' unserer Mutter! Er wird gesund, wenn er aus dem kleinen Becher trinkt. Sei barmherzig; er ist ja doch von deinem Blut!«

Sie hatte die Hände nach ihm ausgestreckt; aber er trat einen Schritt zurück. »Bleib mir vom Leibe«, sagte er. Dann rief er nach seinen Katzen. »Graps, alte Bestie! Schnores, mein Söhnchen!« Und der große gelbe Kater sprang mit einem Satze auf den Arm seines Herrn und klaute mit seinen Krallen in der bunten Zipfelmütze, während das schwarze Tier mauzend an seinen Knien hinaufstrebte.

Der kranke Knabe war nähergeschlichen. »Mutter«, sagte er, indem er sie heftig an dem Kleide zupfte, »ist das der böse Ohm, der seine schwarzen Kinder verkauft hat?«

Aber in demselben Augenblicke hatte auch Herr Bulemann die Katze herabgeworfen und den Arm des aufschreienden Knaben ergriffen. »Verfluchte Bettelbrut«, rief er, »pfeifst du auch das tolle Lied!«

»Bruder, Bruder!« jammerte die Frau. – Doch schon lag der Knabe wimmernd drunten auf dem Treppenabsatz. Die Mutter sprang ihm nach und nahm in sanft auf ihren Arm; dann aber richtete sie sich hoch auf, und den blutenden Kopf des Kindes an ihrer Brust, erhob sie die geballte Faust gegen ihren Bruder, der zwischen seinen spinnenden Katzen droben am Treppengeländer stand: »Verruchter, böser Mann!« rief sie. »Mögest du verkommen bei deinen Bestien!«

»Fluche, so viel du Lust hast!« erwiderte der Bruder; »aber mach, daß du aus dem Hause kommst.«

Dann, während das Weib mit dem weinenden Knaben die dunkeln Treppen herabstieg, lockte er seine Katzen und klappte die Stubentür hinter sich zu. – Er bedachte nicht, daß die Flüche der Armen gefährlich sind, wenn die Hartherzigkeit der Reichen sie hervorgerufen hat.

Einige Tage später trat Frau Anken, wie gewöhnlich, mit dem Mittagessen in die Stube ihres Herrn. Aber sie kniff heute noch mehr als sonst mit den dünnen Lippen, und ihre kleinen blöden Augen leuchteten vor Vergnügen. Denn sie hatte die harten Worte nicht vergessen, die sie wegen ihrer Nachlässigkeit an jenem Abend hatte hinnehmen müssen, und sie dachte, sie ihm jetzt mit Zinsen wieder heimzuzahlen.

»Habt Ihr's denn auf St. Magdalenen läuten hören?« fragte sie.

»Nein«, erwiderte Herr Bulemann kurz, der über seinen Zahlentafeln saß.

»Wißt Ihr denn wohl, wofür es geläutet hat?« fragte die Alte weiter.

»Dummes Geschwätz! Ich höre nicht nach dem Gebimmel.«

»Es war aber doch für Euren Schwestersohn!«

Herr Bulemann legte die Feder hin. »Was schwatzest du, Alte?«

»Ich sage«, erwiderte sie, »daß sie soeben den kleinen Christoph begraben haben.«

Herr Bulemann schrieb schon wieder weiter. »Warum erzählst du mir das? Was geht mich der Junge an?«

»Nun, ich dachte nur; man erzählt ja wohl, was Neues in der Stadt passiert.« – –

Als sie gegangen war, legte aber doch Herr Bulemann die Feder wieder fort und schritt, die Hände auf dem Rücken, eine lange Zeit in seinem Zimmer auf und ab. Wenn unten auf der Gasse ein Geräusch entstand, trat er hastig ans Fenster, als erwarte er schon den Stadtdiener eintreten zu sehen, der ihn wegen der Mißhandlung des Knaben vor den Rat zitieren solle. Der schwarze Graps, der mauzend seinen Anteil an der aufgetragenen Speise verlangte, erhielt einen Fußtritt, daß er schreiend in die Ecke flog. Aber, war es nun der Hunger, oder hatte sich unversehens die sonst so unterwürfige Natur des Tieres verändert, er wandte sich gegen seinen Herrn und fuhr fauchend und prustend auf ihn los. Herr Bulemann gab ihm einen zweiten Fußtritt. »Freßt«, sagte er. »Ihr braucht nicht auf mich zu warten.«

Mit einem Satz waren die beiden Katzen an der vollen Schüssel, die er ihnen auf den Fußboden gesetzt hatte.

Dann aber geschah etwas Seltsames.

Als der gelbe Schnores, der zuerst seine Mahlzeit beendet hatte, nun in der Mitte des Zimmers stand, sich reckte und buckelte, blieb Herr Bulemann plötzlich vor ihm stehen; dann ging er um das Tier herum und betrachtete es von allen Seiten. »Schnores, alter Halunke, was ist denn das?« sagte er, den Kopf des Katers krauend. »Du bist ja noch gewachsen in deinen alten Tagen!« – In diesem Augenblick war auch die andere Katze hinzugesprungen. Sie sträubte ihren glänzenden Pelz und stand dann hoch auf ihren schwarzen Beinen. Herr Bulemann schob sich die bunte Zipfelmütze aus der Stirn.« Auch der!« murmelte er. »Seltsam, es muß in der Sorte liegen.«

Es war indes dämmerig geworden, und da niemand kam und ihn beunruhigte, so setzte er sich zu den Schüsseln, die auf dem Tische standen. Endlich begann er sogar seine großen Katzen, die neben ihm auf dem Kanapee saßen, mit einem gewissen Behagen zu beschauen. »Ein paar stattliche Burschen seid ihr!« sagte er, ihnen zunickend. »Nun soll euch das alte Weib unten auch die Ratten nicht mehr vergiften!« – Als er aber abends nebenan in seine Schlafkammer ging, ließ er sie nicht, wie sonst, zu sich herein; und als er sie nachts mit den Pfoten gegen die Kammertür fallen und mauzend daran herunterrutschen hörte, zog er sich das Deckbett über beide Ohren und dachte: »Mauzt nur zu, ich habe eure Krallen gesehen.« –

Dann kam der andere Tag, und als es Mittag geworden, geschah dasselbe, was tags zuvor geschehen war. Von der geleerten Schüssel sprangen die Katzen mit einem schweren Satz mitten ins Zimmer hinein, reckten und streckten sich; und als Herr Bulemann, der schon wieder über seinen Zahlentafeln saß, einen Blick zu ihnen hinüberwarf, stieß er entsetzt seinen Drehstuhl zurück und blieb mit ausgerecktem Halse stehen. Dort mit leisem Winseln, als wenn ihnen ein Widriges angetan würde, standen Graps und Schnores zitternd mit geringelten Schwänzen, das Haar gesträubt; er sah es deutlich, sie dehnten sich, sie wurden groß und größer.

Noch einen Augenblick stand er, die Hände an den Tisch geklammert; dann plötzlich schritt er an den Tieren vorbei und riß die Stubentür auf. »Frau Anken, Frau Anken!« rief er; und da sie nicht gleich zu hören schien, tat er einen Pfiff auf seinen Fingern, und bald schlurrte auch die Alte unten aus dem Hinterhause hervor und keuchte eine Treppe nach der andern herauf.

»Sehe Sie sich einmal die Katzen an!« rief er, als sie ins Zimmer getreten war.

»Die hab' ich schon oft gesehen, Herr Bulemann.«

»Sieht Sie daran denn nichts?«

»Daß ich nicht wüßte, Herr Bulemann!« erwiderte sie, mit ihren blöden Augen um sich blinzelnd.

»Was sind denn das für Tiere? Das sind ja gar keine Katzen mehr!« – Er packte die Alte an den Armen und rannte sie gegen die Wand. »Rotäugige Hexe!« schrie er, »bekenne, was hast du meinen Katzen eingebraut!«

Das Weib klammerte ihre knöchernen Hände ineinander und begann unverständliche Gebete herzuplappern. Aber die furchtbaren Katzen sprangen von rechts und links auf die Schultern ihres Herrn und leckten ihn mit ihren scharfen Zungen ins Gesicht. Da mußte er die Alte loslassen.

Fortwährend plappernd und hüstelnd schlich sie aus dem Zimmer und kroch die Treppen hinab. Sie war wie verwirrt; sie fürchtete sich, ob mehr vor ihrem Herrn oder vor den großen Katzen, das wußte sie selber nicht. So kam sie hinten in ihre Kammer. Mit zitternden Händen holte sie einen mit Geld gefüllten wollenen Strumpf aus ihrem Bett hervor; dann nahm sie aus einer Lade eine Anzahl alter Röcke und Lumpen und wickelte sie um ihren Schatz herum, so daß es endlich ein großes Bündel gab. Denn sie wollte fort, um jeden Preis fort; sie dachte an die arme Halbschwester ihres Herrn draußen in der Vorstadt; die war immer freundlich gegen sie gewesen, zu der wollte sie. Freilich, es war ein weiter Weg, durch viele Gassen, über viele schmale und lange Brücken, welche über dunkle Gräben und Flete hinwegführten, und draußen dämmerte schon der Winterabend. Es trieb sie dennoch fort. Ohne an ihre Tausende von Weizenbrötchen zu denken, die sie in kindischer Fürsorge in den großen Nußbaumschränken aufgehäuft hatte, trat sie mit ihrem schweren Bündel auf dem Nacken aus dem Hause. Sorgfältig mit dem großen, krausen Schlüssel verschloß sie die schwere eichene Tür, steckte ihn in ihre Ledertasche und ging dann keuchend in die finstere Stadt hinaus. – –

Frau Anken ist niemals wiedergekommen, und die Tür von Bulemanns Haus ist niemals wieder aufgeschlossen worden.

Noch an demselben Tage aber, da sie fortgegangen, hat ein junger Taugenichts, der, den Knecht Ruprecht spielend, in den Häusern umherlief, mit Lachen seinen Kameraden erzählt, da er in seinem rauhen Pelz über die Kreszentiusbrücke gegangen sei, habe er ein altes Weib dermaßen erschreckt, daß sie mit ihrem Bündel wie toll in das schwarze Wasser hinabgesprungen sei. – Auch ist in der Frühe des andern Tages in der äußersten Vorstadt die Leiche eines alten Weibes, welche an einem großen Bündel festgebunden war, von den Wächtern aufgefischt und bald darauf, da niemand sie gekannt hat, auf dem Armenviertel des dortigen Kirchhofs in einem platten Sarge eingegraben worden.

Dieser andere Morgen war der Morgen des Weihnachtsabends. – Herr Bulemann hatte eine schlechte Nacht gehabt; das Kratzen und Arbeiten der Tiere gegen seine Kammertür hatte ihm diesmal keine Ruhe gelassen; erst gegen die Morgendämmerung war er in einen langen, bleiernen Schlaf gefallen. Als er endlich seinen Kopf mit der Zipfelmütze in das Wohnzimmer hineinsteckte, sah er die beiden Katzen laut schnurrend mit unruhigen Schritten umeinander hergehen. Es war schon nach Mittag; die Wanduhr zeigte auf eins. »Sie werden Hunger haben, die Bestien«, murmelte er. Dann öffnete er die Tür nach dem Flur und pfiff nach der Alten. Zugleich aber drängten die Katzen sich hinaus und rannten die Treppe hinab, und bald hörte er von unten aus der Küche herauf Springen und Tellergeklapper. Sie mußten auf den Schrank gesprungen sein, auf den Frau Anken die Speisen für den andern Tag zurückzusetzen pflegte.

Herr Bulemann stand oben an der Treppe und rief laut und scheltend nach der Alten; aber nur das Schweigen antwortete ihm oder von unten herauf aus den Winkeln des alten Hauses ein schwacher Widerhall. Schon schlug er die Schöße seines geblümten Schlafrocks übereinander und wollte selbst hinabsteigen, da polterte es drunten auf den Stiegen, und die beiden Katzen kamen wieder heraufgerannt. Aber das waren keine Katzen mehr; das waren zwei furchtbare, namenlose Raubtiere. Die stellten sich gegen ihn, sahen ihn mit ihren glimmenden Augen an und stießen ein heiseres Geheul aus. Er wollte an ihnen vorbei, aber ein Schlag mit der Tatze, der ihm einen Fetzen aus dem Schlafrock riß, trieb ihn zurück. Er lief ins Zimmer; er wollte ein Fenster aufreißen, um die Menschen auf der Gasse anzurufen; aber die Katzen sprangen hinterdrein und kamen ihm zuvor. Grimmig schnurrend, mit erhobenem Schweif, wanderten sie vor den Fenstern auf und ab. Herr Bulemann rannte auf den Flur hinaus und warf die Zimmertür hinter sich zu; aber die Katzen schlugen mit der Tatze auf die Klinke und standen schon vor ihm an der Treppe. – Wieder floh er ins Zimmer zurück, und wieder waren die Katzen da.

Schon verschwand der Tag, und die Dunkelheit kroch in alle Ecken. Tief unten von der Gasse herauf hörte er Gesang; Knaben und Mädchen zogen von Haus zu Haus und sangen Weihnachtslieder. Sie gingen in alle Türen; er stand und horchte. Kam denn niemand in seine Tür? – – Aber er wußte es ja, er hatte sie selber alle fortgetrieben; es klopfte niemand, es rüttelte niemand an der verschlossenen Haustür. Sie zogen vorüber; und allmählich ward es still, totenstill auf der Gasse. Und wieder suchte er zu entrinnen; er wollte Gewalt anwenden; er rang mit den Tieren, er ließ sich Gesicht und Hände blutig reißen. Dann wieder wandte er sich zur List; er rief sie mit den alten Schmeichelnamen, er strich ihnen die Funken aus dem Pelz und wagte es sogar, ihren flachen Kopf mit den großen, weißen Zähnen zu krauen. Sie warfen sich auch vor ihm hin und wälzten sich schnurrend zu seinen Füßen; aber wenn er den rechten Augenblick gekommen glaubte und aus der Tür schlüpfte, so sprangen sie auf und standen, ihr heiseres Geheul ausstoßend, vor ihm. – So verging die Nacht, so kam der Tag, und noch immer rannte er zwischen der Treppe und den Fenstern seines Zimmers hin und wieder, die Hände ringend, keuchend, das graue Haar zerzaust.

Und noch zweimal wechselten Tag und Nacht; da endlich warf er sich, gänzlich erschöpft, an allen Gliedern zuckend, auf das Kanapee. Die Katzen setzten sich ihm gegenüber und blinzelten ihn schläfrig aus halbgeschlossenen Augen an. Allmählich wurde das Arbeiten seines Leibes weniger, und endlich hörte es ganz auf. Eine fahle Blässe überzog unter den Stoppeln des grauen Bartes sein Gesicht; noch einmal aufseufzend, streckte er die Arme und spreizte die langen Finger über die Knie; dann regte er sich nicht mehr.

Unten in den öden Räumen war es indessen nicht ruhig gewesen. Draußen an der Tür des Hinterhauses, die auf den engen Hof hinausführt, geschah ein emsiges Nagen und Fressen. Endlich entstand über der Schwelle eine Öffnung, die größer und größer wurde; ein grauer Mauskopf drängte sich hindurch, dann noch einer, und bald huschte eine ganze Schar von Mäusen über den Flur und die Treppe hinauf in den ersten Stock. Hier begann das Arbeiten aufs neue an der Zimmertür, und als diese durchnagt war, kamen die großen Schränke daran, in denen Frau Ankens hinterlassene Schätze aufgespeichert lagen. Da war ein Leben wie im Schlaraffenland; wer durchwollte, mußte sich durchfressen. Und das Geziefer füllte sich den Wanst; und wenn es mit dem Fressen nicht mehr fortwollte, rollte es die Schwänze auf und hielt sein Schläfchen in den hohlgefressenen Weizenbrötchen. Nachts kamen sie hervor, huschten über die Dielen oder saßen, ihre Pfötchen leckend, vor dem Fenster und schauten, wenn der Mond schien, mit ihren kleinen, blanken Augen in die Gasse hinab.

Aber diese behagliche Wirtschaft sollte bald ihr Ende erreichen. In der dritten Nacht, als eben droben Herr Bulemann seine Augen zugetan hatte, polterte es draußen auf den Stiegen. Die großen Katzen kamen herabgesprungen, öffneten mit einem Schlage ihrer Tatze die Tür des Zimmers und begannen ihre Jagd. Da hatte alle Herrlichkeit ein Ende. Quieksend und pfeifend rannten die fetten Mäuse umher und strebten ratlos an den Wänden hinauf. Es war vergebens; sie verstummten eine nach der andern zwischen den zermalmenden Zähnen der beiden Raubtiere.

Dann wurde es still, und bald war in dem ganzen Hause nichts vernehmbar als das leise Spinnen der großen Katzen, die mit ausgestreckten Tatzen droben vor dem Zimmer ihres Herrn lagen und sich das Blut aus den Bärten leckten.

Unten in der Haustür verrostete das Schloß, den Messingklopfer überzog der Grünspan, und zwischen den Treppensteinen begann das Gras zu wachsen.

Draußen aber ging die Welt unbekümmert ihren Gang. – Als der Sommer gekommen war, stand auf dem St. Magdalenenkirchhof auf dem Grabe des kleinen Christoph ein blühender weißer Rosenbusch; und bald lag auch ein kleiner Denkstein unter demselben. Den Rosenbusch hatte seine Mutter ihm gepflanzt; den Stein freilich hatte sie nicht beschaffen können. Aber Christoph hatte einen Freund gehabt; es war ein junger Musikus, der Sohn eines Trödlers, der in dem Hause ihnen gegenüber wohnte. Zuerst hatte er sich unter sein Fenster geschlichen, wenn der Musiker drinnen am Klavier saß; später hatte dieser ihn zuweilen in die Magdalenenkirche genommen, wo er sich nachmittags im Orgelspiel zu üben pflegte. – Da saß denn der blasse Knabe auf einem Schemelchen zu seinen Füßen, lehnte lauschend den Kopf an die Orgelbank und sah, wie die Sonnenlichter durch die Kirchenfenster spielten. Wenn der junge Musikus dann, von der Verarbeitung seines Themas fortgerissen, die tiefen, mächtigen Register durch die Gewölbe brausen ließ, oder wenn er mitunter den Tremulanten zog und die Töne wie zitternd vor der Majestät Gottes dahinfluteten, so konnte es wohl geschehen, daß der Knabe in stilles Schluchzen ausbrach und sein Freund ihn nur schwer zu beruhigen vermochte. Einmal auch sagte er bittend: »Es tut mir weh, Leberecht; spiele nicht so laut!«

Der Orgelspieler schob auch sogleich die großen Register wieder ein und nahm die Flöten- und andere sanfte Stimmen; und süß und ergreifend schwoll das Lieblingslied des Knaben durch die stille Kirche: »Befiehl du deine Wege.« – Leise mit seiner kränklichen Stimme hub er an mitzusingen. »Ich will auch spielen lernen«, sagte er, als die Orgel schwieg; »willst du mich es lehren, Leberecht?«

Der junge Musikus ließ seine Hand auf den Kopf des Knaben fallen, und ihm das gelbe Haar streichelnd, erwiderte er: »Werde nur erst recht gesund, Christoph; dann will ich dich es gern lehren.«

Aber Christoph war nicht gesund geworden. – Seinem kleinen Sarge folgte neben der Mutter auch der junge Orgelspieler. Sie sprachen hier zum erstenmal zusammen; und die Mutter erzählte ihm jenen dreimal geträumten Traum von dem kleinen silbernen Erbbecher.

»Den Becher«, sagte Leberecht, »hätte ich Euch geben können; mein Vater, der ihn vor Jahren mit vielen anderen Dingen von Eurem Bruder erhandelte, hat mir das zierliche Stück einmal als Weihnachtsgeschenk gegeben.«

Die Frau brach in die bittersten Klagen aus. »Ach«, rief sie immer wieder, »er wäre ja gewiß gesund geworden!«

Der junge Mann ging eine Weile schweigend neben ihr her. »Den Becher soll unser Christoph dennoch haben«, sagte er endlich.

Und so geschah es. Nach einigen Tagen hatte er den Becher an einen Sammler solcher Pretiosen um einen guten Preis verhandelt; von dem Gelde aber ließ er den Denkstein für das Grab des kleinen Christoph machen. Er ließ eine Marmortafel darin einlegen, auf welcher das Bild des Bechers ausgemeißelt wurde. Darunter standen die Worte eingegraben: »Zur Gesundheit!« –

Noch viele Jahre hindurch, mochte der Schnee auf dem Grabe liegen oder mochte in der Junisonne der Busch mit Rosen überschüttet sein, kam oft eine blasse Frau und las andächtig und sinnend die beiden Worte auf dem Grabstein. – Dann eines Sommers ist sie nicht mehr gekommen; aber die Welt ging unbekümmert ihren Gang.

Nur noch einmal, nach vielen Jahren, hat ein sehr alter Mann das Grab besucht, er hat sich den kleinen Denkstein angesehen und eine weiße Rose von dem alten Rosenbusch gebrochen. Das ist der emeritierte Organist von St. Magdalenen gewesen.

Aber wir müssen das friedliche Kindergrab verlassen, und wenn der Bericht zu Ende geführt werden soll, drüben in der Stadt noch einen Blick in das alte Erkerhaus der Düsternstraße werfen. – Noch immer stand es schweigend und verschlossen. Während draußen das Leben unablässig daran vorüberflutete, wucherte drinnen in den eingeschlossenen Räumen der Schwamm aus den Dielenritzen, löste sich der Gips an den Decken und stürzte herab, in einsamen Nächten ein unheimliches Echo über Flur und Stiege jagend. Die Kinder, welche an jenem Christabend auf der Straße gesungen hatten, wohnten jetzt als alte Leute in den Häusern, oder sie hatten ihr Leben schon abgetan und waren gestorben; die Menschen, die jetzt auf der Gasse gingen, trugen andere Gewänder, und draußen auf dem Vorstadtkirchhof war der schwarze Nummerpfahl auf Frau Ankens namenlosem Grabe schon längst verfault. Da schien eines Nachts wieder einmal, wie schon so oft, über das Nachbarhaus hinweg der Vollmond in das Erkerfenster des dritten Stockwerks und malte mit seinem bläulichen Licht die kleinen, runden Scheiben auf den Fußboden. Das Zimmer war leer; nur auf dem Kanapee zusammengekauert saß eine kleine Gestalt von der Größe eines jährigen Kindes, aber das Gesicht war alt und bärtig und die magere Nase unverhältnismäßig groß; auch trug sie eine weit über die Ohren fallende Zipfelmütze und einen langen, augenscheinlich für einen ausgewachsenen Mann bestimmten Schlafrock, auf dessen Schoß sie die Füße heraufgezogen hatte.

Diese Gestalt war Herr Bulemann. – Der Hunger hatte ihn nicht getötet, aber durch den Mangel an Nahrung war sein Leib verdorrt und eingeschwunden, und so war er im Laufe der Jahre kleiner und kleiner geworden. Mitunter in Vollmondnächten wie diese war er erwacht und hatte, wenn auch mit immer schwächerer Kraft, seinen Wächtern zu entrinnen gesucht. War er von den vergeblichen Anstrengungen erschöpft aufs Kanapee gesunken oder zuletzt hinaufgekrochen, und hatte dann der bleierne Schlaf ihn wieder befallen, so streckten Graps und Schnores sich draußen vor der Treppe hin, peitschten mit ihrem Schweif den Boden und horchten, ob Frau Ankens Schätze neue Wanderzüge von Mäusen in das Haus gelockt hätten.

Heute war es anders; die Katzen waren weder im Zimmer noch draußen auf dem Flur. Als das durch das Fenster fallende Mondlicht über den Fußboden weg und allmählich an der kleinen Gestalt hinaufrückte, begann sie sich zu regen; die großen, runden Augen öffneten sich, und Herr Bulemann starrte in das leere Zimmer hinaus. Nach einer Weile rutschte er, die langen Ärmel mühsam zurückschlagend, von dem Kanapee herab und schritt langsam der Tür zu, während die breite Schleppe des Schlafrocks hinter ihm herfegte. Auf den Fußspitzen nach der Klinke greifend, gelang es ihm, die Stubentür zu öffnen und draußen bis an das Geländer der Treppe vorzuschreiten. Eine Weile blieb er keuchend stehen; dann streckte er den Kopf vor und mühte sich zu rufen: »Frau Anken, Frau Anken!« Aber seine Stimme war nur wie das Wispern eines kranken Kindes. »Frau Anken, mich hungert; so höre Sie doch!«

Alles blieb still; nur die Mäuse quieksten jetzt heftig in den unteren Zimmern.

Da wurde er zornig: »Hexe, verfluchte, was pfeift Sie denn?« Und ein Schall unverständlich geflüsterter Schimpfworte sprudelte aus seinem Munde, bis ein Stickhusten ihn befiel und seine Zunge lähmte.

Draußen, unten an der Haustür, wurde der schwere Messingklopfer angeschlagen, daß der Hall bis in die Spitze des Hauses hinaufdrang. Es mochte jener nächtliche Geselle sein, von dem im Anfang dieser Geschichte die Rede gewesen ist.

Herr Bulemann hatte sich wieder erholt. »So öffne Sie doch!« wisperte er; »es ist der Knabe, der Christoph; er will den Becher holen.«

Plötzlich wurden von unten herauf zwischen dem Pfeifen der Mäuse die Sprünge und das Knurren der beiden großen Katzen vernehmbar. Er schien sich zu besinnen; zum erstenmal bei seinem Erwachen hatten sie das oberste Stockwerk verlassen und ließen ihn gewähren. – Hastig, den langen Schlafrock nach sich schleppend, stapfte er in das Zimmer zurück.

Draußen aus der Tiefe der Gasse hörte er den Wächter rufen. »Ein Mensch, ein Mensch!« murmelte er; »die Nacht ist so lang, so vielmal bin ich aufgewacht, und noch immer scheint der Mond.«

Er kletterte auf den Polsterstuhl, der in dem Erkerfenster stand. Emsig arbeitete er mit den kleinen dürren Händen an dem Fensterhaken; denn drunten auf der mondhellen Gasse hatte er den Wächter stehen sehen. Aber die Haspen waren festgerostet; er mühte sich vergebens, sie zu öffnen. Da sah er den Mann, der eine Weile hinaufgestarrt hatte, in den Schatten der Häuser zurücktreten.

Ein schwacher Schrei brach aus seinem Munde; zitternd, mit geballten Fäusten schlug er gegen die Fensterscheiben; aber seine Kraft reichte nicht aus, sie zu zertrümmern. Nun begann er Bitten und Versprechungen durcheinanderzuwispern; allmählich, während die Gestalt des untengehenden Mannes sich immer mehr entfernte, wurde sein Flüstern zu einem erstickten, heiseren Gekrächze; er wollte seine

Schätze mit ihm teilen, wenn er nur hören wollte; er sollte alles haben, er selber wollte nichts, gar nichts für sich behalten; nur den Becher, der sei das Eigentum des kleinen Christoph.

Aber der Mann ging unten unbekümmert seinen Gang, und bald war er in einer Nebengasse verschwunden. – Von allen Worten, die Herr Bulemann in jener Nacht gesprochen, ist keines von einer Menschenseele gehört worden.

Endlich nach aller vergeblichen Anstrengung kauerte sich die kleine Gestalt auf dem Polsterstuhl zusammen, rückte die Zipfelmütze zurecht und schaute, unverständliche Worte murmelnd, in den leeren Nachthimmel hinauf.

So sitzt er noch jetzt und erwartet die Barmherzigkeit Gottes.

In St. Jürgen

Es ist nur ein schmuckloses Städtchen, meine Vaterstadt; sie liegt in einer baumlosen Küstenebene, und ihre Häuser sind alt und finster. Dennoch habe ich sie immer für einen angenehmen Ort gehalten, und zwei den Menschen heilige Vögel scheinen diese Meinung zu teilen. Bei hoher Sommerluft schweben fortwährend Störche über der Stadt, die ihre Nester unten auf den Dächern haben; und wenn im April die ersten Lüfte aus dem Süden wehen, so bringen sie gewiß die Schwalben mit, und ein Nachbar sagt's dem anderen, daß sie gekommen sind. – So ist es eben jetzt. Unter meinem Fenster im Garten blühen die ersten Veilchen, und drüben auf der Planke sitzt auch schon die Schwalbe und zwitschert ihr altes Lied:

»Als ich Abschied nahm, als ich Abschied nahm«;

und je länger sie singt, je mehr gedenke ich einer längst Verstorbenen, der ich für manche gute Stunde meiner Jugend zu danken habe.

Meine Gedanken gehen die lange Straße hinauf bis zum äußersten Ende, wo das St. Jürgensstift liegt; denn auch unsere Stadt hat ein solches, wie im Norden die meisten Städte von einiger Bedeutung. Das jetzige Haus ist im sechzehnten Jahrhundert von einem unserer Herzöge erbaut und durch den Wohltätigkeitssinn der Bürger allmählich zu einem gewissen Reichtum gediehen, so daß es nun für alte Menschen, die nach der Not des Lebens noch vor der ewigen Ruhe den Frieden suchen, einen gar behaglichen Aufenthaltsort bildet. – Mit der einen Seite streckt es sich an dem St. Jürgenskirchhof entlang, unter dessen mächtigen Linden schon die ersten Reformatoren gepredigt haben; die andere liegt nach dem inneren Hofe und einem angrenzenden schmalen Gärtchen, aus dem in meiner Jugendzeit die Pfründnerinnen sich ihr Sträußchen zum sonntäglichen Gottesdienste pflückten. Unter zwei schweren gotischen Giebeln führt ein dunkler Torweg von der Straße her in diesen Hof, von welchem aus man durch eine Reihe von Türen in das Innere des Hauses, zu der geräumigen Kapelle und zu den Zellen der Stiftsleute gelangt.

Durch jenes Tor bin ich als Knabe oft gegangen; denn seitdem, lange vor meiner Erinnerung, die große St. Marienkirche wegen Baufälligkeit abgebrochen war, wurde der allgemeine Gottesdienst viele Jahre hindurch in der Kapelle des St. Jürgensstiftes gehalten.

Wie oft zur Sommerzeit, ehe ich in die Kapellentür trat, bin ich in der Stille des Sonntagmorgens zögernd auf dem sonnigen Hofe stehengeblieben, den von dem nebenliegenden Gärtchen her, je nach der Jahreszeit, Goldlack-, Nelken- oder Resedaduft erfüllte. – Aber dies war nicht das einzige, weshalb mir derzeit der Kirchgang so lieblich schien; denn oftmals, besonders wenn ich ein Stündchen früher auf den Beinen war, ging ich weiter in den Hof hinab und lugte nach einem von der Morgensonne beleuchteten Fensterchen im oberen Stock, an dessen einer Seite zwei Schwalben sich ihr Nest gebaut hatten. Der eine Fensterflügel stand meistens offen; und wenn meine Schritte auf dem Steinpflaster laut wurden, so bog sich wohl ein Frauenkopf mit grauem, glattgescheiteltem Haar unter einem schneeweißen Häubchen daraus hervor, und nickte freundlich zu mir herab. »Guten Morgen, Hansen«, rief ich dann; denn nur bei diesem, ihrem Familiennamen, nannten wir Kinder unsere alte Freundin; wir wußten kaum, daß sie auch noch den wohlklingenden Namen »Agnes« führte, der einst, da ihre blauen Augen noch jung und das jetzt graue Haar noch blond gewesen, gar wohl zu ihr gepaßt haben mochte. Sie hatte viele Jahre bei der Großmutter gedient und dann, ich mochte damals in meinem zwölften Jahre sein, als die Tochter eines Bürgers, der der Stadt Lasten getragen, im Stifte Aufnahme gefunden. Seitdem war eigentlich für uns aus dem großmütterlichen Hause die Hauptperson verschwunden; denn Hansen wußte uns allezeit, und ohne daß wir es merkten, in behagliche Tätigkeit zu setzen; meiner Schwester schnitt sie die Muster zu neuen Puppenkleidern, während ich mit dem Bleistift in der Hand nach ihrer Angabe allerlei künstliche Prendelschrift anfertigen oder auch wohl ein jetzt selten gewordenes Bild der alten Kirche nachzeichnen mußte, das in ihrem Besitze war. Nur eins ist mir später in diesem Verkehr aufgefallen; niemals hat sie uns ein Märchen oder eine Sage erzählt, an welchen beiden doch unsere Gegend so reich ist; sie schien es vielmehr als etwas Unnützes oder gar Schädliches zu unterdrücken, wenn ein anderer von solchen Dingen anheben wollte. Und doch war sie nichts weniger als eine kalte oder phantasielose Natur. – Dagegen hatte sie an allem Tierleben ihre Freude; besonders liebte sie die Schwalben und wußte ihren Nesterbau erfolgreich gegen den Kehrbesen der Großmutter zu verteidigen, deren fast holländische Sauberkeit sich nicht wohl mit den kleinen Eindringlingen vertragen konnte. Auch schien sie das Wesen dieser Vögel genauer beobachtet zu haben. So entsinne ich mich, daß ich ihr einst eine Turmschwalbe brachte, die ich wie leblos auf dem Steinpflaster des Hofes gefunden hatte. »Das schöne Tier wird sterben«, sagte ich, indem ich traurig das glänzende braunschwarze Gefieder streichelte; aber Hansen schüttelte den Kopf. »Die?« sagte sie, »das ist die Königin der Luft; ihr fehlt nichts als der freie Himmel! Die Angst vor einem Habicht wird sie zu Boden geworfen haben; da hat sie mit den langen Schwingen sich nicht helfen können.« Dann gingen wir in den Garten; ich mit der Schwalbe, die ruhig in meiner Hand lag, mich mit den großen braunen Augen ansehend. »Nun wirf sie in die Luft!« rief Hansen. Und staunend sah ich, wie, von meiner Hand geworfen, der scheinbar leblose Vogel gedankenschnell seine Schwingen ausbreitete und mit hellem Zwitscherlaut wie ein befiederter Pfeil in dem sonnigen Himmelsraum dahinschoß. »Vom Turm aus«, sagte Hansen, »solltest du sie fliegen sehen; das heißt von dem Turm der alten Kirche, der noch ein Turm zu nennen war.«

Dann, mit einem Seufzer meine Wangen streichelnd, ging sie ins Haus zurück an die gewohnte Arbeit. »Weshalb seufzt denn Hansen so?« dachte ich. – Die Antwort auf diese Frage erhielt ich erst viele Jahre später, aus einem mir damals gänzlich fremden Munde.

Nun war sie in den Ruhestand versetzt, aber ihre Schwalben hatten sie zu finden gewußt, und auch wir Kinder wußten sie zu finden. Wenn ich am Sonntagmorgen vor der Kirchzeit in das saubere Stübchen der alten Jungfrau trat, pflegte sie schon im feiertäglichen Anzuge vor ihrem Gesangbuche zu sitzen. Wollte ich dann neben ihr auf dem kleinen Kanapee Platz nehmen, so sagte sie wohl: »Ei was, da siehst du ja die Schwalben nicht!« Dann räumte sie einen Geranien- oder einen Nelkenstock von der Fensterbank und ließ mich in der tiefen Fensternische auf ihrem Lehnstuhl niedersitzen. »Aber so fechten mit den Armen darfst du nicht«, fügte sie dann lächelnd hinzu; »so junge muntere Gesellen sehen sie nicht alle Tage!« Und dann saß ich ruhig und sah, wie die schlanken Vögel im Sonnenscheine ab und zu flogen, ihr Nest bauten oder ihre Jungen fütterten, während Hansen mir gegenüber von der Herrlichkeit der alten Zeit erzählte; von den Festen im Hause meines Urgroßvaters, von den Aufzügen der alten Schützengilde oder – und das war ihr Lieblingsthema – von der Bilder- und Altarpracht der alten Kirche, in der sie selbst noch zur Enkelin des letzten Türmers Gevatter gestanden hatte; bis dann endlich von der Kapelle her der erste Orgelton zu uns herüberbrauste. Dann stand sie auf, und wir gingen miteinander durch einen schmalen, endlosen Korridor, welcher nur durch die verhangenen Türfensterchen der zu beiden Seiten liegenden Zellen ein karges Dämmerlicht empfing. Hier und dort öffnete sich eine dieser Türen; und in dem Schein, der einige Augenblicke die Dunkelheit unterbrach, sah ich alte, seltsam gekleidete Männer und Frauen auf den Gang hinausschlurfen, von denen die meisten wohl schon vor meiner Geburt aus dem Leben der Stadt entschwunden waren. Gern hätte ich dann dies oder jenes gefragt; aber auf dem Wege zur Kirche hatte ich von Hansen keine Antwort zu erwarten; und so gingen wir denn schweigend weiter, am Ende des Ganges Hansen mit der alten Gesellschaft auf einer Hintertreppe nach unten zu den Plätzen der Stiftsleute, ich oben auf das Chor, wo ich träumend dem sich drehenden Glockenspiel der Orgel zusah und, wenn unser Propst die Kanzel bestiegen hatte – ich will es gestehen –, seine gewiß wohlgesetzte Predigt meist nur wie ein eintöniges Wellengeräusch und wie aus weiter Ferne an mein Ohr dringen fühlte; denn unter mir gegenüber hing das lebensgroße Porträt eines alten Predigers mit langen, schwarzkrausen Haaren und seltsam geschorenem Schnurrbart, das bald meine ganze Aufmerksamkeit in Anspruch zu nehmen pflegte. Mit den melancholischen schwarzen Augen blickte es so recht wie aus der dumpfen Welt des Wunder- und Hexenglaubens in die neue Zeit hinauf und erzählte mir weiter von der Stadt Vergangenheit, wie es in den Chroniken zu lesen stand, bis hinab zu dem bösen Stegreifjunker, dessen letzte Untat einst das Epitaphium des Ermordeten in der alten Kirche berichtet hatte. – Freilich, wenn dann plötzlich die Orgel das »Unseren Ausgang segne Gott« einsetzte, so schlich ich mich meist verstohlen wieder ins Freie; denn es war kein Spaß, dem Examen meiner alten Freundin über die gehörte Predigt standhalten zu müssen. Von ihrer eigenen Vergangenheit pflegte Hansen nicht zu erzählen; ich war schon ein paar Jahre lang Student gewesen, als ich bei einem Ferienbesuch in der Heimat darüber zum erstenmal etwas von ihr erfuhr.

Es war im April, an ihrem fünfundsechzigsten Geburtstage. Wie in früheren Jahren, so hatte ich ihr auch heute die beiden hergebrachten Dukaten von der Großmutter und einige kleine Geschenke von uns Geschwistern überbracht und war von ihr mit einem Gläschen Malaga bewirtet worden, den sie für solche Tage in ihrem Wandschränkchen aufbewahrte. Nachdem wir ein Weilchen geplaudert hatten, bat ich sie, mir heute, wie ich schon lange gewünscht, den Festsaal zu zeigen, in dem seit Jahrhunderten die Vorsteher der Stiftung nach der jährlichen Rechnungsablage ihre Schmäuse zu feiern pflegten. Hansen willigte ein, und wir gingen miteinander den dunkeln Korridor entlang; denn der Saal lag jenseits der Kapelle am anderen Ende des Hauses. Als ich beim Hinabsteigen der Hintertreppe ausglitt und die letzten Stufen hinabstolperte, wurde unten auf dem Flur eine Tür aufgerissen, und der unheimliche nackte Kopf eines neunzigjährigen Mannes reckte sich daraus hervor. Er murmelte ein paar halbverständliche Scheltworte und stierte uns dann, bis wir durch die Tür der Kapelle traten, mit den verglasten Augen nach.

Ich kannte ihn wohl; die Stiftsleute hießen ihn den »Spökenkieker«; denn sie behaupteten, er könne »was sehen«.

»Die Augen könnten einen fürchten machen«, sagte ich zu Hansen, als wir durch die Kapelle gingen.

Sie meinte: »Er sieht dich gar nicht; er sieht nur noch rückwärts in sein eigenes törichtes und sündhaftes Leben.«

»Aber«, erwiderte ich scherzend, »er sieht doch dort in der Ecke die offenen Särge stehen, während, die darinliegen, noch lebend unter euch umherwandern.«

»Das sind auch nur Schatten, mein Kind; er tut nichts Arges mehr. Freilich«, setzte sie hinzu, »ins Stift gehörte er nicht und hat auch nur auf eine der Freistellen des Amtmanns hineinschlüpfen können; denn wir anderen müssen unsere bürgerliche Reputation nachweisen, ehe wir hier angenommen werden.«

Wir hatten inzwischen den Schlüssel bei der Wirtschafterin abgelangt und stiegen nun die Treppe zu dem Festsaal hinauf. – Es war nur ein mäßig großes, niedriges Gemach, das wir betraten. An der einen

Wand sah man eine altertümliche Stutzuhr aus dem Nachlaß einer hier Verstorbenen, an der gegenüberstehenden hing das lebensgroße Bild eines Mannes in einfachem roten Wams; sonst war das Zimmer ohne Schmuck. »Das ist der gute Herzog, der das Stift gebaut hat«, sagte Hansen; »aber die Menschen genießen seine Gaben und denken nicht mehr an ihn, wie er es doch bei seiner Lebzeit wohl gewünscht hat.«

»Aber du gedenkst ja seiner, Hansen.«

Sie sah mich mit ihren sanften Augen an. »Ja, mein Kind«, sagte sie, »das liegt so in meiner Natur; ich kann nur schwer vergessen.«

Die Wände nach der Straße und nach dem Kirchhofe hatten eine Reihe Fenster, mit kleinen in Blei gefaßten Scheiben; und in jeder fast war ein Name, meist aus mir bekannten angesehenen Bürgerfamilien, mit schwarzer Farbe eingebrannt; darunter: »Speisemeister dahier Anno –«, und dann folgte die betreffende Jahreszahl.

»Siehst du, das ist dein Urgroßvater«, sagte Hansen, indem sie auf eine dieser Scheiben wies; »den vergesse ich auch nicht; mein Vater hat bei ihm die Handlung gelernt und später oft Rat und Tat bei ihm geholt; leider, in der schwersten Zeit, da hatte er schon seine Augen zugetan.«

Ich las einen anderen Namen: »Liborius Michael Hansen, Speisemeister Anno 1799.«

»Das war mein Vater!« sagte Hansen.

»Dein Vater? Wie kam es denn eigentlich – –?«

»Daß ich mein halbes Leben gedient habe, meinst du, während ich doch zu den Honoratiorentöchtern gehörte?«

»Ich meine, was war es eigentlich, wodurch das Unglück über deine Familie kam?«

Hansen hatte sich auf einen der alten Lederstühle gesetzt. »Das war nichts Besonderes, mein Kind«, sagte sie; »es war Anno sieben, zur Zeit der Kontinentalsperre; damals florierten die Spitzbuben, und die ehrlichen Leute gingen zugrunde. Und ein ehrlicher Mann war mein Vater! – Er hat den Namen auch mit ins Grab genommen«, fuhr sie nach einem kurzen Schweigen fort. »Ich sehe es noch, wie er mir einst, da wir miteinander durch die Krämerstraße gingen, ein altes, nun längst verschwundenes Haus zeigte. ›Merke dir das‹, sagte er zu mir, ›hier wohnte Anno 1549, da am Sonntage Jubilate die große Feuersbrunst ausbrach, der fromme Kaufmann Meinke Graveley. Da die Flammen heranbrausten, sprang er mit Elle und Wage auf die Gasse und flehte zu Gott, wenn er je mit Wissen und Willen seinen Nächsten um eines Körnleins Wert geschädiget, so möge sein Haus nicht verschont bleiben. Aber die Flamme sprang darüber hin, während alles rings in Asche fiel.‹

›Siehst du, mein Kind‹, setzte mein Vater hinzu, indem er seine Hände in die Höhe hob, ›das könnte auch ich tun; und auch über unser Haus würde die Strafe des Herrn hinweggehen.‹« – Hansen sah mich an. »Der Mensch soll sich nicht rühmen«, sagte sie dann. »Du bist nun alt genug, daß ich dir es wohl erzählen mag; du mußt doch von mir wissen, wenn ich nicht mehr bin. – Mein guter Vater hatte eine Schwäche; er war abergläubisch. Diese Schwäche brachte ihn dahin, daß er in den Tagen der äußersten Not etwas beging, das ihm bald das Herz brach; denn er konnte seitdem die Geschichte von dem frommen Kaufmann nicht mehr erzählen.

In dem Hause neben uns wohnte ein Tischlermeister. Als er mit seiner Frau frühzeitig verstarb, wurde mein Vater der Vormund seines nachgelassenen Sohnes. Harre – diesen friesischen Namen führte der Knabe – las gern in den Büchern und war auch schon in der Tertia unserer Lateinischen Schule; aber die Mittel reichten doch nicht zum Studieren; und so blieb er denn bei dem Handwerk seines Vaters. Als er später Geselle wurde und nach zweijähriger Wanderung wieder eine Zeitlang bei einem Meister gearbeitet hatte, wurde es auch bald bekannt, daß er zu den feineren Arbeiten in seinem Fach ein besonderes Geschick habe. Wir beide waren miteinander aufgewachsen; als er noch in der Lehre war, las er mir oft aus den Büchern vor, die er sich von seinen früheren Schulkameraden geliehen hatte. Du weißt, wir wohnten am Markt in dem Erkerhause dem Rathause gegenüber; da steht noch jetzt ein mächtiger Buchsbaum im Garten. Wie oft haben wir mit unserem Buche unter diesem Baum gesessen, während über uns die Bienen in den kleinen grünen Blüten summten! – Nach seiner Rückkehr war das nicht anders geworden, er kam oft in unser Haus; mit einem Wort, mein lieber Junge, wir beide hatten uns gern und suchten das auch nicht zu verbergen.

Meine Mutter lebte nicht mehr; was mein Vater dazu dachte, und ob er überhaupt etwas darüber gedacht, das hab' ich nie erfahren. Auch kam es nicht so weit, daß es ein rechtes Verlöbnis wurde.

Eines Morgens in den ersten Frühlingstagen war ich in unseren Garten gegangen; die Krokus und die roten Leberblumen schickten sich schon an zu blühen, es war alles ringsumher so jung und frisch; aber mir selbst war schwer zu Sinne; die Sorgen meines Vaters drückten auch mich. Obwohl er niemals über seine Angelegenheiten zu mir geredet, so fühlte ich doch, daß es immer schneller abwärts ging. In den letzten Monaten hatte ich den Stadtdiener oft und öfter in die Schreibstube gehen sehen; war er fort, so verschloß mein Vater sich stundenlang; und von manchem Mittagsessen stand er auf, ohne die Speisen berührt zu haben. In der letzten Woche hatte er einen ganzen Abend damit zugebracht, sich die Karten zu legen; auf meine wie im Scherz hingeworfene Frage, worüber er denn Auskunft von seinem Orakel erwarte, hatte er mich stumm mit der Hand zurückgewiesen und war dann später mit einem kurzen ›Gute Nacht‹ in seine Kammer gegangen.

Das alles lag mir auf dem Herzen; und meine Augen, die nach innen sahen, wußten nichts von dem klaren Sonnenschein, der draußen die ganze Welt verklärte. Da hörte ich unten von der Marsch herauf die Lerchen singen; und du weißt es ja wohl, mein Kind, in der Jugend ist das Herz noch so leicht, der kleinste Vogel trägt es mit empor. Mir war plötzlich, als sähe ich über allen Dunst der Sorge hinweg in eine sonnige Zukunft; als brauchte ich nur den Fuß hineinzusetzen. Ich weiß noch, wie ich an den Beeten hinkniete und mit welcher Freude ich nun die Knospen und das junge Grün betrachtete, das überall aus dem Schoß der Erde hervortrieb. Ich dachte auch an Harre und zuletzt, glaub' ich, nur an ihn. Indem hörte ich die Gartentür aufklinken, und wie ich aufsah, kam er selber mir entgegen.

Ob auch ihn die Lerche froh gemacht hatte – er sah aus wie die Hoffnung selbst. ›Guten Morgen, Agnes‹, rief er, ›weißt du was Neues –?‹

›Ist's denn was Gutes, Harre?‹

›Versteht sich, was sollt' es sonst wohl sein! Ich will Meister werden, und das in allernächster Zeit.‹

Kannst du wohl denken, daß ich ordentlich erschrak! Denn ich dachte doch gleich: ›Mein Gott, nun braucht er auch die Frau Meisterin!‹

Ich mag wohl ganz verdutzt ausgesehen haben; denn Harre fragte mich: ›Fehlt dir etwas, Agnes?‹

›Mir, Harre? Ich glaube nicht‹, sagte ich. ›Der Wind wehte so kühl über mich hin.‹ – Das war nun wohl gelogen; allein der liebe Gott hat es nun einmal so eingerichtet, daß wir in solchem Fall nicht sagen können, was der andere eben hören will.

›Aber mir fehlt nun etwas‹, sagte Harre, ›das Allerbeste fehlt mir!‹

Ich antwortete nichts hierauf, kein Wörtlein. Auch Harre ging eine Weile schweigend neben mir; dann fragte er auf einmal: ›Was meinst du, Agnes, ob es wohl schon geschehen ist, daß eine Krämerstochter einen Tischlermeister geheiratet hat?‹

Als ich aufsah und er mich mit seinen guten, braunen Augen so bittend anblickte, da gab ich ihm die Hand und sagte ebenso: ›Das wird wohl nun zum erstenmal geschehen.‹

›Agnes‹, rief Harre, ›was werden die Leute sagen!‹

›Ich weiß nicht, Harre. – Aber wenn nun die Krämerstochter arm wäre?‹

›Arm, Agnes?‹ und er faßte mich so recht lustig bei beiden Händen; ›ist denn jung und hübsch noch nicht genug?‹ –

Es war ein glücklicher Tag damals; die Frühlingssonne schien, wir gingen Hand in Hand; und während wir schwiegen, sangen über uns die Lerchen aus tausend hellen Kehlen. So waren wir unmerklich an den Brunnen gekommen, der an der Holunderwand des Gartens dem Hause gegenüberlag. Ich blickte über die Brettereinfassung in die Tiefe hinab. ›Wie drunten das Wasser glitzert!‹ sagte ich.

Das Glück macht mutwillig; Harre wollte mich necken. ›Das Wasser?‹ sagte er. ›Das ist das Gold, das aus der Tiefe funkelt.‹

Ich wußte nicht, was er damit meinte.

›Weißt du denn nicht, daß ein Schatz in eurem Brunnen liegt?‹ fuhr er fort. ›Guck nur genau zu; es sitzt ein graues Männlein mit dreieckigem Hut auf dem Grunde. Vielleicht ist's auch nur das brennende Licht in seiner Hand, das drunten so seltsam glitzert; denn er ist der Hüter des Schatzes.‹

Mir flog die Not meines Vaters durch den Sinn. Harre hob einen Stein auf und warf ihn hinab, und es dauerte eine Weile, ehe ein dumpfer Schall zu uns zurückkam. ›Hörst du, Agnes?‹ sagte er, ›das traf auf die Kiste.‹

›Harre, red' vernünftig!‹ rief ich, ›was treibst du für Narrenspossen!‹
›Ich spreche nur nach, was die Leute vorsprechen!‹ erwiderte er.
Aber meine Neugierde war geweckt, vielleicht auch die Begierde nach den unterirdischen Reichtümern, die aller Not ein Ende machen konnten.

›Woher hast du das Gerede?‹ fragte ich nochmals, ›ich habe noch nie davon gehört.‹

Harre sah mich lachend an: ›Was weiß ich! von Hans oder Kunz, ich glaub', am letzten Ende kommt es von dem Halunken, dem Goldmacher.‹

›Von dem Goldmacher?‹ – Mir kamen allerlei Gedanken. Der Goldmacher war ein herabgekommener Trödler; er konnte segnen und raten, Menschen und Vieh besprechen und alle die anderen Geheimnisse, womit derzeit noch bei den Leichtgläubigen ein einträgliches Geschäft zu machen war. Es ist derselbe, den sie den Spökenkieker nennen, welchen Namen er geradeso gut wie seinen damaligen verdient hat. Er war in den letzten Tagen, da ich eben auf der Außendiele zu tun hatte, ein paarmal in meines Vaters Schreibstube gegangen und hatte sich dann, ohne auf sein demütig gesprochenes ›Herr Hansen bei der Hand?‹ meine Antwort abzuwarten, mit scheuem Blick an mir vorbeigeschoben. Einmal war er fast eine Stunde drinnen gewesen; kurz vor seinem Fortgehen hatte ich das mir wohlbekannte Pult meines Vaters aufschließen hören; dann war mir gewesen, als vernehme ich das Klirren von Geldstücken. Das alles kam mir jetzt in den Sinn.

Aber Harre rüttelte mich auf. ›Agnes, träumst du?‹ rief er; ›oder willst du Schätze graben?‹ Ach, er kannte nicht die Not meines Vaters; ihm lag nur die eigene Zukunft in Gedanken, in die auch ich hineingehörte. Er ergriff meine beiden Hände und rief fröhlich: ›Wir brauchen keine Schätze, Agnes; mein kleines Erbteil hat dein Vater schon für mich erhoben; das reicht hin, um Haus und Werkstatt einzurichten. Und für das Weitere‹, fügte er lächelnd hinzu, ›laß diese nicht ganz ungeschickten Hände sorgen!‹

Ich vermochte seine hoffnungsreichen Worte nicht zu erwidern; der Schatz und der Goldmacher lagen mir im Sinn; ich weiß nicht, war es eine tollkühne Hoffnung oder der Schatten eines drohenden Unheils, was mir die Brust beklemmte. Vielleicht ahnte es mir, daß kurz darauf der Schatz meines ganzen Lebens in diesen Brunnen fallen würde.

Am anderen Tage war ich nach einem benachbarten Dorfe hinausgefahren, wo die uns verwandte Predigerfrau sich wegen Erkrankung eines Kindes meine Hilfe erbeten hatte. Aber ich hatte keine Ruhe dort; mein Vater war in den letzten Tagen so still und doch wieder so unruhig gewesen; ich hatte ihn im Garten auf und ab rennen, dann wieder am Brunnen stehen und in die Tiefe hinabstarren sehen; mir wurde angst, er könne sich ein Leids antun. Am dritten Tage glaubte ich mich zu entsinnen, daß er mich auf eine seltsam hastige Weise zu der Reise hingedrängt hatte; je mehr es gegen die Nacht ging, je beklommener wurde mir. Da gegen zehn Uhr der Mond aufging, so bat ich meinen Vetter, mich noch heute zur Stadt fahren zu lassen. Und so geschah es; nachdem er mir vergebens meine Unruhe auszureden gesucht hatte, wurde angespannt; und als es Mitternacht vom Turme schlug, hielt der Wagen vor unserem Hause. Es schien alles zu schlafen; erst als ich eine Zeitlang geklopft hatte, wurde drinnen die Kette abgehakt, und der Lehrling, der seine Kammer unten auf dem Flur hatte, öffnete die Haustür. Es war alles, wie es immer gewesen. ›Ist der Herr zu Haus?‹ fragte ich.

›Der Herr ist schon um zehn Uhr schlafen gegangen‹, war die Antwort.

Ich stieg leichteren Herzens nach meiner Kammer hinauf, deren Fenster nach dem Garten lagen. – Die Nacht draußen war so hell, daß ich, ohne Licht zu machen, noch einmal ans Fenster trat. Der Mond stand über der Holunderwand, deren noch unbelaubte Zweige sich scharf gegen den Nachthimmel abzeichneten; und meine Gedanken gingen mit meinen Augen über diese Erde hinaus zu dem großen, liebreichen Gott, dem ich all meine Sorgen anvertraute. – Da, wie ich eben in das Zimmer zurücktreten wollte, sah ich plötzlich aus der Röhre des Brunnens, welcher dort im Schatten lag, eine rote Glut emporlodern; ich sah die am Rande wuchernden Grasbüschel und dann darüberher die Zweige des Gebüsches wie in goldenem Feuer schimmern. Mich überlief eine abergläubische Furcht; denn ich dachte an die Kerze des grauen Männleins, das drunten auf dem Grunde hocken sollte. Als ich aber schärfer hinblickte, bemerkte ich eine Leiter an der Brunnenwand, von der jedoch nur das oberste Ende von hier aus sichtbar war. Im selben Augenblicke hörte ich einen Schrei aus der Tiefe; dann ein Gepolter; und ein dumpfes Getöse von Menschenstimmen scholl herauf. Mit einem Male erlosch die Helligkeit; und ich hörte deutlich, wie es sprossenweise an der Leiter emporklomm.

Die Gespensterfurcht verließ mich; aber statt dessen beschlich mich eine unklare Angst um meinen Vater. Mit zitternden Knien ging ich nach seiner Schlafkammer, die neben der meinen lag. Als ich behutsam die Gardine von seinem Bette zurückzog, da beschien der Mond die leeren Kissen; sein armer Kopf hatte wohl schon längst nicht mehr die Ruhe darauf gefunden; jetzt waren sie gänzlich unberührt. In Todesangst lief ich die Treppe hinab nach der Hoftür; aber sie war verschlossen und der Schlüssel abgezogen. Ich ging in die Küche und zündete Licht an; dann nach der Schreibstube, die ebenfalls ihre Fenster nach dem Garten hatte. Eine Zeitlang stand ich ratlos am Fenster und starrte hinaus; ich hörte Tritte zwischen den Holunderbüschen, aber ich konnte nichts unterscheiden; denn die dahinterstehende Planke verbreitete trotz des Mondscheins tiefen Schatten. Da hörte ich draußen die Hoftür aufschließen, und bald darauf wurde auch die Stubentür geöffnet. Mein Vater trat herein. – Ich bin so alt geworden, aber ich habe es nicht vergessen; sein langes graues Haar triefte von Wasser oder Schweiß; seine Kleider, die er sonst so peinlich sauber hielt, waren überall mit grünem Schlamm besudelt.

Er fuhr sichtbar zusammen, als er mich erblickte. ›Was ist das! Wie kommst du hierher?‹ fragte er hart.

›Der Vetter ließ mich herfahren, Vater!‹

›Um Mitternacht? – Das hätte er können bleiben lassen.‹

Ich sah meinen Vater an; er hatte die Augen niedergeschlagen und stand unbeweglich. ›Es ließ mir keine Ruhe‹, sagte ich; ›mir war, ich sei hier nötig, als müsse ich zu dir.‹

Der alte Mann ließ sich auf einen Stuhl sinken und bedeckte sein Gesicht mit beiden Händen. ›Geh in deine Kammer‹, murmelte er; ›ich will allein sein.‹

Aber ich ging nicht. ›Laß mich bei dir bleiben‹, sagte ich leise. Mein Vater hörte nicht auf mich; er erhob den Kopf und schien nach draußen hinzuhorchen. Plötzlich sprang er auf. ›Still!‹ rief er, ›hörst du's?‹ und sah mich mit weit offenen Augen an.

Ich war ans Fenster getreten und sah hinaus. Es war alles tot und stille; nur die Holunderzweige schlugen vom Nachtwinde bewegt gegeneinander. ›Ich höre nichts!‹ sagte ich.

Mein Vater stand noch immer, als höre er auf etwas, das ihn mit Entsetzen erfüllte. ›Ich meinte, es sei keine Sünde‹, sprach er vor sich hin; ›es ist kein gottloses Wesen dabei, und der Brunnen steht, bis jetzt wenigstens, auf meinem Grund.‹ Dann wandte er sich zu mir. ›Ich weiß, du glaubst nicht daran, mein Kind‹, sagte er, ›aber es ist dennoch gewiß; die Rute hat dreimal geschlagen, und die Nachrichten, die ich nur zu teuer habe bezahlen müssen, stimmen alle überein; es liegt ein Schatz in unserem Brunnen, der zur Schwedenzeit darin vergraben ist. Warum sollte ich ihn nicht heben! – Wir haben die Quelle abgedämmt und das Wasser ausgeschöpft, und heute nacht haben wir gegraben.‹

›Wir?‹ fragte ich. ›Von welchem anderen sprichst du?‹

›Es ist nur einer in der Stadt, der das versteht.‹

›Du meinst doch nicht den Goldmacher? Das ist kein guter Helfer!‹

›Es ist nichts Gottloses mit dem Rutenschlagen, mein Kind.‹

›Aber die es treiben, sind Betrüger.‹ – –

Mein Vater hatte sich wieder auf den Stuhl gesetzt und sah wie zweifelnd vor sich hin. Dann schüttelte er den Kopf und sagte: ›Der Spaten klang schon darauf; aber da geschah etwas‹ – und sich unterbrechend, fuhr er fort: ›Vor achtzehn Jahren starb deine Mutter; als sie es inne wurde, daß sie uns verlassen müsse, brach sie in ein bitteres Weinen aus, das kein Ende nehmen wollte, bis sie in ihren Todesschlaf verfiel. Das waren die letzten Laute, die ich aus deiner Mutter Mund vernahm.‹ Er schwieg einen Augenblick, dann sagte er zögernd, als scheue er sich vor dem Laut seiner eigenen Stimme: ›Heute nacht, nach achtzehn Jahren, da der Spaten auf die Kiste stieß, habe ich es wieder gehört. Es war nicht bloß in meinem Ohr, wie es all die Jahre hindurch so oft gewesen ist; unter mir, aus dem Grund der Erde kam es herauf. – Man darf nicht sprechen bei solchem Werk; aber mir war, als schnitte das Eisen in deiner toten Mutter Herz. – Ich schrie laut auf, da erlosch die Lampe, und – siehst du‹, setzte er dumpf hinzu, ›deshalb ist alles wieder verschwunden.‹

Ich warf mich vor meinem Vater auf die Knie und legte meine Hände um seinen Nacken. ›Ich bin kein Kind mehr‹, sagte ich, ›laß uns zusammenhalten, Vater; ich weiß, das Unglück ist in unser Haus gekommen.‹ Er sagte nichts; aber er lehnte seine feuchte Stirn an meine Schulter; es war das erstemal, daß er an seinem Kinde eine Stütze suchte. Wie lange wir so gesessen haben, weiß ich nicht. Da fühlte ich, daß meine Wangen von heißen Tränen naß wurden, die aus seinen alten Augen flossen. Ich klammerte mich an ihn. ›Weine nicht, Vater‹, bat ich, ›wir werden auch die Armut ertragen können.‹

Er strich mit seiner zitternden Hand über mein Haar und sagte leise, so leise, daß ich es kaum verstehen konnte: ›Die Armut wohl, mein Kind; aber nicht die Schuld.‹

Und nun, mein Junge, kam eine bittere Stunde; aber eine, die noch jetzt in meinem Alter mir als die trostvollste meines Lebens erscheint. Denn zum ersten Male konnte ich meinem Vater die Liebe seines Kindes geben; und von jenem Augenblicke an blieb sie ihm das Teuerste und bald auch das letzte, was er auf Erden noch sein nannte. Während ich neben ihm saß und heimlich meine Tränen niederschluckte, schüttete mein Vater mir sein Herz aus. Ich wußte nun, daß er vor dem Bankrott stand; aber das war das Schlimmste nicht. In einer schlaflosen Nacht, da er vergebens auf seinem heißen Kissen nach einem Ausweg aus dem Elend gesucht, war ihm die halbvergessene Sage von dem Schatz in unserem Brunnen wieder in den Sinn gekommen. Der Gedanke hatte ihn seitdem verfolgt; tags, wenn er über seinen Büchern saß, des Nachts, wenn endlich ein schwerer Schlummer auf seiner Brust lag. In seinen Träumen hatte er das Gold im dunkeln Wasser brennen sehen; und wenn er morgens aufgestanden, immer wieder hatte es ihn hinaus an den Brunnen getrieben, um wie gebannt in die geheimnisvolle Tiefe hinabzustarren. Da hatte er sich dem argen Gehilfen anvertraut. Aber der war keineswegs sogleich bereit gewesen, sondern hatte vor allem eine bedeutende Summe zu den notwendigen Vorbereitungen des Werkes verlangt. Mein armer Vater hatte schon keinen Willen mehr; er gab sie hin, und bald eine zweite und eine dritte. Das Traumgold verschlang das wirkliche, das noch in seinen Händen war; aber dieses Gold war nicht sein eigen; es war das anvertraute Erbe seines Mündels. An Ersatz war nicht zu denken; wir rieten hin und wieder; Verwandte, die uns zu helfen vermocht, hatten wir nicht; dein Großvater war nicht mehr; endlich gestanden wir uns, daß von außen keine Hilfe zu hoffen sei. –

Das Licht war ausgebrannt, ich hatte meinen Kopf an meines Vaters Brust gelegt, meine Hand ruhte in der seinen; so blieben wir im Dunkeln sitzen. Was dann weiter im geheimen Zwiesprach dieser Nacht zwischen uns gesprochen wurde, ich weiß es nicht mehr. Aber niemals zuvor, da noch mein Vater unfehlbar vor mir stand, wie fast nur unser Herrgott selber, habe ich solch heilige Zärtlichkeit für ihn gefühlt, wie in jener Stunde, da er mir eine Tat vertraut hatte, die wohl nicht bloß vor den Augen der Menschen ein Verbrechen war. – Allgemach erblichen am Himmel draußen die Sterne, ein kleiner Vogel sang aus den Holunderbüschen, und der erste Schein des Morgenrots fiel in das dämmerige Zimmer. Mein Vater stand auf und trat an das Pult, auf dem seine großen Kontobücher lagen. Das lebensgroße Ölbild des Großvaters mit dem Haarbeutel und dem lederfarbenen Kamisol schien streng auf den Sohn herabzusehen. ›Ich werde noch einmal rechnen‹, sagte mein Vater, ›bleibt das Fazit dasselbe‹, setzte er zögernd hinzu, indem er wie um Vergebung flehend zu dem Bilde seines Vaters aufblickte, ›dann werde ich einen schweren Gang tun; denn ich bedarf der Barmherzigkeit Gottes und der Menschen.‹

Auf seinen Wunsch verließ ich jetzt das Zimmer, und bald wurde es laut im Hause; der Tag war angebrochen. Als ich die nötigen Geschäfte besorgt hatte, ging ich in den Garten und durch das Hinterpförtchen auf den Weg hinaus; Harre pflegte hier vorbeizukommen, wenn er morgens nach der Werkstatt ging, in der er bis jetzt noch arbeitete.

Ich brauchte nicht lange zu warten; als die Uhr sechs geschlagen, sah ich ihn kommen. ›Harre, einen Augenblick!‹ sagte ich und winkte ihm, mit mir in den Garten zu treten.

Er sah mich befremdet an; denn meine böse Botschaft war wohl auf meinem Gesicht geschrieben; auch stand ich, als ich ihn in eine Ecke des Gartens gezogen hatte, eine ganze Zeit und hatte seine Hand gefaßt, ohne daß ich ein Wort hervorbringen konnte. Endlich aber sagte ich ihm alles, und dann bat ich ihn: ›Mein Vater will zu dir gehen; sei nicht zu hart mit ihm.‹

Er war totenblaß geworden, und in seine Augen trat ein Ausdruck, vielleicht nur der Verzweiflung, der mich erschreckte.

›Harre, Harre, was willst du mit dem alten Mann beginnen?‹ rief ich.

Er drückte die Hand gegen seine Brust. ›Nichts, Agnes‹, sagte er, indem er mich traurig lächelnd ansah; ›aber ich muß nun fort von hier.‹

Ich erschrak. – ›Weshalb?‹ fragte ich stammelnd.

›Ich darf deinen Vater nicht wiedersehen.‹

›Du wirst ihm ja doch vergeben, Harre!‹

›Das wohl, Agnes; ich schulde ihm mehr als das; aber – er soll sein graues Haupt vor mir nicht demütigen. Und dann‹ – das setzte er wie beiläufig noch hinzu – ›ich glaube auch, es geht jetzt mit dem Meisterwerden nicht.‹

Ich sagte nichts hierauf; ich sah nur, wie das Glück, nach dem ich gestern schon die Hand gestreckt, in unsichtbare Ferne schwand; aber es war nichts mehr zu ändern; es war jetzt am besten so, wie es Harre wollte. Nur das sagte ich noch: ›Wann wirst du gehen, Harre?‹ Ich wußte selbst kaum, was ich sprach.

›Sorge nur, daß dein Vater mich heute nicht aufsucht‹, erwiderte er; ›bis morgen früh bin ich mit allem fertig, was ich noch hier zu tun habe. Kränke dich auch nicht um mich, ich finde leicht ein Unterkommen.‹

Nach diesen Worten trennten wir uns; das Herz war wohl zu voll, als daß wir Weiteres hätten sprechen können.« –

Die Erzählerin schwieg eine Weile. Dann sagte sie: »Am anderen Morgen sah ich ihn noch einmal, und dann nicht mehr; das ganze lange Leben niemals mehr.«

Sie ließ den Kopf auf ihre Brust sinken; die Hände, die auf ihrem Schoß geruht hatten, wand sie leise umeinander, als müsse sie damit das Weh beschwichtigen, das, wie einst das Herz des jungen blonden Mädchens, so noch jetzt den gebrechlichen Leib der Greisin zittern machte.

Doch sie blieb nicht lange in dieser gebrochenen Stellung; sich gewaltsam aufraffend, erhob sie sich vom Stuhl und trat ans Fenster. »Was will ich klagen!« sagte sie und zeigte mit dem Finger auf die Scheibe, die ihres Vaters Namen trug. »Der Mann hat mehr gelitten als ich. Laß mich auch das dir noch erzählen. –

Harre war fort; er hatte von meinem Vater in einem herzlich guten Briefe Abschied genommen; gesehen haben sie sich nicht mehr. Bald darauf waren die letzten gerichtlichen Schritte gegen uns getan, und die Eröffnung des Konkurses sollte in nächster Zeit erfolgen.

Es war damals Sitte in unserer Stadt, daß alle öffentlichen Bekanntmachungen nicht wie jetzt durch den Prediger in der Kirche, sondern aus dem offenen Fenster des Ratssitzungssaales durch den Stadtsekretär verlesen wurden; bevor aber dies geschah, wurde eine halbe Stunde lang mit der kleinen Glocke vom Turm geläutet. Da unser Haus dem Rathause gegenüberlag, so hatte ich dies oft beobachtet, und auch, wie sich unter dem Glockenschall Kinder und müßige Leute vor den Rathausfenstern und auf der Treppe über dem Ratskeller versammelten. Das nämliche geschah bei der Publizierung eines Konkursurtels; aber die Leute legten dann der Sache eine üble Bedeutung unter, und das Wort ›Die Glocke hat über ihn geläutet‹ galt für einen Schimpf. – Ich hatte auch in solchen Fällen ohne viel Gedanken hingehört; jetzt zitterte ich vor dem Eindruck, den dieser Vorgang auf das Gemüt meines ohnehin tiefgebeugten Vaters machen würde.

Er hatte mir vertraut, daß es sich deshalb durch einen befreundeten Ratsherrn an den Bürgermeister gewandt habe; und der Ratsherr, ein gutmütiger Schwätzer, hatte ihm die Zusicherung gegeben, daß die Publikation diesmal ohne die Glocke geschehen würde. Ich selbst aber wußte aus sicherer Quelle, daß diese Zusicherung eine grundlose war. Dennoch ließ ich meinen Vater in seinem arglosen Glauben und bemühte mich nur, ihn für diesen Tag zu einer kleinen Reise aufs Land zu unseren Verwandten zu bereden. Aber er wollte, wie er mit schmerzlichem Lächeln sagte, sein sinkendes Schiff nicht vor dem völligen Untergang verlassen. Da, in meiner Angst, fiel mir ein, daß ich in dem hintersten Verschlage unseres sehr tiefen und gewölbten Kellers die Glocke niemals hatte schlagen hören. Darauf baute ich meinen Plan. Es gelang mir auch, meinen Vater zu bereden, mit mir gemeinschaftlich ein Verzeichnis über die dort lagernden Waren aufzunehmen, wodurch, wenn später die Gerichtspersonen zur Aufnahme des Inventars kämen, eine Abkürzung dieses traurigen Geschäfts herbeigeführt würde.

Als die verhängnisvolle Stunde kam, waren wir schon längst unter der Erde bei unserer Arbeit. Mein Vater sortierte die Waren, ich beim Schein einer Laterne schrieb auf ein Blatt Papier, was er mir diktierte. Ein paarmal war mir wohl gewesen, als hörte ich von fern das Summen einer Glocke; dann sprach ich ein paar laute Worte, bis das Schieben und Rücken mit den Fässern und Kisten allen von außen eindringenden Schall wieder verschlang. Alles schien gut zu gehen, mein Vater war ganz in seine Arbeit vertieft. Da hörte ich plötzlich droben die Kellertür aufreißen; die alte Magd rief, ich weiß nicht mehr weshalb, nach mir, und zugleich drangen auch die klaren Schallwellen der Glocke zu uns herab. Mein Vater horchte auf und setzte die Kiste, die er in den Händen hatte, auf den Boden. ›Die Schandglocke!‹ stöhnte er und fiel wie kraftlos gegen die Wand. ›Es wird mir nichts gespart.‹ – Aber nur einen Augenblick; dann richtete er sich auf, und ehe ich noch Zeit bekam, ein Wort zu reden, hatte er schon den Raum verlassen, und gleich darauf hörte ich ihn die Kellertreppe hinaufsteigen. Auch ich ging jetzt in das Haus hinauf und fand meinen Vater, nachdem ich ihn vergebens in der Schreibstube gesucht, im Wohnzimmer mit gefalteten Händen am offenen Fenster stehen. In diesem Augenblick hörte das Glockenläuten auf; im Rathaus drüben, das von der hellen Morgensonne beleuchtet war, wurden die drei Fensterflügel aufgestoßen, und ich sah den Stadtdiener die roten Polster auf die Fensterbänke legen; an dem Eisengeländer der Ratstreppe hing schon ein ganzer Schwarm von halberwachsenen Buben. Mein Vater stand unbeweglich und sah mit gespannten Augen zu. Ich wollte ihn mit sanften Worten fortziehen. Aber er wehrte mir. ›Laß nur, mein Kind‹, sagte er, ›das geht mich an, ich muß das hören.‹

So blieb er denn. Der alte Stadtsekretär mit seinem weißgepuderten Kopf erschien drüben in dem Mittelfenster, und während ihm zur Seite zwei Ratsherren auf den roten Kissen lehnten, verlas er mit seiner scharfen Stimme aus einem Blatt Papier, das er in beiden Händen vor sich hielt, das Konkursurtel. Bei der klaren Frühlingsluft drang jedes Wort verständlich zu uns herüber. Als mein Vater seinen vollen Namen über den Markt hinaus sprechen hörte, sah ich ihn zusammenzucken; aber er hielt dennoch stand, bis alles vorüber war. Dann zog er seine goldene Uhr, die er von seinem Vater ererbt hatte, aus der Tasche und legte sie auf den Tisch. ›Sie gehört zur Konkursmasse‹, sagte er, ›schließe sie in die Schatulle, damit sie morgen mit versiegelt werde.‹

Am anderen Tage kamen die Herren zur Versiegelung; aber mein Vater konnte das Bett nicht verlassen; er war in der Nacht vom Schlage getroffen worden. – Als einige Monate später unser Haus verkauft war, wurde er in einem Tragkorb, den wir aus dem Krankenhause geliehen, nach der kleinen Wohnung gebracht, die wir am Ende der Stadt für uns gemietet hatten. Dort hat er noch neun Jahre gelebt; ein gelähmter und gebrochener Mann. In seinen guten Stunden besorgte er kleine Rechnungen und Schreibereien für andere; das meiste habe ich mit meiner Hände Arbeit verdienen müssen. Dann aber ist er in fester Hoffnung auf die Barmherzigkeit Gottes in meinen Armen sanft verschieden. – Nach seinem Tode kam ich zu guten Leuten; es war das Haus deiner Großeltern.«

Meine alte Freundin schwieg. Ich aber dachte an Harre. – »Und hast du denn«, fragte ich, »während der ganzen Zeit auch niemals eine Nachricht von deinem Jugendfreunde erhalten?«

»Niemals, mein Kind«, erwiderte sie.

»Weißt du, Hansen«, sagte ich, »dein Harre gefällt mir nicht, er war kein Mann von Wort!«

Sie legte die Hand auf meinen Arm. »So darfst du nicht sprechen, Kind. Ich habe ihn gekannt; es gibt noch andere Dinge als den Tod, die des Menschen Willen zwingen. – Aber wir wollen nach meinem Zimmer gehen; du hast deinen Hut noch dort, und es mag bald Mittag werden.«

So schlossen wir denn den einsamen Festsaal wieder ab und gingen denselben Weg zurück, den wir gekommen waren. Diesmal öffnete sich die Tür des Spökenkiekers nicht; nur hinter derselben, auf den sandigen Dielen, hörten wir seinen schlurfenden Schritt.

Als wir in Hansens Zimmer waren, wo noch der letzte Strahl der Vormittagssonne in die Fenster schien, zog sie eine Schublade ihrer Schatulle auf und nahm daraus ein Mahagonikästchen, sauber poliert, aber im Geschmack einer vergangenen Zeit. Es mochte einst ein Geschenk des jungen Tischlers an einem Geburtstage ihrer Jugend gewesen sein.

»Das mußt du auch noch sehen«, sagte Hansen, indem sie das Kästchen aufschloß. Es lagen Wertpapiere darin, welche sämtlich auf Harre Jensen, Sohn des verstorbenen Tischlermeisters Harre Christian Jensen dahier, lauteten, deren Datum aber nicht über die letzten zehn Jahre hinabreichte.

»Wie kommst du zu diesen Papieren?« fragte ich.

Sie lächelte. »Ich habe nicht umsonst gedient.«

»Aber die Papiere lauten nicht auf deinen Namen!«

»Es ist die Schuld meines Vaters, die ich zurückerstattete. Deshalb und weil mein Nachlaß, wie aller, die hier versterben, an das Stift fällt, habe ich das Geld sofort auf Harre Jensens Namen schreiben lassen.« – Einen Augenblick noch, ehe sie es wieder einschloß, wog sie das Kästchen auf der Hand. »Der Schatz ist wieder beisammen«, sagte sie; »aber das Glück, mein Kind, das Glück, das einst darin gewesen ist, das ist nicht mehr darin.«

Als sie diese Worte sprach, schoß draußen ein Schwalbenzug mit lautem Geschrei vorüber, und gleich darauf flatterten zwei dieser Vögel bis nahe an die Scheiben und setzten sich dann zwitschernd auf den offenen Fensterflügel. Es waren die ersten Schwalben, die ich in diesem Frühjahr sah.

»Hörst du die kleinen Gratulanten, Hansen?« rief ich; »just zu deinem Geburtstag sind sie heimgekommen!«

Hansen nickte nur. Ihre noch immer schönen blauen Augen blickten traurig auf die kleinen singenden Freunde. Dann legte sie die Hände auf meinen Arm und sagte freundlich: »Geh nun, mein Kind; ich danke allen, daß sie an mich gedacht. Ich möchte nun allein sein.«

Es war mehrere Jahre später, als ich mich von einer Reise nach dem mittleren Deutschland auf dem Heimwege nach meiner Vaterstadt befand. Auf einer Hauptstation der Eisenbahn – denn die Zeit des Dampfes war damals schon hereingebrochen – stieg ein alter Mann mit weißem Haar zu mir in das Coupé, worin ich mich bisher allein befunden hatte. Er ließ sich einen kleinen Reisekoffer nachreichen, den ich ihm unter den Sitz schieben half, und setzte sich dann mit den freundlichen Worten: »Wir haben auch noch nie beisammen gesessen«, mir gegenüber. Als er dies sagte, erschien um den Mund und um die braunen Augen ein Ausdruck der Güte, ich möchte sagen der Teilnahme, der unwillkürlich zu traulichem Gespräch einlud. Die Sauberkeit seiner äußeren Erscheinung, die sich nicht bloß in dem braunen Tuchrock und dem weißen Halstuch ausprägte, das feinbürgerliche Wesen des Mannes, alles heimelte mich an, und es dauerte nicht lange, so hatten wir uns in gegenseitige Mitteilungen über unsere Familienverhältnisse vertieft. Ich erfuhr, daß er ein Klaviermacher und in einer mittelgroßen Stadt Schwabens ansässig sei. Dabei fiel mir eins auf; mein Reisegefährte sprach den süddeutschen Dialekt, und doch hatte ich auf seinem Koffer den Namen »Jensen« gelesen, der meines Wissens nur dem nördlichsten Deutschland angehörte.

Als ich ihm das bemerkte, lächelte er. »Ich mag schon ziemlich eingeschwäbelt sein«, sagte er, »denn ich wohne nun seit über vierzig Jahren in diesem guten Lande und habe es in dieser Zeit niemals verlassen; meine Heimat aber liegt im Norden, und daher stammt denn auch mein Name.« Und nun nannte er meine eigene Vaterstadt als seinen Geburtsort.

»So sind wir Landsleute so sehr als möglich«, rief ich, »dort bin auch ich geboren und eben im Begriff, dahin zurückzukehren.«

Der alte Herr ergriff meine beiden Hände und sah mich liebevoll an. »Das hat der liebe Gott gut gemacht«, sagte er, »so reisen wir, wenn es Ihnen recht ist, zusammen. Auch mein Ziel ist unsere Vaterstadt; ich hoffe auf ein Wiedersehen dort – wenn Gott es zuläßt.«

Ich nahm mit Freuden diesen Vorschlag an.

Nachdem wir den derzeitigen Endpunkt der Eisenbahn erreicht hatten, lagen noch fünf Meilen Weges vor uns, und bald saßen wir zusammen in den bequemen Kissen eines Federwagens, dessen Bedachung wir bei dem schönen Herbstwetter zurückgeschlagen hatten. Die Gegend wurde allmählich heimatlicher; die Wälder verschwanden, bald auch die lebendigen Zäune zur Seite des Weges, ja sogar die Wälle, auf denen sie standen, und die weite baumlose Ebene tat sich vor uns auf. Mein Gefährte blickte still vor sich hinaus. »Ich bin dieser Unendlichkeit des Raumes so entwöhnt«, sagte er einmal; »mir ist jetzt hier, als sähe ich nach allen Seiten in die Ewigkeit.« Dann schwieg er wieder, und ich störte ihn nicht.

Als wir etwa auf der Mitte des Weges aus einem Dorfe, durch das die Landstraße führte, wieder ins Freie kamen, bemerkte ich, daß er den Kopf vorbeugte und eifrig auszulugen schien. Dann beschattete er die Augen mit seiner Hand und wurde sichtbar unruhig. »Ich sehe doch sonst noch gut in die Ferne«, sagte er endlich, »aber ich bemühe mich umsonst, unseren Turm von hier in Sicht zu bekommen, und doch hab' ich ihn in meiner Jugend von hier aus immer zuerst begrüßt, wenn ich von einer Wanderung heimkehrte.«

»Sie müssen sich irren«, erwiderte ich, »der niedrige Turm kann in solcher Entfernung noch nicht sichtbar sein.«

»Niedrig!« rief der Alte fast unwillig, »der Turm hat seit Jahrhunderten auf viele Meilen in die See hinaus den Schiffern zum Wahrzeichen gedient!«

Da fiel es mir bei. »Sie denken am Ende«, sagte ich zögernd, »noch an den Turm der alten Kirche, die vor reichlich vierzig Jahren abgebrochen wurde.«

Der Alte sah mich mit seinen großen Augen an, als ob ich faselte. »Die Kirche abgebrochen – und vor über vierzig Jahren! Mein Gott, wie lange bin ich fort gewesen; ich habe niemals etwas davon erfahren!«

Er faltete seine Hände und saß eine ganze Weile wie mutlos in sich zusammengesunken. Dann sagte er: »Auf jenem schönen Turm, der also nur in meinen Gedanken noch vorhanden war, habe ich vor nun bald fünfzig Jahren der das Wiederkommen versprochen, um derentwillen ich jetzt diese weite Reise mache. Ich will Ihnen, wenn Sie hören mögen, dies Stück meines Lebens mitteilen; vielleicht, daß Sie mir dann über die Hoffnung, die ich hege, eine Auskunft zu geben vermögen.«

Ich versicherte den alten Herrn meiner Teilnahme; und während unser Postillion in der warmen Mittagssonne auf seinem Sitz einnickte und die Räder langsam durch den Sand mahlten, begann er seine Erzählung:

»In meiner Jugend hätte ich gern den Weg einer gelehrten Bildung eingeschlagen; da aber nach dem frühzeitigen Tode meiner Eltern die Mittel dazu nicht vorhanden waren, so blieb ich bei dem Handwerk meines Vaters, das heißt, ich wurde Tischler. Schon während ich als Geselle auf der Wanderschaft war, hatte ich nicht übel Lust, mich draußen anzusiedeln; denn es fehlte mir nicht ganz an Mitteln; aus dem Verkauf des väterlichen Hauses war mir ein rundes Sümmchen übriggeblieben, das für den Anfang schon genügte. Aber ich kehrte doch wieder heim, und das geschah um eines jungen blonden Mädchens willen. – Ich glaube nicht, daß ich jemals wieder so blaue Augen gesehen habe. Eine Freundin sagte einmal im Scherz zu ihr: ›Agnes, ich pflück' dir die Veilchen aus den Augen!‹ Die Worte hab' ich nimmer vergessen können.« – Der Alte schwieg eine Weile und blickte verklärt vor sich hin, als sähe er noch einmal in diese Veilchenaugen seiner Jugend. Darauf, während ich fast unwillkürlich den Namen meiner alten Freundin in St. Jürgen bei mir selber sprach, begann er wieder: »Sie war die Tochter eines Krämers, meines Vormundes. Wir wuchsen als Nachbarskinder miteinander auf, während das Mädchen von dem früh verwitweten Vater ziemlich streng und einsam erzogen wurde. Daher mag es gekommen sein, daß sie sich immer mehr dem einzigen Jugendgespielen anschloß. Bald nach meiner Rückkehr waren wir unter uns beiden so gut als verlobt, und es war schon ausgemacht, daß ich in unserer Vaterstadt ein Geschäft begründen sollte, als ich durch einen unerwarteten Zufall mein ganzes kleines Vermögen verlor. – Es kam so, daß ich wieder fort mußte.

Am letzten Tage hatte Agnes mir versprochen, abends noch einmal auf den Weg hinter ihrem Garten hinauszukommen und dort ein letztes Wort mit mir zu reden. Als ich mich aber mit dem bestimmten Glockenschlage einfand, war sie nicht dort. Ich stand lauschend an der Planke unter dem überhängenden Lindengezweig, aber ich wartete vergebens. Das Haus ihres Vaters konnte ich damals nicht betreten; nicht daß ein Zwiespalt zwischen uns gewesen wäre, ich glaube im Gegenteil, daß er mir die Hand seiner Tochter ohne großes Bedenken würde gegeben haben; denn er hielt etwas auf mich und war kein hochmütiger Mann. Es hatte einen anderen Grund, den ich nicht gern der Vergessenheit entreißen möchte. – Ich weiß es noch gar wohl. Es war ein dunkler, stürmischer Aprilabend; mehrmals täuschte mich die Wetterfahne auf dem Dache, daß ich glaubte, die mir wohlbekannte Hoftür öffnen zu hören, aber es kam kein Schritt den Gartensteig herab. Noch lehnte ich an der Planke und sah die schwarzen Wolken am Himmel vorüberfliegen; endlich ging ich schweren Herzens fort. – –

Am anderen Morgen hatte es eben fünf vom Turme geschlagen, als ich nach einer schlaflosen Nacht die Treppe von meiner Kammer hinabstieg und von meinen Hauswirten Abschied nahm. In den engen, schlecht gepflasterten Straßen war noch die Dunkelheit und der Schmutz des Winters. Die Stadt schien noch im Schlaf zu liegen; von allen bekannten Gesichtern wollte mir keins begegnen, und so ging ich einsam und trübselig meinen Weg. Da, als ich eben nach dem Kirchhof einbiegen wollte, brach ein scharfer Sonnenstrahl hervor, und das alte

Haus der Ratsapotheke, das unten mit seinem Löwenschnitzbild noch in dem Dunst der Gasse stand, war oben mit der Spitze des Treppengiebels auf einmal wie in Frühlingsschein gebadet. Zugleich, als ich eben aufschaue, schallt über mir hoch in der Luft ein langgezogener Ton; dann noch einmal und noch einmal, als riefe es weit in die Welt hinaus.

Ich war auf den Kirchhof hinausgetreten und blickte an dem Turm hinauf; da sah ich oben auf der Galerie den Türmer stehen und sah, wie er sein langes Horn noch in der Hand hielt. Ich wußte es nun wohl; die ersten Schwalben waren gekommen, und der alte Jakob hatte ihnen den Willkommen geblasen und es laut über die Stadt gerufen, daß der Frühling ins Land gekommen sei. Dafür bekam er seinen Ehrentrunk im Ratsweinkeller und einen blanken Reichstaler vom Herrn Bürgermeister. – Ich kannte den Mann und war oft droben bei ihm gewesen; als Knabe, um von dort aus meine Tauben fliegen zu sehen, später auch wohl mit Agnes; denn der Alte hatte ein Enkeltöchterchen bei sich, zu dem sie Pate gestanden und deren sie sich auf allerlei Art anzunehmen pflegte. Einmal, am Christabend, hatte ich ihr sogar ein vollständiges Weihnachtsbäumchen den hohen Turm hinaufschleppen helfen. – Nun stand die wohlbekannte Eichentür offen; unwillkürlich trat ich hinein, und in der Finsternis, die mich plötzlich umgab, stieg ich langsam die Treppen und, wo diese aufhörten, die schmalen leiterartigen Stiegen hinan. Nichts hörte ich als das Rasseln der großen Turmuhr, die hier in der Einsamkeit ihr Wesen trieb. Ich weiß es noch gar wohl, mir graute dermalen vor diesem toten Dinge, und ich hätte, als ich daran vorbeikam, in die eisernen Räder greifen mögen, nur um es stillzumachen. Da hörte ich den alten Jakob von oben herabklettern. Er schien mit einem Kinde zu sprechen, das er zur Vorsicht ermahnte. Ich rief ihm einen ›Guten Morgen‹ in die Dunkelheit hinauf und fragte, ob er die kleine Meta bei sich habe.

›Bist du's denn, Harre?‹ rief der Alte zurück; ›freilich, die muß ja mit zum Herrn Bürgermeister.‹

Endlich kamen die beiden zu mir herab, während ich seitwärts in eine Schalluke getreten war. Als Jakob mich so reisefertig neben sich sah, rief er verwundert: ›Was soll das bedeuten, Harre? Was steigst denn da mit Knüttel und Wachstuchhut in meinen Turm hinauf? Bist doch nicht wieder fremd geworden bei uns daheim?‹

›Es ist nicht anders, Jakob‹, erwiderte ich, ›'s wird hoffentlich nicht auf lange sein.‹

›Hatt's mir ganz anders mit dir ausgedacht!‹ brummte der Alte. ›Nun, wenn's denn einmal sein muß, die Schwalben sind wieder da; es ist jetzt schon die beste Zeit zum Wandern. Und hab' auch Dank, daß du noch mal gekommen bist!‹

›So lebt wohl, Jakob!‹ sagte ich. ›Und wenn Ihr mich von Eurem Turm herab einmal im hellen Sonnenschein wieder ins Tor hineinwandern seht, so blast auch mir einen Willkommen wie heute Euren Schwalben!‹

Der Alte schüttelte mir die Hand, indem er sein Enkelchen auf den Arm nahm. ›Soll gelten, Meister Harre!‹ rief er lächelnd; er pflegte mich im Scherze so zu nennen. Als ich mich aber anschickte, wieder mit ihm hinabzusteigen, fügte er noch hinzu: ›Wenn du einen ‚guten Weg' von der Agnes haben willst, sie ist oben, schon seit früh; sie hat noch ihr Gefallen an den Vögelchen.‹

Wohl niemals bin ich so schnell die letzten halsbrechenden Stiegen hinaufgekommen, obgleich mir der Herzschlag fast den Atem versetzte. Als ich aber oben auf die Plattform und in den blendenden Himmelsschein hinaustrat, blieb ich unwillkürlich stehen und tat einen Blick über das Eisengeländer. Da sah ich unter mir in der Tiefe meine Vaterstadt im ersten Schmuck des Frühlings liegen; überall zwischen den Dächern standen die Kirschbäume in Blüte, welche das warme Frühjahr so zeitig hervorgetrieben hatte. Dort der Giebel, dem kleinen Turme des Rathauses gegenüber, gehörte dem Hause meines Vormundes. Ich sah den Garten, den Weg dahinter; mir quoll das Herz, und von Heimweh überwältigt mag ich unwillkürlich einen Laut ausgestoßen haben; denn ich fühlte plötzlich meine Hand ergriffen, und als ich aufblickte, stand Agnes neben mir. ›Harre‹, sagte sie, ›kommst du noch einmal!‹ Und dabei flog ein glückliches Lächeln über ihr Gesicht.

›Ich dachte nicht, dich hier zu finden‹, erwiderte ich; ›nun muß ich fort; weshalb hast du mich gestern so vergebens warten lassen?‹

Da war alles Glück aus ihrem Angesicht verschwunden. ›Ich konnte nicht, Harre; mein Vater wollte mich nicht von sich lassen. Später bin ich in den Garten hinabgelaufen; aber du warst schon fort, du kamst nicht; da bin ich heute früh auf den Turm gestiegen – ich dachte, ich könnte dich doch zum Tor hinauswandern sehen.‹

Die Zukunft lag verworren vor mir, aber doch hatte ich einen Plan gefaßt. Schon früher war ich in einer Klavierfabrik beschäftigt gewesen; nun wollte ich wieder diese Arbeit suchen, um dann mit Hilfe des zu erwartenden Verdienstes vielleicht später selbst ein solches Geschäft zu begründen; denn diese Instrumente begannen schon damals eine große Verbreitung zu finden. – Das alles sagte ich jetzt dem Mädchen und auch, wohin ich mich zunächst zu wenden beabsichtigte.

Sie hatte sich auf das Geländer gelehnt und wie abwesend in den leeren Himmelsraum hinausgeblickt. Jetzt wandte sie langsam den Kopf zurück. ›Harre‹, sagte sie leise, ›geh nicht fort, Harre!‹

Als ich sie aber ohne Antwort anblickte, rief sie wieder: ›Nein, hör' nicht auf mich; ich bin ein Kind, ich weiß nicht, was ich rede.‹ Der Morgenwind hatte ein paar der blonden Haare gelöst und wehte sie über ihr blasses Gesicht, das jetzt geduldig zu mir aufblickte.

›Wir müssen warten, Agnes‹, sagte ich, ›das Glück liegt nun in weiter Ferne; ich will versuchen, ob ich es wieder heimbringen kann. Schreiben werd' ich nicht; ich komme selber, wenn es Zeit ist.‹

Sie sah mich eine Weile mit großen Augen an; dann drückte sie mir die Hand. ›Ich warte‹, sagte sie mit fester Stimme; ›geh denn mit Gott, Harre!‹

Ich ging noch nicht. Der Turm, der uns beide trug, ragte so einsam in den blauen Ätherraum; nur die Schwalben, auf deren stahlblauen Schwingen der Sonnenschein wie Funken blitzte, schwebten um uns her und badeten in dem Meer von Luft und Licht. – Ich hielt noch immer ihre Hand; mir war, als könne ich nicht fort von hier, als wären wir beide, sie und ich, schon jetzt hinausgehoben über alle Not der Welt. – Aber die Zeit drängte; unter uns schlug dröhnend die Viertelglocke. Da, als noch die Schallwellen den Turm umfluteten, kam eine Schwalbe geflogen, daß sie uns fast mit ihren Flügeln streifte; furchtlos, nur auf Armeslänge von uns, setzte sie sich auf den Rand des Geländers, und während wir wie gebannt in das kleine glänzende Auge blickten, schmetterte sie plötzlich mit geschwellter Kehle ihre Frühlingslaute in die Luft. Agnes warf sich an meine Brust. ›Vergiß das Wiederkommen nicht!‹ rief sie. Da breitete der Vogel seine Schwingen aus und flog davon. – –

Wie ich durch den dunkeln Turm zur Erde gekommen bin, das weiß ich nicht. Als ich draußen vor dem Stadttor auf der Landstraße war, blieb ich stehen und blickte zurück. Da erkannte ich noch deutlich auf dem von Sonnenglanz umflossenen Turm ihre liebe Gestalt; mir schien, als lehne sie sich weit über den Rand des Geländers hinaus, so daß ich unwillkürlich einen Schreckensruf ausstieß. Aber die Gestalt blieb unbeweglich.

Und endlich wandte ich mich und ging, ohne noch einmal wieder umzusehen, mit raschen Schritten auf der Landstraße fort.«

Der Alte schwieg eine Weile. Dann sagte er: »Sie hat vergebens auf mich gewartet; ich bin niemals wieder heimgekommen. – Ich will Ihnen nun erzählen, wie das geschehen konnte.

Meine erste Arbeit fand ich in Wien, wo damals die besten Klavierfabriken waren; von da kam ich nach anderthalb Jahren ins Württembergische, nach meinem jetzigen Wohnort. Ein Nebengeselle von mir hatte dort einen Bruder, von dem er um die Besorgung eines zuverlässigen Gehilfen gebeten war. – Es war ein noch junges Ehepaar, zu dem ich ins Haus kam. Das Geschäft war klein, aber der Inhaber ein freundlicher und geschickter Mann, bei dem ich bald mehr in diesen Dingen lernte als in der großen Fabrik, wo ich immer nur zu einzelnen Arbeiten gelassen wurde. Da ich mich der Sache nach Kräften annahm und doch auch aus meinen Wiener Erfahrungen manches hinzubrachte, so gewann ich bald das Vertrauen dieser guten Leute. Besondere Freude machte es ihnen, daß ich in meinen Freistunden den ältesten ihrer beiden Knaben in der deutschen Sprache unterrichtete; denn ihnen gefiel meine damals noch norddeutsche Aussprache, und sie wünschten, daß die Kinder auch einmal, wie sie meinten, so reines Deutsch sprechen möchten. Bald wurde auch der jüngere Bruder in den Unterricht hineingezogen, und nun blieb es nicht bei der trockenen Grammatik; ich wußte mir Bücher zu verschaffen, aus denen ich ihnen allerlei Unterhaltendes und Wissenswertes vorzulesen pflegte. So kam es, daß auch die Kinder mit großer Liebe an mir hingen. Als ich nach Jahresfrist zum erstenmal ohne Beihilfe ein Klavier von besonders schönem Klang zustande gebracht hatte, gab es eine Freude im ganzen Hause, als habe der liebste Angehörige sein Meisterstück gemacht. – Ich aber dachte nur an die Heimkehr.

Da erkrankte mein junger Meister. Aus einer Erkältung entwickelte sich endlich ein ernstliches Brustübel, dessen Keim schon lange in ihm gelegen haben mochte. Die Leitung der Geschäfte kam wie selbstverständlich fast ganz in meine Hände. Ich konnte jetzt nicht fort. Dabei sah ich tiefer in die Verhältnisse der Familie, mit der mich eine immer innigere Freundschaft verband. Eintracht und Fleiß wohnten unter ihrem Dache. Aber es war dennoch ein böses Ding der dritte Hausgenosse, das diese guten Geister nicht zu vertreiben vermocht hatten. In jedem Winkel, wohin nicht gerade die Sonne schien, sah der kranke Mann es sitzen. – Dieses Ding war die Sorge. – ›Nimm den Kehrbesen und feg' es weg‹, sagte ich oft zu meinem Freunde; ›ich will dir helfen, Martin!‹ Dann drückte er mir wohl die Hand, und eine wehmütige Heiterkeit flog für einen Augenblick über sein blasses Gesicht, bald aber sah er wieder die schwarzen Spinngewebe auf allen Dingen.

Leider waren es keine bloßen Hirngespinste. Das Kapital, womit er sein Geschäft begonnen, war von vornherein zu gering gewesen. In den ersten Jahren hatte er durch schlechte Arbeiter Verluste erlitten, die nicht in Rechnung genommen waren, und auch der Absatz der fertigen Ware wollte nicht so rasch erfolgen, wie es solche Umstände erforderten; nun kam ein aussichtsloser Krankheitszustand noch dazu. Auf mir lag endlich nicht nur die ganze Sorge für den Unterhalt der Familie, ich mußte auch noch der Tröster der Gesunden sein. Die Knaben ließen meine Hand nicht los, wenn wir am Bette des Vaters saßen, das er bald nicht mehr verlassen konnte. Bei diesem aber schien das Erlöschen der Körperkraft die Unruhe des Geistes nur zu steigern; grübelnd lag er auf seinem Kissen und baute Pläne für die Zukunft. Mitunter, wenn die Schauer des nahenden Todes ihn anwehten, richtete er sich plötzlich auf und rief: ›Ich kann nicht sterben, ich will nicht sterben!‹ und dann wieder leise mit gefalteten Händen: ›Mein Gott, mein Gott, ich will auch, wenn du willst!‹

Und endlich kam die Stunde der Erlösung. Wir waren alle an seinem Bette; er dankte mir, er nahm von uns allen Abschied. Dann aber, als sähe er vor sich etwas, vor dem er sie beschützen müsse, riß er seine Frau und die beiden Knaben hastig an sich, blickte sie mit trostlosen Augen an und stöhnte laut. Und als ich ihm zuredete: ›Wirf deine Sorgen auf den Herrn, Martin!‹ da rief er verzweifelnd: ›Harre, Harre, das sind nicht mehr die Sorgen, das ist die Armut selbst! Bald wird sie über meine Leiche wegkriechen; mein Weib, o meine lieben Kinder, sie werden ihr nicht entrinnen!‹

Es ist ein eigen Ding um ein Sterbebett; ich weiß nicht, ob Sie es kennen, mein junger Freund. Aber in diesem Augenblick versprach ich meinem sterbenden Meister, bei den Seinen auszuhalten, bis das Gespenst, das seine letzte Stunde störte, sie nicht mehr würde erreichen können. Und als ich das versprochen, ließ auch der Tod nicht mehr auf sich warten. Leise schritt er zur Tür herein. Martin streckte die Hand aus; ich meinte, er wolle sie mir noch reichen, aber es war der unsichtbare Bote des Herrn, der sie ergriff; denn ehe ich sie berührte, hatte das Leben meines jungen Meisters aufgehört.«

Mein Reisegefährte nahm seinen Hut ab und legte ihn vor sich auf den Schoß; sein weißes Haar wehte in der lauen Mittagsluft. So saß er schweigend, als weihe er diese Augenblicke dem Andenken des längst verstorbenen Freundes. – Ich aber mußte der Worte gedenken, die meine alte Hansen einst zu mir gesprochen: »Es gibt noch andere Dinge als den Tod, die des Menschen Willen zwingen.« Es war dennoch der Tod gewesen, der die Lebenden getrennt hatte. Denn es versteht sich, daß ich über die Person dessen, der an meiner Seite saß, nicht mehr in Zweifel sein konnte. Nach einiger Zeit begann der Alte seine Erzählung wieder, indem er langsam sein Haupt bedeckte.

»Ich habe mein gegebenes Wort gehalten«, sagte er; »aber da ich es gab, brach ich ein anderes; denn ich habe nun nicht wieder fortgekonnt. Es zeigte sich bald, daß die Verhältnisse noch zerrütteter waren, als ich bisher gewußt. Einige Monate nach dem Tode des Mannes wurde noch ein drittes Kind, ein Mädchen, geboren; unter diesen Umständen eine neue Sorge zu den alten. Ich tat das Meinige; aber Jahr auf Jahr verging, und das Glück wollte immer noch nicht einkehren. Unerachtet ich nicht nur meine ganze Kraft, sondern auch die Ersparnisse der letzten Jahre hingab, gelang es mir noch immer nicht, den Kampf mit jenem Gespenst der Armut siegreich zu beendigen; ich sah es klar, wenn eine auch nur etwas weniger treue und sorgsame Hand an meine Stelle trat, so waren meine Schutzbefohlenen ihm verfallen.

Oft freilich mitten in der Arbeit überfiel mich das Heimweh und nagte und zehrte an mir; mehr als einmal, wenn der Meißel, ohne daß ich darum gewahr wurde, müßig in meiner Hand lag, bin ich erschreckt vor der Stimme der guten Frau zusammengefahren; denn meine Gedanken waren fort in die Heimat, und eine ganz andere Stimme war in meinen Ohren. In meinen Träumen sah ich den Turm unserer Vaterstadt; anfänglich im hellen Sonnenschein, umkreist von einem Heer von Schwalben; später, wenn der Traum mir wiederkam, sah ich ihn schwarz und drohend in den leeren Himmel ragen, der Herbststurm tobte, und ich hörte die großen Glocken anschlagen; aber immer, auch dann, lehnte Agnes oben auf dem Geländer der Plattform; sie trug noch das blaue Kleid, worin sie dort von mir Abschied genommen hatte; nur war es ganz zerrissen, die leichten Fetzen flatterten in der Luft: ›Wann kommen die Schwalben wieder?‹ hörte ich es rufen. Ich erkannte ihre Stimme, aber sie klang trostlos in dem Wehen des Sturmes. – Wenn ich nach solchen Träumen erwachte, so hörte ich wohl im Zwielicht die Schwalben auf der Dachrinne über meinem Fenster zwitschern. In den ersten Jahren hatte ich den Kopf aufgestützt und mir das Herz vollsingen lassen von Sehnsucht und Heimweh; später konnt' ich's nimmer ertragen. Mehr als einmal, wenn das Gezwitscher kein Ende nehmen wollte, habe ich das Fenster aufgerissen und die lieben Vögel forgejagt. An einem solchen Morgen erklärte ich einmal, daß ich nun fort müsse, daß es jetzt endlich Zeit sei, auch an mein eigenes Leben zu denken. Aber die beiden Knaben brachen in laute Wehklagen aus, und die Mutter setzte, ohne ein Wort zu sagen, ihr Töchterchen auf meinen Schoß, das sogleich die kleinen Arme fest um meinen Hals schlang. – Mein Herz hing an den Kindern, lieber Herr; ich konnte die Kinder nicht verlassen. Ich dachte: ›Bleib' denn noch ein Jahr.‹ Der Abgrund zwischen mir und meiner Jugend wurde immer tiefer; zuletzt lag alles wie unerreichbar hinter mir, wie Träume, an die ich nicht mehr denken dürfe. – Ich war schon über die Vierzig hinaus, da schloß ich auf den Wunsch der schon herangewachsenen Kinder das Ehebündnis mit der Frau, deren einzige Stütze ich so lange gewesen war.

Und nun geschah mir etwas Seltsames. Ich war der Frau, wie sie es auch gar wohl verdiente, stets von Herzen gut gewesen; nun aber, seit sie mir unauflöslich angehörte, begann in mir ein Widerwille, ja fast ein Haß gegen sie zu wachsen, den ich oft nur mit Mühe zu verbergen wußte. So sind wir Menschen; ich warf in meinem Herzen auf sie die

Schuld von allem, was doch nur die Folge meiner eigenen Schwäche war. Da führte Gott zu meinem Heil mich in Versuchung.

Es war eines Sonntags in der Hochsommerzeit. Wir machten eine Landpartie nach dem benachbarten Gebirgsdorf, wo ein Verwandter der Familie wohnte. Die beiden Söhne mit ihrem Schwesterchen waren uns beiden Alten weit voraus; ihr Plaudern und Lachen war in dem Walde, durch den der Weg führte, schon ganz verschollen. Da machte meine Frau mir den Vorschlag, einen ihr bekannten Richtsteig entlang eines Steinbruchs einzuschlagen, um so womöglich den Jungen auf dem Hauptwege noch zuvorzukommen. ›Ich bin als Braut mit Martin hier gegangen‹, sagte sie, als wir seitwärts in die Tannen bogen; ›etwas weiterhin pflückten wir damals eine dunkelblaue Blume; ich möchte wissen, ob sie dort noch zu finden ist.‹

Nach kurzer Zeit hörte an unserer einen Seite der Wald auf, und der Fußweg lief nun dicht an dem Rande des abschüssigen Gesteins hin, während von der anderen Seite sich Brombeerranken und anderes Gebüsch dicht herandrängte. – Meine Frau schritt rüstig vor mir auf. Ich folgte langsam und war bald in meine alten Träumereien versunken. Wie die verlorene Seligkeit lag die Heimat vor meinen Sinnen, und grübelnd, aber vergebens suchte ich nach einem Weg dahin. Nur wie durch einen Schleier sah ich, daß es nach dem Bruche zu ganz blau von Enzianen wurde, und daß meine Frau sich ein Mal um das andre nach diesen Blumen bückte. Was kümmerte mich das alles! – Da hör' ich plötzlich einen Schrei und sehe, wie sie mit den Händen in die Luft greift; ich sehe auch schon, wie unter ihren Füßen das Geröll sich löst und zwischen den Klippen fortpoltert, und zehn Schritt weiter abwärts steht der Fels lotrecht über dem Abgrunde.

Ich stand wie gelähmt. Es brauste mir in den Ohren: ›Bleib'; laß sie stürzen; du bist frei!‹ Aber Gott half mir. Nur einen Sekundenschlag, da war ich bei ihr; und, mich über den Rand des Felsens werfend, ergriff ich ihre Hand und hatte sie glücklich zu mir heraufgezogen. ›Harre, mein guter Harre‹, rief sie weinend, ›schon wieder hat deine Hand mich vom Abgrund gerettet!‹

Wie glühende Tropfen fielen diese Worte in meine Seele. In all den Jahren war kein Wort der Vergangenheit über meine Lippen gekommen; zuerst aus jugendlicher Scheu, das Heiligste hinauszugeben, später wohl in dem unbewußten Bedürfnis, den inneren Zwiespalt zu verhehlen. Jetzt plötzlich drängte es mich, alles ohne Rückhalt zu offenbaren. Und am Rande des Abgrundes sitzend, schüttete ich mein Herz aus vor der Frau, die ich kurz zuvor darin begraben gewünscht hatte. Auch das verschwieg ich ihr nicht. Sie brach in heftige Tränen aus; sie weinte über mich, über sich selbst, am lautesten klagte sie über Agnes. ›Harre, Harre‹, rief sie, aber sie legte ihren Kopf an meine Brust; ›das habe ich nicht gewußt, aber es ist nun zu spät, und niemand kann diese Sünde von uns nehmen!‹

Es war nun an mir, sie zu beruhigen; und erst mehrere Stunden später trafen wir in dem Dorfe ein, wo unsere Kinder uns schon längst erwartet hatten. Aber seit jener Zeit war meine Frau mit ihrem milden und gerechten Herzen meine beste Freundin und kein Geheimnis mehr zwischen uns. – So gingen die Jahre hin. Allmählich schien sie es vergessen zu haben, daß ich ihre und der Kinder Wohlfahrt mit einem fremden Glück bezahlt hatte, und auch in mir wurde es stiller. Nur wenn im Frühling die Schwalben wiederkamen, oder auch später im Jahr, wenn sie in der Dämmerung noch so allein von allen Vögeln ins Abendrot hineinsangen, dann überfiel's mich mit der alten Pein, und ich hörte noch immer die liebe junge Stimme, noch immer klang es mir in den Ohren: ›Vergiß das Wiederkommen nicht!‹

So war's auch heuer eines Abends. Ich saß vor unserer Haustür auf der Bank und blickte in den vergehenden Tagesschein, der durch eine Lücke der Straße über den jenseitigen Rebhügeln sichtbar war. Ein Töchterchen unseres jüngsten Sohnes war mir auf den Schoß geklettert und hatte es sich spielmüde in Großvaters Arm bequem gemacht. Bald fielen die kleinen Augen zu, und auch das Abendrot verschwand, aber drüben auf des Nachbars Dach saß noch im Dunkeln eine Schwalbe und zwitscherte leise wie von vergangener Zeit.

Da trat meine Frau aus dem Hause. Sie stand eine Weile schweigend neben mir, und als ich nicht aufblickte, fragte sie mich sanft: ›Alter, was ist dir?‹ und da ich nicht antwortete und nur der Vogelfang aus der Dämmerung herübertönte: ›Ist's denn wieder einmal die Schwalbe?‹

›Du weißt's ja, Mutter‹, sagte ich, ›du hast ja allezeit mit mir Geduld gehabt.‹

Aber ich kannte sie noch nicht ganz; sie hatte mehr als das für mich.

Sie legte beide Hände auf meine Schultern. ›Was meinst?‹ rief sie, indem sie mich mit ihren alten guten Augen anblickte. ›Wir können's jetzt ja leisten, du mußt die Agnes wiedersehen, du hättest ja sonst keine Ruh' im Grab bei mir!‹

Ich war fast erschreckt durch diesen Vorschlag und wollte Einwendungen machen, sie aber sagte: ›Stell's Gott anheim!‹ Das hab' ich denn getan; und so ist es gekommen, daß ich noch einmal heimkehre; aber, wenn wir durchs Tor fahren, der alte Jakob wird wohl nicht mehr blasen.«

Mein Reisegefährte schwieg. Ich aber hielt nun nicht länger zurück, denn ich war im Innersten bewegt. »Ich kenne Sie«, sagte ich, »ich kenne Sie sehr wohl, Harre Jensen; auch Agnes kenne ich; sie hat viele Jahre im Hause meiner Großmutter gelebt, sie ist mir selbst wie meiner Mutter Mutter. Aus ihrem eigenen Munde habe ich alles erfahren, auch das, was Sie verschwiegen haben.«

Der Alte faltete die Hände. »Großer, gnädiger Gott!« sagte er, »so lebt sie noch und kann mir noch vergeben!«

Mir ahnte wenig, daß ich eine Hoffnung angeregt hatte, deren Erfüllung schon im Reich der Schatten lag. Ich erwiderte nur: »Sie kannte ihren Jugendfreund; sie hat ihn niemals angeklagt.« – Und nun erzählte ich. Er hörte in atemlosem Schweigen und nahm begierig jedes Wort von meinen Lippen.

Da klatschte der Postillion mit seiner Peitsche. Der stumpfe Turm unserer Vaterstadt war am Horizonte aufgetaucht. Als ich mit dem Finger dahinwies, faßte der Alte meine Hand. »Mein junger Freund«, sagte er, »ich zittere vor der nächsten Stunde.«

Nicht lange, so rasselte unser Wagen über das Steinpflaster der Stadt. Bei dem schönen Herbstwetter waren viele Leute auf den Straßen, und da ich lange fortgewesen, so erhielt ich als allbekanntes Stadtkind fortwährend lebhafte Grüße von den Vorübergehenden. Den fremden Greis an meiner Seite streifte höchstens ein Blick der Verwunderung oder wohl auch der Neugierde. Endlich hielten wir am Gasthofe, und hier dachte ich, für heute von meinem Freunde Abschied zu nehmen, denn er wünschte, seinen ersten Gang nach St. Jürgen allein zu machen.

Ein paar Minuten später war ich zu Hause, umringt von Eltern und Geschwistern. »Alles wohl?« war meine erste Frage.

»Du siehst es, hier ist alles gesund«, erwiderte meine Mutter, »sonst aber – *eine* findest du nicht mehr.«

»Hansen!« rief ich; denn an wen anders hätte ich denken sollen.

Meine Mutter nickte. »Aber was erschreckt dich so, mein Kind? Ihre Jahre waren daher; heut in der Frühe ist sie in meinen Armen sanft entschlafen.«

Ich erzählte, wen ich mitgebracht, in fliegenden Worten, und während alle noch tief erschüttert standen, verließ ich, ohne meine Kleider zu wechseln, das Haus; jetzt durfte ich den alten Mann nicht allein lassen. Ich ging zuerst nach dem Gasthof und, nachdem ich dort erfahren, daß er fort sei, geradeswegs die Straße hinauf nach St. Jürgen.

Als ich dort anlangte, sah ich den Spökenkieker, den der Tod zu verschmähen schien, mitten auf der Straße vor dem Stiftshause stehen. Die Hände auf dem Rücken, wiegte er sich behaglich in den Knien, während er unter dem breiten Schirme seiner Mütze nach dem einen Giebel hinaufstierte. Als ich mit den Augen der Richtung folgte, sah ich dort auf den obersten Treppen, ja sogar auf der Glocke, die oben in der durchbrochenen Mauer hing, eine große Menge Schwalben eine neben der anderen sitzen, während einzelne um sie her schwärmten, sich hoch in die Luft erhoben und dann wieder schreiend und zwitschernd zu ihnen zurückkehrten. Einige von diesen schienen neue Gefährten mitzubringen, die dann neben den anderen auf den Mauerzinnen Platz zu finden suchten.

Es hielt mich unwillkürlich fest. Ich sah es wohl, sie rüsteten sich zur Reise; die Sonne der Heimat war ihnen nicht mehr warm genug. – Der alte Mensch neben mir riß die Mütze vom Kopf und schwenkte sie hin und her. »Husch!« lallte er, »fort mit euch, ihr Sakermenters!« – Aber noch eine Weile dauerte das Schauspiel dort oben auf dem Giebel. Da plötzlich, wie emporgeweht, erhoben sich sämtliche Schwalben fast senkrecht in die Luft, und in demselben Augenblick waren sie auch schon spurlos in dem blauen Himmelsraum verschwunden.

Der Spökenkieker stand noch und murmelte unverständliche Worte, während ich durch den dunkeln Torweg in den Hof des Stiftes ging. – Der eine Fensterflügel von Hansens Stube stand wie einstens offen;

auch das Schwalbennest war noch da. Zögernd stieg ich die Treppe hinan und öffnete die Stubentür. Da lag meine alte Hansen friedlich und still; das Leintuch, womit man sie bedeckt hatte, war zur Hälfte zurückgeschlagen. Auf der Kante des Bettes saß mein Reisegefährte, aber seine Augen waren über den Leichnam weg auf die nackte Wand gerichtet. Ich sah es wohl, dieser starre Blick ging über eine leere ungeheure Kluft; denn am jenseitigen Ufer stand das unerreichbare Luftbild seiner Jugend, das jetzt mit reißender Schnelle in Dunst zerfloß.

Ich hatte mich, anscheinend ohne von ihm bemerkt zu werden, in den Lehnstuhl an das offene Fenster gesetzt und betrachtete das leere Schwalbennest, aus dem noch die Halme und Federn hervorsahen, die einst der nun flügge gewordenen Brut zum Schutze gedient hatten. Als ich wieder ins Zimmer blickte, war der Kopf des alten Mannes dicht über dem der Leiche. Er schien wie sinnverwirrt dies eingefallene Greisenantlitz zu betrachten, das mit dem drohenden Ernst des Todes vor ihm lag. »Könnte ich nur einmal noch die Augen sehen!« murmelte er. »Aber Gott hat sie zugedeckt.« Dann, als müsse er es sich beweisen, daß sie es dennoch selber sei, nahm er eine Strähne des grauen, glänzenden Haares, das zu beiden Seiten vom Haupte auf das Leintuch herabfloß, und ließ es liebkosend durch seine Hände gleiten.

»Wir sind zu spät gekommen, Harre Jensen«, rief ich schmerzlich.

Er blickte auf und nickte. »Um fünfzig Jahre«, sagte er, »das Leben ist auch so vergangen.« Dann, während er langsam aufstand, schlug er das Laken zurück und deckte es über das stille Antlitz der Toten.

Ein Windstoß fuhr gegen das Fenster. Mir war, als höre ich von draußen, fern aus der höchsten Luftströmung, darin die Schwalben ziehen, die letzten Worte ihres alten Liedes:

»Als ich wiederkam, als ich wiederkam,
War alles leer.«

Eine Malerarbeit

Wir saßen am Kamin, Männer und Frauen, eine behagliche Plaudergesellschaft. Der Mensch gab wie immer den besten Unterhaltungsstoff, und endlich waren wir bei einem abwesenden Bekannten angelangt, der aus Mißfallen an seiner übrigens frei gewählten Gattin sein Familienleben fast eigensinnig zu zerstören schien. Es wurde hin und wider gesprochen und Partei genommen: »Mit der ist nicht zu leben«, riefen einige, »man kann's ihm nicht verdenken!«

Der bisher schweigsame Hausarzt, der sich erst seit einigen Jahren in unserem Städtchen niedergelassen, räusperte sich und nahm eine Prise. »Man muß sein Leben aus dem Holze schnitzen, das man hat«, sagte er, »und damit basta!«

»Wenn's aber nichts taugt?« wurde dagegen gesprochen.

»Und wenn es krumm und knorrig wäre!« erwiderte er.

»Doktor«, rief die jugendliche Hausfrau, »ich merke schon, dahinter steckt wieder eine Geschichte, aber die *Contes moraux* sind aus der Mode gekommen.«

»Nun«, versetzte er, »Sie wissen, wir Ärzte liegen oft im Streite mit dieser Göttin.«

»Laßt unseren Doktor erzählen«, entschied eine junge Dame. »Wenn's nur eine Geschichte ist; es kommt auf die Moral nicht an!«

»Erst ein paar Scheite noch in den Kamin!« sagte der Doktor. »So! – Und nun – ich weiß nicht, ob einer der verehrten Anwesenden den kleinen Maler Edde Brunken kennt?«

Die meisten aus der Gesellschaft hatten wohl von ihm gehört, auch einzelne seiner Bilder gesehen, persönlich kannten sie ihn nicht. Nur einer sagte: »Ich habe ihn lange nicht gesehen, aber wir sind aus derselben Stadt gebürtig. Obgleich gänzlich verkrüppelt, hatte ich keinen tolleren Kameraden als ihn. Er war der Sohn eines Seekapitäns, und manches Mal bin ich mit dem kleinen Teufel auf seines Vaters Brigg umhergeklettert; ich sehe ihn noch, wie er gleich einem Klümpchen Unglück oben in dem Takelwerke hing.«

»Den also meine ich«, fuhr der Doktor fort, »auch als ich ihn kennen lernte, obgleich ein Mann an die Dreißig, galt er noch immer für einen ziemlich wilden Burschen; es war so recht ein Stückchen der erbarmungslosen Mutter Natur, ein solches Temperament auf dieses Körperchen zu pfropfen. Aber er besaß jenen hilfreichen Freund, den Humor, mit dem er schließlich alles überwand. Dagegen war ihm, vielleicht weil er die körperlichen Hemmnisse stets nur jenseits der äußersten Grenze respektiert hatte, weniger jener schlagfertige Spott eigen, der sich sonst fast bei allen auszubilden pflegt, welche mit der Natur in Zwiespalt leben. Zuweilen, wenn sein Herz ins Spiel kam – und dieser Muskel war bei ihm sehr stark vertreten –, ließ er sich zu einem für seine äußere Erscheinung bedenklichen Pathos hinreißen und konnte dadurch einem wohlgewachsenen Gegner die gefährlichsten Blößen geben. Bei einer solchen Gelegenheit lernte ich ihn kennen.

Wir saßen eines Abends, eine bunte Gesellschaft von Künstlern, jungen Juristen und Regierungsbeamten, in einem Kaffeehause, und wie gewöhnlich bildeten Politik und soziale Fragen das Thema des Gesprächs. An meiner Seite saß der mir damals noch wenig bekannte kleine Maler, ihm gegenüber ein Regierungsassessor, ein junger Mann mit einer Brille und einem blonden Fuchskopf, den ich mitunter in dem gastfreien Hause meines Onkels gesehen hatte. Dieser – er ist seitdem übrigens mein Vetter geworden – schien auf die eifrigen Verhandlungen der anderen nur wie auf eine Art Komödie herabzusehen, die ihn in einem müßigen Augenblicke unterhalten durfte. Im Laufe des Gespräches kam man auf den Paß- und Reisezwang, vermöge dessen die jungen Handwerker noch immer als präsumtiv verdächtige Subjekte von einem Polizeiamt an das andere geschickt würden, und es erhob sich ein lebhafter Sturm dagegen. Als auch mein kleiner Nachbar seine sittliche Entrüstung in gleichem Sinne kundgegeben, bemerkte der Assessor, nachdem er ihn erst eine Weile durch seine Brillengläser fixiert hatte: ›Aber, soviel ich weiß, Herr Brunken‹ – und er sprach den Namen, als fasse er ihn mit einer Zange an –, ›sind die Kunstmaler diesem Zwange nicht unterworfen.‹

Der Kleine sah mit einem raschen Blicke zu ihm auf. ›Wenn Sie damit mein Interesse zur Sache bezeichnen wollen‹, erwiderte er, und seine Stimme wurde scharf, ›so bin ich in der Lage, Ihnen mitzuteilen, daß ich ein ganzes Jahr als Stubenmalergeselle gewandert bin.‹

›Das wäre‹, meinte der andere, ›da sprechen Sie denn freilich aus Erfahrung.‹

Aber der Kleine war noch nicht zur Ruhe. Indem er sich in seiner ganzen nicht eben beträchtlichen Höhe aufrichtete, fiel er in ein schwunghaftes Pathos, wobei ihm die Stimme ins Falsett überschlug. So sprach er von verletzter Menschenwürde und dergleichen erhabenen Dingen.

Was half es ihm, daß er die Wahrheit sprach! Der Assessor behielt ruhig seine Hände in den Hosentaschen und betrachtete den kleinen aufgeregten Mann ihm gegenüber, als ob er etwas höchst Amüsantes vor sich habe. – ›So‹, sagte er endlich, nachdem jener sich erschöpft auf seinen Platz gesetzt hatte, ›Herr Brunken, halten Sie so viel auf Menschenwürde?‹

Die Sache war weit genug gediehen; der kleine Maler, indem ihm der Atem mühsam aus der Brust hervorkeuchte, erwiderte mit einem Worte, das selbst der Assessor nicht kaltblütig zu hören vermochte, und am anderen Morgen gab es ein Pistolenduell, bei dem ich selbstverständlich als Arzt zugegen war. Trotz der geringeren Schußfläche, die er zu bieten hatte, wurde der Maler in der linken Schulter verwundet, und da die übrigens ungefährliche Verletzung eine sorgfältige ärztliche Behandlung nötig machte, so wurden wir dadurch näher miteinander bekannt und bald befreundet. Noch während seiner Genesung, wo ich darauf denken mußte, seinen ungeduldigen Arbeitstrieb zu zügeln, hatte ich ihn in das Haus meines Onkels eingeführt, mit dessen einziger Tochter Gertrud ich vetterlich und kameradschaftlich aufgewachsen war.

Der Onkel, der es liebte, sich mit jungen Leuten zu umgeben, lernte bald den Menschen wie den Künstler in meinem Freunde schätzen, und es dauerte nicht lange, so saß Gertrud vor seiner Staffelei und ließ ihr blondes Köpfchen von ihm auf die Leinwand bringen. Sie war eine heitere Natur, dazu nur eben über die Kinderschuhe hinaus, und so kamen die beiden in den wiederholten Sitzungen bald auf einen Neckfuß, der für das Mädchen zwar nur eine harmlose Unterhaltung, für das reizbare Temperament meines Freundes aber, wie ich bald bemerkte, nicht ohne tiefere Folgen war. Ich sagte ihr wohl einmal: ›Laß unseren Künstler nur nicht zu tief in deine leichtfertigen Augen gukken!‹ Dann lachte sie mich aus, oder sie sagte: ›Aber du bist äußerst komisch!‹ und begann eins ihrer Schelmenlieder zu trillern, mit denen sie im Hause treppab und -auf zu fliegen liebte.

So stand die Sache, als mein Onkel eines Tages in der schönen Junizeit auf Gertruds Antrieb eine Wald- und Bergpartie veranstaltete, zu der ich außer anderen auch unseren Maler einzuladen hatte. – Als ich am Tage vorher in sein Zimmer trat, fand ich ihn arbeitend vor seiner Staffelei; aber sie war vor den Spiegel gerückt, wo des einfallenden Lichtes wegen augenscheinlich ein schlechter Platz zum Malen war, und wo ich sie nie zuvor gesehen hatte. ›Laß dich nicht stören!‹ rief ich ihm zu.

›Nur – ein paar Striche noch!‹ erwiderte er, und sein Atem ging keuchend aus der Brust hervor, wie es in Aufregung oder Anstrengung bei ihm zu geschehen pflegte. Unter dem Malen bog er den Kopf zur Seite und blickte eine Weile gegenüber in den Spiegel und gleich darauf auf eine Statuette der Venus von Milo, die seitwärts auf einem Tischchen stand. Dann mit einem kurzen scharfen Lachen, das wie ein Hohn aus der Tiefe des gebrechlichen Leibes hervorbrach, ließ er wiederum den Pinsel eifrig auf der Leinwand arbeiten. Ich sah eine Weile zu, dann aber fragte ich: ›Was zum Henker treibst denn du da?‹

›Ich, Verehrtester? – Ich arbeite in Kontrasten.‹

›Das ist eine schlechte Kunst.‹

›Es ist gar keine Kunst‹, erwiderte er, indem er den Malstock auf den Boden stützte und den Körper wie erschlafft in sich zusammensinken ließ. ›Keine Spur von Kunst, Arnold, eitel nichtswürdige Abschrift der Natur. Das kleine borstige Ungeheuer dort im Spiegel ist in seiner Art ebenso vollkommen, wie die Göttliche ohne Arme neben ihm. Mein Gehirn vermag weder hier noch dort etwas hinzuzutun.‹

Ich war aufgestanden und hinter seinen Stuhl getreten. Ein kleines, aber fast vollendetes Bild in kräftigen Farben stand auf der Staffelei. Es war eine sonnige Parkpartie in altfranzösischem Gartenstil; auf dem freien Platze im Vordergrunde erhob sich aus einem blühenden Rosengebüsch die Statue der Venus; ihr zu Füßen, zu ihr emporschauend, stand in zierlicher Rokokokleidung die Gestalt eines verkrüppelten Mannes, in der ich, unerachtet der struppige Vollbart hier rasiert und das Haar des unbedeckten Hauptes mit Puder bestreut war, sogleich den Maler selbst erkannte. Die langen Finger der beiden Hände, welche aus breiten Spitzenmanschetten hervorsahen, hatten sich um die goldene Krücke eines Bambusrohrs gelegt, auf welche der kleine Mann im veilchenfarbenen Wams sich mühselig zu stützen schien.

Er hatte augenscheinlich zuvor auf der Bank geruht, welche im Schatten der hohen Buchenhecke der Statue gegenüberstand; denn das dreieckige Hütchen lag noch dort. Weshalb er aber jetzt in die heiße Sonne hinausgetreten war und so finster zu dem Antlitz der Liebesgöttin emporblickte, wurde erst verständlich, wenn man im Mittelgrunde des Bildes den sonnigen Laubgang hinabsah, durch den sich im traulichsten Behagen ein Liebespaar entfernte. Der Kavalier zeigte nur den Rücken und die eine lebhaft gestikulierende Hand, das zierliche Puderköpfchen des Dämchens aber, das an seinem Arme hing, war zurückgewandt und schaute übermütig lachend nach dem Krüppel, an dem sie soeben vorübergegangen sein mochten. Ich hätte fast den Namen meines Mühmchens ausgerufen, aber die Ähnlichkeit, ob absichtlich oder zufällig, war doch nur eine flüchtige.

Mein kleiner Freund hatte mich gespannten Blickes angesehen, während ich dies seltsame Bild betrachtete. ›Du hast ihr Arme gegeben‹, bemerkte ich endlich, um nur etwas zu sagen, indem ich auf die Gestalt der Venus zeigte.

›Freilich‹, versetzte er hastig, ›schöne hilfreiche Arme, und sie hilft auch jedem, nur nicht solchen Kreaturen, deren eine dort zu ihren Füßen kriecht.‹

›Für wen‹, unterbrach ich ihn, ›hast du denn eigentlich dies Bild gemalt?‹

›Nur eine Studie zur Selbsterkenntnis, Verehrtester.‹

›Freilich‹, sagte ich, ›einige Selbstkenntnis ist darin. Du hast sehr wohl gewußt, daß du etwas besitzest, das selbst der Königin der Schönheit fehlt, zu der du dort so mißvergnügt hinaufschaust.‹

Er sah mich fragend an.

›Du hast in der Tat‹, fuhr ich fort, ›unerachtet du dir sonst eben nicht geschmeichelt, deine ohnehin nicht übeln Augen in das beste Licht zu setzen gewußt.‹

Mein kleiner Freund lächelte. ›Meinst du?‹ fragte er. ›Aber was nützen mir die Augen?‹

›Nun, ich weiß nicht; aber sie haben schon manchem genützt.‹ – Wir sprachen weiter in dieses Thema hinein, und es gelang mir nach und nach, das Antlitz meines Freundes aufzuhellen. Als ich dann mit meinem Auftrage zum Vorschein kam, war er sogleich bereit, die Partie mitzumachen. Nur wie beiläufig fragte er noch: ›Ist auch der Assessor eingeladen?‹ Und ich antwortete: ›Ohne Zweifel; aber Brunken, der hat ja keine Augen, wenigstens nur so etwas wie eine Andeutung davon, und im übrigen, ihr versteht es ja vortrefflich, ohne alle Berührung umeinander herumzugehen.‹

Mein Freund lächelte wieder; ich glaube sogar, er zupfte sich die Krawatte zurecht und warf dabei verstohlen einen Blick in den gegenüberhängenden Spiegel.

Am anderen Tage leuchtete der hellste Sonnenschein. Zu Leiterwagen, in denen man sich auf langen Brettern gegenübersaß, ging es die erste Meile durch den Wald; alle Altersklassen waren vertreten, Gertrud hatte sogar ein ganzes Rudel Kinder mit zu verpacken gewußt. Unter der Direktion des lebenslustigen Onkels ging dergleichen immer vortrefflich, und so war denn auch heute alles guter Dinge, und die Drosseln im Tannicht sangen nicht heller als das junge Volk auf den Leiterwagen. Zumal mein kleiner Brunken war heiterer, als ich ihn lange gesehen; wenn die anderen schwiegen, sang er mit seiner starken, aber freilich etwas scharfen Tenorstimme holländische Volkslieder, die er von der Antwerpener Akademie mitgebracht hatte. Er war in solchen Dingen unerschöpflich. Endlich langte man in einem Dorfe unterhalb des Gebirges an, von wo aus es zu Fuß nach der Teufelskanzel hinaufgehen sollte, einem breiten Felsenvorsprunge, zu dem ein ziemlich steiler Weg etwa eine Stunde lang durch niedriges Gebüsch hinaufführte. Die Sonne brannte, und da ich das Bergsteigen unter solchen Umständen für meinen Freund nicht rätlich hielt, so bestieg er eines unserer Wagenpferde, einen alten mageren Urhengst, und, diesen Reiter in der Mitte, zog nun die lustige Schar in der Bergschlucht aufwärts; zwei Bauernburschen folgten mit wohlgepackten Körben, die ein gutes Frühstück am Ziele alles Mühsales verhießen.

Aber wer konnte so lange dursten! Auf der Mitte des Weges wurde Halt kommandiert; die Mädchen schenkten Wein, alles trank, und auch dem Maler wurde von Gertrud ein großer Humpen hinaufgereicht. – Man mußte es sehen, wie die kleine Gestalt mit dem rauhen, mächtigen Kopf auf der hochbeinigen Mähre huckte, wie er das Glas emporhob, daß die Sonne durch den roten Wein funkelte, und mit den scharfen schwarzen Augen danach hinblinzelte. ›Flüssiger Rubin!‹ rief er. ›Auf das Wohl aller schönen Erdenkinder!‹ Und dabei goß er den roten Wein hinab.

›Sehet da, der Herr des Gebirges!‹ rief Gertrud.

›Nur der Kobold, schöne Dame!‹ entgegnete der Maler und setzte seinem Hengst die Fersen in die Weichen.

›Rübezahl, Rübezahl!‹ schrien die Kinder, und lachend setzte sich der Zug aufs neue in Bewegung. Endlich war die Teufeskanzel erreicht. Sie war nicht unbefugt, diesen Namen zu führen; lotrecht schoß der Fels über hundert Klafter in die Tiefe, wo sich unten im Sonnenglanz die lachendste Landschaft ausbreitete. Durch grüne Wiesen, an Dörfern und Wäldern vorbei, floß in vielen Krümmungen ein glänzender Strom, dessen Rauschen in der Mittagsstille zu uns heraufklang, und drüberher, in gleicher Höhe mit uns, standen die Lerchen flügelschlagend in der Luft und mischten ihren Gesang in die Musik der Wellen. Wer dessen noch fähig war, der mußte hier von Lebens- und Liebeslust bestürmt werden. Brunken, dessen Mähre einem der Bauernburschen zur Obhut übergeben war, stand neben mir und starrte wie verzaubert in die Tiefe.

›Arnold‹, sagte er und drückte mir die Hand, ›das Leben ist doch schön!‹

Nach dem Frühstück stieg der Assessor mit einigen anderen Herren auf einem Umwege den Berg hinab, um eine von unten heraufschimmernde Marmorader zu untersuchen; die übrigen blieben noch auf der Lagerstelle; Brunken und ich schlenderten in den Wald hinein. Während ich mich hier an einer freien Stelle ins Moos warf, befiel ihn die Kletterlust seiner Jugend; ich sah ihn über mir an einer jungen Buche wie eine große Spinne von Ast zu Ast hinaufrücken, und nicht lange, so schaukelte er sich im höchsten Wipfel und sang laut über den Wald hinaus. Er war schon mitten in seinem holländischen Lieblingsliede: ›Ick see din Bild in de Fonteyn‹, oder wie es in der seltsamen Sprache heißen mag, als er plötzlich verstummte. Statt dessen hörte ich Kindergeplauder durch die Bäume, und bald sah ich auch Gertrud mit der ganzen Schar heranziehen.

Auf meine Einladung lagerte sich alles neben mir auf die weichen Moospolster, und die Kinder riefen: ›Geschichten erzählen!‹

›Was denn erzählen?‹ fragte Gertrud.

Und die einen wollten von Schneewittchen hören, die anderen vom dummen Hansel, bis sich endlich alles in der Geschichte von dem Ungeheuer und der weißen Rose vereinigte. Aber Gertrud kannte die Geschichte nicht. Da, während sie aufs neue die Titel ihres Märchenschatzes auskramte, schwang sich plötzlich Freund Brunken von einem Baumast zur Erde. ›Die Geschichte‹, sagte er, noch stoßweise mit dem Atem kämpfend, ›ist meine Domäne, schöne Dame, ich bitte um die Erlaubnis, sie zu erzählen.‹ Dann, unter dem Händeklatschen der Kinder, verbeugte er sich tief vor dem jungen Mädchen.

›Und wie, Meister Brunkenius‹, sagte diese, ›der Sie so unverhofft wie eine reife Frucht vom Baume fallen, wie kommen Sie zu einer solchen Domäne?‹

›Ich‹, versetzte der Maler, ›bin mit dieser Geschichte aufgewachsen, und da ich bekanntlich das normale Maß nicht zu erreichen vermochte, so bin ich niemals über sie hinausgekommen; derohalben glaube ich, sie gründlicher verstehen gelernt zu haben, als ihr anderen großen Menschenkinder.‹ Er sprach diese Worte mit aufgeregter, unsicherer Stimme; die Wendung, welche die Gedanken unseres Freundes zu nehmen schienen, wollte mir keineswegs gefallen.

Gertrud sagte: ›Diese tiefsinnigen Reden gehen freilich über meinen Horizont, aber sie flößen mir hinlänglich Respekt ein; erzählen Sie, ich trete meine Rechte ab.‹

Nachdem der Maler hierauf zwischen uns im Moose Platz genommen hatte, begann er zu erzählen. Anfänglich war es die bekannte Geschichte: ›Das schöne Königstöchterlein, in der richtigen Erkenntnis, daß die Welt sich ihr zu fügen habe, verlangt beim ersten Schneefall eine weiße Rose, und als der gute König selbst sie endlich in einem verzauberten Garten gefunden und selbstverständlich auch gepflückt hat, tritt ihm – wie das schon eher in solchem Fall geschehen – wider alles Erwarten ein Ungeheuer entgegen, dem er als Entgelt das geloben muß, was bei seiner Heimkehr ihm zuerst entgegenkommen werde. Leider geht es ihm, wie dem alten Richter von Israel; das erste, was ihn vor seinem Schlosse begrüßt, ist seine Tochter, und am dritten Tage kommt das Ungeheuer und holt sich die Prinzessin.‹

Gertrud unterbrach den Erzähler. ›War es denn wirklich so schlimm, Meister Brunkenius?‹ sagte sie. ›Wie sah denn das Ungeheuer aus?‹

›Entsetzlich sah es aus!‹

›Aber wie denn entsetzlich?‹

›Ich weiß nicht; meine Mutter, die mir die Geschichte erzählte, hat es mir nie beschreiben wollen. Aber sahen Sie denn nie ein Ungeheuer, Fräulein Gertrud?‹

Sie lächelte. ›Was reden Sie doch!‹

›Ich weiß wohl, was ich rede, besinnen Sie sich nur!‹ Und dabei stützte er den borstigen Kopf in seine ausgespreizten Finger, als wolle er sich von ihr betrachten lassen.

Das Mädchen errötete. ›Erzählen Sie doch weiter!‹ sagte sie, und ›Weiter, weiter!‹ riefen die Kinder, indem sie näher zu ihm herankrochen.

Er warf einen Blick auf die kleine Gesellschaft.

›Ja, so‹, sagte er, ›ihr seid auch noch da. So hört denn!‹ – Und nun begann er seine Szenen auszupinseln: ›Es war eine unabsehbare Wildnis, die sie durchwanderten. Immer höher wucherten Ginster und Heidekraut, aber kein Vogel sang, und keine Biene summte; die seidenen Schuhe der Prinzessin zerrissen an den harten Wurzeln, mit denen der Boden übersponnen war. Totenstill lag es über der Steppe, nur dort aus der Ferne, wo eben die Sonne glutrot hinter der schwarzen Heide hinabgesunken war, kam es jetzt herangefahren; das war aber der Nachtwind, der sich aufgemacht hatte, er riß der Prinzessin die weiße Rose aus ihrem blonden Haar und wehte sie fort in die Nacht, die hinter ihnen heraufstieg. Einen Augenblick stand sie still und schloß ihre schönen blauen Augen, und als das Ungeheuer seinen ungestalteten Kopf nach ihr umwandte, sah es nur die langen schwarzen Wimpern auf ihren zarten Wangen liegen. Da streckte es seine Tatze aus und zupfte damit an ihrem weißen Kleide. – Machen Sie nicht so entsetzte Augen, Fräulein Gertrud! Das arme Ungeheuer hatte ja nichts als seine Tatzen. – Aber freilich, als die Prinzessin aufsah, da schauderte sie und grub, wie sie zu tun pflegte, mit ihren weißen Zähnchen in die Lippe, daß sie blutete.‹

Die Kinder sahen alle auf Gertrud; denn, wie sie mir später vorplauderten, hatten sie gemeint, daß die Prinzessin mit jedem Zuge ihrer jungen Freundin ähnlicher würde. Auch schien der Erzähler, obgleich er vor sich in das Moos blickte, seine Worte nur an sie zu richten. ›Das‹, fuhr er fort, ›erbarmte das Ungeheuer, und es wollte ihr ein tröstliches Wort zusprechen; denn ihr wißt wohl, es war selbst nur ein armer verwünschter Prinz. Aber der Laut, der aus seiner Kehle fuhr, war so heiser, als hätte die schwarze Wildnis selbst das Geheul ausgestoßen. Da fiel die Prinzessin vor ihm in die Knie und sah ihn mit entsetzten Augen an, und das Ungeheuer stieß abermals ein Geheul aus, weit grausenhafter als vorhin; denn es war der Schrei einer armen Seele, die nach Erlösung ringt. Es fühlte die innere Wohlgestalt und den edlen Klang der Stimme, die eigentlich sein eigen waren, aber es suchte vergebens die abschreckende Hülle zu sprengen, die alles in bösem Zauberbann verschloß.‹

Der Erzähler hielt erschöpft inne, eine unheimliche Erregung brannte in seinen Augen.

›Brunken‹, sagte ich, ›besinne dich! Ist das ein Kindermärchen, was du da erzählst?‹

›Es gilt wenigstens dafür!‹ erwiderte er.

Aber ehe wir Zeit fanden, unser Gespräch fortzusetzen, bemerkte ich, daß Gertrud aufgestanden war und zwischen den Bäumen fortging. Ich sprang auf. ›Erzähle den Kindern deine Geschichte zu Ende!‹ sagte ich und folgte dem Mädchen, die schon hinter dem niederhängenden Gezweig verschwunden war. Auch fand ich sie bald; in einer kleinen Lichtung sah ich sie am Boden liegen, ihr Gesichtchen in das Moos gedrückt; ich hörte, wie sie wimmernd vor sich hin sprach: ›Was fang' ich an, was fang' ich an!‹ – Als ich hinzutrat und ihren Arm berührte, sprang sie auf und schüttelte die erhobenen Hände, ganz wie ein verzweifeltes Kind.

›Gerte, was ist?‹ fragte ich.

›O Gott‹, rief sie, ohne von ihrem kindlichen Gebaren abzulassen, ›er liebt mich; o, es ist ganz gewiß, daß er mich liebt!‹

›Wer denn? Ist denn das so fürchterlich?‹

Sie antwortete nicht, sondern sah mich nur mit großen hilflosen Augen an. Da ich aber Miene machte, fortzugehen, ergriff sie meine Hand. ›Bleib, Arnold! Ich will's dir ja sagen, hab' doch nur Geduld!‹

›Nun, so sprich, Gertrud.‹

Aber sie schlug die Hände vors Gesicht: ›Nein, ich kann's nicht!‹ rief sie.

›Weshalb nicht? Bin ich nicht dein alter Kamerad?‹

›Arnold – ich schäme mich. – Nein, bleib, geh nicht, ich ersticke sonst daran.‹

›Nun, Gertrud, wer ist es denn, der dich so erschrecken kann?‹

Sie sah mich eine Weile unentschlossen an, dann mit einer raschen Bewegung zu mir tretend, brachte sie den Mund dicht an mein Ohr und rief mit einem Ton des Abscheues: ›Der Bucklige!‹

›Mein armer Freund!‹ Ich wußte weiter nichts zu sagen, obgleich es mir seit der letzten halben Stunde nichts Neues war, was ich erfuhr.

Gertrud nickte. ›Er hat so gute Augen!‹ sagte sie. ›O, ich weiß es ja, es ist so schlecht von mir!‹ Und dabei fing sie bitterlich zu weinen an.

Nachdem ich sie etwas beruhigt hatte, bat ich sie, noch ein paar Augenblicke hier zu verweilen; ich wollte, ehe sie dorthin zurückkehrte, den kleinen Maler aus dem Kinderkreise zu entfernen suchen. Gertrud war damit einverstanden. Als ich aber kaum ein paar Schritte in die Bäume hinein getan hatte, sah ich nicht weit von mir eine arme gebrechliche Gestalt an einen Baum gelehnt.

›Brunken‹, rief ich, ›was machst du hier?‹

›Nicht eben viel‹, erwiderte er, ›die Kleine da hat mir das Ende meiner Ungeheuergeschichte erzählt; eigentlich freilich hat sie es wohl nur dir erzählen wollen, aber ich habe scharfe Ohren.‹ Dann ergriff er meine Hand, ›Arnold‹, sagte er, und seine Stimme klang auf einen Augenblick fast weich, ›es ist ein schwer Exempel; meine Seele und meine Kunst verlangen nach der Schönheit, aber die langfingerige Affenhand des Buckligen darf sie nicht berühren.‹

In solchem Augenblick vermag ein anderer nicht viel; was wir noch gesprochen, dessen erinnere ich mich nicht mehr; ebensowenig, wie der Rest des Tages verlief. Nur das weiß ich noch, daß bei der Rückfahrt der unglückselige Assessor neben Gertrud auf der Leiterbank und Brunken den beiden gegenüberzusitzen kam. Er hatte während einer ganzen Stunde hinlänglich Gelegenheit, sich das Herz voll Gift und Leidenschaft zu trinken; denn auch mir entging es nicht, daß jene beiden nicht ungern nebeneinandersaßen, wie ich es denn auch gestehen muß, daß sie später durch den Segen der Kirche so fest als möglich miteinander verbunden worden sind.

Als wir in der Stadt und vor meines Onkels Hause angekommen waren, sprang Brunken vom Wagen und rannte, ohne einem von uns gute Nacht geboten zu haben, die Straße hinab; sein kleiner Radmantel, den er umgebunden hatte, schwebte wie ein Dach über den dünnen Beinen.

›Heisa! Freue dich, Christel!‹ hörte ich einen Jungen einem alten Weibe zurufen, das sich mit einem Korb voll Wäsche über die Straße schleppte. ›Die Schildkröten laufen herum, heute nacht gibt's Regen!‹ Und beide schlugen ein schallendes Gelächter auf.

Nachdem ich die sämtlichen Damen und Kinder hatte vom Wagen herabheben helfen, nahm ich von meinen Verwandten Abschied und ging in Brunkens Wohnung. Aber ich erfuhr nur, daß er dort gewesen und sogleich, ohne Bescheid zurückzulassen, wieder fortgegangen sei. Nicht besser ging es mir ein paar Tage darauf; es hieß, Brunken habe sagen lassen, er sei auf den Dörfern in der Umgegend, um dort Studien zu machen; einiges Gerät und Farben zum Aquarellmalen hatte er sich nachkommen lassen. Nach etwa vier Wochen erhielt ich aber einen Brief von ihm aus einer größeren Stadt des mittleren Deutschlands, worin er mir erzählte, daß er dort seinen bleibenden Aufenthalt nehmen werde; der Brief enthielt zugleich die Bitte, ihm seine Habseligkeiten dorthin nachzuschicken. Ich besorgte das alles, und seitdem verging eine lange Zeit, während welcher jede Beziehung zwischen uns aufgehört hatte.

Es mochte vier Jahre später sein, als ich auf einer größeren Reise eines Vormittags auch in jene Stadt gelangte. Von dem Wirt des Gasthofes, in dem ich abgetreten war, erfuhr ich, daß mein Freund in einem kleinen Landhause vor der Stadt wohne. Als ich mich dann nach dem Wege dahin erkundigte, meinte er, der Pflegesohn des Herrn Professors sei vor einer halben Stunde hier vorbeigegangen und werde bald zurückkommen. ›Wenn's gefällig‹, setzte er hinzu, ›könnten Sie ja mit dem jungen Herrn hinausgehen.‹

Ich machte große Augen. ›Pflegesohn, Herr Wirt? – Ich spreche von dem Maler Brunken.‹

›Ohne Zweifel, mein Herr‹, erwiderte dieser, ›der Herr Professor sind mir wohlbekannt; sie haben zu Anfang ihres hiesigen Aufenthaltes ein Vierteljahr in meinem Hotel zu Mittag gespeist.‹

Ich gab mich zufrieden und ging auf mein Zimmer, um mich umzukleiden. Es dauerte auch nicht lange, so wurde angeklopft, und auf mein ›Herein‹ trat ein kräftiger, fast untersetzter junger Mann von etwa neunzehn Jahren in das Zimmer. ›Herr Doktor Arnold?‹ sagte er, indem er mich begrüßte. Ich betrachtete ihn näher. Auf seinen breiten Schultern erhob sich ein kleiner blasser Kopf, in dessen tiefliegenden Augen ein eigener, fast melancholischer Reiz lag. ›Sie wollen die Güte haben‹, entgegnete ich, ›mich zu meinem Freunde zu führen?‹

›Es wird meinem Lehrer eine große Freude sein‹, erwiderte er, ›er hat mir oft von Ihnen gesprochen.‹

›Sie sind auch Maler?‹ fragte ich.

›Ich suche es zu werden‹, versetzte er.

Wir gingen nun zusammen fort. Unterwegs erzählte mir mein junger Begleiter, der auf meine Fragen bescheiden, aber ohne Gesprächigkeit antwortete, daß er seinen ersten Unterricht von Brunken erhalten, mit dem er sogleich das derzeit von diesem erkaufte Haus bezogen habe. Aus seinen Äußerungen mußte ich entnehmen, daß er dort seine eigentliche Heimat finde; denn er war auch jetzt nach einem dreijährigen Besuch der Akademie dahin zurückgekehrt.

Unter solchen Gesprächen hatten wir bald die Stadt im Rücken und gingen nun im Schatten einer langen Lindenallee, an deren beiden Seiten sich eine Reihe von zum Teil prächtigen Landhäusern entlang zog. Nach kurzer Zeit bogen wir in eine Seitenstraße, wo die Architektur bescheidenere Formen anzunehmen begann; und hier, auf der Terrasse eines einstöckigen Hauses, erblickte ich die groteske Gestalt meines trefflichen Freundes. Er stand in der vollen Mittagssonne und beschattete die Augen mit der Hand; das mächtige Haupt war noch wie einst mit dem braunen, struppigen Vollbart geziert; aber als wir die Tür des Gartengitters öffneten, sah ich, daß er frisch und kräftig ausschaute, wie ich ihn nie gekannt.

›Wen bringst du mir da, mein Sohn Paul?‹ rief er uns entgegen, während wir um einen kleinen Rasen herum dem Hause zugingen.

Paul lächelte. ›Keinen Fremden, denke ich!‹

Und schon war Brunken die Stufen in den Garten hinabgekommen und hatte meine beiden Hände ergriffen. ›Nein, keinen Fremden!‹ rief er. ›Bei allen Göttern, die den Wanderer beschützen! Sei mir tausendmal gesegnet, Arnold, daß du endlich bei mir einkehrst!‹

Ich konnte nicht zu Worte kommen; denn schon war er wieder die Stufen hinauf und rief durch die offene Flügeltür ins Haus: ›Martha, Marie, wo steckt ihr denn?‹ Und dabei schlug ihm die Stimme in seine höchste Fistel über; aber dennoch klang es schön und herzerquickend; und herzerquickend war auch das, was auf seinen Ruf erschien; zuerst wie ein Vogel herangeflogen, ein schlankes, etwa vierzehnjähriges Mädchen; und dann, ihr ruhig folgend, eine ältere Frau mit den schönen Augen meines Freundes, aber ohne die Gebrechen seines Körpers.

›Dies‹, sagte Brunken, indem er ihre Hand ergriff, ›ist meine liebe Schwester Martha; wir hausen hier zusammen; den Paul hast du dir schon selber aufgefischt; aber diese meine Nichte muß ich dir noch vorstellen; es ist ein junges, törichtes Geschöpf, das den hehren Namen Maria noch keineswegs verdient hat.‹ Und dabei zupfte er die kleine Schöne ein paarmal derb an ihren braunen Flechten. ›Nicht wahr‹, fuhr er zu mir gewendet fort, ›du trittst hier in ein kinderreiches Haus! Und sind sie auch nicht so ganz mein eigen, so hab' ich doch ein gutes Teil an ihnen.‹

Er mußte innehalten, der Atem fing ihm endlich an zu fehlen. Und es brauchte auch keiner weiteren Auseinandersetzung; das Mädchen hatte die Arme auf dem Rücken zusammengeschränkt und sah mit den glücklichsten Augen in das gerötete Antlitz des kleinen aufgeregten Oheims.

›Aber Edde?‹ bemerkte jetzt die Schwester, indem sie fragend von ihm zu mir herüberblickte.

Er hatte sie sogleich verstanden. ›Ja so, wer das ist?‹ rief er. ›Den kennt ihr alle; das ist der Arnold, der Doktor; er kommt gerade, da die Rosen blühen; und nun soll es auf der Villa Brunken ein paar seelenfrohe Tage geben!‹

Und in der Tat, heiter war es auf der Villa Brunken. Nach dem herzlichsten Willkommen saß ich bald unter diesen lieben Menschen an einer wohlgedeckten Mittagstafel in dem freundlichen Gartensaal, dessen Flügeltüren auf die Terrasse hinaus geöffnet blieben; und während wir plauderten und genossen, wehten von Zeit zu Zeit die vorbeiziehenden Sommerlüfte eine ganze Wolke von Rosenduft zu uns herein. – Nachher verstand es sich von selbst, daß ich zur Mittagsruhe in ein kühles Gastzimmerchen verwiesen wurde, das man bei Kündigung der Freundschaft mir auferlegte, mindestens für drei Tage als meine Wohnung anzusehen.

Ich mußte schon nachgeben; und während ich nach der auf der Eisenbahn verwachten Nacht einen erquicklichen Schlaf tat, war Paul zur Stadt gewesen und hatte mein Gepäck aus dem Gasthof herüberschaffen lassen. Als ich mit Brunken wieder in den Gartensaal trat, wo uns Frau Martha am Kaffeetisch erwartete, klopfte er mich leise auf den Arm und zeigte nach der Terrasse hinaus, zu der auch jetzt die Türen offenstanden. Dort, wo jetzt schon der Schatten des Nachmittags vorgerückt war, wurde augenscheinlich eine Zeichenstunde gegeben. Das hübsche, schlanke Mädchen saß eifrig mit dem Bleistift arbeitend an einem Tischchen, während Paul, an ihren Stuhl gelehnt, der kleinen regsamen Hand aufmerksam mit den Augen folgte.

›Nun seh' mir einer diese Hexe an!‹ rief Brunken, ›mir läuft sie immer aus der Schule; und seit der Paul da ist, wird Tag für Tag gezeichnet. Versteht er's denn wirklich schon besser als ich?‹

Der junge Mann errötete; Marie aber sagte, ohne aufzublicken: ›Paul ist so hübsch geduldig, Onkel!‹

Brunken drohte mit dem Finger. ›Ich muß wohl eifersüchtig werden!‹ sagte er, und dabei warf er einen Blick des innigsten Behagens auf das junge Menschenpaar.

Nach dem Kaffee lustwandelte ich mit Brunken in seinem Garten, der sich in beträchtlicher Tiefe hinter dem Wohnhause erstreckte. Nachdem wir den Duft der Rebenblüte in einem Glashause eingesogen, auch eine Weile von einem Anberge aus nach der Stadt hinübergesehen hatten, von wo das Glockenläuten des morgenden Sonntags zu uns herüberwehte, ließen wir uns schließlich in einer kühlen Laube nieder. Ich bot meinem Freunde eine Zigarre, die er wie immer verschmähte, und zündete mir dann selbst einen Stengel dieses edeln Krautes an. So begannen wir von der vergangenen gemeinsam verlebten Zeit zu plaudern und kamen endlich auch an jenen Abend, wo er uns auf Nimmerwiederkehr entflohen war. Ich sprach darüber mein Bedauern aus; aber Brunken schüttelte, wie er zum Zeichen der Verneinung zu tun pflegte, seinen langen Finger vor der Nase. ›Halt, Doktor‹, sagte er, ›das war eine heilbringende Nacht!‹

›So erzähle!‹ versetzte ich. ›Was hast du damals denn getrieben?‹

›Kennst du die Fabel aus Campes Kinderbibliothek: Es war einmal ein dicker, fetter Mops?‹

›Freilich, der Mops bellte den Mond an.‹

›Ich habe auch den Mond angebellt, oder, unbildlich gesprochen, ich habe mit dem Herrgott gescholten, daß er mich so ungeschickt nach seinem Ebenbilde erschaffen. – Es war damals ein toller Lebensdrang in mir, und dazu dies Gemengsel von Gliedmaßen, vor dem die Mädel sich graulen wie vor einer Kreuzspinne; Verehrtester, das ist keine Bagatelle!‹

›Aber‹, unterbrach ich ihn, ›wo war denn der Schauplatz dieses Dramas?‹

Mein kleiner Freund legte beide Hände in die Seite und sah mich mit dem Ausdruck einer tragikomischen Verzweiflung an: ›Ich war über Feld gerannt‹, sagte er, ›immer gerad zu, durch Korn und Dorn, über Wälle und Gräben; endlich saß ich am Rande einer Trinkgrube. Wie ich später erfuhr, war einige Stunden vorher ein junger Bursche daraus aufgefischt, der in dem schwarzen Wässerchen dort unten die Not des Lebens und nebenbei sich selber zu ertränken versucht hatte. Der Mond schien hell; ich konnte alles um mich her betrachten. Das Gras an meiner Seite war noch mit schwarzem Schlamm überzogen; mitten darin stand ein grober Lederschuh, naß und besudelt. Ich glaube noch jetzt, daß dieser Schuh mich damals über Wasser gehalten hat; denn auch ich war schon dem bösen Zauber verfallen, der in solch einsamen Gewässern spuken geht. Es war nicht düster dort; ein Stern nach dem anderen drang aus der Tiefe, und immer mehr, je länger ich hinstarrte. Mich überfiel jenes nichtswürdige Mitleid mit dem lieben Ich; und schon dachte ich: ‚Versuch' es einmal mit der Welt dort unten; Verlust ist keinenfalls dabei' – da traf mein Blick auf jenen groben Schuh, und, gesegnet sei er, er fing an, mir Rätsel aufzugeben. Erstens, es gehörte doch ein zweiter noch dazu; wo mochte sein Kamerade sein? Und dann, er konnte doch nicht allein hierhergegangen sein; wo wanderte sein Herr jetzt mit dem zweiten Schuh? – Unter mir in den Binsen saß freilich ein großer Frosch mit seiner ganzen Gesellschaft und suchte mir die Geschichte vorzusingen. Ich merkte wohl, daß sie von allem Bescheid wußten. Aber du weißt, ich bin immer ein schlechter Linguiste gewesen; ich verstand die Kerle nicht. Doch wie nun alles in der Welt zu Ende geht, so ging auch diese Nacht dahin; der Morgenwind fuhr über die Felder und weckte alle Kreaturen; und als die ersten Lerchen aufstiegen, erschien auch die Sonne am Horizont und beleuchtete mich in all meiner Unsauberkeit; ich konnte es nun deutlich an meinen Kleidern nachbuchstabieren, daß ich nicht bloß durch Hecken und Dornen, sondern auch durch Sümpfe und Gräben hierhergelangt sein mußte. Es schauderte mich ein wenig, ich weiß nicht mehr, ob vor Kälte oder Scham, und ich machte mich daran, die Spuren meiner Torheit nach Möglichkeit zu vertilgen. Dann stieg ich auf den Wall des Grundstücks, um eine vernünftige Landstraße zu erspähen; und nachdem ich nicht nur diese, sondern zu Ende derselben auch ein Dorf unter grünen Bäumen entdeckt hatte, marschierte ich bald zwischen wohlnumerierten Chausseesteinen, wie ein verständiger Mann, der die Kühle der ersten Frühe zu seiner Wanderung benutzt.

In dem Dorfe, das ich dann erreichte, war eben das Tagesleben angebrochen; ich hörte in den Gehöften die Leute zu ihren Pferden reden, die zur Heufuhr an die Wagen gespannt wurden. Mitten in der Dorfstraße, in dem Gärtchen vor seinem Hause, stand ein ältlicher Mann und rauchte behaglich seine Morgenpfeife, in dem ich sogleich den Schulmeister des Dorfes erkannte. Auf einen ‚Guten Morgen' erhielt ich freundliche Erwiderung, und auf meine Frage, wo ich hier ein Frühstück bekommen könne, die Einladung, ins Haus zu treten und mit ihm und seiner Frau den Morgenkaffee einzunehmen. Das tat ich denn, und da die Frau nicht weniger zutraulich war, so saßen wir drei bald im schönsten Plaudern nebeneinander.

Das erste, was ich erfuhr, war die Geschichte jenes Schuhes, bei der mein gütiger Wirt selbst in gewisser Weise beteiligt war. – Als eines Stubenmalers Sohn hielt er die väterliche Kunst noch soweit in Ehren, daß er seinen Schülern wöchentlich eine Stunde Zeichenunterricht erteilte. Er verdiente damit, wie er meinte, freilich weder bei den Eltern noch Kindern besonderen Dank; nur der Sohn eines wohlhabenden Bauern, welcher dem Schulhause gegenüber wohnte, hatte so viel Geschick und Eifer gezeigt, daß er bald nicht nur allerlei Dinge, die der Lehrer ihm vorgelegt, nach der Natur gezeichnet, sondern auch zu Hause und auf eigene Hand alles abkonterfeit hatte, was ihm gerade in den Weg gekommen. – Soweit war alles leidlich gut gegangen, wenn auch der alte Bauer bisweilen über die ‚dumme Kritzelei' gescholten hatte. ‚Da mußte das Unglück', erzählte der Lehrer weiter, ‚meinen jüngsten Bruder, welcher bei dem Beruf unseres Vaters geblieben ist, auf ein paar Wochen zum Besuch herbeiführen. Er versteht ein wenig mehr, als was zum bloßen Handwerk gehört, und pflegt auch in seinen Mußestunden allerlei Blättchen mit Wasserfarben anzufertigen. Ein paar Zeichnungen des Knaben, die ich ihm zeigte, erregten seine Teilnahme, und so dauerte es nicht bis in den dritten Tag, daß die beiden die dicksten Freunde waren. Jeden Abend haben sie hier am Tisch gesessen zu zeichnen und zu pinseln, und da mein Bruder dem Jungen einen Teil seiner Farben zum Geschenk machte, so setzte dieser das Geschäft nach dessen Abreise fort. Seitdem war nichts mit ihm anzufangen, und endlich erklärte er rund heraus, er wolle Maler werden. Sie können sich den Lärm denken; der Vater, der außer ihm nur eine verheiratete Tochter hat, hatte sich immer der starken Gliedmaßen seines Sohnes gerühmt. Nun wurde er konfirmiert und sollte mit an die Feldarbeit; aber er wollte nicht. Manches Mal hat der Alte ihn mit der Peitsche drüben aus dem Walde geholt, wo er irgendeinen schönen Baum zu Papier brachte, und ihm seinen Zeichenkram vor der Nase entzweigerissen. Aber es half alles nichts; ich redete vergebens zum Frieden; der Junge mit seinen Knochen sollte Bauer werden, der Alte wollte nicht für Fremde so viele Acker Heide urbar gemacht haben. Endlich, vorgestern nachmittag beim Heufahren, wurde dem Faß der Boden ausgestoßen. Der arme Bursche vergaß unseres Herrgotts Gebote und sprang in die Trinkgrube; zum Glück waren seines Vaters Leute in der Nähe, die ihn noch zu rechter Zeit herausholten. Mich selbst und meine Zeichenstunde', so schloß der Schullehrer seinen Bericht, ‚wird diese Geschichte auf lange um allen Kredit gebracht haben.'

Er stand auf und holte sich eine neue Pfeife aus der Ecke; ich blieb nachdenklich sitzen. – Was hatte denn mich an jenes Wässerchen hinausgelockt? Die solide Desperation des armen Jungen versetzte mich in die tiefste Beschämung. So viel stand fest, ich mußte ihn kennen lernen; vielleicht daß ich ihm helfen konnte.

‚Schulmeister', sagte ich endlich, ‚ich bin krank gewesen, es würde mir guttun, ein paar Wochen auf dem Lande zu leben. Könntet Ihr mir wohl Quartier geben?'

Daß ich ein Maler sei und allerlei für meine Mappen einzusammeln gedachte, verschwieg ich wohlweislich noch; und so war denn auch bald, ,wenn ich nur fürliebnehmen wollte', ein Kämmerchen bei den kinderlosen Leuten für mich bereit. Freilich ließ ich mit einigen Kleidungsstücken auch mein Aquarellkästchen aus der Stadt kommen; aber das blieb vorläufig in dem Reisesack verborgen; auf meinen ersten Streifereien behalf ich mich mit dem Bleistift, womit ich denn noch am selben Nachmittage die Trinkgrube mit dem rettenden Lederschuh zum dankbaren Gedächtnis in mein Taschenbuch eintrug. Am Abend wagte ich mich unter die Dorfleute und endlich auch zu dem alten Kunstfeinde gegenüber, der rauchend in der großen Torfahrt seines Hauses stand. Ich begann ein Gespräch über den Stand der Ernte, ging dann auf die neue Steuer über, schimpfte etwas Weniges auf die Regierung, und so wurden wir bald bekannt. Es ist ein alter knorriger Kerl; du sollst ihn nachher in meiner Mappe sehen, worin er ohne Wissen und Willen hat Platz nehmen müssen. Von dem Sohne sah ich nichts und hütete mich auch wohl, seiner zu erwähnen. – Am Abend darauf, nachdem ich den Tag im nahen Walde in Gesellschaft gehöriger Butterschnitte der Frau Schulmeisterin verbracht hatte, war ich wieder zur Stelle, und ebenso am dritten und am vierten Abend; der Alte schien diesmal in einer nachdenklichen Stimmung; er saß ohne seine Pfeife auf dem Stein vor seinem Hause und antwortete kaum auf meine noch so wohlüberlegten Gesprächseinleitungen.

,Wer weiß', dachte ich endlich; ,vielleicht ist's just der rechte Augenblick.' So fragte ich ihn denn geradezu nach seinem Sohne. ,Ist er nicht zu Hause?' fügte ich hinzu. ,Ich habe ja noch nichts von ihm gesehen.'

Da brach's hervor; mit der geballten Faust drohte er nach dem Schulhause hinüber: ,Der Haselant mit seinen hergelaufenen Faxen!' rief er. Und nun klagte er mir seine Not, während zwischendurch immer Flüche auf den armen Schulmeister fielen. ,Der hätte die Prügel haben sollen, die der Junge gekriegt hat; denn bei dem hat's nicht geholfen.'

,Was macht Euer Sohn denn jetzt?' fragte ich.

Der Alte schob die Pudelmütze übers Ohr. ,Das ist ein wunderlich Spiel', versetzte er, ,seit er die Dummheit da begangen, ist er mir wie ausgewechselt; als ich ihn gefragt habe: Was willst du denn nun eigentlich, Paul?, hat er geantwortet: Was Ihr wollt, Vater, mir gilt's gleich! – Aber gesprochen hat er kein Wort, und nach dem Abendbrot geht er auf seine Kammer; ob er dort schläft oder wacht, ich weiß es nicht. Seht – dies Wesen will mir ebensowenig gefallen. Was meint Ihr, wenn Ihr einmal ein vernünftig Wort mit ihm zu reden suchtet? Ihr könntet mir einen rechten Dienst erweisen; ich selbst verstehe die Worte nicht so zu setzen.'

Der Mann sah erwartungsvoll zu mir auf; die Sorge um sein Kind stand leserlich in seinen harten Zügen.

‚Aber', erwiderte ich, ‚wenn er nun wieder von seiner Malerei beginnt?'

‚Solch dummes Zeug müßt Ihr ihm eben auszureden suchen!'

‚Aber weshalb denn sollte er nicht Maler werden?'

‚Weshalb? – Er hat eine volle Hufe; er braucht brotlose Künste nicht zu treiben.'

Ich wagte einen kühnen Schritt. Als ich meine Wohnung verließ, hatte ich in dem Gedanken, sofort in die weite Welt zu laufen, meine paar Kassenscheine in mein Taschenbuch gesteckt. Jetzt zog ich es hervor und schlug es vor dem Alten auf.

‚Was soll's?' sagte er, ‚das ist ein Päckchen Fünfzigtalerscheine.'

‚Das', erwiderte ich, ‚ist mit der brotlosen Kunst verdient.'

‚Wie meint Ihr das?'

‚Ich meine, daß diese dreihundert Taler der halbe Preis meines letzten Bildes sind; denn ich bin eben auch nur ein Maler.'

Der Alte sah mich fast erschrocken an. ‚Ihr?' sagte er; ‚da wäre ich ja an den Rechten gekommen! Im übrigen', setzte er hinzu, indem er mich mitleidig von oben bis unten musterte, ‚ist das ein ander Ding; mein Junge hat gesunde Gliedmaßen.'

‚Nun, gute Nacht, Nachbar!' sagte ich und machte Miene, fortzugehen.

Aber er rief mich zurück. ‚Auf ein Wort noch, Herr Brunken', begann er wieder, ‚dreihundert Taler, sagtet Ihr? Und nur die Hälfte? Wie lange macht Ihr denn an solch einem Bild? – Wird wohl langsame Arbeit sein?'

Als ich ihn über dieses Bedenken beruhigt hatte, stützte er erst den

Kopf in die Hand; dann zog er seine Pfeife aus der Tasche, schlug Feuer und rauchte eine ganze Weile eifrig, aber schweigsam fort. Hierauf folgte eine lange Auseinandersetzung zwischen uns; der Alte meinte, der Junge sei für den Acker da, und ich meinte, der Acker sei für den Jungen da; endlich, als ich ihm auch noch die pausbackige Nachkommenschaft seiner im Dorf verheirateten Tochter zu Gutserben designiert hatte, erhielt ich die Erlaubnis, nach meinem Guthalten mit seinem Sohne zu sprechen. ‚Nun macht's, wie Ihr könnt', schloß der Alte diese Verhandlung; ‚und damit hopp und holla! Ich führ' selbst in die Grube, wenn ich dem Jungen sein tot Gesicht noch länger ansehen sollte.'

Eine Stunde später, während welcher die Arbeiter vom Felde zurückgekehrt waren, stand ich vor dem Schulhause und blickte nach des Nachbars Garten hinüber, wo trotz des Johannisabends noch eine Nachtigall in den Holunderbüschen schlug. Da verstummte mit einem Male der Vogelgesang; statt dessen hörte ich Kinderstimmen, und bald sah ich auch ein paar Knaben und ein kleines Mädchen durch die Gartenpforte auf den Weg hinaus rennen. Draußen blieben sie stehen und wiesen mit den Fingern auf kleine Papierblättchen, von denen jedes mehrere in Händen hatte; dann gingen sie wieder eine Strecke fort und setzten sich unweit unter einen Zaun am Wege, wo es an ein neues Zeigen und Beschauen ging.

Ich konnte den Zusammenhang dieses Vorgangs leicht erraten; und richtig, als ich zu ihnen gegangen, sah ich, daß es lauter bunte Bilderchen waren. ‚Wer hat euch die geschenkt?' fragte ich.

Sie glotzten mich scheu von der Seite an; nur das kleine Mädchen antwortete endlich auf meine wiederholte Frage: ‚Paul Werner!'

Ich sah mir die Sachen an. Es war ungeschicktes Zeug aus allen vier Naturreichen; eine Kuh, die mit dem Schwanz sich die Bremsen wegpeitscht; ein alter Felsblock; ein Bienenstand mit einem Hund davor und dergleichen mehr; aber aus allem blickte in kleinen Zügen, was ich selber nie so ganz besessen, jenes instinktive Verständnis der Natur; es war alles, so unbehilflich es auch war, dennoch, ich möchte sagen, über das Zufällige hinausgehoben.

Du weißt, der Mensch ist nun einmal eine Canaille – und so begann sich denn auch in mir ein ganz lebenskräftiger Neid gegen diesen Bauernburschen zu regen. Da ich mich aber mit Naturdämonen schon hinlänglich behaftet fühlte, so entschloß ich mich kurz, diesen neuen Kameraden sofort in der Geburt zu ersticken.

Zum Glück hatte ich einige blanke Münzen bei mir, mit denen es mir bei den Knaben sofort gelang, ihnen einige der Blätter abzuhandeln. Nachdem mir beim Nachhausekommen auch der Schulmeister bestätigt hatte, daß die Bilder von der Hand seines jungen Schülers seien, verbarg ich für diesen Abend die eroberten Schätze in meinem Skizzenbuch.

Am anderen Morgen trat ich früh mit der Sonne meine gewöhnliche Wanderung an. Als ich an der Kirchhofsmauer entlang ging, sah ich jenseit derselben einen jungen Mann auf einem Grabe sitzen. Während ich durch das Kreuz der Kirchhofspforte trat, wandte er den Kopf zu mir, und ich sah nun zum erstenmal in jenes blasse Antlitz mit den tiefliegenden Augen, welche das Wesen der Dinge einzusaugen scheinen; mit einem Wort, ich sah den Jungen, in dessen aufstrebender Kunst ich jetzt fast mehr lebe als in meiner eigenen. Aber während ich auf ihn zuging, stand er auf und entfernte sich nach der anderen Seite des Kirchhofs; er überschritt den Fahrweg jenseit desselben und entschwand meinen Augen zwischen den Bäumen eines anliegenden Gehölzes. Ich ging zu dem Rasenhügel, den er soeben verlassen, und da ich hier auf dem Grabstein den Familiennamen unseres Nachbars las, so wußte ich auch, daß ich Paul Werner auf dem Grabe seiner Mutter gesehen hatte. Jetzt machte ich lange Beine; du weißt, daß ich diese Fähigkeit besaß, die mir auch bis jetzt noch nicht abhanden gekommen ist. Als ich meinen Flüchtling drüben auf dem Fußsteige des Wäldchens wieder zu Gesicht bekommen hatte, rief ich ihm schon von weitem meinen ‚Guten Morgen!‘ nach. Er blickte um, erwiderte meinen Gruß und ging dann nur um so schneller vorwärts.

Ich strengte also noch einmal meine Lungen an. ‚Paul Werner!‘ rief ich. ‚Warte, ich habe mit dir zu reden!‘

Jetzt blieb er stehen. ‚Ich kenne Sie nicht, Herr‘, sagte er – übrigens, dank seinem alten Schulmeister, in reinem Hochdeutsch.

‚Aber ich möchte dich kennen lernen‘, erwiderte ich.

‚Mich?‘ fragte er befremdet.

‚Dich, Paul!‘ versetzte ich, ‚denn ich höre, du willst Maler werden.‘

‚Ich will kein Maler werden, Herr.'

‚Aber der Schulmeister sagt es doch.'

Er schüttelte den Kopf. ‚Das ist vorbei', sagte er.

Ich nahm nun die erhandelten Bilderchen aus meinem Skizzenbuch. ‚Sind das deine Malereien?' fragte ich.

Er nickte.

‚Wie hast du denn das zustande gebracht?'

‚Ich habe es so gesehen', erwiderte er.

‚Recht so!' rief ich. ‚Und es ist auch so; es ist nur seltsam, daß nicht auch die anderen – fast hätte ich gesagt: wir anderen – es so sehen.'

Er blickte mich fragend an, er verstand das nicht. Aber ich schrie ihm zu: ‚Und du willst kein Maler werden, Junge? Was in aller Welt denn sonst?'

Eine Weile zupfte er schweigend an seinen Fingern; dann sagte er: ‚Ich werde ein Bauer, wie mein Vater.'

‚Und doch, Paul', begann ich noch einmal, ‚hast du nicht leben wollen, weil du nicht malen durftest.'

Eine jähe Röte schoß über das blasse Antlitz. ‚Weshalb sagen Sie mir das?' fragte er zitternd.

‚Weil ich dir helfen möchte, Paul', erwiderte ich; ‚denn bei den Toten ist nun einmal keine Hilfe.'

Er schlug langsam die Augen zu mir auf und blickte mich fast angstvoll an. ‚Ich suche einen tüchtigen Schüler', fuhr ich fort. ‚Was meinst du, willst du es mit mir versuchen?' Dabei gab ich ihm das Skizzenbüchlein aufgeschlagen in die Hand.

Es war doch, als wenn es plötzlich in den dunkeln Augen blitzte; wie auf eine Offenbarung schaute er auf die kleine Aquarellskizze. – Und doch, sage ich dir, ist die Zeit nicht fern, daß meine Augen ebenso an seinen Blättern haften werden; denn er ist einer von jenen, nach deren Tode man noch die Papierschnitzel aus dem Kehricht sammelt, auf welchen ihre Hand einmal gekritzelt hat.‹

Mein Freund war aufgestanden und stützte sich mit beiden Händen auf den vor uns stehenden Gartentisch; auch in seinen Augen blitzte es jetzt von Liebe und Begeisterung.

›Doch‹, fuhr er fort, ›damals war er noch ein Bauernbursche und konnte sich nicht satt staunen an meinem Machwerk. – Was soll ich dir das lange noch erzählen! Als ich ihm alles, was ich beabsichtigte und was ich tags zuvor mit seinem Vater verhandelt, mitgeteilt hatte, da habe ich ihn wie einen Trunkenen heimgeführt; denn wir gingen geradeswegs zum alten Werner. Und nachdem ich diesem noch einmal eine Stunde lang tüchtig standgehalten, war endlich alles, so wie ich es wünschte, abgemacht.

Mein alter Schulmeister staunte nicht schlecht, als ich nach dem Frühstück Farben und Palette auspackte und nun mit beiden Beinen als ein fix und fertiger Maler vor ihn hinsprang, und gar als er von der Bekehrung seines Widersachers hörte. ‚Da käme ich ja auch wohl wieder zu Ehren!' rief er lachend. – Und wirklich, die Versöhnung der beiden langjährigen Nachbarn war denn noch die Krone meines Werkes. Freilich, als dabei der Schulmeister so etwas wie einen Triumphton anstimmen wollte, fuhr der Bauer auf: ‚Red't nicht so viel, Schulmeister! Es könnt' mir leid werden!' Und seitdem genossen wir weislich unseren Sieg im stillen.

Schon am ersten Morgen hatte ich beschlossen, der Verfolgung des Dämons Amor durch rasche Flucht ein Ziel zu setzen. Nun schrieb ich meiner Schwester, die seit kurzem Witwe war, und schlug ihr vor, mit mir hierherzuziehen; und als ihre Zustimmung nach einigen Tagen erfolgte, so war das Fundament dieses wackeren Hauses damit gelegt.

Noch acht Tage blieb ich in dem Dorfe und streifte mit meinem neuen Schüler, der nun plötzlich in reiner Lebenslust atmete, plaudernd und arbeitend durch Berg und Wald. Ich wurde mit jedem Tage gesunder; die freie Luft, das derbe praktische Leben um mich her taten mir wohl. Hier war einmal eine Welt ohne jene betörende Liebe; die Mädchen heirateten, je nachdem, eine ganze, halbe oder viertel Hufe; die respektiven Besitzer gingen mit in den Kauf – scheußliche Kerle, sag' ich dir, mitunter. Mein Bauer war auch mit einem solchen Schwiegersohn versehen; der Mensch war überdies ein Trunkenbold.

Am letzten Abend meiner dortigen Sommerfrische kam die Frau, die übrigens nichts mit ihrem Bruder Paul gemein hat, zu dem Hause ihres Vaters, wo ich mit diesem auf den großen Steinen vor der Torfahrt saß. Sie hatte eines ihrer Kinder auf dem Arm, bei dessen Entstehung auch nicht die Grazien geholfen, dem sie aber doch mit mütterlichem Behagen das Näschen mit der Schürze schneuzte. – Die Frau stellte sich gerade vor den Alten hin. ‚Vater', sagte sie, ‚'s ist nicht mehr zum Aushalten!'

Der Alte blieb ruhig sitzen, tat einen Zug aus seiner Pfeife und fragte: ‚Wo steckt's denn schon wieder einmal?'

‚Wo es steckt?' rief das Weib; ‚der Kerl ist alle Tage dick und voll!'

‚Sonst nichts?' meinte der Alte. ‚Das haben wir schon allzeit gewußt.'

‚Macht keinen Spaß, Vater; das paßt sich nicht dazu!'

‚Ei was', rief der Bauer, indem er aufstand und ins Haus ging. ‚Du mußt ihn eben schleißen; ich hab's dir vorhergesagt; 's hat alles sein End' in der Welt!'

Ich fiel über diese Worte in einen Abgrund der Betrachtung. Wem denn, als mir selber, lag die Verpflichtung näher, meine eigene werte Person zu schleißen? – Freilich, wenn es vollbracht war, ich konnte keine Hufe dabei gewinnen; wenigstens keine irdische zu zehntausend Talern Steuerwert. Aber dennoch! – Und am Ende, war denn das Körperchen wirklich so übel? Hatte es mir nicht schon einen wesentlichen Dienst geleistet? Ich dachte an die Prügel des armen Paul. Hätte mein Vater mich nicht unzweifelhaft zum Schiffsmaat geprügelt, wenn ich mit solchen Gliedmaßen auf die Welt gekommen wäre?

Als ich aus der Tiefe dieser Schlußfolgerungen auftauchte, sah ich das Weib schon wieder ruhig plaudernd bei einer Nachbarin stehen, und auch der Alte saß wieder, seine Pfeife schmauchend, neben mir. ‚Was simuliert Ihr denn, Herr Brunken?' sagte er, als ich mit der Hand mir die Gedanken aus den Augen wischte.

‚Ich simuliere', erwiderte ich, ‚Vater Werner, man soll sein Leben aus dem Holze schnitzen, das man hat.'

‚Da habt Ihr wacker recht', sagte der Alte und nickte dazu ein paarmal derb mit seinem harten Kopfe. – Und siehst du, Arnold‹, so schloß Freund Brunken seine Erzählung, ›diese gute Lehre, die ich zuletzt noch auf den Weg bekam, habe ich festgehalten; ich würde mich jetzt ohne Gefahr sogar den schönen Augen deines Mühmchens aussetzen können.‹

›Vielleicht um so mehr‹, versetzte ich, ›wenn du erfährst, daß sie inzwischen deinen Freund, den Assessor, geheiratet hat.‹

Er stutzte doch einen Augenblick. ›Ich lasse ihr Glück wünschen‹, sagte er dann, ›möge sie es nie vermissen! Denn, nichts für ungut, dein Herr Vetter gehört denn doch zu jener Sorte – nun, wir kennen sie sattsam; verderben wir uns die gute Stunde nicht!‹

Ich lachte.

›Gehen wir lieber einmal in meine Werkstatt, die du noch nicht gesehen hast‹, fuhr er fort, ›dort kann ich dir auch die Illustration zu meiner Geschichte zeigen.‹

Und so schlenderten wir durch den blühenden Garten nach dem Hause zurück und betraten bald im oberen Stockwerk ein geräumiges Zimmer mit der ganzen Ausstattung eines rüstigen Malerlebens. Als Brunken die grünen Fenstervorhänge zurückgezogen hatte, entwikkelte sich eine reiche Bilderschau; aber er faßte meinen Arm. ›Das nachher‹, sagte er und führte mich vor ein kleines Bild, das seitwärts auf einer Staffelei lehnte.

Es war fast dasselbe wie jene bittere Karikatur seines eigenen Lebens, an der ich ihn einst so eifrig hatte arbeiten sehen; derselbe sonnige Park und im Vordergrunde, aus dem blühenden Rosengebüsch emporsteigend, die Statue der Venus; nur die Stellung der Figuren war eine andere. Das junge Paar, das sich früher mit übermütigem Lachen in dem Laubgange entfernt hatte, sah man jetzt in harmloser Weltvergessenheit zu den Füßen der huldreichen Göttin. Das Mädchen, wie ruhig atmend hingestreckt, lehnte ihr Köpfchen an das Postament, während der jugendliche Kavalier, welcher dem Beschauer jetzt ebenfalls sein Antlitz zeigte, damit beschäftigt war, eine rote Rose in ihrem Haar zu befestigen, die er augenscheinlich eben frisch vom Strauche gebrochen hatte. – Im Hintergrunde des Bildes aber, in bescheidener Ferne, so daß sie nur bei genauerer Betrachtung bemerkt wurde, saß auf einer Bank die Gestalt meines Freundes. Bequem in die Ecke gelehnt, die Krücke seines Stöckleins unterm Kinn, schaute er unverkennbar in heiterer Behaglichkeit den Spielen zu, die bei dem warmen Sonnenschein unseres Herrgotts Geziefer vor ihm in den Lüften aufführten.

›Nun Arnold?‹ fragte Brunken, der während meiner langen Betrachtung des Bildes neben mir gestanden.

Ich drückte ihm die Hand. ›Da ist Friede‹, sagte ich.

›Du siehst‹, versetzte er, ›es galt nur die Kleinigkeit, das liebe Ich aus dem Vorder- in den Hintergrund zu praktizieren. – Ihr großgewachsenen Menschen versteht es freilich nicht, was für Arbeit dem kleinen Kerl die kurze Strecke Wegs gekostet hat.‹

Als ich noch einmal auf das Bild blickte, sah ich auch jetzt wieder eine Ähnlichkeit, aber eine andere als in der ersten Auflage desselben. ›Du bist auch hier meinem Mühmchen untreu geworden‹, sagte ich lachend; ›und wenn vor vier Jahren, da er noch den Laubgang hinabwandelte, der Kavalier sich umgesehen hätte, so würde auch er uns wohl ein anderes Gesicht gezeigt haben.‹

›Hast du mich richtig ertappt, Doktor!‹ rief mein kleiner Freund.

›Paul und Marie!‹ sagte ich leise.

Brunken lächelte. ›Still, Arnold! Du siehst, ich habe noch immer meine Träume. Möge das Leben einst deutlicher reden als das Bild!‹

Noch drei heitere Tage verweilte ich auf der Villa Brunken; dann reiste ich ab und besorgte meine Übersiedlung in diese wohllöbliche Stadt. – In den zwei Jahren, die seitdem verflossen, haben Brunken und ich uns nicht wieder vergessen; nach seinen letzten Briefen muß ich annehmen, daß seine selbstlosen Hoffnungen einer frohen Ernte entgegengehen.«

Der Arzt schwieg, und es trat eine kurze Stille ein. Dann aber rief die Hausfrau: »Doktor, Ihr Freund war ja nicht verheiratet. Wie paßt denn das auf unseren Fall?«

»Glauben Sie«, erwiderte der Doktor, indem er wieder eine Prise nahm, »daß man sich selber leichter schleißt als seine Frau? – Unter Umständen können Sie recht haben.«

Eine Halligfahrt

Einst waren große Eichenwälder an unserer Küste, und so dicht standen in ihnen die Bäume, daß ein Eichhörnchen meilenweit von Ast zu Ast springen konnte, ohne den Boden zu berühren. Es wird erzählt, daß bei Hochzeiten, welche durch den Wald zogen, die Braut ihre Krone habe vom Haupte nehmen müssen, so tief hing das Gezweig herab. In den Tagen des Hochsommers war unablässige Schattenkühle unter diesen Waldesdomen, die damals noch der Eber und der Luchs durchstreiften, indessen oben, nur von den Augen der revierenden Falken gesehen, ein Meer von Sonnenschein auf ihren Wipfeln flutete.

Aber diese Wälder sind längst gefallen; nur mitunter gräbt man aus schwarzen Moorgründen oder aus dem Schlamm der Watten noch eine versteinte Wurzel, die uns Nachlebende ahnen läßt, wie mächtig einst im Kampfe mit den Nordweststürmen jene Laubkronen müssen gerauscht haben. Wenn wir jetzt auf unseren Deichen stehen, so blikken wir in die baumlose Ebene wie in eine Ewigkeit; und mit Recht sagte jene Halligbewohnerin, die von ihrem kleinen Eiland zum erstenmal hierherkam: »Mein Gott, wat is de Welt doch grot; un et gifft ok noch en Holland!«

Und wie erquicklich die Luft auf diesen Deichen weht! Ich komme eben heim; wo hätte ich besser den Sonntagmorgen feiern können!

Schon hatte unten in den Kögen der erste warme Frühlingsregen die unabsehbaren Wiesenlandschaften grün gemacht; schon weideten wieder die unzähligen Rinder auf der Rasendecke, in welcher die Wassergräben zwischen den einzelnen Fennen wie Silberstreifen in der Morgensonne funkelten. Von hüben und drüben, abwechselnd und sich antwortend, in unendlicher Abtönung, erhob sich Gebrüll und klang weit über die Ebene hinaus. Und wie lebendig die Stare waren, diese geflügelten Freunde der Rinder! In lärmendem Zuge kamen sie vom Koge herauf, schwenkten vor mir hin und wieder und fielen dann in dichtem Schwarm auf die Krone des Deiches nieder, um gleich darauf, hurtig um sich pickend, seewärts an der Böschung hinabzuspazieren.

Aber unten entlang dem Strome, der von der Stadt ins Meer hinausführt, schimmerte einladend die neue Strohbestickung, womit zum Schutze gegen die nagende Flut der Saum des Strandes überzogen war. – Wie anmutig es sich auf diesem sauberen Teppich wandelte! – Es war noch in der Morgenfrühe; das traumhafte Gefühl der Jugend überkam mich wieder, als müsse dieser Tag was unaussprechlich Holdes mir entgegenbringen; kommt doch für jeden die Zeit, wo auch die Gespenster des Glückes noch willkommen sind. – Und siehe! – während das Wasser weich, fast lautlos zu meinen Füßen anspielte, plötzlich mit leichten, unhörbaren Schritten ging die Erinnerung neben mir. Sie kam weit her aus der Vergangenheit; aber ihr Haar, das sie kurz in freien Locken trug, war noch so blond wie einst. – Es war deine Gestalt, Susanne, in der sie mir erschien; ich sah wieder dein junges, festumrissenes Gesichtchen, die kleine Hand, die lebhaft in die Ferne zeigte – wie deutlich sah ich es!

Auf einem solchen Teppich an eben diesem Strande schritten wir auch damals nebeneinander. Deine geöffneten Lippen tranken die feuchte erquickende Luft; mitunter, wenn der weiche Südost aufwehte, griff deine Hand nach dem blauen Schleier und legte ihn zurück über das winzige Sommerhütchen. Dann warst du stehengeblieben und horchtest nach oben hinauf; deine jungen neugierigen Augen forschten in der durchsichtigen Luft. »Ich sehe nur eine einzige!« riefst du; »dort steigt sie eben in den Himmel!« Und jetzt vernahm auch ich es; so weit man horchen mochte, zur Höhe wie in der Ferne, der ganze Luftraum schien ein einziges unablässiges Lerchensingen. Die kleinen Sänger selbst aber entschwanden unseren Augen in der blendenden Fülle des Lichtes, das ihn durchströmte. – Und schweigend gingen wir weiter; die Welt war so still und klar, und die Lerchen sangen immerfort; was hätten wir auch reden sollen!

Doch wir waren nicht allein. Die Frau Geheimrätin, Susannens Mutter, ist mir nicht weniger unvergeßlich; sie hatte an der Böschung des Deiches ihr Schnupftuch voll von Champignons gepflückt und wandelte nun wie lauter Erdgeruch an unserer Seite. Es war eine gar stattliche Dame, und selbst die kleinen Ungeheuer der Tiefe, die Seekrabben, schienen ihr den schuldigen Respekt nicht zu verweigern. Sie waren heraufgekrochen, saßen am Rande des Wassers auf der Strohdecke und sonnten sich und drehten ihre knopfartigen Augen; wenn aber das Spiegelbild der Geheimrätin mit der ungeheuren lila Hutschleife über sie hinfiel, klappten sie grimmig mit den Scheren und schossen seitwärts in den Abgrund zurück. – – Nach einer Weile hatten wir ein kleines Schiff bestiegen; »Die Wohlfahrt« hieß es; der Name stand mit goldenen Buchstaben auf dem Spiegel eingegraben. Wir waren alle glücklich an Bord gelangt; nur daß die alte Dame einen zierlichen Schrei ausstieß, als ihre Champignons, die sie den »lieben Schiffer« zu verwahren bat, so ohne Umstände in den offenen Schiffsraum hinabflogen.

Und leise blähten sich die Segel, und leise schwamm das Schiff; man hörte das Wasser vorn am Kiele glucksen. Nach einer Stunde hatten wir die nachbarliche große Insel hinter uns und trieben nun auf der breiten Meeresflut. Eine Möwe schwebte über dem Wasser dicht an uns vorüber; ich sah, wie ihre gelben Augen in die Tiefe bohrten. »Rungholt!« rief der Schiffer, der eben das Segel umgelegt hatte.

Die Geheimrätin, die – ich weiß nicht durch welche Künste – ihren Champignonbeutel wieder in der Hand trug, blickte nach allen Seiten um sich. »Ich sehe nur den uferlosen Ozean!« sagte sie, indem sie ihr Augenglas einschlug und wieder in den Gürtel steckte. Der Schiffer, der mit beiden Armen über Bord lehnte, wandte sein wetterbraunes Gesicht der Dame zu; aber nachdem er sie wie in mitleidiger Verachtung einige Sekunden gemustert hatte, starrte er wieder schweigend ins Meer hinaus.

»Sie müssen dorthin blicken«, sagte ich, »wo nach Senekas Ausspruch alle Erdendinge am sichersten verwahrt sind!«

»Und wo wäre das, mein Lieber?«

»In der Vergangenheit – in diesem sicheren Lande liegt auch Rungholt. Einst zu König Abels Zeiten, und auch später noch, stand es oben im Sonnenlicht mit seinen stattlichen Giebelhäusern, seinen Türmen und Mühlen. Auf allen Meeren schwammen die Schiffe von Rungholt und trugen die Schätze aller Weltteile in die Heimat; wenn die Glocken zur Messe läuteten, füllten sich Markt und Straßen mit blonden Frauen und Mädchen, die in seidenen Gewändern in die Kirche rauschten; zur Zeit der Äquinoktialstürme stiegen die Männer, wenn sie von ihren Gelagen heimkehrten, vorerst noch einmal auf ihre hohen Deiche, hielten die Hände in den Taschen und riefen hohnlachend auf die anbrüllende See hinab: ›Trotz nu, blanke Hans!‹ Aber das rotwangige Heidentum, das hier noch in uns allen spukt –«

»Ich bitte doch, mich freundlich auszunehmen!« schob die Geheimrätin mit etwas strammem Lächeln dazwischen.

Ich verbeugte mich zustimmend. »Es bäumte sich noch einmal auf gegen den blassen aufgedrungenen Christengott; die Männer von Rungholt – so wenigstens haben es die geistlichen Chronisten aufgeschrieben – beriefen eines Tages einen Priester und hießen ihn einer kranken Sau das Abendmahl geben. Da ergrimmte der Herr und ließ wie zu Noä Zeiten seine Wasser steigen; und über die Deiche und Mühlen und Türme schwollen sie; und Rungholt mit seinen blonden Frauen und seinen trotzigen Männern« – und ich wies mit dem Finger rückwärts, wo noch vom Kiel unseres Schiffes das Wasser in der Sonne strudelte –, »dort steht es unten, unsichtbar und verschollen auf dem Boden des Meeres. Nur zuzeiten bei hellem Wetter, wenn in der einsamen Mittagstunde die Wimpel schlaff am Mast herunterhängen und die Schiffer in der Koje schnarchen, dann – wie die Leute sagen – ›dühnt es auf‹. – Wer dann mit wachen Augen über Bord ins Wasser schaut, kann gewahren, wie Türme mit goldenen Gockelhähnen aus der grünen Dämmerung aufsteigen; vielleicht mag er sogar die Dächer der alten Häuser erkennen, und wie zwischen dem Seetang, der sie überstrickt hat, seltsam schwerfälliges Getier umherkriecht, oder zwischen den zackigen Giebeln in die Enge der Gassen hinabschauen, wo Muschelwerk und Bernstein die Tore der Häuser verbaut hat und der nie rastende Flut- und Ebbestrom mit den Schätzen versunkener Schiffe spielt. – Aber auch die Schiffer unter Deck erwachen und richten sich auf, denn unter sich aus der Tiefe hören sie es läuten; das sind die Glocken von Rungholt.«

Susanne war indes herangetreten und hatte mit großen Augen zugehört; aber sie bedurfte für diese Seegeschichte eines sachkundigeren Gewährsmannes.

»Läuten sie wirklich, Schiffer?« fragte sie. »Haben Sie es selbst gehört?«

Das klang so allerliebst, daß auch die Backen der alten Teerjacke sich zu einem Lächeln verzogen; und er spie weit ins Meer hinaus, bevor er antwortete: »Ick hevt min Dag nich hört.«

Und weiter fuhren wir über Rungholt. Aber trotz der kühlen Antwort des Schiffers blickte Susanne noch ein paarmal verstohlen über Bord ins Wasser; begann doch auch jetzt die Mittagseinsamkeit sich brütend auf das Meer zu legen. Und als sie sich von mir ertappt sah, errötete sie nur leicht und lächelte; denn meine Augen mochten es den ihren schon verraten haben, wie gern auch ich an Wunder glaubte.

Vor uns in den Horizont trat jetzt ein grauer Punkt, der sich allmählich in die Breite streckte; und endlich stieg ein grünes Eiland vor uns auf. Eine geflügelte Wache schien es zu umgeben; so weit man an dem Strand entlang sehen konnte, wimmelte es in der Luft von großen weißen Vögeln, welche unablässig wie in stiller Geschäftigkeit durcheinander auf und ab stiegen. Stets in demselben Luftraume beharrend, glichen sie einem ungeheuren schwebenden Gürtel, der das ganze Eiland zu umschließen schien; ihre ausgebreiteten mächtigen Flügel erschienen wie durchsichtiger Marmor gegen den sonnigen Mittagshimmel. – Das war fast wie in einem Märchen; und dazu kam mir in den Sinn: mein Freund Aemil, ein leidenschaftlicher Regattenmann, als er in lauer Sommernacht in seinem Boote hier vorbeigetrieben war, wollte von dorther eine entzückende Musik vernommen haben. Der Mond sei über der stillen Insel gestanden, und während er nach langer Pause heimgerudert, sei in der Nacht und auf dem Meer kein anderer Laut gewesen als diese geisterhaften, allmählich hinter ihm verhallenden Töne.

Aber es war dennoch keine Zauberinsel, sondern eine Hallig des alten Nordfrieslands, das vor einem halben Jahrtausend von der großen Flut in diese Inselbrocken zerrissen wurde; die weißen Vögel waren Silbermöwen, welche dem Strand entlang über ihren Brutplätzen schwebten; *larus argentatus*, von den Naturforschern längst registriert und in ihren Systemen untergebracht. Als wir bald darauf zu Wagen unter ihrem Ringe durchfuhren, sah ich deutlich über unseren Köpfen die funkelnden Augen und die starken, vorn gebogenen Schnäbel. Dabei erklang in kurzen Pausen ein heiseres »Gack! Gack!« ähnlich dem unserer Gänse, nur hastiger und wilder. Susanne drückte ängstlich den Kopf an ihre Mutter; aber unser Fuhrmann klatschte lachend mit der Peitsche, und das lustige Gesindel stob gackernd nach allen Seiten auseinander.

Und dort auf der hohen Werfte, inmitten der öden baumlosen Insel, lag das große HalligHaus mit dem tief hinabreichenden Strohdache, in welchem nun schon seit Jahren »der Vetter«, ein alter trefflicher Junggeselle, sich bei den schweigsamen Bewohnern eingemietet hatte. »Die Räder der Staatsmaschine« – so hatte er mir derzeit seine Übersiedelung angekündigt – »werden mir doch zu indiskret; ich weiß, es gibt Leute, die davon entzückt sind; mich anlangend, so kann ich's nicht ertragen, wenn sie mir fortwährend hinten in die Rockschöße haspeln.« – Und so war er denn mit seiner Bibliothek und seinen allerlei Sammlungen in diese Meereseinsamkeit gezogen, wo er sich seiner Meinung nach außer dem Bereich der verhaßten Maschine befand.

Auf ihn auch war ohne Zweifel jene nächtliche Musik zurückzuführen; denn noch vor einigen Jahren hatte er in der Stadt, in der er damals lebte, für einen großen Geigenspieler gegolten; obgleich er, so lang ich denken konnte, jede Aufforderung zum Spiel mit dem Bemerken ablehnte, daß das vorüber sei. Ich selbst hatte ihn nur einmal, da ich noch im Hause meiner Eltern lebte, spielen hören; dieses eine Mal aber wurde für mich die Ursache wiederholter Täuschungen; denn wenn ich später in den Konzerten weltberühmter Virtuosen saß, so trug ich selten etwas anderes davon als eine traumhafte Sehnsucht nach jenem Spiel des Vetters. Dennoch sollte er während meiner späteren Abwesenheit von der Heimat noch einmal, jedoch nur auf kurze Zeit, seine Geige wieder zur Hand genommen und, wie einstens, alle mit sich fortgerissen haben. Ein Näheres darüber hatte ich nicht erfahren. Für gewöhnlich war der Vetter ein munterer alter Herr, dem man nicht anmerkte, vor welch tiefer Erregung oft diese freundlichen Augen Wache hielten.

Aber schon war unser Wagen am Fuße der Werfte angelangt, und dort oben in der Tür unter dem steinernen Giebel stand er selbst, der kleine schmächtige Mann mit den tiefliegenden Augen und dem vollen weißen Haupthaar. »Willkommen im Ländchen der Freiheit!« rief er, während er eilig herabkam und dem Dienstjungen die Leiter an den Wagen legen half. Und wahrlich frei genug war es hier; außer der Werfte mit dem breit daraufgelagerten Hause schien aus der grünen Inselfläche nichts hervorzuragen als etwa eine zerstreut umherweidende

Schafherde selbst das Gras war so niedrig, daß es kaum den dazwischen umherkletternden langbeinigen Schnaken ein Hindernis in den Weg legte.

Sein Wohnzimmer hatte sich der Vetter in dem größten Raume des Hauses, den sogenannten Pesel, eingerichtet. Schränke mit Büchern, mit Konchylien und anderen Sammlungen, Karten und Kupferstiche nach Claude Lorrain und Ruisdael bedeckten die übrigens weißgetünchten Wände. Von dem Aufsatze des Schreibtisches schaute neben einer Statuette der Venus mit dem Delphin, die von einem Korallenbaume aus den Südseeinseln gleichsam überschattet war, das markige Antlitz Beethovens in der bekannten Kolossalbüste auf uns herab.

Als wir in die Tür traten, flog uns ein kleiner Vogel entgegen, flatterte einen Augenblick wie zweifelnd hin und her und setzte sich dann auf die Hand seines Herrn, mit dem lebhaft bewegten Köpfchen zu ihm aufblickend. »Nur ein Sperling!« sagte der Vetter lächelnd und den verwunderten Blick der alten Dame beantwortend; »Sie wissen, der Sperling gleicht dem Menschen; an sich ist er ohne Wert, aber er trägt die Möglichkeit zu allem Großen in sich. Der Bursche hier und ich, wir leben trefflich miteinander.« – Auf seinen Wink flog der Vogel wieder fort und ließ sich auf einen Ast des Korallenbaumes zu Häupten der schaumgeborenen Göttin nieder, als warte er wie einst darauf, mit lustigen Genossen vor ihren Wagen gespannt zu werden, um sie über das blaue griechische Meer in den Schatten ihrer heiligen Haine zu tragen. Wir aber schlürften bald aus zierlichen Tassen den Trank der modernen Welt; ich meine nicht den Kaffee, sondern den Tee, den wir Küstenbewohner auch an einem heißen Hochsommervormittage nicht verschmähen.

Durch die Fenster, welche in der Front des Hauses gegen Süden lagen, sah man auf die grüne Fläche der Hallig und fern am Strand die Brandung, welche silbern in der Sonne schimmerte. Unser Schiff war von hier aus nicht zu sehen; aber dort zu Westen starrte der Mast eines anderen kleinen Fahrzeuges in die Luft; es war vor kurzem hier gestrandet und jetzt Eigentum der Halligleute. – Was überhaupt war hier nicht Strandgut! Der große schwarze Hund, der jetzt im Hause umherlief, nicht weniger als der edle Alicante, den wir späterhin bei Tische tranken. Und wie stand es um die Bibliothek des Vetters? –

Meinem angeborenen Triebe folgend, hatte ich die Bücherschränke durchstöbert und blätterte eben in einem abgegriffenen Exemplar des »Hesperus«, als eine kleine Hand sich leise auf das erste weiße Blatt des Buches legte. Der Name »Emma« stand hier eingeschrieben und ein Kreuz darunter.

Noch höre ich den Laut unschuldiger Teilnahme, den Susanne bei diesem Anblick ausstieß. »Wer war das, Onkel?« rief sie. »Hast du sie gekannt?«

»Gekannt, mein Kind?« wiederholte der Alte und strich mit dem Finger über eine Bücherreihe. »Das ist auch Strandgut; fast alles Antiquaria! Die einstigen Besitzer sind gescheitert oder zugrunde gegangen; ihre Bücher sind in alle Welt getrieben, von geschäftigen Leuten aufgefischt und verkauft; und nun stehen sie hier eine Weile, bis auch ihren jetzigen Besitzer das gleiche Los ereilt. – Aber freilich, dennoch kenne ich diese Emma, wenn sie auch schwerlich davon weiß, daß ich ihre posthume Bekanntschaft gemacht habe.«

Susanne blickte gespannt in die immer lebhafter mitredenden Augen des Vetters.

»Siehst du!« fuhr er fort – und er nahm mir das Buch aus der Hand und schlug einige Seiten darin auf – »hier steht es deutlich: sie liebte, litt und starb. Diese kurze Geschichte erzählen mir hier die Bleistiftstriche unter ihren Lieblingsstellen, das vertrocknete Vergißmeinnicht, dazu das Kreuz. Auch eine alte Jungfer ist sie gewesen und häßlich genug, daß ihre schönen Augen niemandem haben gefallen wollen; auch dem einen nicht, der nie daran gedacht hat, wie glücklich er sie an jenem Frühlingstage machte, als er die welke Blume so gedankenlos ihr gab, wie er sie vorhin gedankenlos gebrochen hatte. Ein Gesichtchen wie das deine wird das nie verstehen; aber« – und er blickte halb schmerzlich, halb in zärtlicher Bewunderung in das schöne Antlitz des jungen Mädchens – »nicht wahr, durch dich soll niemand Leid erfahren?«

Susanne öffnete die Lippen, als wolle sie eine Frage tun; aber der Vetter strich sanft mit der Hand über ihr blondes Haar; dann wandte er sich ab und setzte mit fast zarter Sorgsamkeit das Buch an seinen Ort. Er mag wohl gefühlt haben, daß ich das bemerkte; denn er sagte lächelnd: »Nun, nun! da ist nicht bloß der Hesperus, da ist auch noch ein armes treues Menschenherz darin.«

Zufällig sah ich in diesem Augenblicke unter dem Bücherschranke den mir von früher wohlbekannten schwarzen Geigenkasten. Was war nach solchen Gesprächen natürlicher, als daß ich den alten Herrn an jene Melodie aus meiner Knabenzeit erinnerte und in ihn drang, sie mich jetzt noch einmal hören zu lassen. – Aber er schien fast erschrocken. »Nein, nein, mein Junge!« sagte er, den Kasten hastig in die äußerste Ecke schiebend. »Siehst du denn nicht, daß das ein Särglein ist? Man soll die Toten ruhen lassen.«

Und so war denn weiter von dem Geigenspielen nicht die Rede.

Nicht zu leugnen stand übrigens, daß die äußerst zarte Organisation des Vetters im Anstoß mit den Außendingen ihn zu einem für Durchschnittsmenschen ziemlich seltsamen Kauz gemacht hatte. Auch verfehlte er nicht, die Frau Geheimrätin, welche ein seltenes Geschick hatte, ihn an seinen heikeln Stellen zu berühren, im Laufe dieses Tages mehr als einmal gründlich in Verwunderung zu setzen.

Die gute Dame konnte es nicht verwinden, daß er, »der hochgebildete Mann«, die feine Gesellschaft seines früheren Wohnorts mit dieser nur von Halligleuten und einem zahmen Sperling bevölkerten Einöde vertauscht habe, und nahm dies Thema stets von neuem wieder auf. – Die kleine Szene, welche zwischen den beiden alten Herrschaften hieraus entsprang, werde ich nie vergessen.

»Frau Cousine!« sagte der Vetter mit großem Nachdruck, indem er eine schon erfaßte Apfelsine in die Kristallschale zurückfallen ließ – denn wir saßen nach beendigter Mittagstafel eben noch am Nachtisch – »wenn in Novembernächten der Sturm hier unser Haus gepackt hat, daß wir aufgeschüttelt aus den Betten springen – wenn wir dann durchs Fenster in Augenblicken, wo eben die Wolken am Mond vorübergejagt sind, das Meer, aber das vom Sturm gepeitschte Meer hier unten am Fuße unserer Werfte sehen, die allein noch hervorragt aus den schäumenden, tobenden Wasserbergen – Sie glauben nicht, Frau Cousine, wie erquicklich es ist, sich einmal in einer anderen Gewalt zu fühlen als in der unserer kleinen regierungslustigen Mitkreaturen!«

Ich mag wohl stumm dazu genickt haben, denn ich wüßte auch jetzt noch nichts Erkleckliches dagegen einzuwenden; die Frau Cousine aber wollte das allerdings nicht glauben, sondern fuhr fort, heftig für das feste Land und dessen gute Gesellschaft zu plädieren.

Eine Weile hörte der alte Herr geduldig zu; dann aber begann es schalkhaft um seinen noch immer schönen Mund zu zucken.

»So will ich's offen denn bekennen«, sagte er; »die Exzellenzen und die Geheimen Ober-Gott-weiß-was-Räte begannen sich die letzte Zeit in unserer guten Stadt auf eine für mich äußerst beunruhigende Weise zu vermehren.«

Ich sah das herablassendste Lächeln in dem Antlitz der alten Dame aufsteigen.

»Aber, mein Gott, was taten Ihnen denn –?«

»Mir, Frau Cousine? Ich dächte doch; sie gingen überall dort in der Sonne, wo eben mir zu gehen beliebte. Es sind das aber, solange sie noch in ihren Drähten hängen, oftmals ganz verruchte Figuren, und man muß ihnen ausbiegen, damit man keine Schläge von ihren hölzernen Armen bekommt.«

Die Geheimrätin wurde unruhig.

»Aber, lieber Herr Vetter, mein seliger Mann –«

»Gewiß, gewiß, Frau Cousine!« Und der Vetter legte beschwichtigend seine Hand auf ihren Arm. »Ich kenne eine ganze Blumenlese davon, die alle einen unheimlichen Anstrich mit sich herumtragen; diese Kerle – ich wette! – wischt man ihnen die Staatskalendernummer von der Stirn, so sitzen sie da wie ausgeblasene Hülsen; und ich sehe schon, wie ihnen die Augen verglasen, während das bißchen Akten- und Rangklassenbewußtsein daraus verdunstet.«

»Aber, Herr Vetter!« Und die Geheimrätin benutzte eine augenblickliche Pause; »mein trefflicher seliger Mann –«

Und der Vetter legte wieder beschwichtigend seine Hand auf ihren Arm.

»Gewiß, gewiß, Cousine! Und damit ich niemandem unrecht tue, es gibt auch recht charmante Leute unter ihnen!«

Und sich plötzlich zu mir wendend, begann er immer schneller und heftiger zu reden, bis er zuletzt einige unleugbar handgreifliche Worte niederzuschlucken sich ehrlich, aber vergebens bemühte.

Die Geheimrätin hatte resigniert die Hände gefaltet und sagte gar nichts mehr; der Vetter aber war aufgesprungen, mit erhitztem Gesicht riß er die Stubentür auf und rief: »Mantje, ein Glas Wasser!«

Bevor aber Mantje noch erscheinen konnte, rannte er selber hintennach.

Die alte Dame schien allmählich aufzuatmen.

»Ein angenehmer Mann, der Vetter«, sagte sie hüstelnd, »indes, ich sehe ihn doch am liebsten hier auf seiner Insel.«

Aber schon trat er selber wieder in die Stube.

»Ich habe unziemlicherweise die Tafel abgebrochen«, sagte er entschuldigend; »Sie wissen ja: Herz schon so alt und noch immer nicht klug! – Lassen Sie uns nach Landesbrauch nun Martje Flors Gesundheit trinken!« Er füllte die Gläser und erhob das seine. »Frau Cousine! Susanne! Mein lieber Junge! Auf daß es uns wohl gehe in unseren alten Tagen!«

Und wir tranken, wie das diesem ernstesten aller Trinksprüche eigen zu sein scheint, schweigend und schüttelten uns die Hände.

Die Geschichte aber, welche demselben zugrunde liegt, verdient es, auch in weiteren Kreisen erzählt zu werden. Als nämlich Tönning, die größte Stadt der Landschaft Eiderstedt, einst von den Schweden belagert wurde, hatte eine Gesellschaft feindlicher Offiziere in dem benachbarten Kathrinenherd Quartier genommen und trieb dort arge Wirtschaft; sie ließen sich Wein auftragen, zechten und lärmten, als seien sie die Herren hier. Martje Flor, die zehnjährige Tochter des Hauses, stand dabei und sah unwillig dem Gelage zu, denn sie gedachte ihrer Eltern, die das unter ihrem Dache dulden mußten. Da reichte einer der Trinker ihr ein volles Glas und rief, was sie so trübselig dastehe, sie solle lieber auch eine Gesundheit ausbringen! Und Martje trat mit ihrem Glase an den Tisch, wo die feindlichen Kriegsleute saßen, und sprach: »Dat et uns wull ga up unse ole Dage!« – Und auf dieses Wort des Kindes wurde es still. Seitdem versteht es jeder bei uns zu Hause, wenn am Schlusse des Mahles der Wirt es seinen Gästen zubringt: »Und nun noch – Martje Flors!«

Als wir nach aufgehobener Tafel vor die Haustür traten, führte uns der Vetter unter bedeutungsvollem Schweigen am Hause entlang bis an die südwestliche Ecke desselben. Hier stieß er ein unter herabhängendem Holunder fast verborgenes Pförtchen auf: und wie in ein Wunder blickten wir in einen großen baumreichen Garten hinab, den an diesem Orte, bei der rings umgebenden Öde, wohl niemand hätte vermuten können. – Drunten, von der Insel aus dem Auge ganz verborgen, lag er in einer kesselförmigen Vertiefung der Werfte, an deren schräg abfallenden Wänden sich zwischen verschiedenartigen Obstbäumen eine Reihe üppiger Gemüsebeete entlang zog.

Von unten aus dem Grunde blinkte ein kleiner Teich, ringsum von einem hohen Ligusterzaun umschlossen. Auf dem daran entlang führenden Steige erschien eben, vom Hause hinabspazierend, eine weiße Katze; aber sie verschwand gleich darauf unter dem Schatten der Obstbäume, welche vom Garten aus ihr dichtes Gezweig über den Steig hinüberstreckten. Die blanken Blätter glänzten in dem sattesten Grün, als seien sie nie von einem gefräßigen Insekt berührt worden; nur freilich, wo die Kronen der Bäume den oberen Gartenrand erreichten, waren sie sämtlich wie mit der Zaunschere abgeschoren, was nach des Vetters Erläuterung von dem Nordwestwinde ohne jegliche Bestellung ausgeführt wurde.

Die Aufmerksamkeit unserer »Maman« war durch eine Pumpe erregt worden, welche unweit des Eingangs in dem kleinen Teiche stand; und während der alte Herr, unter lebhaften Schlägen mit dem Schwengel, ihr die Speisung und Bedeutung dieses Süßwasserbehälters der Insel zu erklären begann, gingen Susanne und ich in das trauliche Gartennest hinab, wo der Sonnenschein wie eingefangen auf dem grünen Laube schlief. Wir schritten langsam der weißen Katze nach und verschwanden gleich ihr unter dem dichten Laube der Apfelbäume, das fast Susannens goldklares Haar berührte; um uns her schwamm der Duft von Federnelken und Rosen, die oben zwischen den Gemüsebeeten blühten. Unmerklich, wenn mich die Erinnerung nicht täuscht, waren wir in jenen träumerischen Zustand geraten, von dem in der Sommerstille, inmitten der webenden Natur, so leicht ein junges Paar beschlichen wird: sie schweigen, und sie meinen fast zu reden; aber es ist nur das Getön des unsichtbar in Laub und Luft verbreiteten Lebens, nur das Hauchen der Sommerwinde, die den Staub der Blüten zueinander tragen. Ich glaube, wir saßen auf einer keinen Holzbank und blickten – wer weiß, wie lange schon! – durch die Lücken des Zauns auf das unten schimmernde Wasser, als plötzlich die akzentuierte Stimme der Geheimrätin mich auf die Oberfläche des Lebens zurückrief; und gleich darauf erschien auch der alte Herr und trieb uns mit munteren Worten zum Kaffee in das Haus.

Aber ich stahl mich bald davon, um mir nach meiner Weise allein und ungestört die verschiedenen Räume des großen, ganz im Viereck gebauten Hauses anzusehen.

Eine Weile stand ich in einer Art von Zimmerwerkstatt und plauderte mit dem Sohne des Hauses, der, gleich Robinson, alle Hantierungen vom Robbenjäger bis zum Zimmermann in sich vereinigte und augenblicklich in letzter Eigenschaft an den Blöcken eines Segelboots arbeitete, das von einer Nachbarinsel aus bei ihm bestellt war.

Von hier gelangte ich in einen langen, ziemlich düstern Stall. Er war leer, da das Vieh draußen auf der Hallig weidete; nur die weiße Katze saß jetzt hier auf der Krippe, und einige Hühner liefen gackelnd durch das Mauerloch aus und ein; an den Wänden sah ich hie und da ein Seehundsfell zum Trocknen angenagelt.

Zu Ende des Stalles, im rechten Winkel daranstoßend, noch stiller und noch mehr in Dämmerung, lag die Scheune; und dort in ihrer Mitte stand das neue Boot, noch duftend von dem Harz des Waldes, von keiner Welle noch berührt. Wie selbstverständlich stieg ich ein; ich setzte mich auf die Ruderbank und dachte an den Vetter, weshalb er denn vorhin sein Geigenspiel vor uns verleugnet habe.

Es war völlig einsam hier. Die kleinen, überdies mit Spinngewebe überzogenen Fenster lagen so hoch, daß sie keinen Ausblick zuließen. Vom Hause her vernahm ich keinen Laut; aber draußen um die Mauern, obgleich gegen Mittag der Wind sich fast gänzlich gelegt hatte, ertönte eine Art von Luftmusik, die mich die großen Register ahnen ließ, mit denen hier um Allerheiligen der Sturm sein Weltmeerkonzert in Szene zu setzen pflegt. Nach einer Weile mischten sich leichte Schritte, die durch den Stall daherkamen, in dieses Tönen der Luft, und als ich aufblickte, stand Susanne in der Tür, ihr Hütchen am Bande hin und her schwenkend.

»Weshalb sind Sie denn fortgelaufen?« rief sie, indem sie trotzig den Kopf zurückwarf. »Mama sitzt drinnen vor einer Seekarte, und Onkel hat ein großes Teleskop am offenen Fenster aufgestellt. Ich mag aber nicht durch Teleskope sehen.«

»So gehen Sie bei mir an Bord!« erwiderte ich, auf meiner Ruderbank zur Seite rückend, »es ist ein neues, sicheres Fahrzeug.«

»In dieses Boot soll ich steigen? Weshalb? Es ist so düster hier.«

»Hören Sie nur, wie die zarten Geister musizieren!«

Sie horchte einen Augenblick, dann kam sie näher und hatte schon ihr Füßchen auf den Rand des Bootes gesetzt.

»Nun, was zögern Sie, Susanne? Haben Sie kein Vertrauen zu meiner Steuerkunst?«

Sie sah mich an; es war etwas von dem blauen Strahl eines Edelsteins in diesem Blicke, und es überfiel mich, ob mir nicht doch von diesen Augen Leids geschehen könne. Ich mag sie dabei wohl seltsam angestarrt haben; denn, als wandle eine Furcht sie an, zog sie langsam ihren Fuß zurück.

»Wir wollen lieber an den Strand hinab!« sagte sie leise. »Ich möchte noch die Nester der Silbermöwen sehen!«

So verließ ich denn mein gutes Fahrzeug, und wir traten aus dem Hause, wo die Tageshelle fast blendend in unsere Augen strömte. – Ohne von den alten Herrschaften etwas wahrzunehmen, gingen wir die Werfte hinab und über die Hallig nach dem Strande zu. Ein Stengel duftenden Seewermuts, eine violette Strandnelke wurde im Vorbeigehen mitgenommen, sonst war hier nichts, das unsere Aufmerksamkeit hätte erregen können. An manchem der oft tiefen Gerinne, womit, wie mit einem Gewebe, die ganze Hallig überzogen war, mußten wir auf und ab wandern, bevor wir eine Stelle zum Hinüberspringen fanden. Aber Susanne hatte die Mädchenturnschule durchgemacht, und an ihren Schultern waren die unsichtbaren Flügel der Jugend; ich hörte deutlich ihr melodisches Rauschen, wenn der kleine Fuß zum Sprunge ansetzte und wenn sie dann so rasch hinüberflog.

Ein leichter Wind hatte sich aufgemacht, als wir den Strand erreichten. Das Meer, das bei der eingetretenen Flut nur etwa einen Büchsenschuß von dem grünen Lande entfernt war, lag jetzt wie fließendes Silber vor den schräg fallenden Strahlen der Nachmittagssonne; bis weit hinaus um den Strand der Insel hörte man das Getöse der Brandung. In der Luft war noch immer, wie am Vormittage, das Steigen und Sinken der großen Silbermöwen, nur daß jetzt, da kein Licht von oben durchschien, das schneeige Weiß ihrer Flügel sich noch mehr gegen den blauen Himmel abhob. Auch kleinere schwarze Vögel mit storchartigem Schnabel sahen wir, die wie mit hellem Kriegsschrei durch das Gewimmel der großen Möwen hin und her schossen.

Und jetzt ließ Susanne einen Ruf des Entzückens hören; in einem Tangbüschel, umgeben von einem rötlichen Kranze zermalmter Schaltiere, lagen zwei der großen graugrünen Eier; sechs Schritt weiter wieder zwei; und dort, etwas seitwärts, schimmerten gar drei von den kleineren Eiern des schwarzen Austerfischers. Die meisten lagen auf dem bloßen Sande; denn, wie der Vetter sagte, »diese Kreaturen machen wenig Umstände mit ihrer Häuslichkeit«. Die Vögel gackerten und schrien; Susanne aber, unbekümmert und mit vor Neugier leuchtenden Augen, schritt immer weiter hinaus, von Nest zu Nest.

Ich hatte mich gegen das Meer hin auf den Rand des Ufers gesetzt. Eine Weile blickte ich Susannen nach; wohin dann meine Gedanken gingen, hätte ich wohl selber kaum zu sagen gewußt, meine Augen aber buchstabierten immer wieder an dem Spiegel unseres unweit auf dem Wasser schaukelnden Schiffes den mir längst bekannten Namen »Die Wohlfahrt«, dessen goldene Buchstaben in der Sonne zu mir herüberglänzten. Das Anrauschen des Meeres, das sanfte Wehen des Windes – es ist seltsam, wie das uns träumen macht.

Als ich aufstand, war von Susanne nichts zu sehen. Ich ging eine Strecke an dem Ufer hin, während über mir die Möwen gleich ungeheuren Schneeflocken in der Luft tanzten. Ich rief, ich sang – keine Antwort. Endlich dort, weitab in einer Bodensenkung, sah ich sie im Sande knien. In der scharfen Beleuchtung der schon abendlichen Sonne gewahrte ich eins der großen Eier in ihrer Hand; sie hielt regungslos das Ohr daraufgeneigt, als wolle sie das keimende Leben belauschen, das darin verschlossen war. Ihr zu Häupten aber schwebten zwei der mächtigen Vögel, die sich aus der langen Kette losgelöst hatten; sie stießen ihre heiseren Töne aus und schlugen wie zornig mit den weißen Flügeln. Unwillkürlich blieb ich stehen; so wild und doch so anmutvoll war dieses Bild. Die kniende Gestalt des Mädchens regte sich noch immer nicht. Da schoß eins der erzürnten Tiere so jäh auf sie herab, als hätte es mit seinem Schnabel ihre Locken packen müssen.

Susanne stieß einen lauten Schrei aus, daß selbst die Vögel erschreckt zur Seite stoben; dann schleuderte sie das Ei weit von sich, und wie vorhin über die kleinen Abgründe, flog sie auf mich zu und schlang beide Arme um meinen Hals. – –

»Nur ein Hauch darf beben,
Blitzen nur ein Blick;
Und die Engel weben
Fertig ein Geschick.«

So sagt ein Dichterwort. – Aber dieser Hauch bebt oft auch nicht. – Ich war ein junger Advokat und längst von wohlmeinender Seite mir bedeutet worden, wenn ich in meinem Berufe »prosperieren« wolle, so müsse ich nicht nur meinen grauen Heckerhut beiseitelegen, sondern mir auch den Schnurrbart abrasieren. Beides hatte ich unterlassen; bisher leichtsinnig und wohlgemut, jetzt aber fiel es mir zentnerschwer aufs Herz, und seltsam, während die Brandung eintönig vor meinen Ohren rauschte und der blonde Mädchenkopf noch immer an meiner Schulter ruhte, konnte ich meine Gedanken zu nichts Besserem bewegen, als sich gegen diese Tyrannei der öffentlichen Meinung immer von neuem in Schlachtordnung aufzustellen; ja, der Heckerhut und der Schnurrbart selbst begannen zuletzt wie zwei feindliche Gespenster gegen mich aufzustehen.

»Susanne«, sagte ich endlich resigniert, »wir werden heimgehen müssen, es wird schon spät.«

Es ist dies jedenfalls recht ungeschickt gewesen; denn ich weiß noch gar wohl, wie Susanne mich erschrocken von sich stieß und dann, bis unter ihr lockicht Stirnhaar errötend, wie hilflos vor mir stehenblieb. Und ohne Zweifel war es nicht eben viel geschickter, als ich, um das wieder gutzumachen, ihre beiden Hände ergriff und tröstend zu ihr sagte: »Ich weiß wohl, daß es nur die wilden Vögel waren.«

Aber wie auch immer – da wir nun zurückgingen, es war doch anders als vorhin; sie hatte sich nun einmal doch in meinen Schutz begeben. Noch oft, wenn über uns ein Vogelschrei ertönte, warf sie hastig das Köpfchen herum, ob auch die geflügelten Feinde hinterdreinkämen, um ihre zerstörte Brut zu rächen; und wenn wir dann an ein Gerinne kamen, so reichte sie wie selbstverständlich mir die Hand, und es war unverkennbar, daß wir nun zusammenflogen.

Als wir auf der Werfte anlangten, stand der Vetter in der Tür.

»Susanne, mein liebes Kind«, sagte er mit einem seltsam geheimnisvollen Wesen, »deine Mutter ist drinnen im Zimmer; ich möchte ein Wort mit unserem jungen Freunde reden.«

Somit faßte er mich unter den Arm und führte mich um das Haus bis an die hintere Seite desselben. Hier machte er halt und sah mir lange und zärtlich in die Augen.

»Mein Herzensjunge!« sagte er dann, »jetzt weiß ich's ja, weshalb du vorhin das alte Liebeslied von mir verlangtest, denn ich will's dir nur gestehen, daß es ein solches war, und zwar ein echtes. Da es dich die langen Jahre und bis zu diesem Ziele begleitet hat« – der Vetter hielt einen Augenblick inne –, »wenn du mich demnächst selbander besuchen wirst, ich glaube wohl, daß ich die Melodie noch wiederfinde.«

Was sollte ich auf so verfängliche Reden antworten!

»Ich verstehe Sie nicht, lieber Vetter!« sagte ich.

»Du verstehst mich nicht?«

Ich mußte wiederholt diese Versicherung geben; dann aber kam es heraus.

Vom Zimmer aus hatte der Vetter sein Teleskop auf immer neue Inseln und Halligen gerichtet, und die Geheimrätin hatte immer treu hindurchgesehen, »bis wir«, fuhr er fort, »zuletzt auch unseren eigenen Strand und als Staffage dich und Susanne vor unser Glas bekamen. Die Frau Cousine blickte mit ganz mütterlichem Stolze auf euch beide hin, auf einmal aber springt sie mit einem ›O mein Himmel!‹ in die Stube zurück. ›Vetter‹, ruft sie, ›ich verstehe die Situation nicht!‹ und schiebt dann mit großer Hast mich selber vor das Teleskop. Und wie nun ich hindurchsehe – ›Erstaunlich!‹ rufe auch ich, ›aber doch nicht völlig unverständlich!‹ und ›Meinen herzlichen Glückwunsch Frau Cousine!‹ Denn, leugne es nur nicht, Vetter! du hieltest sie richtig in deinen Armen, und ich sage nur: Halte fest, mein Junge, halte fest! Denn dieses Kind ist Gott und den Menschen ein Wohlgefallen!«

Das Gesicht des alten Herrn strahlte vor Freude, und mir selbst begann das Herz sehr laut zu klopfen. Aber was half das alles!

»Es tut mir leid«, sagte ich, »aber bestellen Sie den Glückwunsch nur wieder ab; denn es ist nichts, Vetter!«

»Nichts?«

»Nein, nichts!«

Und ich erzählte ihm nun, daß es nur die großen Vögel gewesen seien.

»Erstaunlich!« Er sah mich eine Weile zweifelnd an; dann, wie plötzlich entschlossen, drückte er mir kräftig die Hand und sagte: »Mein Herzensjunge, ich glaube, nun verstehst du die Situation nicht.«

Ob inzwischen auch Susanne ihre Mutter in dieser Weise aufgeklärt hatte, weiß ich nicht; ich bemerkte, da wir ins Zimmer traten, nur ein noch etwas feierlicheres Wesen an der alten Dame, als ihr sonst zu eigen war.

Nicht lange nachher kam die Zeit des Abschieds. Die Damen fuhren; ich, in Begleitung des Vetters, ging zu Fuß an den Strand hinab. Als der Wagen uns schon fast erreicht hatte, ergriff der Alte noch einmal meinen Arm und führte mich ein Stückchen an dem Wasser hin.

»Also es ist wirklich nichts, mein Junge?«

»Wirklich nichts, Vetter!«

Er sah mich traurig an.

»Nun, so komm zu mir auf meine Hallig; wir lassen zu Ostern drei Fach für dich anbauen; überleg' dir's wohl!«

Und er drückte kräftig meine beiden Hände.

Dann gingen wir zu Schiffe. Als wir schon weit vom Lande auf dem tiefen Wasser schwammen, sahen wir noch lange den Vetter, wie er grüßend seine Mütze schwenkte und wie die Abendsonne auf seine weißen Haare schien.

Nach Sonnenuntergang drehte sich der Wind; eine sanfte Brise wehte aus Südwest; vor uns aus dem dunklen Wasser stieg der Mond und erhellte mit seinem sanften Licht das Meer. Die Geheimrätin hatte ihren Atlasmantel mit Silberfuchs umgetan und der Kühle wegen sich unten in dem offenen Schiffsraum eingerichtet. Susanne, in weiche Tücher eingehüllt, lehnte neben mir an der Schanzkleidung; ihr Antlitz erschien fast blaß in der nächtlichen Beleuchtung.

Einmal aus der Ferne drang das Winseln eines Tieres über das Wasser zu uns her, und die Schiffer sagten, daß es ein junger Seehund sei, der seine Mutter suche. Dann war es wieder still, und nur die Wellen an unserem Schiffe rauschten. Wir aber standen noch immer und blickten über das Meer hinaus. Wohin in dieser leeren Weltenferne unsere Blicke gingen, wer vermöchte das zu sagen! Ob etwa auch Susanne noch an die wilden Vögel dachte? Sie verriet mir nichts davon, und ich habe es auch später nicht erfahren. Ebenso unsicher bin ich, ob der Klabautermann an Bord gewesen ist. Einmal, da ich den Kopf wandte, war mir zwar, als ob dort am Bugspriet unter dem Klüversegel sich etwas wie Nebel zusammenkaure, allein ich achtete nicht darauf. Zwei junge Augen, die sich, still wie diese Nacht, mitunter zu mir wandten, waren ein holderes Geheimnis. Wohl aber fühlte ich, daß Geister mit uns fuhren, denen selbst die Nähe der Geheimrätin kein Gegengewicht zu leisten vermochte.

Als wir dann endlich wieder auf unserem Deiche nach der Stadt zurückkehrten, sang über dem dämmernden Kog unsichtbar noch eine Lerche. Zur anderen Seite stand der Mond und warf gelblich blinkende Lichter auf den von der eintretenden Ebbe bloßgelegten Schlamm.

Es gibt Tage, die den Rosen gleichen: sie duften und leuchten, und alles ist vorüber; es folgt ihnen keine Frucht, aber auch keine Enttäuschung, keine von Tag zu Tag mitschreitende Sorge. – Ich habe meinen Hut und meinen Schnurrbart beibehalten, bis endlich beide zur allgemeinen Mode wurden und darin verschwanden. Es ist mir anderseits verhüllt geblieben, ob etwa im Verlaufe des Lebens der Blick jener blauen Augen neben dem Strahl des Edelsteins nicht auch die Härte desselben angenommen hat. Der Tag auf des Vetters Hallig und mitten darin Susannens süße jugendliche Gestalt steht mir, wie Rungholt, wohlverwahrt in dem sicheren Lande der Vergangenheit.

Noch einmal, einige Jahre später, habe ich den Vetter auf seiner Hallig besucht; freilich nicht selbander, wie er derzeit es so herzlich mit mir im Sinne hatte. Sein Geist schien noch rüstig, aber mit seinem Körper ruhte er doch am liebsten am Fenster in dem weichen Lehnstuhl und ließ statt seiner Füße nur die Augen über die Hallig nach dem Strande wandern. Als ich hier ihm gegenübersaß, sah ich draußen aus dem blauen Himmel zwei jener weißen Möwen gegen das Haus fliegen. Auf halber Höhe der Werste ließen sie sich nieder, und der Vetter öffnete das Fenster und warf ihnen Brot- und Fleischschnitte zu, die er neben sich auf der Fensterbank für sie in Bereitschaft hatte. »Früher kam ich zu ihnen«, sagte er, »nun müssen sie schon zu mir kommen.« – –

Jetzt suchen sie vergebens ihren Freund. Zwar ist er auf seiner Hallig geblieben, aber aus dem Hause hat man ihn hinausgetragen; die grüne Rasendecke liegt schützend über ihm. Er hat es gewagt, sich hier zur Ruhe zu begeben; wohl wissend, daß der Sturm die Flut zu seinem Grabe treiben, daß die Flut es aufwühlen und ihn in seinem schmalen Ruhebette auf das weite Meer hinaustragen könne. Aber wie hätte er jene großen Mächte fürchten sollen, in deren Schutz er sich so gern gesichert glaubte!

Mir hatte der treffliche Mann außer seiner Bibliothek und seinem handschriftlichen Nachlasse auch seine Cremoneser Geige vermacht, welche ich zufolge testamentarischer Anordnung, obgleich des Geigenspiels ganz unkundig, weder verschenken noch verkaufen, sondern nur vererben darf. So liegt sie denn jetzt unberührt bei anderen Gedächtnisstücken. Unter den Papieren aber finden sich einige kurze Aufzeichnungen von der Hand des Verstorbenen, welche vermuten lassen, daß derzeit bei seiner Flucht aus der Welt noch ein besonderer Hebel mitgewirkt habe. Auch die Zeit stimmt hiermit überein, denn nach dem beigefügten Datum stammen sie sämtlich aus den letzten Jahren vor seinem Halligleben. Er wohnte damals noch in seinem eigenen Hause, das dicht neben der Stadt in einem baumreichen Garten gelegen war. Aus seinem Wohnzimmer, welches sich im oberen Stock befand, sah man durch einige davorstehende Lindenbäume über ein paar grüne Felder auf die Heide, die sich damals noch weit nach Westen hinauszog. Ich weiß noch wohl – denn ich habe dort oft bei ihm gesessen –, wie sehr er diesen Ausblick liebte. Die Heide war ihm ein vertrauter Ort; nicht nur daß er sie unablässig für seine entomologischen und botanischen Studien durchforschte, sondern er fand dort auch, wie er sich ausdrückte, »die nötige Erholung von dem Menschenleben«.

An diesem Fenster sitzend, muß ich mir ihn denken, als er jene Zeilen niederschrieb, die jetzt in seiner kleinen, aber deutlichen Handschrift vor mir liegen.

Sie lauten also:

Wie gut es sich hier in den Oktobernachmittag hinausschaut! So golden scheint noch die Sonne; doch lösen sich unter ihrem Strahle schon die Blätter und sinken lautlos auf den feuchten Rasen; immer sichtbarer werden die nackten Äste. Von drunten aus den Holunderbüschen klang ein Drosselschlag; nach einer Weile rief es noch einmal aus der Ferne – es nimmt alles Abschied.

Die lichtgraue Dämmerung des Herbstabends hat sich verbreitet, Haus und Garten liegen schon im Schatten, hinter der Heide ist die Sonne hinabgegangen. Nur ganz fern am Himmel, dort, wohin wie Schatten jetzt die Vögel fliegen, ist noch eine leuchtende Wolkenschicht gebreitet. Sie steht über einem Lande jenseits des Horizonts, den meine Augen noch erreichen können. Aber auch dort wird bald der goldene Tag erlöschen. –

Als ich in das Zimmer zurückblickte, lag noch ein Schimmer jenes Abendscheins auf meinem schwarzen Geigenkasten, der nun schon seit Jahren uneröffnet dort unter dem Bücherschranke steht. Die Geige, die er verbirgt, erstand ich einst aus dem Nachlasse eines frühverstorbenen Florentinischen Musikers, und erst seitdem wußte auch ich, daß ich spielen könne. Auf dem inneren Rande des Kastens fand ich damals eine italienische Strophe eingeschrieben, und seltsam, da ich sie in unsere Sprache übertrug, war mir's, als hätte ich diese nun deutschen Verse einst selbst gemacht, und suchte lange, wiewohl vergebens, danach unter meinen alten Papieren. Aber sowie ich die Geige mit meinem Bogen anstrich, da sang es und schwoll es an zu einer Gewalt, die mich selbst erbeben machte. Das war nicht ich allein, der diese Töne schuf; ein geistig Erbteil war in dieser Geige, und ich war der rechte Erbe, der es mit eigener Kraft vermehrte. Nun ruht sie seit lange klanglos in ihrer schwarzen Truhe; denn schon vor Jahren hatte ich es erkannt: nur bis zu einer gewissen Grenze des Lebens fließt um unsere Nerven jener elektrische Strom, der uns über uns selbst hinausträgt und auch andere unwiderstehlich mit sich reißt.

Und nun? Und heute abend?

Ich muß vor den Spiegel treten, damit ich meine grauen Haare nicht vergesse.

Nein, nein! Ich will die Geige, meine klingende Seele, aus ihrem Sarge nehmen, und meine Hände sollen nicht zittern.

Eveline führte mich in den Saal. Er war noch leer, aber die Kerzen brannten schon; unter der Kristallkrone stand der geöffnete Flügel.

»Hier sollen Sie spielen!« sagte sie. »Dort auf dem Tischchen steht Ihr Geigenkasten.«

»Soll ich wirklich, Eveline?«

Sie legte, wie sie das zuweilen tat, ihre Wange in die Hand und sah mich ernsthaft an.

»Sie haben es mir doch versprochen!«

– »Und vor so hoher Gesellschaft?«

Denn in großen, ziemlich mäßigen Steindrucken, aber aus desto dickeren Goldrahmen schaute fast die ganze erste Rangklasse unseres Staatskalenders von den Wänden herab.

Sie lachte.

»Pst! Nicht spotten! Das sind Papas Penaten. Weshalb sehen Sie nicht auf meine Bilder, die bescheiden, aber tröstlich unter ihnen hängen?«

Und freilich, auch Goethe und Mozart waren, wenn auch in kleinerem Format, vertreten.

Die Gesellschaft drängte aus den anderen Zimmern in den Saal.

»Adieu!« sagte Eveline.

Sie reichte mir flüchtig die Hand, ihr dunkles Auge streifte mich; dann ging sie den Eintretenden entgegen. Ich suchte mir in der fernsten Ecke einen Platz. Der weiche, etwas müde Klang ihrer Stimme lag noch in meinem Ohr; aus ihren einfachsten Worten spricht es oft, ich weiß nicht, wie die schmerzliche Erwartung oder wie die heimliche Zusage eines Glückes. Bald aber gesellte sich mein werter Vetter, der Geheimrat, zu mir und sprach irgend etwas über Kunst; und ich besah mir indes die noch immer unter Geplauder und Komplimenten platznehmende Gesellschaft und verglich sie mit der, die an den Wänden hing.

Und jetzt wurde ein Akkord angeschlagen. Unser Adolf, der Musikdirektor, begann das Largo aus Beethovens D-Dur-Sonate. Und es wurde völlig still und blieb es auch; denn er versteht es, wenn die Stunde günstig ist, seinen Beethoven so eindringlich zu Gehör zu bringen, daß es schon sehr große Geister oder aber sehr große Flegel sein müssen, die dabei sich noch selber sollten hören mögen. Mit dem Einsatze des Menuetts war mir sogar, als gehe ein Aufatmen des Entzückens durch den ganzen Saal. Ist doch Musik die Kunst, in der sich alle Menschen als Kinder eines Sterns erkennen sollen!

Dann führte der Musikdirektor seine jungen Scharen vor. Es waren frische, anmutige Stimmen darunter, und sie sangen ihre Tee- und Kaffeeliedchen, in denen sie sich so wohl fühlen, die wie die Sommervögel kommen und verschwinden. Sie sangen aber auch von den Liedern des neuen großen Komponisten, durch welchen Eichendorffs wunderbare Lyrik zuerst in der Musik ihren Ausdruck erhalten hat. Ahnungslos schwebten die jungen Stimmen über dem Abgrund dieser Lieder. – Ich weiß nicht, ob der Kapellmeister Johannes Kreisler davongelaufen wäre; ich saß ganz still und horchte auf den süßen, taufrischen Lerchenschlag der Jugend. Dazwischen immer behagliches Klatschen und liebkosende Worte der älteren Herren und Damen und laute Komplimente der jungen Kavaliere. Weshalb denn auch nicht?

Und nun – ich glaube fast, daß mir die Brust beklommen war – stand ich selbst am Flügel. Eveline hatte die Geige schweigend vor mich hingelegt und war dann ebenso zurückgetreten. Spohrs neuntes Konzert lag aufgeschlagen. Adolf sah mich an: »Nun, wollen wir?«

Wir kannten uns. Vor Jahren hatte mancher Abend, manche Nacht uns so vereint gesehen. Schon lag mein Bogen an den Saiten; ein paar Akkorde noch des Flügels, und sicher und kristallhell flog der erste Ton durch den Saal.

Und meine Geige sang, oder eigentlich war es meine Seele. Sie sang wie einst der Neck am Wasserfall, von dem die Kinder sagten, daß er keine Seele habe. – Du weißt es, meine Muse, denn du standest mir gegenüber neben dem Bilde deines Lieblings, des Jünglings Goethe, die schönen Hände in deinem Schoß gefaltet. Deine Augen waren hingegeben offen, und ich trank aus ihnen die entzückende Götterkraft der Jugend. Und die Wände des Gemaches schwanden, und der rauschende Wasserfall stand, und alle die jungen Vögel, die eben noch so laut geschlagen hatten, verstummten lauschend. Ich war eins mit dir, schöne jugendliche Göttin, hoch oben stand ich herrschend; ich fühlte, wie die Funken unter meinem Bogen sprühten; und lange, lange hielt ich sie alle in atemlosem Bann.

Wir waren zu Ende. Adolf nahm die Hände vom Klavier, sah zu mir auf und nickte leise.

Und da ich den Bogen fortgelegt hatte, blickten die Jungen auf mich, halb scheu, mit erstaunten großen Augen, als hätten sie plötzlich entdeckt, ich sei noch einer von den Ihren, den sie nicht erkannt, der nun plötzlich die Maske des Alters fortgeworfen habe.

Erst als Adolf seinen Stuhl rückte und aufstand, wurde die Stille unterbrochen, und die Gesellschaft drängte sich zu uns. Nur ich wußte, daß plötzlich Evelinens Hand in meiner lag. Oder war es die Hand meiner Muse, die noch einmal flüchtig mich berührte?

Sie haben dich gescholten, Eveline.

Und wenn ihr wahr gesprochen hättet – laßt sie mir! Auch die Natur, von welcher, gleich der Rose, sie nur ein Teil ist, vermag uns nichts zu geben, als was wir selber ihr entgegenbringen. Vielleicht gelangt der Mensch überall nicht weiter, und wir sterben einsam, wie wir einsam geboren wurden. Und dennoch, was wäre das Leben, wenn es keine Rosen gäbe?

Weißt du, daß es Vorgesichte gibt? – Mitunter, als könne sie nicht warten, bis auch ihre Zeit gekommen ist, wirft die Zukunft ihr Scheinbild in die Gegenwart. – Du ahntest nichts davon, aber ich habe es gesehen; es war mitten im kerzenhellen Saale. Du hattest getanzt und lehntest atmend in der Sofaecke; da sah ich dein Antlitz sich verwandeln, deine Züge wurden scharf, deine Wangen schlaff und fahl. Schon streckte meine Hand sich aus, um leis die Rose aus deinem Haar zu nehmen; denn sie saß dort wie ein Hohn für dein armes Angesicht. Aber es verschwand, da ich fest dich anblickte; du lächeltest, du warst wieder nicht älter als deine achtzehn Jahre. Unmächtig wich das Gespenst zurück; nur ich sah es noch immer wie eine verhüllte Drohung in der Ferne stehen.

O Eveline! Der Strom der Schönheit ergießt sich ewig durch die Welt, aber auch du bist nur ein Wellenblinken, das aufleuchtet und erlischt; und alle Zukunft wird einst Gegenwart.

Im eigenen Herzen geboren,
Nie besessen,
Dennoch verloren.

Wie seltsam, diese Worte auf meinem Geigenkasten!

Auch das ist nun vorüber. –

Hier scheinen in den Aufzeichnungen des Vetters ein oder mehrere

Blätter zu fehlen; denn das Folgende, womit dort ein neues Blatt beginnt, ist augenscheinlich nur der Schluß eines längeren Aufsatzes.

– – »Aber ein Hauch der ewigen Jugend, die in mir ist, hat doch dein Herz berührt; mögen noch so übermütig deine jungen Lippen zucken. Einst, wenn auch du zu den Schatten gehörst, deren Mund vergebens nach dem Kelche dürstet, aus dem vor ihren Augen die Jugend in vollen Zügen trinkt, wird die Erinnerung an mich dich jäh überfallen; vielleicht am stillen Abend, wenn du hinter abgeheimsten Stoppeln die Sonne sinken siehst, vielleicht – auch das ist möglich – erst in den Schauern des Todes, in jenem letzten Augenblicke, wo alle Erdengeister dich verlassen. – Und nun geh, Eveline; denn jetzt sind sie alle noch in deinem Dienst!«

Ihre Hand zitterte, die, wie ich jetzt erst fühlte, in der meinen lag. Aber sie zog sie schweigend zurück und ging.

»Gute Nacht, Eveline!«

Du aber, o Muse des Gesanges, verlasse du mich noch nicht! Laß mich mein Haupt an deine Schulter lehnen, denn ich bin müde, müde wie ein gehetztes Wild; und sollte ich heimlich bluten, so lege du die Hand auf meine Wunde! – –

Hier enden diese Aufzeichnungen. Kein Band, keine Locke, keine Blume liegt bei den vergilbten Blättern.

Wer war jene Eveline, welche dies alternde Herz noch einmal so tief zu erschüttern vermochte? – Ich kenne keine ihres Namens. *Requiescat Requiescat!*

Draußen im Heidedorf

Es war an einem Herbstabend; ich hatte in der Amtsvogtei ein paar am Mittage eingebrachte Holzfrevler vernommen und ging nun langsam meinem Hause zu. Die Gaserleuchtung war derzeit für unsere Stadt noch nicht erfunden; nur die kleinen Handlaternen wankten wie Irrlichter durch die dunklen Gassen. Einer dieser Scheine aber blieb unverrückt an derselben Stelle und zog dadurch meine müßigen Augen auf sich.

Als ich nähergekommen war, sah ich vor dem Wirtshause, wo damals die nach Ost belegenen Dörfer ihre Anfahrt hatten, noch einen angeschirrten Bauernwagen halten; der alte Hausknecht stand mit der Stalleuchte daneben, während die Leute sich zur Abfahrt rüsteten.

»Macht fertig, Hinrich!« sprach es vom Wagen herab; »Ihr habt nun genug gealbert! Carsten Krügers und Carsten Deckers Frau warten alle beid' auf ihre Stunde; es läßt mir nicht Ruh' mehr.« – Die etwas ältliche Stimme kam von einer breiten, anscheinend weiblichen Person, welche, in Tücher und Mäntel eingemummt, unbeweglich auf dem zweiten Wagenstuhle saß.

Ich war unwillkürlich an der Ecke der hier abgehenden Querstraße stehengeblieben. Wenn man stundenlang gearbeitet hat, so sieht man gern einmal die anderen Menschen eine Szene vor sich abspielen, und der Knecht hielt die Leuchte hoch genug, daß ich alles bequem betrachten konnte.

Neben einer jugendlichen Frauengestalt, deren Wuchs sich auffallend von der gedrungenen Statur unserer gewöhnlichen Landmädchen unterschied, stand ein junger Bauer, dessen blondes krauses Haar unter der Tuchmütze hervorqoll; in der einen Hand hielt er Zügel und Peitsche, mit der anderen hatte er die Lehne eines hölzernen Stuhles gefaßt, der zum Auftritt an den Wagen gerückt war. Es lag etwas Brütendes in dem Gesicht des jungen Menschen; der breite Stirnknochen trat so weit vor, daß er die Augen fast verdeckte. – »Komm, Margret, steig' nun auf!« sagte er, indem er nach der Hand des Mädchens haschte.

Aber sie stieß ihn zurück. »Ich brauch' dich nicht!« rief sie. »Paß du nur auf deine Braunen!«

»So laß doch die Narrenspossen, Margret!«

Auf diese mit kaum verhehlter Ungeduld gesprochenen Worte wandte sie den Kopf. Bei dem Schein der Leuchte sah ich nur den unteren Teil des Gesichts; aber diese weichen blassen Wangen waren schwerlich jemals dem Wetter der ländlichen Saat- und Erntezeit preisgegeben gewesen; was mir besonders auffiel, waren die weißen spitzen Zähne, die jetzt von den lächelnden Lippen bloßgelegt wurden.

Sie hatte dem jungen Menschen auf seine letzten Worte nichts erwidert; aber nach der Haltung des Kopfes konnte ich annehmen, daß ihre Augen jetzt die Antwort gaben. Zugleich trat sie leise mit einem Fuße auf den Holzstuhl, und als er sie nun umfaßte, ließ sie sich weich an seine Schulter sinken, und ich bemerkte, wie ihre Wangen eine Weile aneinander ruhten. Ich sah aber auch, wie er sie nach dem vorderen Wagensitz hinzudrängen suchte; allein sie entschlüpfte ihm und hatte sich im Augenblick auf dem zweiten Stuhl neben der dicken Frau zurechtgesetzt, die jetzt wieder ein »Mach' fertig, Hinrich, mach' fertig!« aus ihren Tüchern herausrief.

Der junge Bauer blieb noch wie unentschlossen an dem Wagen stehen. Dann zupfte er dem Mädchen an den Kleidern. »Margret!« stieß er dumpf hervor, »setz' dich nach vorne, Margret!«

»Viel Dank, Hinrich!« erwiderte sie laut; »ich sitz' hier gut genug.«

Der junge Mensch riß heftiger an ihren Kleidern. »Ich fahr' nicht ab, Margret, wenn du nicht bei mir sitzen willst!«

Jetzt bog sie sich über den Rand des Sitzes zu ihm herab; ich sah ein Paar dunkle Augen in dem blassen Antlitz blitzen, und die weißen Zähne wurden wieder sichtbar zwischen den üppigen Lippen. »Willst du dich schicken, Hinrich!« sprach sie leise, fast wie mit verheißender Zärtlichkeit; »oder sollen wir ein andermal mit Hans Ottsen zur Stadt fahren? Er hat mich oft genug darum geplagt.«

Der junge Mann murmelte etwas, das ich nicht verstand; dann sprang er ungestüm zwischen die Pferde durch auf den vorderen Wagensitz, knallte ingrimmig mit der Peitsche und riß in die Zügel, daß die Braunen sich steil in die Höhe bäumten. Und gleich darauf, unter dem Aufschrei der Frauen, rasselte das Gefährt in die Nacht hinaus, daß der Holzstuhl, vom Rade getroffen, zertrümmert auf das Pflaster stürzte und der alte Hausknecht mit einem »Gott bewahr' uns in Gnaden!« zurücktaumelte und dann scheltend mit seiner Leuchte durch die Haustür verschwand.

Wie ein Schattenspiel war alles vorüber; und nachdenklich setzte ich meinen Weg nach Hause fort.

Etwa ein halbes Jahr danach wurde in der Amtsvogtei der Tod des Eingessenen Hinrich Fehse zur Anzeige gebracht, der in einem der Ostdörfer eine große, aber, wie mir bekannt war, stark verschuldete Bauernstelle besaß. Da er außer seiner Witwe und einem mündigen Sohne gleichen Namens zwei unmündige Kinder hinterließ, so mußte die Masse in gerichtliche Behandlung genommen werden. Zum Vormunde der Unmündigen wurde, in Ermangelung naher Verwandten, auf den Wunsch der Witwe der frühere Küster des Dorfes bestellt; ein Mann, der während seiner Amtsführung sich weniger um die ihm anvertraute Jugend als um seinen schon derzeit nicht geringen Landbetrieb bekümmert hatte; seit Niederlegung des Amtes aber seinen einstigen Schülern um so mehr in allen Vorkommnissen des Lebens mit seinem oft nur allzu weltklugen Rat zur Seite stand.

Als ich am Tage der Erbregulierung in die Gerichtsstube trat, fand ich den gewichtigen Mann schon in eifriger Durchsicht der Dokumente neben dem Pulte des Gevollmächtigten sitzen. Nachdem er mich durch seine runden Brillengläser erkannt hatte, strich er bedächtig die Seitenhärchen über seinen kahlen Scheitel und stand dann auf, um mich mit der ihm eigenen Würde zu begrüßen. Zugleich wies er auf einen jungen Menschen, der sich bei meinem Eintritt gleichfalls von einem Stuhl erhoben hatte, und sagte: »Das hier, Herr Amtsvogt, ist Hinrich Fehse, der älteste Sohn des Verstorbenen.«

Mir war in diesem Augenblick, als sei ich diesem eckigen Kopfe schon sonst einmal begegnet; nur über das Wie und Wo konnte ich nicht ins reine kommen. Aber wohl niemals hatte ich auf einem jugendlichen Antlitz einen solchen Ausdruck gleichgültiger Verdrossenheit gesehen; die grauen, tiefliegenden Augen schienen es kaum der Mühe wert zu halten, die Wimpern zu mir aufzuheben.

Drüben an der Wand saß eine alte Bäuerin mit harten Zügen und dunklen Augenbrauen, das graue Haar unter das schwarze Käppchen zurückgestrichen; sie saß unbeweglich und hielt ihre Hände mit dem Sacktuch auf der blaugedruckten Leinwandschürze. Das war die Witwe des verstorbenen Hufners Hinrich Fehse.

Es war mir darum zu tun, die etwas verwickelte Angelegenheit zunächst mit dem Küster allein zu besprechen, und ich trat deshalb mit ihm in mein nebenan liegendes Arbeitszimmer.

»Die Stelle wird sich schwerlich für die Familie halten lassen«, sagte ich, zugleich das Inventurprotokoll der Masse vor ihm aufschlagend: »wir werden leider zum Verkauf genötigt sein.«

Der Küster sah mich mit seinen runden Augen an. »Das bin ich nicht der Meinung!« sagte er dann im gewichtigen Schulton.

Ich wies auf die lange Reihe der im Protokoll verzeichneten Schulden. »Wenn das Altenteil der Witwe noch dazukommt, so wird dem Annehmer der Stelle nicht genug bleiben, um auch noch die Erbteile der Geschwister auszukehren.«

»Das allerdings nicht!« Und der würdevolle Mann klemmte die fleischigen Lippen ein und blickte auf mich mit einer Sicherheit, als ob er das Gegenteil schon fix und fertig in der Tasche hätte.

»Und trotz dessen«, fragte ich wieder, »wollen Sie ihn die große Hufe übernehmen lassen?«

»Das wäre so meine Meinung!«

»Und das Geld, woher wollen Sie das bekommen?«

»Dafür müßte freilich schon gesorgt sein!« Und er nannte die Tochter eines wohlhabenden Hufners aus demselben Dorfe. »Gestern«, fuhr er fort, »haben wir bereits den Verspruch gefeiert, und die Fehsesche Stelle kann nun von den beiden jungen Leuten gemeinschaftlich übernommen werden.«

Der Küster legte die Hände auf den Rücken und erwartete gehobenen Hauptes den Ausdruck meiner Bewunderung. Mir aber war es unter dieser Eröffnung plötzlich klar geworden, wo ich dem jungen Hinrich Fehse schon begegnet sei. Ich sah ihn wieder neben jenem gefährlichen Mädchen am Wagen stehen und hörte ihn sein düsteres »Margret, Margret!« ausstoßen. – »Mir ist«, sagte ich endlich, »als hätte ich Ihren Bräutigam schon auf anderen Wegen getroffen! Hat etwa die Hebamme Ihres Dorfes eine besonders hübsche Tochter?«

»Also das wissen Herr Amtsvogt auch schon!« erwiderte etwas überrascht der Küster. »Nun, wir haben das Mädchen sechs Meilen weit in die Stadt als Nähjungfer vermietet, und morgen geht sie dahin ab. Mit solider Bauernarbeit hat die Mamsell sich doch ihr Lebtag nicht befassen mögen.«

Ich mußte lachen. »Und wie haben Sie denn das nur wieder fertiggebracht?«

Das selbstzufriedene Lächeln im Gesicht des Küsters zuckte so tief, als es die starken Wangen zuließen. »Mit Erlaubnis, Herr Amtsvogt, für Geld kann man den Teufel tanzen lassen, warum denn nicht ein altes Weib!«

»In der Tat, Sie haben mehr als recht; und die Tochter der Hebamme ist voraussetzlich ohne Mittel?«

»Mit dem glatten Gesicht, Herr Amtsvogt, konnte uns nicht gedient sein, und sonst ist nichts da, was sie hätte in die Wirtschaft bringen können. Überdies«, und er stimmte seinen Ton zu vertraulichem Flüstern, »ihr Großvater war ein Slowak von der Donau und, Gott weiß wie, bei uns hängengeblieben; dazu die alte Hebamme mit ihrem Kartenlegen und Geschwulstbesprechen, womit sie den Dummen die Schillinge aus der Tasche lockt – das hätte übel gepaßt in eine alte Bauernfamilie!«

»Und hat sich denn Ihr Hinrich so leicht von jenem Mädchen trennen lassen?« fragte ich noch einmal.

Der Küster setzte seinen weltklugen Kopf in Positur. »Wenn ich es gerad' heraus sagen soll«, erwiderte er ausweichend, »es war noch ganz die Frage, ob die Dirne ihn genommen hätte; da sind noch andere, die sie hinter sich herzieht und die schwerer ins Gewicht fallen. Die junge Frau aber wird nicht mit ihm betrogen, denn das muß ihm jeder lassen, ein Bauer ist er aus dem Fundament!«

Unsere Unterredung war zu Ende. Von Gerichts wegen war gegen den gemachten Vorschlag nichts einzuwenden; im Gegenteil, alle Schwierigkeiten wurden dadurch wie von selbst gelöst.

– – Als wir wieder in die Gerichtsstube traten, hatte sich dort inzwischen auch die Braut mit ihrem Vater eingefunden. Sie mußte fast um zehn Jahre älter sein als der ihr bestimmte Bräutigam; das Gesicht war wohlgeformt, aber reizlos, wie es bei denen zu sein pflegt, die schon mit ihrer Kinderseele um den Erwerb gerechnet haben; das fahlblonde Haar zeigte deutlich, daß es ungeschützt allem Wetter und Sonnenbrand ausgesetzt wurde. Ihr gegenüber an der anderen Wand saß jetzt der Bräutigam; den Kopf gesenkt, die Hände zwischen den gespreizten Beinen vor sich hingefaltet. – Bei den nun folgenden Verhandlungen zeigte er sich mit allem einverstanden; ein dürftiges »Ja« oder »Nein« oder »Das muß ja denn wohl sein« war indessen alles, womit er diese Zustimmung ausdrückte; dabei fuhr er mit dem Rücken der Hand ein paarmal über seine Stirn, als wenn es dort etwas fortzuwischen gäbe. Endlich, als mit sämtlichen Beteiligten alles besprochen und das Vereinbarte zu Papier gebracht war, erfolgte, wie Rechtens, die Unterschrift des Protokolls.

Auch Hinrich Fehse, als an ihn die Reihe kam, trat an das Pult des Gevollmächtigten und malte in steilen, widerhaarigen Buchstaben seinen Vornamen unter die Verhandlung; dann aber setzte er mit einem tiefen Atemzug die Feder ab und starrte unbeweglich vor sich hin. Vor seinem inneren Auge mochte jetzt ein üppiger Mädchenkopf erscheinen; vielleicht flog gar der erschütternde Gedanke durch sein Gehirn, den Bann des alten bäuerlichen Herkommens zu durchbrechen. Aber der Küster, der ihn während der ganzen Verhandlung nicht aus den Augen gelassen hatte, trat jetzt, die Hände in den Taschen, zu ihm heran und sagte ruhig: »Bloß dcinen Namen, Hinrich; bloß deinen Namen!«

Und Hinrich, wie von der eisernen Notwendigkeit am Draht gezogen, malte nun auch sein »Fehse« in denselben steilen Zügen noch dahinter.

»Actum ut supra« und Sand darauf; die Sache war erledigt. Hinrich Fehse verließ das Gericht als ein gemachte Mann; mit der Frau hatte er das Betriebskapital für die Hufe in Händen; wenn er als Bauer seine Schuldigkeit tat, so konnte es ihm nicht fehlen. – Und bald auch hörte ich, daß die Hochzeit mit allem Pompe bäuerlichen Herkommens gefeiert worden sei.

Der Eindruck, den diese Vorgänge mir gemacht hatten, war allmählich verblaßt. Anfänglich hatte ich wohl darauf geachtet, wenn an Markttagen der junge Bauer mit seiner Frau an mir vorüberfuhr; von der letzteren hatte ich dann auch wohl ein Kopfnicken bekommen, während er selbst, ohne sich umzuwenden, auf seine Pferde peitschte. Dann, geraume Zeit nachher, da es schon spät am Abend war, hatte ich ihn einmal in dem erleuchteten Hausflur jenes Wirtshauses an der Ecke gesehen; es war mir auch damals wohl durch den Kopf gegangen: »Was hat denn der wieder so spät in der Stadt zu tun!« Weitere Gedanken hatte ich mir darüber nicht gemacht. Da – es war wieder einmal Herbst geworden, der November stand schon vor der Tür – ging ich bei der Rückkehr von einer Morgenwanderung durch die Neustadt, wo eben Pferdemarkt gehalten wurde. Die edlen Tiere standen wie gewöhnlich zu beiden Seiten der Straße vor den Häusern angebunden, und ich drängte mich eben durch einen Haufen von Käufern und Verkäufern und vergnügter Stadtjugend, als mir von einem Hause ein lautes Rufen und Händeschlagen entgegenschallte. Im Näherkommen erkannte ich Hinrich Fehse, der mit einem jütischen Bauern in eifrigem Handeln begriffen war. Den Gegenstand, wie mir bald klar wurde, bildeten zwei höchst elend aussehende Pferde, die mit gesenktem Kopfe danebenstanden, indes der Jüte den Schweif des einen Tieres lobpreisend zur Seite riß.

»Ja, ja«, sagte der andere, ohne auch nur hinzusehen; »die Schindmähren sind just gut genug.«

»Hundertunddörtig für die beide!« rief der Jüte wieder.

Aber Hinrich zog seine Hand zurück. »Hundertundzwanzig«, sagte er düster; »keinen Schilling mehr.«

Und klatschend fielen die Hände ineinander. Hinrich Fehse schnallte seine lederne Geldkatze los, zahlte dem anderen die harten Taler in die Hand und rüstete sich dann, die erhandelten Tiere von dem Rickwerk loszubinden.

Im Weitergehen, wo ich über den Eindruck des Gesehenen zum deutlicheren Bewußtsein kam, wollte mich bedünken, als ob der junge Bauer seit unserer letzten Begegnung, wie man bei uns sagt, bös verspielt habe. Das Gesicht war scharf und mager geworden, und die ohnehin kleinen Augen waren unter der vortretenden Stirn fast verschwunden; überhaupt, der an sich gewöhnliche Vorgang hatte mir jetzt etwas Auffallendes, so daß ich nicht umhinkonnte, mich später beim Eintritt in die Gerichtsstube gegen meinen landkundigen Gevollmächtigten darüber auszusprechen.

Der alte Aktenmann machte vom Pultbock herab seine bedenklichste Handbewegung.

»So«, sagte ich; »die Sachen stehen also schlecht?«

»Gar nicht stehen sie!« erwiderte er. »Seit einem halben Jahr ist die

Margret wieder im Dorf, und seitdem sitzt auch der Fehse fast alle Abend bei den Hebammenleuten; sogar in die Stadt ist er ihr nachgelaufen, als sie um Pfingsten in der Anfahrt hier zu nähen saß. Und dabei verkauft er, was los und fest ist, Futter und Saatroggen, so daß zum Winter wohl die leeren Scheunen nachbleiben werden; heut haben nun sogar die schönen braunen Wallachen dran glauben müssen – wissen, Herr Amtsvogt, die im Inventar zu fünfhundert Taler taxiert waren – und statt dessen hat er sich die jütschen Kracken eingehandelt. Dafür aber promeniert draußen im Dorf das Hebammenfräulein in seidenen Jacken und goldenen Vorstecknadeln; mag auch wohl manche Tonne Fehseschen Hafers an ihrem Leibe tragen!« Und der Alte nahm eine große Prise.

»Am Ende auch noch die beiden Wallachen, Brüttner!«

Der kleine graue Mann steckte die Feder hinters Ohr und segelte auf seinem Drehbock vollends zu mir herum. »Nun«, sagte er schmunzelnd, »wohin der Überschuß seinen Weg nimmt, das wäre wohl nicht schwer zu raten!«

»Und woher wissen Sie das alles so genau?«

Brüttner wollte eben antworten, als der Amtsdiener in die Stube trat: »Der Herr Küster ließen grüßen, heut könne er nicht wieder vorkommen; aber nächsten Donnerstag; und da wollte er die beiden Fehseschen Weiber gleich mit aufs Amt bringen.«

»Also der Küster ist hier gewesen?« fragte ich.

»Hm, freilich«, versetzte Brüttner; »und er meinte, nach den letzten Passagen wär's doch am besten, wenn die Frauen den Fehse unter Kuratel stellen ließen; er würde dem Herrn Amtsvogt schon alles auseinandersetzen.«

Bevor jedoch der Küster diesen kühnen Plan in Angriff nehmen konnte, wurde mir – es war an einem Mittwoch – von dem Bauernvogt des Dorfes die schriftliche Anzeige gemacht, daß der Eingesessene Hinrich Fehse seit letzten Sonntagabend verschwunden sei. Die Meinung einiger gehe dahin, daß er mit dem neulich aus einem Pferdehandel gewonnenen Gelde auf einem Auswandererschiffe von Hamburg fortgegangen sei; andere dagegen hegten die Befürchtung, er könne sich ein Leides angetan haben. Außer dem bekannten Verhältnis mit der

Tochter der Hebamme sei ein besonderes Ereignis, welches sein Verschwinden erklären könne, nicht bekannt geworden. Übrigens hätten die angestellten Nachforschungen bis jetzt keinen Erfolg gehabt. –

– – Ich beschloß sofort, noch am Nachmittag die Sache an Ort und Stelle zu untersuchen. – Um desto unbehinderter zu sein, verzichtete ich auf einen Protokollführer und nahm nur den Amtsdiener als Begleitung mit. Wir fuhren auf einem offenen Wagen; denn es war ein milder Herbsttag, wie uns deren in unserer Gegend immer einige vor dem entschiedenen Eintritt des Winters beschert zu werden pflegen. Die lebendigen Hecken, welche wir während der ersten Sunde zu beiden Seiten des Weges hatten, trugen noch einen Teil ihres Laubes; hie und da zwischen Hasel- und Eichenbusch drängte sich ein Spillbaum vor, an dessen dünnen Zweigen noch die roten zierlichen Pfaffenkäppchen schwebten. Meine Augen begleiteten im Vorüberfahren das ebenso sanfte als schwermütige Schauspiel, wie fortwährend unter dem noch warmen Strahl der Sonne sich gelbe Blätter lösten und zur Erde sanken, zumal wenn vor dem Schnauben unserer Pferde eine verspätete Drossel, ihren Angstschrei ausstoßend, durch die Büsche flatterte.

Aber die Gegend wurde anders; die bewachsenen Wälle mit den bebauten Feldern dahinter hörten auf. Statt dessen fuhren wir hart am Rande des sogenannten »wilden Moors« entlang, da sich derzeit, so weit der Blick reichte, nach Norden hinauszog. Es schien hier, als sei plötzlich der letzte Sonnenschein, der noch auf Erden war, von dieser düsteren Steppe eingeschluckt worden. Zwischen dem schwarzbraunen Heidekraut, oft neben größeren oder kleineren Wassertümpeln, ragten einzelne Torfhaufen aus der öden Fläche; mitunter aus der Luft herab kam der melancholische Schrei des großen Regenpfeifers, der einsam darüber hinflog. Das war alles, was man sah und hörte.

Mir kam in den Sinn, was ich einst – ich meine über die noch von dem slawischen Urstamm bewohnten Steppen an der unteren Donau – gelesen hatte. Dort aus den Heiden erhebt sich in der Dämmerung ein Ding, das einem weißen Faden gleicht und das sie dort den »weißen Alp« nennen. Es wandert gegen die Dörfer, es stiehlt sich in die Häuser, und wenn die Nacht gekommen ist, legt es sich an den offenen Mund der Schlafenden; dann schwillt und wächst der anfänglich dünne Faden zu einer schwerfälligen Ungestalt. Am Morgen darauf ist alles verschwunden; aber der Schläfer, der dann die Augen auftut, ist über Nacht blödsinnig geworden; der weiße Alp hat ihm die Seele ausgetrunken. Er bekommt sie nimmer wieder; weit auf die Heide hinaus in feuchte Schluchten, zwischen Moor und Torf, hat das Unwesen sie verschleppt.

Nicht der weiße Alp war hier zu Hause; aber zu anderen, nicht minder unheimlichen Dingen verdichteten sich auch die Dünste dieses Moores, denen manche, besonders der älteren Dorfbewohner, nachts und im Zwielicht wollten begegnet sein.

An der südlichen Grenze desselben lag unser Reiseziel, das Dorf, dessen spitzer Turm und schwarze Strohdächer schon lange vor uns sichtbar gewesen waren. – Als wir endlich anlangten, ließ ich zunächst vor dem Hause des alten Küsters halten, um durch diesen etwas Näheres über die Verhältnisse im Fehseschen Hause zu erfahren. Ich traf ihn mit seinem Knecht beim Aufladen des Düngers beschäftigt, im blauwollenen Futterhemd, die Furke in der Hand; doch war er deshalb nicht weniger würdevoll, als er erst seinen »Goldhaufen« mit der ebenen Erde vertauscht hatte. »Ich will's Ihnen sagen, Herr Amtsvogt«, hub er an, nachdem er zuvor seine Sprachwerkzeuge durch ein paar Ansätze fetten Hustens in Bereitschaft gesetzt hatte, »wem nicht zu raten ist, dem ist auch nicht zu helfen! Dieser Hinrich hat mit Gewalt sein Glück nicht erkennen wollen; Gott weiß, ob's mit der Kuratel noch zu kurieren ist!«

Wir waren unterdessen in das Haus und in die Wohnstube getreten. Hinter dem Ofen, in welchem trotz der milden Witterung ein Feuer brannte, saß ein kränklich aussehendes Mütterchen, fast verdeckt von einer großen Wollenstrickerei, die sie mit ihren mageren Fingern handhabte. Sie entschuldigte sich klagend, daß sie wegen ihrer Kreuzschmerzen nicht vom Lehnstuhl aufkönne, um mich zu begrüßen; dann klinkte sie von ihrem Sitze aus die daneben befindliche Küchentür auf und rief mit scharfer Stimme: »Kathrin! Setz' den Kessel auf, Kathrin!« Und zugleich hörte ich auch draußen den Dreifuß auf den Herd werfen und im Feuerloch rumoren.

Die Frau Küsterin klappte die Tür wieder zu und strickte weiter; aber ihre kleinen matten Augen folgten unablässig, während ich mit ihrem Eheherrn im Gespräch auf und ab wandelte.

»Wenn's erlaubt ist, zu reden, Herr Amtsvogt«, sagte sie endlich, ihr Strickzeug von sich schiebend; »es hat schon einen Vorspuk gegeben; dazumal, als mein Mann hier noch im Amte war. – Ich hab' die Rosen so gern«, fuhr sie hüstelnd fort; »es sollte just am anderen Tag das Ringlaufen für die Schule sein, und abends dann, mit hoher Erlaubnis, die Tanzlustbarkeit im Kruge; da waren auf einmal alle meine Rosen abgerissen. Ich wußt' wohl gleich, wo mein Spitzbube zu suchen war; aber bei unserem Vater in der Schule hat's der Hinrich so zu drehen gewußt, daß das Strafrohr auf seinen Rücken gefallen ist. Und die Dirne saß mausestill dabei und guckte in ihr Gesangbuch.«

»Aber Mutter«, versuchte der Küster einzureden, »so erzähl' doch dem Herrn Amtsvogt nicht die alten Kindergeschichten!«

»Meinst du, Vater?« versetzte sie. – »Sie standen beide vor der Konfirmation; es ist nur *ein* Faden, und der läuft bis heute hin.«

Ich bat höflich um die Fortsetzung des Berichts.

Das Mütterchen nickte. »Ich hatte damals noch meine Gesundheit, Herr Amtsvogt«, begann sie wieder; »aber als ich anderen Abends mit der Frau Pastorin nur kaum in den Tanzsaal getreten war, so sah ich auch schon, daß der Hinrich seinen Willen hatte; denn in dem Kranze, den die Slowakendirne auf ihren schwarzen Haaren trug, saßen richtig meine roten Rosen; und herumgeschwenkt hat sie sich auch mit ihm, daß dem hölzernen Jungen der Schweiß von den Backen rann.

Nun, nun, Vater!« unterbrach sie sich, als der Küster zu einer neuen Bemerkung anhub. »Ich weiß wohl, die Freude dauerte nicht lange; ich will's dem Herrn Amtsvogt alles schon erzählen. Es war nämlich einer unter den größeren Jungen, der nicht wie die anderen in das Hebammenmädchen vernarrt war, obschon sie sich genug um ihn zu tun machte; und das war der Sohn von dem reichen Klaus Ottsen hier! – Als eben die Musikanten zu einem neuen Walzer aufspielten, kommt der anstolziert, in seiner blauen Jacke mit Perlmutterknöpfen, die silberne Uhrkette über der Weste, und sieht sich unter den Dirnen um, als wenn sie nur alle so für ihn zu Kauf stünden. Er war aber auch ein schlanker, braunhaariger Junge und hat noch heute so was Stolzes an sich. – Vor Hinrich und Margret, die eben in die Reihe treten wollten, blieb er stehen und sah höhnisch auf sie herab. ›Hehler und Stehler?‹ sagte er lachend. ›Der Rosenhinrich und die Slowakenmargret? Ihr macht ein sauberes Paar zusammen!‹ – Die Dirne glotzte ihn an mit ihren schwarzen Augen. ›Läßt d' mich schimpfen, Hinrich?‹ rief sie. Und im Handumdrehen hatte auch mein Ottsen seine zwei Faustschläge in den Nacken. ›Das für die Slowakenmargret! Und das für den Rosenhinrich!‹ – Und dabei fiedelten die Musikanten, und die Kinder tanzten und stolperten über den Hans, der sich eben vom Fußboden wieder aufsammelte; und in all dem Lärm hör' ich die Stimme unseres Herrn Pastors und sehe auch, wie er den Hinrich am Kragen hat und ihn gegen den Türpfosten stellt. ›Daß du es weißt, Fehse!‹ hör' ich ihn noch sagen; ›mit dem Tanzen ist es heute abend aus für dich!‹ – Da stand er nun und biß sich die Lippen blutig, und die Margret reckte ihren Schwarzkopf auf und schaute durch den Saal nach einem anderen Tänzer aus. – – 's ist aber ein wunderlich Ding, das Menschenherz, Herr Amtsvogt! Schon lange hatte ich gesehen, daß Hans Ottsen dastand, als wenn er die Dirne mit den Augen verschlingen wollte; und es hilft einmal nicht, die gestohlenen Rosen ließen ihr verwettert gut zu ihrem feinen, unverschämten Stumfnäschen. Und richtig! Sie hatte nun auch den am Band. ›Was meinst, Margret?‹ sagt ganz kleinlaut der Hans Hoffart; ›willst jetzt mit *mir* halten heute abend?‹ – Erst, als er nach ihrer Hand griff, stieß sie ihn vor die Brust und tat wild wie 'ne Katze; aber als sie merkte, daß es Ernst war, ward sie auch ebenso geschmeidig und lacht' und wies ihre weißen Zähne, und tanzte mit ihrem schmucken Hans an dem armen Burschen vorüber, als hätt' es für sie nimmer einen Hinrich Fehse auf der Welt gegeben. Der aber stand noch immer wie angenagelt auf seinem Posten; nur seine kleinen Augen fuhren hinter den beiden her; es war ein Glück, daß sie nicht mit Flintenkugeln geladen waren!

Was weiter im Saal passiert ist«, fuhr die Erzählerin fort, nachdem sie eine Weile Atem geschöpft hatte, »das hab' ich nicht gesehen; die Frau Pastorin holte mich nach der Hinterstube, wo unsere Männer sich zu ihrem Kartenspiel gesetzt hatten. Die Zeit verging; es war eben Feierabend geboten, ich stand just am Fenster und hörte nach den Wildgänsen droben in der Luft, denn es war eine milde Nacht, und das Getier flog über die Heide nach dem Haff – da auf einmal hieß es: ›Wo ist Hinrich Fehse?‹ – Ja, Hinrich Fehse war nicht da. – ›Ich sah ihn draußen im Weg‹, meinte einer; ›er wird nach Hause gelaufen sein.‹ –

Aber die Mutter kam gejammert; zu Hause war er auch nicht. – Der alte Hinrich Fehse, ein Querkopf trotz seinem Jungen, stand vorn im dicken Haufen in der Schenkstube und stieß sein Glas auf den Tisch, daß er nur noch den Fuß in der Hand behielt, und räsonierte auf den Herrn Pastor; er lasse seinen Jungen nicht kujonieren, wenn er ihn auch nicht wie die reichen Bauern mit Uhrketten und Perlmutterknöpfen besetzen könne; nein, zum Teufel, das leide er nicht!

Ich war in den Tanzsaal zurückgegangen, wo eben die Musikanten ihre Fiedeln in die Ledersäcke steckten. Da stand noch die Hebammendirne mit Hans Ottsen auf der leeren Diele; sie allein schien alles das nicht anzufechten. ›Nun, Margret‹, fragte ich, ›weißt denn du nicht, wo der Hinrich abgeblieben ist?‹ – ›Ich? – Nein!‹ sagte sie kurz, zog einen ihrer kleinen Schuhe aus und zupfte die rote Bandschleife darauf zurecht; dann funkelte sie wieder auf den Hans mit ihren schwarzen Augen und schlug ihn neckisch auf die Hände: ›Du, was hast mich eingestaubt, du! Du bist so wild; wart' nur, ich tanz' nicht mehr mit solch 'nem Tollen!‹

Und das war die Margret, Herr Amtsvogt; der Hinrich aber kam auch am anderen Morgen noch nicht wieder; sie meinten, der Mittag würde ihn nach Hause treiben; aber da hatte auch eine Eule gesessen; das ganze Dorf kam in die Beine, sie suchten ihn mit Leitern und mit Stangen. Und endlich! Wo war er gewesen, Herr Amtsvogt? – Bei den Wasserkröten hatte er in der Nacht gesessen; dort hinten im Moor bei der schwarzen Lake. Der Finkeljochim, der da seine Besen schneidet, kam ins Dorf gelaufen und erzählte es. Da haben sie ihn denn nach Haus geholt mitsamt dem Gliederreißen, das er sich vom feuchten Moorgrund heimgebracht. Ein paar Wochen hat er in den Kissen liegen müssen, und als der Doktor nicht angeschlagen, haben sie die Sympathie gebraucht: und mit drei Tassen Kamillentee und ein paar Handvoll Kirchhofserde ist dann auch alles wieder in seinen Schick gekommen.«

Der Kaffee war inzwischen aufgetragen, und der Küster erinnerte, nicht ohne scheinbare Vorsicht, seine Frau daran, daß der Herr Amtsvogt noch mit ihm zu reden habe.

»Ich will nicht im Wege sein, Vater«, versetzte diese, von ihrem Lehnstuhl aus die Tassen vollschenkend; »ich sage nur und hab's dem

Herrn Pastor auch schon gesagt: erst, als die Dirne wieder aus der Stadt zurück war, lief nur der Hinrich bei den Hebammenleuten, und es gefiel ihr schon, daß sie gleich wieder einen hinter sich herzuziehen hatte; und wenn auch nur, um die junge Frau zu ärgern, die ihn geheiratet hat; seit es aber mit dem alten Klaus Ottsen aufs letzte geht und der nicht mehr den Daumen gegenhalten kann, weiß auch sein Hans mit Dunkelwerden den Weg dorthin zu finden. Ich wundere mich nicht, daß der Fehse auch diesmal wieder fortgelaufen ist; denn mit sich selber umzugehen, was doch die größte Kunst vom Menschenleben ist, das hat er immer noch nicht lernen können. Ich begreif' nicht, was darum so viel Aufhebens im Dorf ist; er wird schon wiederkommen, wenn er's satt hat!«

Die kleine gebrechliche Frau, deren blasse Wangen unter dem lebhaften Erzählen wieder aufgeblüht waren, schwieg jetzt und suchte mit der Feuerzange die Kohlen in ihrem Ofen aufzustören. – Ich tat noch diese und jene Frage; dann ließ ich mich von dem Küster, dem draußen sichtlich seine Würde wieder zuwuchs, an meinen Wagen geleiten.

»Ja, ja, mein wohlgeborener Herr Amtsvogt«, sagte er, gleichsam die Summe eines langen Gedankenexempels ziehend; »ich habe manchen Gang um diese Heirat gemacht; aber der Mensch soll ja auf den Dank der Welt nicht rechnen! Nehmen Sie nur die Mamsell Margret aufs Korn; die wird Ihnen über alles Bescheid geben können.«

Unterdessen hatte er das Schutzleder vor meinem Sitze zugeknöpft, und mit majestätischer Handbewegung entlassen, rumpelte mein Fuhrwerk auf der schlechtgepflasterten Dorfstraße weiter.

Hinter der zur Rechten liegenden Kirche, an deren granitener Mauer ich im Vorüberfahren die Jahreszahl 1470 las, blickte aus jetzt fast entlaubten Holunderhecken ein Häuschen mit grünen Fensterläden.

»Den Hebammenleuten gehört es«, erwiderte auf meine Frage der Amtsdiener, sich vom Kutschersitze zu mir wendend, »sie halten's gewaltig sauber; in Geschäften bin ich ein paarmal dort gewesen.«

Nach einer Weile hörten zur Linken die Häuser auf. Die an der Kirchseite sich noch eine gute Strecke entlang ziehenden Gehöfte lagen gegen Westen, nur durch den Weg und einige eingewallte Acker- und Wiesenstücke von dem großen Moor getrennt; das letzte derselben, einsam und weit hinaus belegen, war mir als das des Hinrich Fehse bezeichnet worden.

Vor vielen dieser Häuser bemerkte ich Gruppen von Menschen, anscheinend in lebhafter Unterhaltung, zuweilen auch wohl mit ausgestrecktem Arm nach dem Moor hinausweisend. Es war augenscheinlich eine besondere Aufregung unter den Dorfbewohnern.

Endlich fuhren wir auf die Fehsesche Hofstelle. An dem Hause, welches etwa hundert Schritt vom Wege zurücktrat, waren noch die Früchte der wohlhabenden Heirat sichtbar: die nördliche Hälfte mit dem großen Scheunentor und den halbrunden Stallfenstern war augenscheinlich kaum vor Jahresfrist gebaut, die andere dagegen, welche die Wohnungsräume enthielt, mochte in diesem Zustande schon lange von Vater auf Sohn vererbt worden sein. Vor den niedrigen Fenstern, auf welche das schwere schwarzbraune Strohdach drückte, zog sich ein ziemlich ödes Gartenstück bis an den Weg hinab.

Da sich niemand von den Hausgenossen zeigte, als wir oben vor dem Scheunentore hielten, so schickte ich den Amtsdiener in das Haus, der dann auch bald in Begleitung einer alten Frau wieder an den Wagen trat. Ich wollte sie als Witwe Fehse begrüßen, aber sie erwiderte, sie habe nur als Nachbarin das Haus gehütet; die alte und die junge Frau Fehse seien zum Bauernvogt gegangen; denn die Tochter des Finkeljochim hätte erzählt, daß sie noch gestern abend, da eben der Mond aufgegangen sei, den Hinrich dort hinten auf dem Moor gesehen habe; auf diese Nachricht seien wieder Leute zum Suchen hinausgeschickt worden.

Ich fragte näher nach.

»Es wird wohl nichts daran sein, Herr Amtsvogt«, meinte die Alte; »die Dirne ist so was simpel; und seit der Hans Ottsen ihr vergangenen Winter was in den Kopf gesetzt hat, ist sie vollends faselig geworden.«

»Aber wo ist das Mädchen jetzt zu finden?«

»Jetzt bekommen Herr Amtsvogt sie nicht. Sie ist mit den Leuten in die Heide, um ihnen den Platz zu zeigen.«

Ich ließ mich zunächst von der Alten in das Wohnzimmer weisen und einen Tisch in die Mitte stellen, auf welchem ich zur Aufnahme der nötigen Notizen mein mitgebrachtes Schreibmaterial bereitlegte.

Es war ein niedriges, aber geräumiges Zimmer; der weiße Sand auf den Dielen, die blanken Messingknöpfe an dem Beileger-Ofen, alles zeugte von Sauberkeit und Ordnung. Den Fenstern gegenüber befanden sich zwei verhangene Wandbetten; vor dem einen, mit der zwischen Vergißmeinnicht gemalten Überschrift: »Ost un West, tu Huus ist best«, stand eine jetzt leere hölzerne Wiege.

Um keine Zeit zu verlieren, hieß ich den Amtsdiener, mir die in der Nähe wohnende Tochter der Hebamme zur Stelle zu bringen, während die Alte es übernahm, die Fehseschen Frauen von der entlegeneren Wohnung des Bauernvogts herbeizuholen. – Ich befand mich allein im Hause; von der Wand tickte der harte Schlag einer Schwarzwälder Uhr; in Erwartung der kommenden Dinge war ich ans Fenster getreten und sah in die gelbe Herbstsonne, die schon tief jenseit der Heide stand.

Das Rauschen von Frauenkleidern weckte mich aus den Gedanken, worin ich mich einzuspinnen begann. Als ich mich umwandte, erblickte ich eine schlanke, volle Mädchengestalt in städtischer Kleidung, deren kleine und, wie mir schien, zitternde Hand eben ein schwarzes Kopftuch von dem Nacken streifte.

Ich konnte nicht zweifeln, wen ich vor mir hatte; zum erstenmal sah ich den verführerischen Kopf jenes Mädchens unverhüllt.

»Sie sind Margarete Glansky!« sagte ich.

Ein kaum hörbares »Ja« war die Antwort.

Ich setzte mich gegenüber an den Tisch und nahm die Feder zur Hand.

»Sie kennen den jungen Hinrich Fehse?« fragte ich weiter.

Ein ebenso leises »Ja« erfolgte.

»Ich meine, Sie haben in näherer Bekanntschaft mit ihm gestanden?«

Sie antwortete nicht. Als ich aufblickte, sah ich, daß sie totenblaß war; ich hörte, wie die weißen Zähnchen aufeinanderschlugen. Die Angst vor äußerlicher Verantwortlichkeit wegen einer vielleicht innerlichen Schuld mochte sie ergriffen haben.

»Weshalb fürchten Sie sich?« fragte ich.

»Ich fürchte mich nicht – aber die Bauernweiber haben alle einen Haß auf mich.«

»Es handelt sich nicht um Sie, Margarete Glansky, sondern um den jungen Mann, der seit einigen Tagen vermißt wird.«

»Ich weiß nichts davon; ich bin nicht schuld daran!« stieß sie, noch immer nach Atem ringend, hervor.

»Aber wir müssen ihn zu finden suchen«, fuhr ich fort. »Kurz vor seiner Heirat sind Sie in die Stadt gezogen und dann vor einem halben Jahre wieder zurückgekommen?«

»Es gefiel mir dort nicht, ich hatte nicht nötig, zu dienen – es reut mich noch, daß ich so dumm mich hatte fortschicken lassen!« Und die starken Augenbrauen des Mädchens zogen sich dicht zusammen.

»Hinrich Fehse«, sagte ich, »ist dann oft des Abends zu Ihnen gekommen?«

»Wir konnten ihn doch nicht fortjagen.«

»Er kam zuletzt, so sagt man, jeden Abend und blieb dann oft bis Mitternacht.«

»Das lügen die Weiber!«

»Aber Sie haben Geschenke von ihm angenommen?«

Ein heißes Rot flog über ihr Gesicht. »Wer hat das gesagt?«

»Das singen die Spatzen von den Dächern; es hat argen Unfrieden zwischen den Eheleuten gesetzt.«

»Nun, und wenn's auch wäre!« rief sie und warf trotzig ihre roten Lippen auf. »Wer hat sie geheißen, ihn zu heiraten!«

»Und würden Sie ihn denn geheiratet haben?« fragte ich.

Aber bevor sie zu antworten vermochte, wurde die Stubentür aufgerissen, und die beiden Fehseschen Frauen, die junge mit ihrem Kinde auf dem Arm, traten in das Zimmer. Ich sah noch, wie die Augen der alten Bäuerin und der Hebammentochter in unverhohlenem Hasse aufeinanderblitzten; dann stellte die Alte sich vor mir hin und sagte zitternd:

»Herr Amtsvogt, was tut die Person da in unserem Hause? Ich bin der Meinung, daß ich das wohl nicht zu leiden brauche!«

»Die Person«, erwiderte ich und schob dabei die beiden Frauen unmerklich wieder zur Tür hinaus, »wird gerichtlich vernommen und ist von mir hierherbeschieden worden.«

Wir standen draußen auf dem Hausflur. Die alte hagere Frau rang die Hände: »Ach, das Elend!« rief sie; »das Elend!« – Die junge Bäuerin trocknete von den Wangen ihres schlafenden Kindes die Tränen, die sie fortwährend daraufweinte.

»Wir hatten es so gut das erste Jahr«, sagte sie, »wenn nur *die* nicht wiedergekommen wär'; unsereins versteht so was nicht; aber sie muß es ihm doch angetan haben! Und das viele Geld, das er neulich für die Pferde gelöst hat – wir haben die Schatulle und alles durchgesucht, aber es ist nichts davon zu finden.«

Durch die offene Haustür sah ich draußen einen Mann mit einer langen Stange vorübergehen und den Weg ins Moor hinunternehmen. Die Alte war herausgetreten und kam jammernd zurück. Plötzlich aber fuhr sie sich mit der Schürze über die Augen. »Der da oben wird wissen, wo er ist«, sagte sie. »Er war nicht gottlos, mein Hinrich! – Auf die Knie hat er sich geworfen und seinen armen Kopf in meinen Schoß gedrückt; denn er war ja immer doch mein Kind! ›Mutter‹, hat er gesagt, ›Ihr saht mich auf dem Braunen fortreiten, und ich sagte Euch, daß ich wegen der Zinsen zum Müller nach der Nordermühle müßte – das war gelogen, Mutter; in der Irre bin ich fünf Stunden lang für wild herumgeritten; Ihr habt selbst dem Braunen den Schaum von den Flanken gestrichen, als ich heimgekommen – ich hab' nur nicht zu *ihr* hinüberwollen; aber es hat mich doch wie bei den Haaren dahin zurückgezogen: – es kriegt mich unter; ich kann's nicht helfen, Mutter!‹

Und er war doch so gut, mein Hinrich!« fuhr die Alte, wie mit sich selber redend, fort. »Noch als das Kind geboren war! In unserem Hof hier, aufs Pferd hab' ich's ihm reichen müssen; die Sonne schien so warm, drüben in der Koppel stand die Sommersaat so grün. ›Was meinst, Mutter‹, sagt' er, ›ich könnt' es gut ein bißchen mit aufs Feld nehmen!‹ Er war so glücklich über sein Kind; ich hatt' meine Not, es ihm wieder abzukriegen; und es war doch erst sechs Wochen alt!«

Ich machte mich von den Frauen los, indem ich ihnen bedeutete, daß sie wegen ihrer eigenen Vernehmung zur Stelle bleiben müßten. Als ich wieder in das Zimmer trat, fielen schon die schrägen Strahlen der Abendsonne durch die Fenster. Das Mädchen stand noch auf demselben Platze wie vorhin; aber sie schien ruhiger geworden und sogar, vielleicht nur weil ich den anderen Frauen gegenüber ihre Anwesenheit vertreten hatte, ein Vertrauen zu mir gefaßt zu haben. »Ich will's Ihnen wohl erzählen, Herr Amtsvogt«, begann sie, indem sie mit beiden Händen ihr glänzendschwarzes Haar zurückstrich – »ob ich ihn geheiratet hätte, wenn er das Geld von der anderen nicht hätte brauchen müssen – ich weiß das nicht, und ist auch wohl übrig, jetzt zu fragen; ich bin gut Freund mit ihm gewesen; wir tanzten wohl zusammen; aber – und das ist die Wahrheit! Herr Amtsvogt – ich hatte nicht gedacht, daß er's gar so ernsthaft nehmen würde.«

»Sie wußten doch«, sagte ich, »daß er von Jugend auf Ihnen nachgegangen war; und ich meine, der sah nicht aus, als ob er mit solchen Dingen spielen könnte.«

Sie hatte seitwärts einen raschen Blick in den kleinen, mit Pfauenfedern geschmückten Spiegel geworfen, und eine Sekunde lang brach es wie heiße Lebenslust aus ihren dunklen Augen. »Nun«, sagte sie, »zuletzt hab' ich's schon merken müssen; aber da hab' ich ihn nicht mehr fortbringen können. Versucht hab' ich's genug; denn er plagte mich bis aufs Blut mit seinen Grillen; zumal wenn sonst junge Leute zu uns kamen, wie das doch nicht anders ist. Er konnte mit den Zähnen knirschen, wenn ich nur einen an die Haustür brachte; oder gar, als einmal Hans Ottsen aus Narretei mir die Haarzöpfe losmachen wollte; und er hatte doch sein Weib zu Hause!«

Ich sah sie fest an. »Also der Ottsen kam in der letzten Zeit auch zu Ihnen? Sie wissen vielleicht, daß sein Vater ihm um Johanni die Hufe übergeben hat.«

Sie stutzte einen Augenblick wie verwirrt; dann aber, als habe sie meine Bemerkung nicht gehört, fuhr sie fort: »Manchen Abend, wenn der Wächter zu neun geblasen, hatte meine Mutter ihn angerufen, nach Haus zu gehen. Aber er ging nicht. ›Frau Nachbarn‹, sagte er dann wohl, ›Sie wird mir doch den Stuhl in Ihrem Hause gönnen; ich verlang' ja weiter nichts!‹ – Und so sind wir dann sitzengeblieben; ich an meinem Nähstein vor der einen Tischschublade, er vor der anderen. ›Hinrich‹, hab' ich oft gesagt, ›sei nicht so hintersinnig! Du kannst ja Sonntag im Krug mit mir tanzen; nimm doch deine Frau mit und laß uns alle miteinander vergnügt sein.‹ Aber er stieß dann nur ein höhnisches Lachen aus und sah mich aus seinen kleinen Augen an, als wollte er mir damit ein Leides tun.

Nur einmal«, fuhr sie nach einer Weile fort, »ist er eine Zeitlang weggeblieben – als ihm das Kind geboren war; und ich dachte schon, er sei zur Vernunft gekommen. – Da, etwa vier Wochen nachher, wurde seine Frau schwer krank; sie glaubten alle, es geh' mit ihr aufs Letzte, auch meine Mutter, die ihr doch in der Geburt hatte beistehen müssen. Und da, Herr Amtsvogt – kam er wieder.«

Das Mädchen atmete schwer auf. – »Er war ganz anders geworden, mehr so wie damals, als er noch ein junger Bursche war; er konnte wieder erzählen und sprach wieder von seiner Wirtschaft und was er tun und treiben wollte. Einmal aber – meine Mutter war eben außer Hause – faßte er mich plötzlich an beiden Schultern und sah mich an, wie unsinnig vor Freude. ›Margret!‹ – rief er, ›denk's einmal aus! Wenn – o, wenn!‹ – – Er verstummte dann und ließ mich los; aber ich wußte doch, wie's gemeint war, und hab's auch bald nachher gesehen. Deshalb dachte ich, ihn auf andere Gedanken zu bringen. ›Ist denn der Doktor heute bei euch gewesen?‹ fragte ich. ›Wie geht's mit Ann-Marieken?‹ – Es war erst, als wenn er nicht antworten mochte. ›Sie hat wieder ein neues Glas gekriegt‹, sagte er dann; ›ich weiß nicht, was der Doktor meinte.‹ Dabei hatte er sich das Punktierbuch meiner Mutter aus deren Nähkasten gekramt, setzte sich mir gegenüber und fing nun an, mit Kreide auf den Tisch zu stricheln. Er tat das so hastig und wurde so heiß um den Kopf dabei, daß ich ihn fragte: ›Hinrich, auf was punktierst du da?‹

›Laß, laß!‹ sagte er. ›Bleib du bei deiner Näharbeit!‹ – Aber ich bog mich unbemerkt über den Tisch und las in dem Buche die Nummer, auf welche er den Finger hielt. – Da war es die Frage, ob der Kranke genesen werde? – Ich schwieg und setzte mich wieder an meine Arbeit; und er strichelte weiter, zählte ›Eben‹ oder ›Uneben‹ und punktierte sich nachher die Figuren mit der Kreide auf den Tisch. ›Nun‹, fragte ich, ›bist du fertig? Kann man's jetzt zu wissen kriegen?‹ – Er hatte den Kopf in die Hand gestützt und sah mich schweigend an, aber still und weich, wie er's lang' nicht getan hatte. Dann stand er auf und gab mir die Hand. ›Gute Nacht, Margret!‹ sagte er; ›ich muß nun nach Hause.‹ Und somit ging er fort; es war noch früh am Abend. – Da die Figuren auf dem Tische stehengeblieben waren, so schlug ich in dem Büchlein nach. Da lautete die Antwort: ›Tröstet die Seele des Kranken und laßt alle Hoffnung fahren!‹ – – Aber es war diesmal nicht getroffen; die Frau erholte sich bald hernach; und nun ward's mit ihm schlimmer, als es je gewesen war. Glauben Sie's mir, Herr Amtsvogt, wenn ich was an ihm versehen habe, es ist mit Angst und Not gebüßt.«

Da sie bei diesen Worten in ein krampfhaftes Weinen ausbrach, so ließ ich sie auf einen Stuhl niedersitzen. Bald aber erhob sie wieder ihren Kopf, den sie in beide Hände gepreßt hatte, und sah mich an. – Im Zimmer war nur noch das Licht des Sonnenuntergangs, in dem die roten Lippen des Mädchens auffallend gegen ihr blasses Gesicht und ihre dunklen Augen hervortraten.

Aber ich mußte weiterfragen. »Hinrich Fehse«, sagte ich, »hat in der vorigen Woche einen Pferdehandel gemacht, woraus er viel Geld hätte nach Hause bringen müssen; die Fehseschen Frauen aber versichern, daß sie es nirgend haben finden können.«

»Wir haben das Geld nicht, Herr Amtsvogt!« sagte sie düster.

»Und Sie wissen auch nicht, wo es hingekommen ist?«

Sie nickte. »Doch; das weiß ich.«

»Es haben einige gemeint«, fuhr ich fort, »er sei nach Hamburg, um von dort mit einem Auswandererschiff nach Amerika zu gehen?«

»Nein, Herr Amtsvogt; wohin er gegangen ist, das weiß ich nicht; aber mit *dem* Geld ist er nicht nach Amerika. – Ich will Ihnen auch das erzählen; so wahr, als wenn ich vor Gott stünde! – Am letzten Sonntagabend war's, es mochte gegen acht Uhr sein; meine Mutter, die über Nacht aus gewesen war, saß im Lehnstuhl und nickte über ihrem Strickzeug; wir waren ganz allein, und ich wunderte mich, daß auch Hinrich Fehse nicht kam; denn am Vormittag in der Kirche hatte er mich wieder einmal angestarrt, daß alle Weiber die Köpfe nach mir wandten. – Draußen ging der Sturm; aber zwischen den Windstößen glaubt' ich mitunter bei unserem Hause gehen zu hören. Mir war das unheimlich, und ich trat vor die Haustür, um zu sehen, was es gäbe. Es war kein Mondschein, Herr Amtsvogt; aber es war nachthell; ich konnte durch den kahlen Fliederzaun ganz deutlich die Kreuze auf dem Kirchhof unterscheiden, der an unseren Garten stößt; und so sah ich auch, daß unterm Zaune einer stand; und da ich hinzutrat, war es Hinrich Fehse. ›Was stehst du hier und läßt dich durchkälten?‹ sagte ich. ›Warum kommst du nicht herein?‹ – ›Ich muß dich allein sprechen, Margret!‹ erwiderte er. – ›Nun, so sprich, wir sind hier allein; es wird auch niemand kommen in dem Unwetter.‹ – Aber er sprach nicht, bis ich sagte: ›Mich friert; ich will hinein und mein Umschlagetuch holen!‹ Da griff er mich bei der Hand und sagte schwer: ›'s geht so nicht länger, Margret; ich muß ein Ende machen.‹ – Er kam mir so seltsam vor; ich wußte nicht, was ich ihm darauf antworten sollte. ›Hinrich‹, sagte ich; ›am besten wär's, ich ginge wieder fort; dann wird wohl alles noch gut werden!‹ – ›Wir müssen beide fort, miteinander fort, Margret!‹ antwortete er. Dabei zog er einen Beutel hervor und ließ ihn mehrmals auf der Kante des Brunnens klingen, an dem wir in diesem Augenblicke standen. ›Hörst du?‹ sagte er; ›das ist Gold! Vorgestern hab' ich meine Braunen verkauft; ich geh' zu meinem Vetter über See in die Neue Welt; es ist leicht, dort sein Brot zu finden.‹ – ›Das wirst du deiner Frau nicht antun!‹ sagte ich. – ›Nicht antun, Margret? Es ist kein Segen für sie, wenn ich dableib'; die paar tausend Taler, die sie in die Wirtschaft gebracht hat, gehen bald drauf; ich bin kein Bauer mehr, ich hab' keine Gedanken ohne dich!‹ – Er wollte mich umfassen, aber ich sprang zurück.

›Das würde mir anstehen‹, sagt' ich, ›als deine Beiläuferin mit dir in die weite Welt zu rennen!‹ – ›Hör' mich nur‹, begann er wieder; ›wir gehen heimlich fort; meine Frau wird dann auf Scheidung klagen; dann können wir uns dort zusammengeben lassen.‹ – ›Nein, Hinrich; ich tu's nicht; ich geh' so nicht fort.‹ – Auf diese Worte ward er wie unsinnig; er warf sich auf die Erde, ich weiß nicht, was er alles sprach; auch heulte der Sturm um die Kirche, daß ich's kaum verstehen konnte; meine Kleider flogen, ich war ganz verklommen. ›Geh nach Haus, Hinrich‹, bat ich, ›du bist heut nicht bei dir, laß uns morgen über die Sache sprechen!‹ – Indem hörte ich hinter uns vom Kirchhofsteige laute Stimmen; Hans Ottsen war darunter, und ich horchte nach unserer Pforte; denn er war in den letzten Wochen bisweilen zu uns gekommen. Aber sie mußten vorübergegangen sein; ich hörte das Kreuz im großen Kirchhofstor drehen und bald auch die Stimmen weiter unten auf dem Dorfwege. – Als ich den Kopf zurückwandte, stand Hinrich vor mir. ›Margret‹, sagte er, und er würgte die Worte nur so heraus; ›willst du mit mir gehen?‹ – Aber bevor ich noch zu antworten vermochte, legte er die Hand auf meinen Mund. ›Sprich nicht zu früh!‹ rief er, ›denn ich frag' nicht wieder – nimmer wieder.‹ – Ich antwortete nicht; es schnürte mir die Kehle zu; was hätt' ich ihm auch antworten sollen! – ›Siehst du!‹ sagte er; ›ich wußte es wohl; du bist falsch, du wartest auf den anderen!‹ – Er machte eine Bewegung mit dem Arm, und gleich darauf hörte ich es auch unten im Brunnen aufklatschen. – ›Hinrich, dein Gold!‹ rief ich. ›Was tust du, Hinrich!‹ – ›Laß nur!‹ sagt' er; ›ich brauch's nun nicht mehr – aber‹ – und er faßte mich mit beiden Händen und hielt mich vor sich, als ob er wie aus der Ferne mich betrachten wollte – ›küß mich noch einmal, Margret!‹«

– »Und dann?« fragte ich, als das Mädchen stockte.

»Ich will nicht lügen, Herr Amtsvogt; ich hätt's ihm nicht gewehrt; aber er stieß mich plötzlich von sich. – Ich wollte der Haustür zulaufen; da rief er zornig meinen Namen; und als ich darauf nicht hörte, sprang er hinter mir her und packte mich wie mit eisernen Armen. Das Haar war mir losgegangen; er schlang einen meiner Zöpfe um seine Hand und riß mir damit den Kopf in den Nacken. ›Noch einen Augenblick, Margret‹, sagte er, und trotz der Nacht sah ich, wie seine kleinen Augen über mir funkelten; und während der Sturm mir fast die Kleider vom Leibe riß, schrie er mir ins Ohr: ›Ich will dir was Heimliches anvertrauen, Margret; aber sprich's nicht weiter! Für uns beid' zusammen ist kein Platz mehr auf der Welt; du sollst verflucht sein, Margret!‹ – Ich stieß einen lauten Schrei aus; ich glaubt', er wolle mich erwürgen. Da ließ er mich los und rannte davon; ich hörte noch, wie er drüben die Kirchhofspforte zuschlug; und gleich darauf war auch meine Mutter vor die Haustür getreten und rief nach mir. – ›Er wird sich morgen schon besinnen‹, sagte sie, nachdem ich ihr alles, so gut als ich es vermochte, erzählt hatte; ›da kann er auch sein Gold sich selber wieder fischen.‹ Dann holte sie ein Vorlegeschloß und legte es vor den Brunnendeckel, den einst mein Großvater ungebetener Gäste wegen hatte machen lassen; es hätte ja jemand anders den Beutel im Eimer mit heraufziehen können. – – Als wir ins Haus gegangen waren, legte meine Mutter sich ins Bett, und ich setzte mich wieder an meine Arbeit. Draußen stürmte es noch immer fort; mitunter hörte ich unten im Dorf den Wächter blasen; im Kirchturm schlug die große Glocke an. Mir war ganz unheimlich; aber es ließ mir keine Ruh'; ich dachte immer, er könne sich ein Leids angetan haben. Als ich merkte, daß meine Mutter eingeschlafen war, nahm ich mein Umschlagetuch und schlich mich fort. – Es begegnete mir niemand; die meisten Häuser waren schon dunkel; nur auf der Fehseschen Stelle sah ich vom Wege aus noch Licht durch die Öffnung der Fensterläden scheinen. Ich nahm mir ein Herz und ging den Wall hinauf und in die Gartenpforte. Als ich mich an das Fenster stellte, hörte ich drinnen die Spinnräder schnurren, bisweilen auch ein Wort von der alten Fehse. – ›Was sie nur sprechen mögen!‹ dachte ich und legte das Ohr an den Laden, aber ich konnt' es nicht verstehen. Da gewahrte ich unter dem anderen Fenster eine umgestürzte Schubkarre, und als ich hinaufgestiegen war und mich auf den Zehen hob, reichte mein Auge bis an das Herz des Ladens. Ich konnte dort das Wandbett übersehen; auch sah ich, daß jemand darin lag, und als der Kopf sich auf dem Kissen umwarf, erkannte ich, daß es Hinrich war. Mit einem Male aber richtete er sich in den Kissen auf und stierte mit den Augen auf mich zu. Da befiel mich die Angst, ich sprang von der Karre herab und rannte fort, über den Weg, über den Kirchhof – um die Turmecke pfiff und heulte es; der alte Finkeljochim sagt dann immer, die Toten schreien in den Gräbern. Mir grauste, ich weiß nicht mehr, wie ich wieder ins Haus und ins Bett gekommen bin. – Am anderen Morgen aber hieß es, Hinrich Fehse sei in der Nacht verschwunden; ich habe nichts wieder von ihm gesehen.«

Sie schwieg. – Es war inzwischen dämmerig geworden. Als ich durch die kleinen Scheiben einen Blick ins Freie tat, war fern am Horizont nur noch ein schwacher Abendschein; die Bäume im Garten standen schwarz, unten über dem Moor aber zogen die Nebel wie weiße Schleier. – Ich ließ zwei Talgkerzen anzünden und vor mir auf den Tisch stellen; dann rief ich die Fehseschen Frauen in das Zimmer.

»Soll denn die dabei sein?« fragte die alte Bäuerin, indem sie einen halb scheuen, halb haßerfüllten Blick auf das Mädchen warf, die nach meinem Geheiß sich in die eine Fensterecke gesetzt hatte.

»Die wird Sie nicht stören, Frau Fehse!« erwiderte ich.

»Nun, meinethalb; was ich zu sagen habe, kann Gott und alle Welt hören; aber« – und sie erhob drohend ihren dürren Finger – »die Bösen werden ihren Lohn bekommen!«

Das Mädchen schien von diesen Worten nichts zu hören; sie hatte wie erschöpft den Kopf so weit gegen die Wand gelehnt, daß ihr das schwarze Haar von den Schläfen zurückgefallen war. – »Lassen Sie das, Frau Fehse!« sagte ich. »Erzählen Sie mir, wie sich die Sache zutrug.«

Sie schien wie aus tiefen Gedanken aufgestört zu werden.

»Ja«, sagte sie, »er war auch *den* Abend drüben gewesen, da, bei *der!*

Aber er kam doch früh nach Haus; denn Ann-Marieken lag so schlecht, der Doktor hatte ihr eben ein neues Glas verschrieben; da hat er die ganze Nacht an ihrem Bett gesessen, gewiß, das hat er! und ihre Hand gestreichelt. ›Ann-Marieken‹, sagte er, ›du bist nicht schuld daran; verklag' mich nicht zu hart da oben; du wirst's da besser haben als bei mir.‹«

Die junge Frau, die eben ihr Kind in die Wiege legte, brach in bitterliche Tränen aus.

»Ich meine, Frau Fehse«, erinnerte ich, »wie es an dem letzten Abend war, da Euer Sohn das Haus verlassen hat?«

»Ja, wie war's?« erwiderte sie. »'s war am letzten Sonntagabend; das Essen hatten wir abgeräumt, und die Magd war in ihre Kammer gegangen – nein, es muß schon hin um zehn Uhr gewesen sein; Ann-Marieken und ich saßen noch bei unserem Spinnrad. Mein Hinrich war vordem ganz verstürzt nach Hause gekommen, nun lag er schon lange in dem Wandbett da. Aber er schlief wohl nicht, denn er warf sich fleißig herum und stöhnte auch wohl so vor sich hin; wir waren das schon an ihm gewohnt, Herr Amtsvogt. – – Draußen war's Unwetter, wie das jetzt im November wohl zu sein pflegt; der Nordwest war zu Gang und riß die Blätter von den Bäumen; mir bangte immer, er sollte auch den Birnbaum an der Scheune umstürzen; denn mein Vater selig hat ihn bei der Taufe von meinem Hinrich selbst gepflanzt. Da hör' ich's draußen leise vor dem Fenster trotten, und ich horchte darauf; denn, Herr Amtsvogt, ich wußte nicht, war es ein Tier oder war es eines Menschen Fußtritt. Ich frag': ›Hörst du das, Ann-Marieken?‹ frag' ich. Aber sie greift in ihr Spinnrad und sagt: ›Nein, Mutter, ich höre nichts!‹ – Nun rückt' ich 'nen Stuhl zum Fenster und sehe durch das Herz des Fensterladens; denn wir hatten wegen des Unwetters die Läden angeschroben. Da stand der Birnbaum gegen den grauen Nachthimmel und ächzte und wehrte sich zum Erbarmen gegen den Sturm; auch über die Koppeln und die Wischen hinunter konnte ich sehen und sah auch hinten im Moor die Wassertümpel blenkern, denn die Luft war hell dazumalen. Lebiges war nicht zu sehen. Aber das merkt' ich wohl, es drückte sich was unter das Fenster, und es rutschte, als scheure ein Zottelpelz an der Mauer entlang. Da ich vom Stuhl herabsteige, kratzt es draußen an dem anderen Laden, und sogleich hör' ich auch drüben in der Wand das Bettband knacken, und mein Hinrich sitzt steidel aufrecht in den Kissen und starrt mit ganz toten Augen nach dem Fenster zu. – Als ich ruf': ›Herr Jes', Hinrich! was ist denn?‹ da ist auch hinten im Stall das Vieh in die Unruhe gekommen, und durch all das Unwetter hör' ich den Bullen brüllen und mit Gewalt an seiner Kette reißen. Aber mein Hinrich sitzt noch immer so tot und glasig, daß mir ganz graulich wurde, und als ich mich nun selber umwende – Herr, du mein Jesus Christ! Da guckt' ein Tier durch den Fensterladen! Ich sah ganz deutlich die weißen spitzen Zähne und die schwarzen Augen!«

Die Alte wischte sich mit der Schürze den Schweiß von der Stirn und begann leise vor sich hin zu murmeln.

»Ein Tier, Frau Fehse?« fragte ich; »habt Ihr denn so große Hunde im Dorf?«

Sie schüttelte den Kopf: »Es war kein Hund, Herr Amtsvogt!«

»Aber Wölfe gibt's hier doch nicht mehr bei uns!«

Die Alte drehte langsam den Kopf nach dem Mädchen und sagte dann mit scharfer Stimme: »Es mag auch wohl kein rechter Wolf gewesen sein!«

»Mutter! Mutter!« rief das junge Weib; »Ihr habt mir doch gesagt, es sei die Hebammen-Margret gewesen, die ins Fenster gesehen habe!«

»Hm, Ann-Marieken, ich sage auch nicht, daß sie es nicht gewesen ist.« Und die alte Frau verfiel wieder in ihr unverständliches Klagen und Murmeln.

»Was faselt Ihr, Mutter Fehse!« rief ich. Und doch, als ich das Mädchen so leblos mit ihrem kreideweißen Gesicht und den roten Lippen dasitzen sah – der weiße Alp fiel mir ein aus der Heimat ihres Großvaters, und ich hätte fast hinzugefügt: »Ihr irrt Euch, ich weiß es besser, Mutter Fehse, sie hat ihm die Seele ausgetrunken; vielleicht ist er fort, um sie zu suchen!« Aber ich sagte nur: »Erzählt mir ordentlich, wie wurde es denn weiter mit Eurem Hinrich?«

»Mit meinem Hinrich?« wiederholte sie. »Er griff ans Bettband und war auf einmal mit beiden Füßen auf der Diele. ›Laß mich, Hinrich!‹ sagte ich. Aber er fuhr hastig in die Kleider: ›Nein, nein, Mutter, Ihr haltet den Bullen nicht!‹ und dabei hatte er immer die Augen nach dem Fensterladen. Als er dann im Fortgehen an die Wiege stieß, die so wie heut dort neben dem Bett stand, da streckte das Kleine im Schlaf seine Ärmchen auf und griff mit den Fingerchen in die Luft. Mein Hinrich blieb noch einmal stehen und bückte sich über die Wiege, und ich hörte, wie er bei sich selber sagte: ›Das Kind! Das Kind!‹ Er streckte auch schon seine Hand nach den kleinen Händchen aus, als just der Sturm wieder gegen die Läden stieß und das Rumoren draußen im Stalle wieder anhub. Da tat er einen tiefen Seufzer und ging wie taumelig zur Türe hinaus.« – –

Schon länger hatte ich bemerkt, daß Margret den Kopf wie lauschend gegen das Fenster hielt; jetzt hörte ich auch das dumpfe Rumpeln eines Wagens, der den Weg vom Moor heraufzukommen schien. –

»Und seitdem«, fragte ich die Alte wieder, »habt Ihr Euren Sohn nicht mehr gesehen?«

Ich erhielt keine Antwort. Die Stubentür knarrte, und durch die Türspalte drängte sich ein graues Hündchen, naß und beschmutzt; es lief zu der alten Bäuerin und sah sie einen Augenblick wie fragend an, schnoberte winselnd an der Bettstelle herum und lief dann ebenso wieder zur Tür hinaus. Die beiden Frauen, welche atemlos das Tier mit den Augen verfolgt hatten, brachen in laute Klagen aus. Es war, wie ich daraus entnehmen konnte, der Hund des Vermißten, den er selber aufgezogen und dann immer um sich gehabt hatte; das kleine Tier war seit jenem Abend ebenfalls verschwunden gewesen.

Das Rumpeln des Wagens kam indessen näher, und zugleich sah ich, wie am Fenster das Mädchen ihren Kopf aufreckte und mit weit aufgerissenen Augen hinausstarrte. Die Unschlittkerzen leuchteten nicht so weit, aber es fiel von außen eine Mondhelle durch die Scheiben. Gleich einer Schlange glitt sie in die Höhe und blieb dann mit offenem Munde stehen. In demselben Augenblick fuhr auch der Wagen dröhnend auf die Tenne des Hauses.

Eine Weile war es lautlos still, dann wurden Männerstimmen auf dem Hausflur laut, die Stubentür wurde weit geöffnet, und ein breitschulteriger Mann trat auf die Schwelle. »Wir sind mit der Leiche da«, sagte er; »hinten im Moor in der schwarzen Lake hat sie gelegen.«

Das Zetergeschrei der Frauen brach herein; das junge Weib hatte sich mit beiden Armen über die Wiege ihres Kindes geworfen, das jetzt, vom Schlafe aufgestört, sein schrilles Stimmchen mit dareinmischte.

Aber die alte Bäuerin besann sich plötzlich; ihre knochige Hand schüttelnd, trat sie vor das Mädchen hin, die noch immer wie versteinert in die leere Nacht hinausstarrte. »Hörst du's?« rief sie; »er ist tot! Geh nun! Du hast hier weiter nichts zu schaffen.«

Das Mädchen wandte den Kopf, als habe sie nichts davon verstanden; aber trotz des verhüllenden Gewandes sah ich, daß ein Schauder über ihre Glieder lief, während sie schweigend zur Tür hinausging. Durch das Fenster sah ich sie den Hof hinabschreiten; sie hatte den Kopf im Nacken, als sei er ihr herumgedreht, der Scheune zugewendet, worin der Tote lag. Plötzlich, als sie den Weg erreicht hatte, begann sie zu laufen, mit aufgehobenen Armen, als sei was hinter ihr, dem sie entrinnen müßte. Bald aber verschwand sie in den weißen Nebeln, die vom Moor herauf den Weg überschwemmt hatten.

Ich ließ anspannen, mein Geschäft war für heut zu Ende. Als ich durch das Dorf fuhr, kam der Küster von seiner Hofstelle mir entgegen und legte die Hand auf meinen Wagen. »Es tut mir leid um den Hinrich, Herr Amtsvogt!« sagte er. »Aber wer weiß, ob es nicht so am besten ist; wir müssen jetzt nur sehen, daß wir einen tüchtigen Setzwirt bekommen, der die Witwe heiraten und die Stelle für den kleinen Hinrich Fehse bewirtschaften kann. Es soll schon alles besorgt werden, Herr Amtsvogt!« Und in seiner alten Unerschütterlichkeit grüßte er gravitätisch mit der Hand, während ich, diese tröstlichen Worte noch im Ohr, aus dem Dorfe hinausfuhr, an dem Moor entlang, das von einem trüben Mond beleuchtet wurde.

Um mit meinem Bericht zu Ende zu kommen: der Brunnen der Hebammenleute wurde schon am anderen Tage ausgeschöpft, und der versenkte Schatz kam wirklich wieder an das Tageslicht. Auch der Mann für die junge Witwe fand sich, nachdem das Kind noch binnen Jahresfrist mittels eines Bräune-Anfalls seinem Vater in jenes unbekannte Land gefolgt war. Hans Ottsen zog es vor, statt die verrufene Hebammen-Margret zu seinem Weibe zu machen, zu der väterlichen Hufe auch noch die Fehsesche Stelle auf dem einfachen Wege der Heirat zu erwerben. Und so war denn, nach dem Rezept der Küsterin, mit ein paar Handvoll Kirchhofserde wieder alles in seinen Schick gebracht.

Will man noch nach dem Slowakenmädchen fragen, so vermag ich darauf keine Antwort zu geben; sie soll in ich weiß nicht welche große Stadt gezogen und dort in der Menschenflut verschollen sein.

Beim Vetter Christian

Mein Vetter Christian hatte wirklich schon mit zwanzig Jahren seine schönen blauen Augen; und doch behaupteten die Mädchen, Hand aufs Herz, daß sie ihnen völlig ungefährlich seien. Das aber kam daher, weil derzeit, was allerdings in solchem Alter selten vorkommt, die Elektrizität derselben noch gebunden war; und die Ursache hiervon lag wiederum darin, daß nach des Vaters frühem Tode der Vetter zwischen zwei so überwiegend energischen Frauennaturen aufgewachsen und nach kurzen und fleißig benutzten Universitätsjahren wieder in ihre Obhut zurückgekehrt war.

Die eine derselben, seine Mutter – Gott habe sie selig! –, meine gute Tante Jette, hat auch mich als Knaben einmal unter ihrer rührigen Hand gehabt, als Christian und ich uns von ihren großen Schattenmorellen eine Limonade gegen den heißen Sommerdurst bereitet hatten; der anderen verstand ich kunstvoll aus dem Wege zu gehen. Es war dies »die alte Karoline«, welche in schon betagter Jungfräulichkeit als Kindsmagd bei dem kleinen Christian ihren Dienst im Hause angetreten, sich hier nach unbekannt gebliebenen sonstigen Versuchen noch zweimal, wiewohl ohne den gewöhnlich dabei beabsichtigten Erfolg, verlobt hatte und schließlich, nach des Hausherrn Tode, als Magd für alles in der Familie hängengeblieben war. Die Auflösung jener Verlöbnisse sollte lediglich durch die allzu große Tüchtigkeit der Braut herbeigeführt sein, wovor, trotz des annehmlichen und bekannten Barvermögens derselben, sowohl der letzte als der vorletzte Bräutigam zurückgeschreckt waren, welche aber demnächst bei ihrer Herrin eine desto dauerhaftere und erhebendere Anerkennung gefunden hatte.

Meine Tante Jette besaß nach ihres Mannes Tode nur ein schmales Einkommen, aber ein großes Haus. Sie hätte leicht von den leerstehenden Zimmern vermieten können; allein sie gehörte zu den alten Geschlechtern; das ging denn doch nicht wohl. Zum Glück wurde Christian als Kollaborator an unserer Gelehrtenschule angestellt und bezog nun die oberen Zimmer, welche einst von seinem Vater bewohnt gewesen waren. Im übrigen blieb der Hausstand unverändert; Karoline wollte lieber auch für ihren Doktor die Arbeit mittun, als noch so ein junges, flusiges Ding neben sich herumdammeln sehen.

Allein bald nach dem Amtsantritt ihres Sohnes begann Tante Jette zu kränkeln und konnte es sich endlich nicht mehr verhehlen, daß sie das rüstige Leben, das lustige Scheuern und Polieren, das Kochen und Einmachen mit der für sie in keiner Weise passenden ewigen Ruhe werde zu vertauschen haben. Als resolute Frau tat sie indessen auch hier, was not war. Täglich gab sie jetzt ihrem Kollaborator eine Unterrichtsstunde in der praktischen Weisheit ihres Lebens, und der getreue Sohn, wenn er danach in sein Studierzimmer getreten war, unterließ nicht, diese letzten mütterlichen Ratschläge in sauberer Reinschrift zu Papier zu bringen, bis er bemerkte, daß der Zyklus geschlossen und er nach dem Ende wieder in den Anfang hineinzugeraten beginne. Am letzten Tage vor ihrem Ende aber fügte Tante Jette ihren Vorträgen noch gleichsam einen Epilog hinzu. »Und Christian«, sagte sie und legte alle noch übrige Kraft in ihre Stimme, »daß du mir die alte Karoline nicht von dir lässest! Die Leute sagen zwar, sie sei ein Drache; mir aber, wenn es doch einmal auf einen Vergleich hinaus soll, scheint sie, mit ihren runden Augen in dem breiten Kopfe und den Borstenhärchen unter der krummen Nase, mehr einem alten Schuhu ähnlich zu sein; und du weißt es, daß dieser Vogel in dem Haushalt der Natur eine nicht geringe Stelle einnimmt.«

Und als der Vetter sie zwar ehrerbietig, aber doch mit etwas zweifelhaften Augen anblickte, setzte sie hinzu: »Nein, nein, Christian; glaub' mir's, du brauchst eine, die dir die Mäuse wegfängt; und die alte Karoline wird das schon besorgen.«

– – So war denn die Alte auch nach der Mutter Tode im Hause verblieben, und ihr junger Herr befand sich leidlich wohl dabei. Denn in der Tat – wovon er freilich keine Ahnung hatte –, sie pracherte mit Hökern und Gemüseweibern um den letzten Dreiling, sie wußte verschämte Bettler und unverschämte in Wein reisende Juden schon auf dem Hausflur abzufangen; die Bauern, die zur Stadt kamen und die Städter mit ihrem Torf betrogen, fürchteten die Alte mehr als ihren Landvogt.

Zwar wenn der Doktor, was ihm wohl geschehen konnte, sich auf seinem Spaziergang nach der Klasse über die Mittagszeit hinaus verspätet hatte, so wurden wohl die Stubentüren etwas härter als nötig zugeschlagen; auch flog wohl einmal nach der Suppe der Bratenteller auf den Tisch, als sei es Trumpf-As, das die alte Karoline vor ihm ausspielte; aber der Vetter hörte das so wenig wie der Mietsmann eines Bäckers das Geklapper der Beutelmaschine; er befand sich im Geiste vielleicht eben auf dem Markte zu Athen und lauschte der donnernden Philippika des jungen Demosthenes, gegen den offenbar die alte Karoline nicht in Betracht kommen konnte.

Da, nach Verlauf einiger Jahre, geschah es, daß dem Doktor zweierlei in den Schoß fiel: das Subrektorat seiner Gelehrtenschule und eine Erbschaft von einer seiner vielen Tanten. Hatte er, dank seinem Hausdrachen, schon vorher ein hübsches Sümmchen von seinen Einkünften zurücklegen müssen, so wußte er jetzt vollends nicht mehr, wohin damit. Das machte ihn unruhig. Er ging in seinem großen Hause umher: unten in das Wohnzimmer, wo Tisch und Stühle, die Bilder an der Wand, alles noch so war wie zu Lebzeiten der Mutter; in die danebenliegenden Räume, die seit des Vaters Tode unbenutzt gestanden, in das Eßzimmer, dann in das kleinere Spielzimmer. Das Bild seines Vaters, des milden, braunlockigen Mannes, war ihm mit einem Male so gegenwärtig; dabei sah er sich selbst als Knaben, im grauen Habit mit runden Perlmutterknöpfchen; er half seinem Vater den Tabak für die Gäste mischen und rote und grüne Federposen auf die Kalkpfeifen setzen, wobei oft eine linde Hand liebkosend über seine Haare strich. – Ihn überfiel, und stärker mit jedem Male, daß er hier verweilte, eine Sehnsucht, diese Räume aufs neue zu beleben, wenn auch die Toten nicht mehr zu erwecken seien. Die Sippschaft in der Stadt war noch so groß; fast jede Woche mußte er zu irgendeiner Familiengesellschaft, war es nun in den Häusern der Verwandten oder sommers in deren Gärten vor der Stadt. Wie hübsch mußte es sein, wie einst sein Vater es getan, sie alle auch nun seinerseits im eigenen Hause zu bewirten! Indessen – das war sonnenklar – die alte Karoline allein vermochte das doch nicht zu leisten.

Der Vetter resolvierte sich kurz und ging zu der Großtante, der alten Frau Bürgermeisterin; und diese, nachdem er seine Sache vorgetragen, empfahl ihm zuerst eine Witwe, die eben ihren dritten Mann begraben, und dann eine reife Jungfrau, welcher – es war himmelschreiende Sünde – die Vorsteher schon wieder den Platz im St.-Jürgens-Stifte abgeschlagen hatten. Da der Vetter jedoch bedachte, daß es in seinem Hause eigentlich an *einer* Karoline genug sei, so beschloß er, zuvor noch die Meinung seines Onkels, des Senators, einzuholen.

Und in der Tat, der Onkel wußte Besseres zu raten.

»Ich empfehle dir«, sagte er, »mein Patchen, die kleine Julie Hennefeder; ihr Vater – du weißt, unser alter Kontorist – war so etwas von einem Tausendkünstler, er war der ›Hans Michel in de Lämmer-Lämmerstraet‹; er konnte machen, was er sah, ein ›Fleuteken‹ so gut wie einen ›Napoleon›, und trotzdem blieb er hintenum in seiner Lämmerstraße sitzen. Die Witwe hat es knapp, und ich weiß, daß sie sich schon nach einem soliden Platz für ihre Tochter umgesehen hat. Das wäre ja denn so bei dir, Christian! Übrigens, das Mädchen sieht keineswegs aus, als wenn ihr Familienname für sie erfunden wäre; im Gegenteil, sie ist ein schmuckes, voll ausgewachsenes Menschenkind und soll überdies so manches von der Kunstfertigkeit ihres Vaters ererbt haben, was sich auch besser für ein Hausfrauchen als für einen alten Kontoristen schicken mag.«

Und so setzte denn, als eben Goldregen und Syringen im Garten des Vetters sich zum Blühen anschickten, ein braunes, rosiges Mädchen zum erstenmal den Fuß über die Schwelle seines Hauses; und der Vetter konnte nicht begreifen, weshalb auch drinnen die alten Wände plötzlich zu leuchten begannen. Erst später meinte er bei sich selber, es sei der Strahl von Güte, der aus diesen jungen Augen gehe. Die Großtante freilich schüttelte etwas den Kopf über diese gar so jugendliche Haushälterin, und womit die alte Karoline geschüttelt, das hat der Vetter niemals offenbaren wollen.

Julie war keine schlanke Idealgestalt; sie war lieblich und rundlich, flink und behaglich, ein geborenes Hausmütterchen, unter deren Hand sich die Dinge geräuschlos, wie von selber, ordneten. Dabei, wenn ihr so recht etwas gelungen war, konnte sie sich oft einer jugendlichen Unbeholfenheit nicht erwehren; fast als habe sie für ihre Geschicklichkeit um Entschuldigung zu bitten. Ja, als einmal der Vetter ein lautes Wort des Lobes nicht zurückhalten konnte, sah er zu seinem Schrecken das Mädchen plötzlich wie mit Blut übergossen vor sich stehen, und ganz deutlich glaubte er: »O, bitte, wenn Sie nichts dagegen haben!« die buchstäblichen Worte aus ihrem Munde zu vernehmen. In Wirklichkeit freilich hatte er sie nicht gehört; es war nur eine Konjektur, die er aus den braunen Augen herausgelesen hatte.

Als er es später dem Onkel Senator bei einer Nachmittagspfeife anvertraute, nickte dieser und meinte lächelnd, das sei eine Inschrift, züchtig, süß und bescheiden und wohl passend für ein junges Mädchenangesicht.

Und wie von selber belebten sich die öden Räume des Hauses. Die Fenster füllten sich mit Blumen, und unten vom Wohnzimmer in das Treppenhaus hinauf klang morgens der helle Schlag eines Kanarienvogels; aber ebenso lag auch das Tüchelchen bereit, um ihn zum Schweigen zu bringen, wenn der Herr Doktor noch beim Morgenkaffee seine Pensa durchnahm. Der Onkel, der jetzt öfter bei dem Vetter einsah, behauptete, das ganze Haus habe eine Wendung weiter nach der Sonnenseite hin gemacht.

Selbst die alte Karoline stand eines Tages mit eingestemmten Armen und sah den kunstfertigen Händen der »Mamsell« zu, die eben den Studiersessel des Doktors neu gepolstert hatte und nun so flink einen blanken Nagel um den anderen einschlug. Freilich, als sie sich darauf ertappte, trabte sie eilig in ihre Küche zurück, scheltend über sich selbst und über die fingerfixe Person, die dem Nachbar Sattler das Brot vor dem Munde wegnehme.

Je weniger aber die alte Jungfrau die Tüchtigkeit und die ruhige Freundlichkeit des Mädchens verkennen konnte, desto schärfer spähte sie nach allen Seiten aus, und bald konnte man sie gegen die Mittagsstunde zwischen ihrem Feuerherd und der auf dem Flur stehenden Hausuhr unruhig auf und ab wandern sehen. Es war unzweifelhaft, der Doktor kam niemals mehr zu spät von seinem Mittagsspaziergang; ja, er sah oft ganz erhitzt aus, wenn er anlangte; er mußte schier gerannt sein, um nur die rechte Stunde nicht zu verfehlen. Um *ihret*willen, die sie ihn doch auf diesen ihren Armen getragen hatte, war noch niemals ein Tropfen Schweiß vergossen worden!

Die Lippen der Alten begannen vor sich hin zu plappern: sie schluckte, als könne sie es nicht hinunterwürgen.

Es war augenscheinlich, die Küche hatte jene Sonnenwendung des übrigen Hauses nicht mitgemacht.

Inzwischen gingen die Jahreszeiten ihren Gang. Die Rosen im Garten hatten ausgeblüht; Hülsenfrüchte und Spargel waren nicht nur abgeerntet, es stand auch ein gut Teil davon in blanken Konserven in der Vorratskammer; daneben reihten sich sorgsam verpichte Flaschen, voll von Stachelbeeren und von jenen saftreichen Schattenmorellen, deren beliebiger Verwendung jetzt nichts mehr im Wege stand.

Beim Brechen des Kernobstes, das der Garten in den feinsten Arten hervorbrachte, leistete diesmal der Vetter selbst den besten Mann. Kühn wie ein Knabe holte er die großen Gravensteiner Äpfel von den höchsten Zweigen. Von draußen guckten die Nachbarsbuben mit gierigen Augen über die Planke und riefen in ihrem Plattdeutsch: »Lat mi helpen, lat mi helpen! Ick kann ganz baben in de Tipp!« – Aber der Vetter brauchte die Buben gar nicht, er konnte sich allein helfen. Dagegen, in der Freude seines Herzens, warf er oftmals einen Apfel zwischen sie, worüber denn jenseit der Planke ein lustiges Gebalge sich erhob; die schönsten aber, die mit den rotgestreiften Wangen, flogen zu seiner jungen Wirtschafterin hinab, die mit vorgehaltener Schürze unter dem Baume stand. Nur war sie heute nicht geschickt wie sonst; denn ihre Augen folgten dem Vetter ängstlich auf die schwanken Zweige, und ein etwas größerer Apfel schlug ihr fast jedesmal den Schürzenzipfel aus der Hand. Bei dem Bücken nach rechts und links waren die schweren Haarflechten ihr herabgeglitten und hingen lose in den Nacken; nun, da der Äpfel noch immer mehr auf sie zuflogen, bat sie flehentlich um Gnade.

»Christian, mein Junge!« erscholl jetzt plötzlich die Stimme des Onkel Senators, der eben in den Garten getreten war. »Wo steckst du denn? – Beim Gott Merkurius! du scheinst nachgerade nun so jung zu werden, wie du es deinem Taufschein schuldig bist! Aber weißt du denn, daß es eben zwei vom Turme geschlagen hat?«

Da flog noch ein Apfel glücklich in Juliens Schürze; dann kam der Vetter selbst zur ebenen Erde. In der Tat, er hätte fast die Klassenzeit versäumt; ja, noch immer waren seine Gedanken in den grünen Zweigen. »Was meinen Sie, Fräulein Julie«, sagte er und strich sich die gelben Blätter aus den Haaren; »ich denke, um vier setzen wir die Arbeit fort! Wahrhaftig, Onkel; ich hätte nicht gedacht, daß ich so klettern könnte!«

Nun war es im November. Die Bäume waren leer, der Garten stand verödet; aber Keller und Vorratskammer waren gefüllt; lang und traulich wurden die Abende; die vielbedachte große Familienfestlichkeit sollte nun wirklich vor sich gehen.

Als man die einzuladenden Gäste zusammenrechnete, da waren es sechzehn, die beiden Hausgenossen ungezählt; dazu ein armes Fräulein, das von der Großtante alle Weihnacht ein Liespfund Kaffee und zwei Hut Meliszucker zum Geschenk erhielt.

Zwar Karoline behauptete, es könnten nur achtzehn an dem Ausziehetisch sitzen; aber Julie sagte sehr errötend: »Wenn der Herr Doktor es *mir* vertrauen wollten!« Und der Vetter lächelte still und dachte: »Nun hat sie wieder einen ihrer klugen Einfälle!« Dann setzte er auch den siebzehnten Gast mit auf die Liste.

Und jetzt wurde rüstig angefaßt. Karoline zankte nach Herzenslust mit Schlächtern und Fischfrauen; der Vetter holte staubige Flaschen aus seinem Weinkeller und schnitt dann wieder Fidibus und Leuchtermanschetten vom weißesten Velinpapier; der Onkel Senator mußte, weil auf dergleichen der Vetter sich nicht verstand, einen großen Marzipan aus Lübeck verschreiben; Julie kam mit heißen Wangen bald vom Nachbar Bäcker, wo sie ihre Kuchen und Plätzchen im Ofen hatte, bald draußen vom Gärtner, der ihr für die Festtafel noch einen herbstlichen Strauß zusammensuchen mußte.

Und so war denn eines Sonntags der große Nachmittag herangekommen. Der Weg zum Hause führte durch den seitwärts darangelegenen Teil des Gartens; aber schon mit Dunkelwerden leuchtete die über der Haustür befindliche Laterne freundlich auf den breiten Steig hinaus.

Drinnen im Wohnzimmer, im Schein der großen Astrallampen, blinkten die Tassen und sauste schon die Teemaschine. Nebenan im Spielstübchen hatte eben der Vetter die Karten ausgebreitet und die Spielmarken zurechtgelegt, während hinter den noch geschlossenen Türen des Eßzimmers Julie die Tafel revidierte, welche nach langen Jahren wieder einmal mit dem geblümten Damastgedeck und den schweren silbernen Leuchtern prangte.

Schon hatte es sechs geschlagen, und der Vetter, seine goldene Taschenuhr in der Hand, durchmaß mit unruhigen Schritten die noch immer leeren Räume. Da endlich begann draußen auf dem Flur das Schellen der Haustürglocke; fröhliche Stimmen, junge und alte, wurden laut und – da kamen sie: der Onkel und die Tante Senator, zwei andere Tanten, zwei Vettern und zwei Muhmen und von übriger Sippschaft sieben, das arme Fräulein ungerechnet. Mitunter war es auch nur ein Windstoß, der die Haustür aufwarf, denn der Nordwest pustete draußen geradesoviel, als es drinnen zur Erhöhung der Behaglichkeit zu wünschen war. Schließlich rollte auch noch die Klosterkutsche vor das Gartentor, die Großtante wurde herausgehoben, und die alte Karoline, in einer großen Haube mit Rosaschleifen, kam zum Vorschein und nahm der Frau Bürgermeisterin den schweren Atlasmantel ab.

Die Gesellschaft war vollzählig. Am Teetisch in der Ecke stand die kleine, freundliche Wirtin des Hauses und drehte das Hähnchen der Teemaschine und schenkte in die Tassen; zwei junge Bäschen gingen umher und präsentierten, die eine den duftenden Trank, die andere die sämtlich nach Familienrezepten gebackenen Kuchen. Eine Luft der Behaglichkeit war verbreitet, daß alles wie von selber an zu plaudern fing. Die Großtante hatte aus der Sofaecke mit ihren noch immer scharfen Augen eine Weile rings umhergesehen und nickte nun beifällig nach dem Ecktischchen hinüber. »Wie gut, mein Lieber«, sagte sie und drückte dem Vetter Christian die Hand, »daß wir die Kutsche in der Stadt haben! Wie hätte ich sonst in all dem Wetter zu dir kommen sollen!« Und Christian verstand gar wohl den Beifall, der in diesen Worten lag; und wäre es in ihrem Kreise Brauch gewesen, er würde gewiß die Hand der alten Dame geküßt haben. So aber ließ er es mit einem dankbaren Gegendruck bewenden.

Nicht lange, so saßen im Nebenzimmer die alten Herrschaften bei ihrer Whistpartie. Julie hatte soeben der Frau Bürgermeisterin ein weiches Fußkissen untergeschoben; als auch der Vetter hereintrat, um dem ehrenfesten Spiele zuzusehen, blickte der Onkel ganz schelmisch zu ihm auf. »Nun, Christian«, sagte er, indem er zierlich einen neuen Stich auf die Tischplatte schnippte, »das ist heut doch ein ander Ding als vorigen Winter, da du immer allein da droben auf deiner Rauchkammer saßest! Und wie angenehm«, fuhr er, inzwischen immer neue Stiche machend, fort – »unserer kleinen Hennefeder die Rosabusenschleife zu ihren braunen Flechten läßt! Im Vertrauen, Christian, noch hübscher als deiner Karoline die Schleifen auf ihrer großen Flügelhaube. Auf alle Fälle aber ist Rosa heut die Farbe deines Hauses; und – sieben Trick, groß Schlemm, meine Damen! Was sagst du dazu, Christian?«

Der Vetter nickte und ging vergnügt zu den anderen, die im großen Zimmer schon am Pochbrett saßen. Es war noch ein echtes, altes, ein Erbpochbrett mit Scharwenzel, Vizebuben, Umschlag und Braut und Bräutigam. Und lustig ging es her; die Stimmen riefen durcheinander, die Rechenpfennige klirrten; die Seele des Spieles aber war ein verwachsenes, ältliches Jüngferchen, welche den ganzen Kopf voll grauer Pfropfenzieherlöckchen hatte. Sie wurde, weil sie zur Erhöhung ihrer kleinen Person sich beim Sitzen einen ihrer Füße unterzuschieben pflegte, in der Familie »Lehnken Ehnebeen« genannt; und der Vetter hatte ihr einst, da er noch ein kleiner, dummer Knabe war, einen gar üblen Streich gespielt. Heimlich war er unter den Tisch gekrochen, an welchem sie mit drei anderen Damen ihre Partiechen machte. Auf einmal rief er: »Ich seh', ich seh'!« – »Was siehst du denn, mein Jungchen?« fragte sie. – »Ich seh' vier Tanten und nur sieben Beine!« Da stach Cousine Ehnebeen die Force ihrer Partnerin mit Atout-As und verlor darüber den Rubber.

Aber diese garstige Geschichte war jetzt längst vergessen. »Vetter Christian!« rief sie. »Es ist höchst gemütlich bei Ihnen; Sie machen ein reizendes Haus. Aber kommen Sie flink! Ich bin just am Kartengeben!«

»Um Entschuldigung, Cousine; ich bin heute ja der Wirt!« entgegnete der Vetter und winkte mit der Hand.

Da wollte eben die kleine Wirtin des Hauses, mit geleerten Kuchenkörben beladen, an ihm vorübergehen; nun aber stand sie einen Augenblick und sagte schüchtern: »Spielen Sie doch mit, Herr Doktor! Wenn Sie es mir vertrauen wollen, ich würde alles schon besorgen.«

»Gewiß, gewiß, Fräulein Julie! O, ich vertraue Ihnen sehr«, flüsterte der Doktor hastig; und als er sie im Fortgehen anblickte, sah er noch, wie sie über und über rot wurde und wie es ganz deutlich: »O, bitte, wenn Sie nichts dagegen haben!« in ihren jungen braunen Augen stand.

Wie aber diese Augen glänzten, als Julie draußen neben dem alten Drachen in Küche und Speisekammer hantierte, das sah der Vetter nicht mehr; denn er saß drinnen bei Cousine Ehnebeen und spielte

Poch und hatte alle Wirtschaftssorgen von sich geworfen, denn – ja, das wußte er gewiß – sie waren in den allerbesten Händen. Nur Karoline musterte bedenklich die Augen ihrer jungen Vorgesetzten; und sie wollten ihr um desto schlechter gefallen, als sie auch in denen ihres Doktors schon öfters jenen ihr widerwärtigen Glanz bemerkt zu haben glaubte.

Aber der Abend rückte weiter. – Um neun Uhr öffneten sich die Flügeltüren des dritten Zimmers; und da strahlte die blumengeschmückte Tafel im hellsten Damast- und Kerzenglanz. Der Vetter bot der Großtante den Arm, der Onkel hatte sich geschickt sein Patchen einzufangen gewußt. Zwar sie meinte, ihr geschehe zuviel Ehre, aber sie mußte.

»Heut, mein kleines Patchen«, sagte der Onkel, »sind Sie die Dame des Hauses und müssen schon einmal mit mir altem Burschen fürliebnehmen!« worüber denn die junge Dame ganz beschämt wurde und die alte Karoline, welche eben mit einer Schüssel Karpfen in die Stube trat, dem guten Herrn einen giftigen Blick hinüberschoß, den dieser jedoch, leider, nicht bemerkte. Als man indessen an den Tisch getreten war, machte Julie mit allerliebstem Lächeln einen Knicks, und fort war sie; und da half es nun nicht weiter, der Onkel sah sich plötzlich neben der Großtante eingeschoben und die Tafelreihe geschlossen.

Der Vetter rieb sich vergnügt die Hände, wie er da die ganze Freundschaft so an seinem Tisch beisammen habe; er sah auch wohl, wie Julie neben der alten Karoline hie und da eine Schüssel reichte; aber beim Fischessen muß jeder hübsch die Augen auf dem Teller haben. So bemerkte er nicht einmal, daß er selbst die Karpfen wie den säuerlichen Rahmschaum stets nur von der Hand seiner alten Haustyrannin erhielt, noch weniger, wie diese ihren Schnurrbart sträubte, wenn das junge Kind sich einmal mit einer Schüssel in seine Nähe wagte.

Doch nun erschien der Braten, stattlich, als solle er das Kerzenlicht verdunkeln; und alle Augen und Zungen waren wieder freigegeben. Feierlich stand der Vetter auf, und mit dem Messer an sein Glas klingend hub er an: »Unsere liebe, allverehrte Großtante, sie lebe – –« Aber er stockte plötzlich, als er in diesem Augenblick zum erstenmal die ganze Tafelrunde überschaute. »Hm!« sagte er. »Wo ist denn Fräulein Julie?«

Da scholl aus der untersten Ecke des Zimmers eine helle Stimme: »Hier bin ich, Herr Doktor!« Und als er hinblickte, da saß sie dort am Katzentischchen.

»Unsere allverehrte Großtante, sie lebe hoch!« sagte nun der Vetter.

»Hoch! Hoch!« Und alle standen auf und klingten mit der Großtante an, und auch Julie tat es; und danach, trotz dem alten Hausdrachen, stieß sie auch noch mit dem Vetter an, und als dieser wie in freundlichem Tadel ihrer selbstgewählten Erniedrigung gegen sie den Kopf schüttelte, blickte sie ihn so demütig und um Verzeihung flehend an, daß er darüber ganz verwirrt wurde. Denn zu seiner eigenen Verwunderung saß er schon wieder auf dem Stuhl, bevor er auch nur mit einem Schlückchen die von ihm selber ausgebrachte Gesundheit bekräftigt hatte; erst als die alte Dame erhobenen Fingers sagte: »Aber, Christian, du meinst es doch wohl ehrlich mit deiner alten Großtante!« stürzte er hastig das ganze Glas hinunter.

Doch schon hatte Cousine Ehnebeen aufs neue ihr Füßchen unten weggezogen und nahm nun in ganzer Gestalt die Aufmerksamkeit der Gesellschaft in Anspruch. Erhobenen Glases stand sie da, und mit angenehmer Krähstimme rief sie:

»Ich bin verliebt!«

und nachdem sie sich herausfordernd im Kreise umgeblickt und niemand gegen diese Behauptung etwas einzuwenden gefunden hatte, fragte sie mit noch nachdrücklicherem Pathos:

»Worin?«

Und als auch hierauf die Gesellschaft schwieg, erteilte sie zur Überraschung aller, welche ihren Trinkspruch noch nicht kannten, deren jedoch zufällig heute niemand zugegen war, die gewiß befriedigende Antwort:

»In Redlichkeit und Treu'!
Ein abgesagter Feind
Von aller Heuchelei!«

Es war ein schöner, langer Trinkspruch; aber sie brachte ihn tapfer zu Ende und verneigte sich lustig gegen alle, die ihr das Glas hinüberreichten oder mit ihr anzustoßen kamen. Und das arme Fräulein ging von Lehnken Ehnebeen zu allererst an das Katzentischchen und stieß mit Fräulein Julie an und drückte dabei, wie in zärtlicher Versicherung, mit ihren mageren Fingern die kleine, feste Hand des Mädchens; nein, gewiß, sie beide wollten keine Heuchler sein!

Noch immer heiterer wurde es; und als beim Nachtisch der große Marzipan, worauf sich das Lübecksche Rathaus nebst dem ganzen Markt präsentierte, zuerst herumgereicht und dann von der Großtante zierlich zerlegt war, da befahl der Vetter, seine drei Flaschen noch vom Vater ererbten Johannisbergers aus ihrem staubigen Winkel heraufzuholen, was auf jung und alt den angenehmsten Eindruck nicht verfehlte, da die grimmigen Selbstgespräche, mit denen die alte Karoline die Kellertreppe hinabstapfte, hier oben gar nicht zu hören waren. Und als nun erst die Pfropfen gezogen wurden und der lang verschlossene köstliche Duft herausstieg und das Zimmer wie mit frischer Lebensluft erfüllte, da stimmte der Onkel an:

»Vom hoh'n Olymp herab ward uns die Freude!«

Und es half den Jungen nicht, daß sie das Lied veraltet fanden; sie stimmten doch alle mit ein, aus großem Respekt vor dem Onkel.

– – Draußen auf der Gasse, auf seinen Morgenstern gestützt, stand der Nachtwächter, der alte Matthias, der immer so hell die Neujahrsnacht ansang, und hörte zu, bis das Lied zu Ende war. Dann, verwundert, was in dem sonst so stillen Hause des Doktors heute vorgehe, rief er die elfte Stunde und setzte seine Runde fort. – –

Wie aber alle Lust ein Ende nimmt, so war endlich auch auf dem großen Familienfest des Vetters der Johannisberger ausgetrunken. Schon rückte man die Stühle, als der Onkel noch einmal an sein Glas klingte: »Nicht zu vergessen unseren alten Landestrinkspruch! Lieben Freunde, up dat es uns wull ga up unse ole Dage!«

Und auch die Jungen stießen andächtig an, als sähen auch sie den warnenden Finger, der gegen uns alle aus der dunkeln Zukunft sich erhebt. Der Vetter aber hatte die Augen nach dem Katzentischchen und dachte: »Ja, jetzt, jetzt geht's dir wohl; aber wie wird's dir gehen in deinen alten Tagen?«

»Christian, mein Lieber«, sagte die Großtante leise, »das war ja heute fast wie einst bei deinem guten Vater selig.«

Da stand er auf und führte die alte Dame in das Wohnzimmer zurück. Und als alle sich »Gesegnete Mahlzeit« gewünscht hatten, erschien Karoline mit Pelzen, Mänteln und Muffen; draußen klatschte der Kutscher von dem Bock der schon längst wieder vorgefahrenen Klosterkutsche; dann begann wieder die Haustürglocke zu schellen, die Gäste nahmen Abschied, und bald waren nur noch der Vetter und Fräulein Julie in den leeren Zimmern. Sie räumten die Karten fort, legten die Teppiche zusammen und löschten die Überzahl der Lichter.

Dem Vetter lag es auf dem Herzen, als habe er Fräulein Julien noch was Besonderes mitzuteilen; er suchte danach in seinem Kopfe, aber er konnte es dort nicht finden. Freilich, daß sie nicht wieder am Katzentischchen sitzen dürfe, das wollte er ihr auch gelegentlich sagen; aber das war es doch so eigentlich nicht. Er rückte hier und da an einigen Stühlen, an denen nichts zu rücken war, und auch Fräulein Julie wischte schon ein ganzes Weilchen mit ihrem Schnupftuch um nichts an einer spiegelblanken Tischplatte; endlich wünschten sich beide gute Nacht. Die alte englische Hausuhr – sie war einst in der Kontinentalsperre konfisziert worden und dann noch einmal um den vollen Preis vom Großvater zurückgekauft – spielte eben vom Flur aus dreimal ihre Glockentonleiter zum letzten Viertel vor Mitternacht. Wie spät das heut geworden war!

Als nach einer Weile draußen auf der Gasse der alte Matthias die zwölfte Stunde abrief, sah er, daß schon alle Fenster dunkel waren. Ein Weilchen stand er noch und wiegte seinen grauen Kopf. Eine Hochzeit konnt's doch nicht gewesen sein! Bei solch einer Familie, da hätten drunten im Hafen die Schiffe doch geflaggt; auch für die Nachtwächter wäre wohl ein gutes Trinkgeld nicht gespart worden! – Und mit sich selber redend, setzte der Alte seine Runde fort, bis der neue Stundenschlag ihn auf andere Gedanken brachte.

Noch ganz erfüllt von seinem gestrigen Feste und dem anmutigen Walten seiner kleinen Hausdame, griff am anderen Morgen der Vetter nach seiner längsten Pfeife, um mit diesem erprobten Beistande in den Weg des täglichen Lebens wieder einzulenken. Als er in die Küche trat, wo er am Herdfeuer seinen Fidibus anzuzünden pflegte, traf er dort die Alte mit dem Putzen der Gesellschaftsmesser beschäftigt. Er konnte dem Drange seines Herzens nicht widerstehen. »Karoline«, sagte er und tat die ersten kräftigen Züge aus seiner Pfeife, »die Julie ist doch ein gutes Mädchen!«

Karoline arbeitete eifrig an ihrem Messerbrett.

»Hört Sie nicht, Karoline?« wiederholte der Doktor. »Ich sage, die Julie ist doch ein sehr gutes Mädchen!«

Die Alte kniff den Mund zusammen, daß sich die Barthärchen auf ihrer Oberlippe sträubten.

»Sie denkt gar nicht an sich selber, das liebe Kind!« fuhr der Doktor rauchend und wie zu sich selber redend fort.

»Gar nicht an sich selber?« Das war der Alten doch zuviel; sie wetzte so wütig, daß die Messer und Gabeln mit großem Geprassel auf die Fliesen stürzten.

Der Vetter, der wohl wußte, daß bei seiner alten Freundin Tag und Stunde nicht gleich seien, fragte ruhig: »Aber, Karoline, was hat Sie denn nur einmal wieder heute?«

»Ich? Ich habe nichts, Herr Doktor!« Und sie bückte sich und warf mit beiden Händen die Messer und Gabeln wieder auf den Küchentisch. »Aber ich sage bloß: lassen Sie sich nur nicht bestricken! Ja, das sage ich, Herr Doktor!« Sie stand schon wieder vor ihrem Herrn und nickte oder zitterte vielmehr heftig mit ihrem großen grauen Kopfe.

Dieser war aufrichtig betreten, so daß er sogar die Pfeife beim Fuß gesetzt hatte; dann aber fragte er nachdenklich: »Bestricken, Karoline? Was meint Sie mit Bestricken?«

»Da kann man viel damit meinen!« erwiderte die Alte unverfroren.

»Das freilich, Karoline; aber hat denn Sie keine bestimmte Meinung?«

»Ich habe so *meine* Meinung, Herr Doktor; und wenn meine Augen auch alt sind, so sehen sie doch mehr als manche junge Augen!«

»Nun, nun, Karoline!« – Der Doktor verließ die Küche und ging hinüber in das Wohnzimmer, wo Julie eben den Kaffee in seine Tasse schenkte; sie sah ganz rosig aus in ihrem Morgenhäubchen. Rauchend schritt er ein paarmal auf und ab; dann, als falle ihm das plötzlich schwer aufs Herz, blieb er vor dem Mädchen stehen und sagte: »Bekennen Sie es nur, Fräulein Julie, Sie haben gewiß manchmal Ihre Not mit unserer guten Alten?«

Aber Julie sah ihn mit der ganzen Ehrlichkeit ihrer jungen braunen

Augen an. »Wir vertragen uns schon, Herr Doktor«, sagte sie; »wer sollte mit alten Leuten nicht Geduld haben?«

Da schlug es an der Hausuhr acht; der Doktor mußte eilen, daß er in die Klasse kam.

Die Wochentage liefen hin. Aber mit jedem Tage wurde es dem Vetter deutlicher, daß er an einer innerlichen Unruhe leide, deren Ursache er jedoch vergebens zu erforschen strebte. Seine Gesundheit ließ nichts zu wünschen übrig, sein Haus war besser bestellt als je zuvor, und auch sein Gewissen – so viel glaubte er behaupten zu können – war im wesentlichen unbelastet. Mitunter fiel ihm ein: wenn er nur einmal recht weit von hier könnte! Wenn nur die Weihnachtsferien erst da wären, so wollte er fort zu einem Universitätsfreunde und bei dem das Fest verleben. Aber wenn er dann der Sache näher nachdachte, so überkam es ihn immer wie eine Trostlosigkeit, auch nur einen Tag anderswo als im eigenen Hause zuzubringen. Es war höchst sonderbar.

Freilich, wenn er die alte Karoline gefragt hätte, die würde ihm Bescheid gegeben haben. Sie kannte die Krankheit mit allen ihren möglichen und unmöglichen Folgen und hatte sogar eben erst ein neues Symptom derselben entdeckt. Ja, statt wie sonst um höchstens elf Uhr, ging jetzt der Doktor meistens erst um zwölf nach seinem im Erdgeschoß belegenen Schlafzimmer. So lange saß er oben auf seiner Studierstube; er verachtete den Schlaf, den er sonst so sehr geliebt hatte. Und die alte Karoline verstand es, ihre Schlüsse zu machen! Sie übersprang dabei wahre Abgründe; ja, sie erstieg, was nie von einem Akrobaten noch gesehen worden, mit Behendigkeit die höchste Leiter, welche auf ihrer eigenen Nase balancierte, und stand dann schwindellos und triumphierend auf der obersten Sprosse. O, die alte Karoline!

Und nun geschah es am Freitagvormittage, daß sie, wie gewöhnlich, eine Flasche frischen Wassers nach der Stube der »Mamsell« hinauftrug. Aufräumungslustig, wie immer, blickte sie umher; und da kein anderer Gegenstand sich ihren Augen darbot, so nahm sie, damit dem dringenden Triebe doch in etwas Genüge geschehe, ein auf der linken Seite der Tür hängendes Kleid der Mamsell, um es auf den Haken an der rechten Seite der Tür zu hängen. Dabei fiel aus der Tasche des Kleides ein zusammengefaltetes weißes Schnupftuch, das sie an den Namensbuchstaben sofort als das unzweifelhafte Eigentum des Doktors, ihres Herrn, erkannte.

Was bedeutete das? Wie kam das Tuch hierher, in die Tasche der Mamsell? Sie starrte darauf hin, daß ihr die runden Augen aus dem Kopfe traten. Plötzlich fiel ein schneidendes Licht auf den Gegenstand ihrer Betrachtung; der Großtürke – ja, das hatte ihr Bruderssohn, der Schiffer, einmal erzählt –, wenn der aufs Freien wollte, so schickte er vorher sein Schnupftuch an das junge Frauenzimmer! Und ihr Herr, der Doktor, er rauchte türkischen Tabak, er hatte vergangenen Sommer türkische Bohnen im Garten gezogen, er war überhaupt sehr für das Türkische! – Eine Vorstellung jagte die andere im Hirn der braven Alten. Herr du des Himmels! Das Zimmer hier war ja nur durch die kleine Kramstube, in der auch die Mamsell ihre Kommode stehen hatte, von dem Studierzimmer des Doktors getrennt, und die Verbindungstüren waren allzeit unverschlossen! Die Alte schauderte. Der Doktor kannte die Welt nicht; wenn es wirklich nun zu einer Hochzeit käme! Mit einer Person, die aus gar keiner Familie war! – »Hennefeder« hieß sie; sie konnte ebensogut »Hahnewippel« heißen oder sonst dergleichen, was nirgendwo zu Haus gehörte – die sie heute noch betroffen hatte, wie sie einen Weinjuden in das Wohnzimmer komplimentierte, dem man es bei seinem Fortgehen vom Gesicht ablesen konnte, daß der Doktor sich wieder ein teures Fäßchen hatte aufschwatzen lassen! Aber sie, die alte Karoline, wollte ihr Augen offen haben!

Nachdem sie so mit sich ins reine gekommen war, steckte sie das verdächtige Schnupftuch wieder in die Tasche des Kleides und ging hinab in ihre Küche. Aber den ganzen Tag war sie wie hintersinnig, und statt des Kaffeekessels setzte sie die Bratpfanne auf den Dreifuß.

Mit dem Abend steigerte sich ihre Unruhe. Als die Uhr halb elf geschlagen hatte, hörte sie die Mamsell die Treppe hinauf nach ihrem Zimmer gehen; der Doktor war schon seit neun in seiner Studierstube. Mehrmals trat sie aus der Küche in den Hausflur; aber immer pickte die große Uhr so laut, daß sie nichts vernehmen konnte. Endlich schlich sie die Treppe hinauf und legte ihr Ohr zuerst an die Stubentür der Mamsell – da hörte sie es drinnen von Frauenkleidern rauschen; dann an die Stubentür des Doktors – da konnte sie deutlich hören, wie der Vetter seinen Pfeifenkopf am Ofen ausklopfte.

Sie stieg wieder hinab; sie wollte warten, bis ihr Herr in sein Schlafzimmer gegangen wäre. Zitternd und frierend, die Arme in ihre Schürze gewickelt, saß sie neben dem kalten Herde auf dem hölzernen Küchenstuhl; aber die Uhr schlug zwölf, und es rührte sich noch immer nichts. Da hielt sie sich nicht länger; sie war es seiner seligen Mutter schuldig; ja, sie hatte ihn selber mit erzogen; wieder stieg sie die Treppe hinauf, und als dort alles still blieb, öffnete sie resolut die Tür des Studierzimmers. – Da saß der Doktor in seinem bunten Schlafrock und rauchte aus seiner türkischen Pfeife. Kein Buch, kein Schreibwerk lag vor ihm, er rauchte bloß; die Studierlampe war ausgetan, das Licht, mit dem er in sein Schlafgemach zu gehen pflegte, brannte auf dem Tische mit einer langen Schnuppe. Das alles war höchst verdächtig.

Als ihr Herr sie gar nicht zu bemerken schien, trat sie an den Tisch und putzte das Licht.

Da sah der Vetter auf. »Mein Gott, Karoline, was will Sie denn?«

»Ich wollte nur sagen, Herr Doktor, daß Ihre Schlafstube unten zurecht sei.«

»Das glaube ich wohl, Karoline; aber was ist denn eigentlich die Uhr.«

»Es ist nach Mitternacht, Herr Doktor!«

»Mitternacht? Aber, was wandert Sie bei Ihrem Alter denn so spät im Hause herum! Geh Sie doch schlafen, Karoline!«

»So!« dachte die Alte; »also das ist's! Ich muß erst fort sein in meine Bodenkammer!« Und laut setzte sie hinzu: »Ich war unten in der Küche eingenickt; aber ich will nun schlafen gehen. Gute Nacht, Herr Doktor!«

»Gute Nacht, Karoline.«

Mit harten Tritten stieg sie die Bodentreppe hinauf und klappte dann ebenso vernehmlich die Tür ihrer Kammer auf und zu. Sie hatte aber nur das mitgebrachte Licht hineingestellt. Sie selber tappte zwischen den umherstehenden Kisten und sonstigem Hausgerät auf den dunkeln Boden hinaus. Als sie mit der Hand einen Bettschirm fühlte, der noch von der letzten Krankheit der seligen Frau hier oben stand, huckte sie nieder und legte das Ohr auf den Fußboden; der Schirm, das wußte sie, befand sich gerade über der kleinen Kramstube.

Es blieb alles still; nur die türkischen Bohnen, die zum Trocknen reihenweise an aufgespannten Fäden hingen, raschelten im Nachtzuge, der durch die Ritzen des Daches fuhr. Draußen von der nahen Kirche schlug es eins. – Der große Kopf der Alten wurde immer schwerer in der unbequemen Lage; lange war es nicht mehr auszuhalten. Da – was war das? Wie ein Blitz schlug es ihr durch alle Glieder; sie hatte unter sich die eine Tür der Kramstube knarren hören; aber in demselben Augenblick – denn ihre Beine waren zuckend hintenausgefahren – stürzte auch der Bettschirm mit Gepolter auf sie herab. Mit dem Kopfe hatte sie die Tapetenbekleidung durchstoßen, und er steckte nun darin wie in einem mittelalterlichen Folterbrette. Eine Katze sprang von einem nebenstehenden Schrank und pustete sie an.

»Pust' nur!« sagte die Alte. »Ich werde auch pusten!«

Sie hatte genug gehört; und noch dazu, einen heilsamen Schreck mußte es denen da unten doch gegeben haben; bis morgen würde der schon vorhalten, und – übermorgen, da sollte vorher schon noch was anderes passieren! Noch einmal horchte sie, und da nichts sich hören ließ, zog sie behutsam ihren Kopf heraus und kroch zurück in ihre Kammer.

Aber die Pläne, einer noch gewaltsamer als der andere, die ihren Kopf durchkreuzten, ließen sie nicht schlafen. Zehnmal warf sie ihr Kopfkissen herum, sie zerwühlte ihr ganzes Bett und wußte bald nicht mehr, ob sie in der Länge oder in der Quere lag. Als endlich der erste Dämmerschein durch die kleinen Fensterscheiben fiel, saß sie, wirklich einem Schuhu nicht unähnlich, zusammengekauert im Fußende des Bettes. Die Spitze ihrer krummen Nase zuckte auf und ab, die Augenlider mit den grauen Wimpern schossen gichterisch über die offenstehenden Pupillen. Es sah überhaupt aus wie in einem Eulennest; in der Kammer umher lagen die Bettfedern wie von kleinen zerrissenen Vögelchen. Aber die alte Karoline war fertig mit ihrem Plane. »Der gerade Weg der beste!« brummte sie und stieg – so weit waren ihre Gedanken über die nächsten Dinge hinaus – mit dem linken Bein zuerst aus ihrer Bettstatt.

– – Als Julie am Morgen in die Küche kam und das kümmerliche Aussehen der Alten bemerkte, fragte sie dieselbe teilnehmend, ob sie etwa keine gute Nacht gehabt habe?

Karoline, die am Tische bei ihrem Frühstück saß, pustete erst ein paarmal in den heißen Kaffee; dann, als spräche sie es nur gegen die Wände, aber mit deutlicher Betonung sagte sie: »Es hat mancher schon eine schlechte Nacht gehabt, der doch mit Ehren seinen Kopf aufs Kissen legte.«

»Nun, das tut Sie ja gewiß, Karoline«, erwiderte das Mädchen lächelnd; »aber Sie hat es vielleicht auch oben bei sich spuken hören?«

»Ich dachte, es hätte unten gespukt!« sagte die Alte, ohne aufzublicken.

»O, das war ich, Karoline; ich holte noch etwas aus der Kramstube.

»Um Glock eins? Ich meinte, die Mamsell sei schon um halb elf nach Ihrem Zimmer gegangen!«

»Aber ich besserte noch an meinen Kleidern.«

Die Alte nickte. »Ja, die Mamsell hat auch eine recht ordentliche Mutter, und auch eine recht sittsame Mutter, die ihren Kindern gewiß kein schlecht Exempel gibt.«

»O, niemals, Karoline! Ich habe eine gute Mutter.« Julie fühlte eine Anzüglichkeit des Tones heraus, aber sie sann vergebens nach, wohin das ziele.

Mittlerweile hatte die Alte ihre Tasse zurückgeschoben und griff schon wieder nach Schaufel und Feuerzange.

»Ich hab' heute vormittag noch einen Gang zu tun«, sagte sie, indem sie frischen Torf ins Herdloch warf; »nicht für mich, es ist um anderer Leute willen. Die Kartoffeln sollen auch schon vorher geschält sein.«

»Gewiß, Karoline; Sie wird ja nichts darum versäumen.«

»Nein«, sagte die Alte, »es soll, so Gott will, nichts versäumt werden.«

Und richtig, nach kaum einer Stunde hatte Karoline, welche sonst fast nie das Haus verließ, ihren großen schwarzen Taffethut aufgebunden; und so, einen blaukarierten Regenschirm unter dem Arm, sah Julie von dem Wohnstubenfenster aus sie die Straße hinabsegeln.

Eine Weile später schaute auch Juliens junges Antlitz aus einem schwarzen Sammethütchen, und nachdem sie der Schernerfrau, die auf dem Flur ihr Sonnabendswerk verrichtete, das Nötige anempfohlen hatte, verließ sie ebenfalls das Haus und trat bald darauf in eine am Markt gelegene Ellenwarenhandlung. Als der Ladendiener mit seinem verbindlichen »Was steht zu Diensten?« sich zu ihr hinüberbeugte, legte sie das verhängnisvolle Schnupftuch auf den Ladentisch. »Das Dutzend ist unvollständig geworden; Sie haben doch noch mit solcher Kante?«

Er hatte noch mit solcher Kante, und mit fliegenden Fingern war das Tuch abgerissen und eingewickelt.

Nein, sie hatte sonst nichts zu befehlen; sie war schon wieder draußen, froh über das hergestellte Dutzend, ihren Einkauf in der Tasche. Ein Weilchen stand sie und blickte die lange Straße hinauf, bei sich bedenkend, ob sie noch eine Stippvisite bei ihrer Mutter wagen dürfe, die droben in einer Quergasse wohnte. Nun aber sah sie von dort die alte Karoline in die Hauptstraße einbiegen und in voller Arbeit mit Regenschirm und Taffethut nach dem Markt heruntersteuern. Ein Lächeln flog über das Gesicht des Mädchens. »Nein, nein«, sagte sie bei sich selber; »nun geht's nicht, nun wird mit allen Händen angegriffen!« Und munter schritt sie die Marktstraße hinab, dem Hause des Vetters zu, das jetzt ja ihre Heimat war. Sie bemerkte dabei gar nicht, daß ein kleines Schutzengelchen mit weißen Schwingen, lächelnd, wie sie vorhin gelächelt hatte, auf dem ganzen Wege über ihrem Haupte flog.

Oben in seinem Studierzimmer saß der Vetter im Vollgefühl des freien Sonnabendnachmittags, eine Tasse Kaffee neben sich, die Zeitung vor der Nase. Freilich las er nicht allzu eifrig, denn unter ihm im Wohnzimmer saß jetzt, wie er wußte, das treffliche Mädchen und nähte seinen Namen in das neue Schnupftuch; ja, selbst der Lehnstuhl, worin er saß, war von ihrer kleinen Hand gepolstert. Das alles kam ihm zwischen seine Zeitung.

Da tat sich die Tür auf; Karoline trat herein und meldete die Madame Hennefeder.

»Führe Sie die Frau Hennefeder zu ihrer Tochter!« sagte der Vetter.

»Aber sie wünscht den Herrn selber zu sprechen!« Und in der rauhen Stimme der Alten glänzte so etwas, das den Vetter stutzen machte.

Er blickte von seiner Zeitung auf. »Warum sieht Sie denn so vergnügt aus, Karoline?« fragte er. »Sie hat ja ganz blanke Augen!«

»Ich bin nicht vergnügt, Herr Doktor.«

»Nun, so bitte Sie Madame Hennefeder, sich herein zu bemühen!«

Die kleine runde Frau, welche draußen vor der Tür gewartet hatte, wurde fast mit etwas liebender Gewalt von Karoline in des Vetters Studierzimmer hineingeschoben. Sie schien in großer Aufregung, die künstlichen Kornblumen unter ihrem Hute zitterten heftig; auf des Vetters Einladung, Platz zu nehmen, setzte sie sich nur auf die eine Ecke des angebotenen Stuhles.

Karoline warf der offenbar verzagten Frau einen halb ermutigenden, halb unwilligen Blick zu, aber es gab keinen Vorwand zu längerem Verweilen. Sie ging hinaus, schlurfte die paar Schritte bis zur Treppe und blieb dann wieder unschlüssig am Geländer stehen. Noch einmal und aus purer Neugierde horchen, das wollte sie denn doch nicht! Die Madame Hennefeder, der sie den ganzen Umstand aufgeklärt hatte, würde ja schon den Mund auftun; sie war sonst als eine tapfere Frau bekannt, sie werde ja auch hier kurzen Prozeß machen und das Mädchen aus dem Hause nehmen. – Aus diesen Gedanken wurde die Alte durch den scharfen Klang der Glocke aufgeschreckt, die, aus des Doktors Zimmer führend, jetzt gerade über ihrem Kopfe läutete.

Als sie nach einer Weile hereintrat; da saß Frau Hennefeder und hatte beide Augen voll Tränen; der Herr Doktor stand noch, den Griff des Klingelzugs in der Hand. »Frau Hennefeder«, sagte er, »läßt Fräulein Julie bitten, zu uns heraufzukommen.«

Karoline suchte in dem Gesicht ihres Herrn zu lesen. Wie stand die Sache? Es war etwas in den Augen ihres kleinen Christian, das ihrer und der mütterlichen Erziehung hohnzusprechen schien. Aber es half nichts, sie mußte den erhaltenen Auftrag ausrichten. Und bald darauf flog ein junger elastischer Tritt die Treppe hinauf und verschwand oben in des Vetters Studierzimmer; die alte Karoline blieb im Unterhause und wanderte unstet, viel unverständliche Worte bei sich murmelnd, zwischen Küche und Hausflur auf und ab.

Da stürmte es die Treppe herunter. Es war der Doktor; sie sah ihn noch eben die Haustür hinter sich zuwerfen; dann war er fort und sah nicht einmal, wie seine alte Karoline stumm und ratlos auf ihrem Küchenstuhl zusammensank. Denn eilig schritt er die Straße hinab, einmal rechts, dann wieder links und dann in das Haus des Onkel Senators. Ohne anzuklopfen trat er in dessen Privatkontor.

»Christian, mein Junge«, sagte der alte Herr, indem er von seinen Büchern aufblickte, »was hast du? – Bist du es denn aber auch selber? Du strahlst ja wie die Morgensonne!«

»Ich weiß nicht, Onkel; aber ich habe dir etwas Außerordentliches mitzuteilen.«

»So setze dich auf diesen Stuhl!«

»Nein, Onkel, ich danke; es ist nicht zum Sitzen.«

»Nun, so kannst du stehen! Ich aber darf doch wohl in meinem Schreibstuhl bleiben. So – und nun rede, wenn du magst!«

Der Vetter holte ein paarmal recht tief Atem.

»Du weißt es, Onkel«, begann er dann, »ich bin eigentlich ein verwöhnter Mensch; mein seliger Vater –«

»Ja, ja, mein Junge, das war ein guter Mann; aber was denn weiter?«

»Dann, Onkel, war bis vor wenigen Jahren noch meine Mutter da, und als die starb – siehst du! auch die alte Karoline hat es immer gut mit mir gemeint.«

Der Onkel sprang von seinem Sitze auf und legte beide Hände auf des Vetters Schultern. »Christian«, sagte er, »du bist eine Seel' von einem Menschen! Aber, was denn nun noch weiter?«

»Nur, Onkel, daß ich heute ein vollständiges Glückskind geworden bin! Die Frau Hennefeder –«

»Was? Auch die, mein Junge?«

»Aber, so höre doch nur! Frau Hennefeder, sie kam vorhin zu mir; sie wollte mich persönlich sprechen; aber ich weiß noch diese Stunde nicht, was die gute Frau eigentlich von mir gewollt hat; zwar wir sprachen allerlei zusammen, doch ich bin gewiß, daß wir uns beide nicht verstanden haben. Dann aber sagte sie seltsamerweise, und ich habe noch immer nicht begriffen, wie sie dazu veranlaßt werden konnte, von solchen Dingen zu mir zu reden – sie könne ja nicht erwarten, sagte sie, daß ich eine Tochter von meines Onkels Kontoristen heiraten werde, was denn doch offenbar nur auf Julie verstanden werden konnte.«

»Nein«, sagte der alte Herr mit schelmischer Trockenheit, »das konnte sie freilich nicht erwarten.«

Der Vetter stutzte einen Augenblick. »Doch, Onkel«, sagte er, »sie *konnte* es erwarten. Denn ich für mein Teil hatte nun genug verstanden. Heiraten! Julien heiraten! Siehst du, Onkel, wie ein Sonnenleuchten fuhr es mir durchs Hirn; das war es ja, was mir trotz dreistündigen Rauchens gestern nacht nicht hatte einfallen wollen. Ein rechter Übermut des Glückes überfiel mich; ich zog resolut die Klingelschnur, und auf mein Ersuchen trat nun Julie selbst ins Zimmer.«

»Und das Mädchen hat dir keinen Korb gegeben, Christian?«

»Doch, beinahe, Onkel!« erwiderte der Vetter, und ein Lächeln der vollsten Lebensfreude überzog sein hübsches Antlitz; »denn als ihre Mutter jene heikle Frage an sie tat, nämlich, ob sie meine, des Subrektors Christian, Ehefrau werden wolle, da schlug sie die Augen nieder und stand, mir zum höchsten Schrecken, eine ganze Weile stumm und wie betäubt; nur ihre kleinen Hände falteten sich ineinander. Dann aber, zu meinem Glücke, öffneten sich ihre Lippen, und: ›O, bitte, wenn Sie nichts dagegen haben!‹ tönten aus dem rosigen Tore ihres Mundes zwar leise, aber in entzückender Deutlichkeit jene Worte, die ich bisher nur in stummer Schrift in ihren lieben Augen gelesen hatte. Und nun – wenn auch alles fest und unwiderruflich ist für die kurze Ewigkeit dieses Lebens, mein lieber alter Onkel, so frage ich dich doch: Hast denn du etwas dagegen?«

»Ich? Nein, mein Junge!« Und der alte Herr schloß seinen Neffen fest in seine Arme. »Aber, Christian, was werden die Großtante und die alte Karoline dazu sagen?«

Die Großtante, infolge der geschickten Vermittelung des Onkels und des Wohlgefallens, das sie an dem Mädchen schon vordem gefunden hatte, sagte freilich nicht allzuviel. Bedenklicher war es auf der anderen Seite; denn während obiges im Hause des Onkels geschah, stand in des Vetters Küche die kleine runde Madame Hennefeder, die Augen noch immer in Freudentränen schwimmend, vor der alten Karoline, deren beider Hände sie sich bemächtigt hatte, und rief eins über das andere: »Alles in Ehren, Karoline, alles in Ehren!« und dankte ihr in überströmenden Worten für ihre freundschaftlichen und rechtzeitigen Bemühungen in dieser delikaten Angelegenheit.

Die Alte sagte gar nichts; nur ihr großer Kopf begann allmählich und immer gewaltsamer zu zittern und zu nicken, als würde er durch im Inneren heftig arbeitende Gedanken in Bewegung gesetzt, welche vergebens die Erlösung des lebendigen Wortes suchten. Die gute Madame

Hennefeder wurde von der unheimlichen Vorstellung befallen, die alte Karoline könne sich am Ende noch den schweren Kopf vom Rumpf herunternicken. Allein plötzlich hatte diese ihre Sprache wiedergefunden. »So«, sagte sie, »so wird man aus dem Hause gestoßen! Aber mein Abschied ist heute noch geschrieben!«

– – Er wurde nicht geschrieben. War es nun die Macht der Tatsachen oder die Liebe für ihren kleinen Christian und für die Wände seines Hauses, die alte Karoline blieb als zwar grimmiger, aber getreuer Hausdrache auf ihrem Posten. Eine Zeitlang waltete sie sogar wie einst allein im Hause; denn Julie war, bürgerlicher Sitte gemäß, in die Obhut ihrer Mutter zurückgekehrt, bis sie der ihres Mannes übergeben würde.

Dann, im wunderschönen Monat Mai, im Hause des Onkels, gab es eine Hochzeit. Mit Goldregen und Syringen war das Haus geschmückt, auf allen Wänden lag der Frühlingssonnenschein; im Hafen flaggten alle Schiffe. Und niemand war vergessen; Küster und Organisten, Nachtwächter und Armenvogt, alle hatten ihren silbernen Freudengruß empfangen; an der Hochzeitstafel aber waltete, zur besonderen Genugtuung des Onkels und aus aller Dienerschaft hervorragend, die alte Karoline in ihrer Rosaflügelhaube. Die Braut durfte keine Schüssel aus einer anderen als aus ihrer Hand empfangen; weiter jedoch dehnte sich ihre Gunst nicht aus; die kleine Madame Hennefeder, die strahlend an des Onkels Seite saß – sie gönnte ihr alles Gute; im übrigen – das konnte niemand von ihr verlangen!

– – Und die Stunden flogen. Lind war die Nacht; drüben in der anderen Straße um das alte Familienhaus stand einsam und dufterfüllt der Garten. Da klirrte die Pforte; es war der Vetter mit seinem jungen Weibe. Der Nachthauch säuselte in den Zweigen, oder waren es nur die Blüten, die aus der Knospenhülle drängten? Wie durch Adams Bäume vor Tausenden von Jahren, so schien auch heute noch der Mond.

Als Hand in Hand das junge Paar die Schwelle seines Hauses überschritt, hörten sie draußen von der Gasse den alten Matthias singen:

»Wie schön ist Gottes Welt
Und jedes seiner Werke!«

Vier Jahre sind seitdem verflossen. In dem alten Hause springt jetzt zwischen Christian und Julien ein kleinerer Vetter über Trepp und Gänge, ein allerliebster Bursche. Freilich ist er nicht ganz wie seine Mutter, denn er bittet nicht immer und hat oft sehr viel dagegen. Auf der alten Karoline reitet er sogar, wie Amor auf dem Tiger; man sieht es leicht, er hat sie ganz und gar gezähmt. Es tut ihr gut, der Alten, daß sie ihren Überwinder gefunden hat, sie ist ganz heiteren Gemüts geworden; ja, wenn die Sonne in das Küchenfenster scheint, so kann man mitunter von dort aus einen grunzenden Gesang vernehmen, der zu dem Sausen des Teekessels keine üble Begleitung macht.

– – Aber es ist acht Uhr! Frau Julie erwartet mich an ihrem Teetisch; ich soll ihr beistehen gegen ihren Mann, damit er sich nicht auch noch in die Volksbank wählen lasse. Er wird ihr gar zu regsam, der Vetter, er hat seine Augen und Hände jetzt allenthalben. Frau Julie in ihrer Herzensunschuld ahnt vielleicht nicht, daß sie der Urquell dieses Lebens ist; aber, nichtsdestoweniger, für ein paar Abende der Woche meint sie doch das Recht auf ihren Mann zu haben.

Und also, lieber Leser, gehab' dich wohl!

Viola tricolor

Es war sehr still in dem großen Hause; aber selbst auf dem Flur spürte man den Duft von frischen Blumensträußen.

Aus einer Flügeltür, der breiten in das Oberhaus hinaufführenden Treppe gegenüber, trat eine alte sauber gekleidete Dienerin. Mit einer feierlichen Selbstzufriedenheit drückte sie hinter sich die Tür ins Schloß und ließ dann ihre grauen Augen an den Wänden entlang streifen, als wolle sie auch hier jedes Stäubchen noch einer letzten Musterung unterziehen; aber sie nickte beifällig und warf dann einen Blick auf die alte englische Hausuhr, deren Glockenspiel eben zum zweitenmal seinen Satz abgespielt hatte.

»Schon halb!« murmelte die Alte; »und um acht, so schrieb der Herr Professor, wollten die Herrschaften da sein!«

Hierauf griff sie in ihrer Tasche nach einem großen Schlüsselbund und verschwand dann in den hinteren Räumen des Hauses. – Und wieder wurde es still; nur der Perpendikelschlag der Uhr tönte durch den geräumigen Flur und in das Treppenhaus hinauf; durch das Fenster über der Haustür fiel noch ein Strahl der Abendsonne und blinkte auf den drei vergoldeten Knöpfen, welche das Uhrgehäuse krönten.

Dann kamen von oben herab kleine leichte Schritte und ein etwa zehnjähriges Mädchen erschien auf dem Treppenabsatz. Auch sie war frisch und festlich angetan; das rot und weiß gestreifte Kleid stand ihr gut zu dem bräunlichen Gesichtchen und den glänzend schwarzen Haarflechten. Sie legte den Arm auf das Geländer und das Köpfchen auf den Arm und ließ sich so langsam hinabgleiten, während ihre dunklen Augen träumerisch auf die gegenüberliegende Zimmertür gerichtet waren.

Einen Augenblick stand sie horchend auf dem Flur; dann drückte sie leise die Tür des Zimmers auf und schlüpfte durch die schweren Vorhänge hinein. – Es war schon dämmerig hier, denn die beiden Fenster des tiefen Raumes gingen auf eine von hohen Häusern eingeengte Straße; nur seitwärts über dem Sofa leuchtete wie Silber ein venezianischer Spiegel auf der dunkelgrünen Sammettapete. In dieser Einsamkeit schien er nur dazu bestimmt, das Bild eines frischen Rosenstraußes zurückzugeben, der in einer Marmorvase auf dem Sofatische stand. Bald aber erschien in seinem Rahmen auch das dunkle Kinderköpfchen. Auf den Zehen war die Kleine über den weichen Fußteppich herangeschlichen; und schon griffen die schlanken Finger hastig zwischen die Stengel der Blumen, während ihre Augen nach der Tür zurückflogen. Endlich war es ihr gelungen, eine halb erschlossene Moosrose aus dem Strauße zu lösen; aber sie hatte bei ihrer Arbeit der Dornen nicht geachtet, und ein roter Blutstropfen rieselte über ihren Arm. Rasch – denn er wäre fast in das Muster der kostbaren Tischdecke gefallen – sog sie ihn mit ihren Lippen auf; dann leise, wie sie gekommen, die geraubte Rose in der Hand, schlüpfte sie wieder durch die Türvorhänge auf den Flur hinaus. Nachdem sie auch hier noch einmal gehorcht hatte, flog sie die Treppe wieder hinauf, die sie zuvor herabgekommen war, und droben weiter einen Korridor entlang, bis an die letzte Tür desselben. Einen Blick noch warf sie durch eines der Fenster, vor dem im Abendschein die Schwalben kreuzten; dann drückte sie die Klinke auf.

Es war das Studierzimmer ihres Vaters, das sie sonst in seiner Abwesenheit nicht zu betreten pflegte; nun war sie ganz allein zwischen den hohen Repositorien, die mit ihren unzähligen Büchern so ehrfurchtgebietend umherstanden. Als sie zögernd die Tür hinter sich zugedrückt hatte, wurde unter einem zur Linken von derselben befindlichen Fenster der mächtige Anschlag eines Hundes laut. Ein Lächeln flog über die ernsten Züge des Kindes; sie ging rasch an das Fenster und blickte hinaus. Drunten breitete sich der große Garten des Hauses in weiten Rasen- und Gebüschpartien aus; aber ihr vierbeiniger Freund schien schon andere Wege eingeschlagen zu haben; so sehr sie spähte, nichts war zu entdecken. Und wie Schatten fiel es allmählich wieder über das Gesicht des Kindes; sie war ja zu was anderem hergekommen; was ging sie jetzt der Nero an!

Nach Westen hinaus, der Tür, durch welche sie eingetreten, gegenüber, hatte das Zimmer noch ein zweites Fenster. An der Wand daneben, so daß das Licht dem daran Sitzenden zur Hand fiel, befand sich ein großer Schreibtisch mit dem ganzen Apparat eines gelehrten Altertumsforschers; Bronzen und Terrakotten aus Rom und Griechenland, kleine Modelle antiker Tempel und Häuser und andere dem Schutt der Vergangenheit entstiegene Dinge füllten fast den ganzen

Aufsatz desselben. Darüber aber, wie aus blauen Frühlingslüften heraustretend, hing das lebensgroße Brustbild einer jungen Frau; gleich einer Krone der Jugend lagen die goldblonden Flechten über der klaren Stirn. – »Holdselig«, dies veraltete Wort hatten ihre Freunde für sie wieder hervorgesucht – einst, da sie noch an der Schwelle dieses Hauses mit ihrem Lächeln die Eintretenden begrüßte. – Und so blickte sie noch jetzt im Bilde mit ihren blauen Kinderaugen von der Wand herab; nur um den Mund spielte ein leichter Zug von Wehmut, den man im Leben nicht an ihr gesehen hatte. Der Maler war auch derzeit wohl darum gescholten worden; später, da sie gestorben, schien es allen recht zu sein.

Das kleine schwarzhaarige Mädchen kam mit leisen Schritten näher; mit leidenschaftlicher Innigkeit hingen ihre Augen an dem schönen Bildnis.

»Mutter, meine Mutter!« sprach sie flüsternd; doch so, als wolle mit den Worten sie sich zu ihr drängen.

Das schöne Antlitz schaute, wie zuvor, leblos von der Wand herab; sie aber kletterte, behend wie eine Katze, über den davorstehenden Sessel auf den Schreibtisch und stand jetzt mit trotzig aufgeworfenen Lippen vor dem Bilde, während ihre zitternden Hände die geraubte Rose hinter der unteren Leiste des Goldrahmens zu befestigen suchten. Als ihr das gelungen war, stieg sie rasch wieder zurück und wischte mit ihrem Schnupftuch sorgsam die Spuren ihrer Füßchen von der Tischplatte.

Aber es war, als könne sie jetzt aus dem Zimmer, das sie zuvor so scheu betreten hatte, nicht wieder fortfinden; nachdem sie schon einige Schritte nach der Tür getan hatte, kehrte sie wieder um; das westliche Fenster neben dem Schreibtisch schien diese Anziehungskraft auf sie zu üben.

Auch hier lag unten ein Garten, oder richtiger: eine Gartenwildnis. Der Raum war freilich klein; denn wo das wuchernde Gebüsch sie nicht verdeckte, war von allen Seiten die hohe Umfassungsmauer sichtbar. An dieser, dem Fenster gegenüber, befand sich, in augenscheinlichem Verfall, eine offene Rohrhütte; davor, von dem grünen Gespinst einer Klematis fast bedeckt, stand noch ein Gartenstuhl. Der Hütte gegenüber mußte einst eine Partie von hochstämmigen Rosen gewesen sein; aber sie hingen jetzt wie verdorrte Reiser an den entfärbten Blumenstöcken, während unter ihnen mit unzähligen Rosen bedeckte Zentifolien ihre fallenden Blätter auf Gras und Kraut umherstreuten.

Die Kleine hatte die Arme auf die Fensterbank und das Kinn in ihre beiden Hände gestützt und schaute mit sehnsüchtigen Augen hinab.

Drüben in der Rohrhütte flogen zwei Schwalben aus und ein; sie mußten wohl ihr Nest darin gebaut haben. Die anderen Vögel waren schon zur Ruhe gegangen; nur ein Rotbrüstchen sang dort noch herzhaft von dem höchsten Zweige des abgeblühten Goldregens und sah das Kind mit seinen schwarzen Augen an. –

– »Nesi, wo steckst du denn?« sagte sanft eine alte Stimme, während eine Hand sich liebkosend auf das Haupt des Kindes legte.

Die alte Dienerin war unbemerkt hereingetreten. Das Kind wandte den Kopf und sah sie mit einem müden Ausdruck an. »Anne«, sagte es, »wenn ich nur einmal wieder in Großmutters Garten dürfte!«

Die Alte antwortete nicht darauf; sie kniff nur die Lippen zusammen und nickte ein paarmal wie zur Beistimmung. »Komm, komm!« sagte sie dann. »Wie siehst du aus! Gleich werden sie da sein, dein Vater und deine neue Mutter!« Damit zog sie das Kind in ihre Arme und strich und zupfte ihr Haar und Kleider zurecht. – »Nein, nein, Neschen! Du darfst nicht weinen; es soll eine gute Dame sein, und schön, Nesi; du siehst ja gern die schönen Leute!«

In diesem Augenblick tönte das Rasseln eines Wagens von der Straße herauf. Das Kind zuckte zusammen; die Alte aber faßte es bei der Hand und zog es rasch mit sich aus dem Zimmer. – Sie kamen noch früh genug, um den Wagen vorfahren zu sehen; die beiden Mägde hatten schon die Haustür aufgeschlagen. –

– Das Wort der alten Dienerin schien sich zu bestätigen. Von einem etwa vierzigjährigen Manne, in dessen ernsten Zügen man Nesis Vater leicht erkannte, wurde eine junge, schöne Frau aus dem Wagen gehoben. Ihr Haar und ihre Augen waren fast so dunkel wie die des Kindes, dessen Stiefmutter sie geworden war; ja man hätte sie, flüchtig angesehen, für die rechte halten können, wäre sie dazu nicht zu jung gewesen. Sie grüßte freundlich, während ihre Augen wie suchend umherblickten; aber ihr Mann führte sie rasch ins Haus und in das untere Zimmer, wo sie von dem frischen Rosenduft empfangen wurde.

»Hier werden wir zusammen leben«, sagte er, indem er sie in einen weichen Sessel niederdrückte, »verlaß dies Zimmer nicht, ohne hier die erste Ruhe in deinem neuen Heim gefunden zu haben!«

Sie blickte innig zu ihm auf. »Aber du – willst du nicht bei mir bleiben?«

– »Ich hole dir das Beste von den Schätzen unseres Hauses.«

»Ja, ja, Rudolf, deine Agnes! Wo war sie denn vorhin?«

Er hatte das Zimmer schon verlassen. Den Augen des Vaters war es nicht entgangen, daß bei ihrer Ankunft Nesi sich hinter der alten Anne versteckgehalten hatte; nun, da er sie wie verloren draußen auf dem Hausflur stehen fand, hob er sie auf beiden Armen in die Höhe und trug sie so in das Zimmer. – »Und hier hast du die Nesi!« sagte er und legte das Kind zu den Füßen der schönen Stiefmutter auf den Teppich; dann, als habe er Weiteres zu besorgen, ging er hinaus; er wollte die beiden allein sich finden lassen.

Nesi richtete sich langsam auf und stand nun schweigend vor der jungen Frau; beide sahen sich unsicher und prüfend in die Augen. Letztere, die wohl ein freundliches Entgegenkommen als selbstverständlich vorausgesetzt haben mochte, faßte endlich die Hände des Mädchens und sagte ernst: »Du weißt doch, daß ich jetzt deine Mutter bin, wollen wir uns nicht liebhaben, Agnes?«

Nesi blickte zur Seite.

»Ich darf aber doch Mama sagen?« fragte sie schüchtern.

– »Gewiß, Agnes; sag', was du willst, Mama oder Mutter, wie es dir gefällt!«

Das Kind sah verlegen zu ihr auf und erwiderte beklommen: »Mama könnte ich gut sagen!«

Die junge Frau warf einen raschen Blick auf sie und heftete ihre dunklen Augen in die noch dunkleren des Kindes. »Mama; aber nicht Mutter?« fragte sie.

»Meine Mutter ist ja tot«, sagte Nesi leise.

In unwillkürlicher Bewegung stießen die Hände der jungen Frau das Kind zurück; aber sie zog es gleich und heftig wieder an ihre Brust.

»Nesi«, sagte sie, »Mutter und Mama ist ja dasselbe!«

Nesi aber erwiderte nichts; sie hatte die Verstorbene immer nur Mutter genannt.

– Das Gespräch war zu Ende. Der Hausherr war wieder eingetreten, und da er sein Töchterchen in den Armen seiner jungen Frau erblickte, lächelte er zufrieden.

»Aber jetzt komm«, sagte er heiter, indem er der letzteren seine Hand entgegenstreckte, »und nimm als Herrin Besitz von allen Räumen dieses Hauses!«

Und sie gingen miteinander fort; durch die Zimmer des unteren Hauses, durch Küche und Keller, dann die breite Treppe hinauf in einen großen Saal und in die kleineren Stuben und Kammern, die nach beiden Seiten der Treppe auf den Korridor hinausgingen.

Der Abend dunkelte schon; die junge Frau hing immer schwerer an dem Arm ihres Mannes, es war fast, als sei mit jeder Tür, die sich vor ihr geöffnet, eine neue Last auf ihre Schultern gefallen; immer einsilbiger wurden seine froh hervorströmenden Worte erwidert. Endlich, da sie vor der Tür seines Arbeitszimmers standen, schwieg auch er und hob den schönen Kopf zu sich empor, der stumm an seiner Schulter lehnte.

»Was ist dir, Ines?« sagte er, »du freust dich nicht!«

»O doch, ich freue mich!«

»So komm!«

Als er die Tür geöffnet hatte, schien ihnen ein mildes Licht entgegen. Durch das westliche Fenster leuchtete der Schein des Abendgoldes, das drüben jenseits der Büsche des kleinen Gartens stand. – In diesem Lichte blickte das schöne Bild der Toten von der Wand herab; darunter auf dem matten Gold des Rahmens lag wie glühend die frische rote Rose.

Die junge Frau griff unwillkürlich mit der Hand nach ihrem Herzen und starrte sprachlos auf das süße lebensvolle Bild. Aber schon hatten die Arme ihres Mannes sie fest umfangen.

»Sie war einst mein Glück«, sagte er; »sei du es jetzt!«

Sie nickte, aber sie schwieg und rang nach Atem. Ach, diese Tote lebte noch, und für sie beide war doch nicht Raum in einem Hause!

Wie zuvor, da Nesi hier gewesen, tönte jetzt wieder aus dem großen zu Norden belegenen Garten die mächtige Stimme eines Hundes.

Mit sanfter Hand wurde die junge Frau von ihrem Gatten an das dort hinausliegende Fenster geführt. »Sieh einmal hier hinab!« sagte er.

Drunten auf dem Steige, der um den großen Rasen führte, saß ein schwarzer Neufundländer; vor ihm stand Nesi und beschrieb mit einer ihrer schwarzen Flechten einen immer engern Kreis um seine Nase. Dann warf der Hund den Kopf zurück und bellte, und Nesi lachte und begann das Spiel von neuem.

Auch der Vater, der diesem kindischen Treiben zusah, mußte lächeln; aber die junge Frau an seiner Seite lächelte nicht, und wie eine trübe Wolke flog es über ihn hin. »Wenn es die Mutter wäre!« dachte er; laut aber sagte er: »Das ist unser Nero, den mußt du auch noch kennen lernen, Ines; der und Nesi sind gute Kameraden, sogar vor ihren Puppenwagen läßt sich das Ungeheuer spannen.«

Sie blickte zu ihm auf. »Hier ist so viel, Rudolf«, sagte sie wie zerstreut; »wenn ich nur durchfinde!«

– »Ines, du träumst! Wir und das Kind, der Hausstand ist ja so klein wie möglich.«

»Wie möglich?« wiederholte sie tonlos, und ihre Augen folgten dem Kinde, das jetzt mit dem Hunde um den Rasen jagte; dann plötzlich, wie in Angst zu ihrem Mann emporsehend, schlang sie die Arme um seinen Hals und bat: »Halte mich fest, hilf mir! Mir ist so schwer.«

Wochen, Monate waren vergangen. – Die Befürchtungen der jungen Frau schienen sich nicht zu verwirklichen; wie von selber ging die Wirtschaft unter ihrer Hand. Die Dienerschaft fügte sich gern ihrem zugleich freundlichen und vornehmen Wesen, und auch wer von außen hinzutrat, fühlte, daß jetzt wieder eine dem Hausherrn ebenbürtige Frau im Inneren walte. Für die schärferblickenden Augen ihres Mannes freilich war es anders; er erkannte nur zu sehr, daß sie mit den Dingen seines Hauses wie mit Fremden verkehre, woran sie keinen Teil habe, das als gewissenhafte Stellvertreterin sie nur um desto sorgsamer verwalten müsse. Es konnte den erfahrenen Mann nicht beruhigen, wenn sie sich zuweilen mit heftiger Innigkeit in seine Arme drängte, als müsse sie sich versichern, daß sie ihm, er ihr gehöre.

Auch zu Nesi hatte ein näheres Verhältnis sich nicht gebildet. Eine innere Stimme – der Liebe und der Klugheit – gebot der jungen Frau, mit dem Kinde von seiner Mutter zu sprechen, an die es die Erinnerung so lebendig, seit die Stiefmutter ins Haus getreten war, so hartnäckig bewahrte. Aber – das war es ja! Das süße Bild, das droben in ihres Mannes Zimmer hing – selbst ihre inneren Augen vermieden es zu sehen. Wohl hatte sie mehrmals schon den Mut gefaßt; sie hatte das Kind mit beiden Händen an sich gezogen, dann aber war sie verstummt; ihre Lippen hatten ihr den Dienst versagt, und Nesi, deren dunkle Augen bei solcher herzlichen Bewegung freudig aufgeleuchtet, war traurig wieder fortgegangen. Denn seltsam, sie sehnte sich nach der Liebe dieser schönen Frau; ja, wie Kinder pflegen, sie betete sie im stillen an. Aber ihr fehlte die Anrede, die der Schlüssel jedes herzlichen Gespräches ist; das eine – so war ihr – durfte sie, das andere konnte sie nicht sagen.

Auch dieses letztere Hemmnis fühlte Ines, und da es das am leichtesten zu beseitigende schien, so kehrten ihre Gedanken immer wieder auf diesen Punkt zurück.

So saß sie eines Nachmittags neben ihrem Manne im Wohnzimmer und blickte in den Dampf, der leise singend aus der Teemaschine aufstieg.

Rudolf, der eben seine Zeitung durchgelesen hatte, ergriff ihre Hand. »Du bist so still, Ines; du hast mich heute nicht ein einzig Mal gestört!«

»Ich hätte wohl etwas zu sagen«, erwiderte sie zögernd, indem sie ihre Hand aus der seinen löste.

– »So sag' es denn!«

Aber sie schwieg noch eine Weile.

– »Rudolf«, sagte sie endlich, »laß dein Kind mich Mutter nennen!«

– »Und tut sie denn das nicht?«

Sie schüttelte den Kopf und erzählte ihm, was am Tage ihrer Ankunft vorgefallen war.

Er hörte ihr ruhig zu. »Es ist ein Ausweg«, sagte er dann, »den hier die Kindesseele unbewußt gefunden hat. Wollen wir ihn nicht dankbar gelten lassen?«

Die junge Frau antwortete nicht darauf, sie sagte nur: »So wird das Kind mir niemals nahekommen.«

Er wollte wieder ihre Hand fassen, aber sie entzog sie ihm.

»Ines«, sagte er, »verlange nur nichts, was die Natur versagt; von Nesi nicht, daß sie dein Kind, und nicht von dir, daß du ihre Mutter seist!«

Die Tränen brachen ihr aus den Augen. »Aber, ich soll doch ihre Mutter sein«, sagte sie fast heftig.

– »Ihre Mutter? Nein, Ines, das sollst du nicht.«

»Was soll ich denn, Rudolf?«

– Hätte sie die naheliegende Antwort auf diese Frage jetzt verstehen können, sie würde sie sich selbst gegeben haben. Er fühlte das und sah ihr sinnend in die Augen, als müsse er dort die helfenden Worte finden.

»Bekenn' es nur!« sagte sie, sein Schweigen mißverstehend, »darauf hast du keine Antwort.«

»O Ines!« rief er. »Wenn erst aus deinem eigenen Blut ein Kind auf deinem Schoße liegt!«

Sie machte eine abwehrende Bewegung; er aber sagte: »Die Zeit wird kommen, und du wirst fühlen, wie das Entzücken, das aus deinem Auge bricht, das erste Lächeln deines Kindes weckt und wie es seine kleine Seele zu dir zieht. – Auch über Nesi haben einst zwei selige Augen so geleuchtet; dann schlug sie den kleinen Arm um einen Nacken, der sich zu ihr niederbeugte, und sagte: ›Mutter!‹ – Zürne nicht mit ihr, daß sie es zu keiner anderen auf der Welt mehr sagen kann!«

Ines hatte seine Worte kaum gehört; ihre Gedanken verfolgten nur den einen Punkt. »Wenn du sagen kannst: Sie ist ja nicht dein Kind, warum sagst du denn nicht auch: Du bist ja nicht mein Weib!«

Und dabei blieb es. Was gingen sie seine Gründe an!

Er zog sie an sich; er suchte sie zu beruhigen; sie küßte ihn und sah ihn durch Tränen lächelnd an; aber geholfen war ihr damit nicht. – –

Als Rudolf sie verlassen hatte, ging sie hinaus in den großen Garten. Bei ihrem Eintritt sah sie Nesi mit einem Schulbuche in der Hand um den breiten Rasen wandern, aber sie wich ihr aus und schlug einen Seitenweg ein, der zwischen Gebüsch an der Gartenmauer entlang führte.

Dem Kinde war beim flüchtigen Aufblick der Ausdruck von Trauer in den schönen Augen der Stiefmutter nicht entgangen, und wie magnetisch nachgezogen, immer lernend und ihre Lektion vor sich her murmelnd, war auch sie allmählich in jenen Steig geraten.

Ines stand eben vor einer in der hohen Mauer befindlichen Pforte, die von einem Schlinggewächs mit lila Blüten fast verhangen war. Mit abwesenden Blicken ruhten ihre Augen darauf, und sie wollte schon ihre stille Wanderung wieder beginnen, als sie das Kind sich entgegenkommen sah.

Nun blieb sie stehen und fragte: »Was ist das für eine Pforte, Nesi?«

– »Zu Großmutters Garten!«

»Zu Großmutters Garten? – Deine Großeltern sind doch schon lange tot!«

»Ja, schon lange, lange.«

»Und wem gehört denn jetzt der Garten?«

– »Uns!« sagte das Kind, als verstehe sich das von selbst.

Ines bog ihren schönen Kopf unter das Gesträuch und begann an der eisernen Klinke der Tür zu rütteln; Nesi stand schweigend dabei, als wolle sie den Erfolg dieser Bemühungen abwarten.

»Aber er ist ja verschlossen!« rief die junge Frau, indem sie abließ und mit dem Schnupftuch den Rost von ihren Fingern wischte. »Ist es der wüste Garten, den man aus Vaters Stubenfenster sieht?«

Das Kind nickte.

– »Horch nur, wie drüben die Vögel singen!«

Inzwischen war die alte Dienerin in den Garten getreten. Als sie die Stimmen der beiden von der Mauer her vernahm, beeilte sie sich, in ihre Nähe zu kommen. »Es ist Besuch drinnen«, meldete sie.

Ines legte freundlich ihre Hand an Nesis Wange. »Vater ist ein schlechter Gärtner«, sagte sie im Fortgehen; »da müssen wir beide noch hinein und Ordnung schaffen.«

– Im Hause kam Rudolf ihr entgegen.

»Du weißt, das Müllersche Quartett spielt heute abend«, sagte er; »die Doktorsleute sind da und wollen uns vor Unterlassungssünden warnen.«

Als sie zu den Gästen in die Stube getreten waren, entspann sich ein langes, lebhaftes Gespräch über Musik; dann kamen häusliche Geschäfte, die noch besorgt werden mußten. Der wüste Garten war für heut vergessen.

Am Abend war das Konzert. – Die großen Toten, Haydn und Mozart, waren an den Hörern vorübergezogen, und eben verklang auch der letzte Akkord von Beethovens C-Moll-Quartett, und statt der feierlichen Stille, in der allein die Töne auf und nieder glänzten, rauschte jetzt das Geplauder der fortdrängenden Zuhörer durch den weiten Raum. Rudolf stand neben dem Stuhle seiner jungen Frau. »Es ist aus, Ines«, sagte er, sich zu ihr niederbeugend; »oder hörst du noch immer etwas?«

Sie saß noch wie horchend, ihre Augen nach dem Podium gerichtet, auf dem nur noch die leeren Pulte standen. Jetzt reichte sie ihrem Manne die Hand. »Laß uns heimgehen, Rudolf«, sagte sie aufstehend.

An der Tür wurden sie von ihrem Hausarzte und dessen Frau aufgehalten, den einzigen Menschen, mit denen Ines bis jetzt in einen näheren Verkehr getreten war.

»Nun?« sagte der Doktor und nickte ihnen mit dem Ausdruck innerster Befriedigung zu. »Aber kommen Sie mit uns, es ist ja auf dem Wege; nach so etwas muß man noch ein Stündchen zusammensitzen.«

Rudolf wollte schon mit heiterer Zustimmung antworten, als er sich leise am Ärmel gezupft fühlte und die Augen seiner Frau mit dem Ausdruck dringenden Bittens auf sich gerichtet sah. Er verstand sie wohl. »Ich verweise die Entscheidung an die höhere Instanz«, sagte er scherzend.

Und Ines wußte unerbittlich den nicht so leicht zu besiegenden Doktor auf einen anderen Abend zu vertrösten.

Als sie am Hause ihrer Freunde sich von diesen verabschiedet hatten, atmete sie auf wie befreit.

»Was hast du heute gegen unsere lieben Doktorsleute?« fragte Rudolf.

Sie drückte sich fest in den Arm ihres Mannes. »Nichts«, sagte sie; »aber es war so schön heute abend; ich muß nun ganz mit dir allein sein.«

Sie schritten rascher ihrem Hause zu.

»Sieh nur«, sagte er, »im Wohnzimmer unten ist schon Licht, unsere alte Anne wird den Teetisch schon gerüstet haben. Du hattest recht, daheim ist doch noch besser als bei anderen.«

Sie nickte nur und drückte ihm still die Hand. – Dann traten sie in ihr Haus; lebhaft öffnete sie die Stubentür und schlug die Vorhänge zurück.

Auf dem Tische, wo einst die Vase mit den Rosen gestanden hatte, brannte jetzt eine große Bronzelampe und beleuchtete einen schwarzhaarigen Kinderkopf, der schlafend auf die mageren Ärmchen hingesunken war; die Ecken eines Bilderbuchs ragten nur eben darunter hervor.

Die junge Frau blieb wie erstarrt in der Tür stehen; das Kind war ganz aus ihrem Gedankenkreise verschwunden gewesen. Ein Zug herber Enttäuschung flog um ihre schönen Lippen. »Du, Nesi!« stieß sie hervor, als ihr Mann sie vollends in das Zimmer hineingeführt hatte. »Was machst du denn noch hier?«

Nesi erwachte und sprang auf. »Ich wollte auf euch warten«, sagte sie, indem sie halb lächelnd mit der Hand über ihre blinzelnden Augen fuhr.

»Das ist unrecht von Anne; du hättest längst zu Bette sein sollen.«

Ines wandte sich ab und trat an das Fenster; sie fühlte, wie ihr die Tränen aus den Augen quollen. Ein unentwirrbares Gemisch von bitteren Gefühlen wühlte in ihrer Brust; Heimweh, Mitleid mit sich selber, Reue über ihre Lieblosigkeit gegen das Kind des geliebten Mannes; sie wußte selber nicht, was alles jetzt sie überkam; aber – und mit der Wollust und der Ungerechtigkeit des Schmerzes sprach sie es sich selber vor – das war es: ihrer Ehe fehlte die Jugend, und sie selber war doch noch so jung!

Als sie sich umwandte, war das Zimmer leer. – Wo war die schöne Stunde, auf die sie sich gefreut? – Sie dachte nicht daran, daß sie sie selbst verscheucht hatte.

– – Das Kind, welches mit fast erschreckten Augen dem ihm unverständlichen Vorgange zugesehen hatte, war von dem Vater still hinausgeführt worden.

»Geduld!« sprach er zu sich selber, als er, den Arm um Nesi geschlungen, mit ihr die Treppe hinaufstieg; und auch er, in einem anderen Sinne, setzte hinzu: »Sie ist ja noch so jung.«

Eine Kette von Gedanken und Plänen tauchte in ihm auf; mechanisch öffnete er das Zimmer, wo Nesi mit der alten Anne schlief und in dem sie von dieser schon erwartet wurde. Er küßte sie und sprach: »Ich werde Mama von dir gute Nacht sagen.« Dann wollte er zu seiner Frau hinabgehen; aber er kehrte wieder um und trat am Ende des Korridors in sein Studierzimmer.

Auf dem Aufsatze des Schreibtisches stand eine kleine Bronzelampe aus Pompeji, die er kürzlich erst erworben und versucheshalber mit

Öl gefüllt hatte; er nahm sie herab, zündete sie an und stellte sie wieder an ihren Ort unter das Bildnis der Verstorbenen; ein Glas mit Blumen, das auf der Platte des Tisches gestanden, setzte er daneben. Er tat dies fast gedankenlos; nur, als müsse er auch seinen Händen zu tun geben, während es ihm in Kopf und Herzen arbeitete. Dann trat er dicht daneben an das Fenster und öffnete beide Flügel desselben.

Der Himmel war voll Wolken; das Licht des Mondes konnte nicht herabgelangen. Drunten in dem kleinen Garten lag das wuchernde Gesträuch wie eine dunkle Masse; nur dort, wo zwischen schwarzen pyramidenförmigen Koniferen der Steig zur Rohrhütte führte, schimmerte zwischen ihnen der weiße Kies hindurch.

Und aus der Phantasie des Mannes, der in diese Einsamkeit hinabsah, trat eine liebliche Gestalt, die nicht mehr den Lebenden angehörte; er sah sie unten auf dem Steige wandeln, und ihm war, als gehe er an ihrer Seite.

»Laß dein Gedächtnis mich zur Liebe stärken«, sprach er; aber die Tote antwortete nicht; sie hielt den schönen, bleichen Kopf zur Erde geneigt; er fühlte mit süßem Schauder ihre Nähe, aber Worte kamen nicht von ihr.

Da bedachte er sich, daß er hier oben ganz allein stehe. Er glaubte an den vollen Ernst des Todes; die Zeit, wo sie gewesen, war vorüber. – Aber unter ihm lag noch wie einst der Garten ihrer Eltern; von seinen Büchern durch das Fenster sehend, hatte er dort zuerst das kaum fünfzehnjährige Mädchen erblickt; und das Kind mit den blonden Flechten hatte dem ernsten Manne die Gedanken fortgenommen, immer mehr, bis sie zuletzt als Frau die Schwelle seines Hauses überschritten und ihm alles und noch mehr zurückgebracht hatte. – Jahre des Glückes und freudigen Schaffens waren mit ihr eingezogen; den kleinen Garten aber, als die Eltern früh verstorben waren und das Haus verkauft wurde, hatten sie behalten und durch eine Pforte in der Grenzmauer mit dem großen Garten ihres Hauses verbunden. Fast verborgen war schon damals diese Pforte unter hängendem Gesträuch, das sie ungehindert wachsen ließen; denn sie gingen durch dieselbe in den traulichsten Ort ihres Sommerlebens, in welchen selbst die Freunde des Hauses nur selten hineingelassen wurden. – – In der Rohrhütte, in welcher er einst von seinem Fenster aus die jugendliche Geliebte über ihren Schularbeiten belauscht hatte, saß jetzt zu den Füßen der blonden Mutter ein Kind mit dunklen, nachdenklichen Augen; und wenn er nun den Kopf von seiner Arbeit wandte, so tat er einen Blick in das vollste Glück des Menschenlebens. – – Aber heimlich hatte der Tod sein Korn hineingeworfen. Es war in den ersten Tagen eines Junimondes, da trug man das Bett der schwer Erkrankten aus dem daranliegenden Schlafgemach in das Arbeitszimmer ihres Mannes; sie wollte die Luft noch um sich haben, die aus dem Garten ihres Glückes durch das offene Fenster wehte. Der große Schreibtisch war beiseitegestellt; seine Gedanken waren nun alle nur bei ihr. – Draußen war ein unvergleichlicher Frühling aufgegangen; ein Kirschbaum stand mit Blüten überschneit. In unwillkürlichem Drange hob er die leichte Gestalt aus den Kissen und trug sie an das Fenster. »Oh, sieh es noch einmal! Wie schön ist doch die Welt!«

Aber sie wiegte leise ihren Kopf und sagte: »Ich sehe es nicht mehr.«

Und bald kam es, da wußte er das Flüstern, welches aus ihrem Munde brach, nicht mehr zu deuten. Immer schwächer glimmte der Funken; nur ein schmerzliches Zucken bewegte noch die Lippen, hart und stöhnend im Kampfe um das Leben ging der Atem. Aber es wurde leiser, immer leiser, zuletzt süß wie Bienengetön. Dann noch einmal war's, als wandle ein blauer Lichtstrahl durch die offenen Augen; und dann war Frieden.

»Gute Nacht, Marie!« – Aber sie hörte es nicht mehr.

– – Noch ein Tag, und die stille, edle Gestalt lag unten in dem großen, dämmerigen Gemach in ihrem Sarge. Die Diener des Hauses traten leise auf; drinnen stand er neben seinem Kinde, das die alte Anne an der Hand hielt.

»Nesi«, sagte diese, »du fürchtest dich doch nicht?«

Und das Kind, von der Erhabenheit des Todes angeweht, antwortete: »Nein, Anne, ich bete.«

Dann kam der allerletzte Gang, welcher noch mit ihr zu gehen ihm vergönnt war; nach ihrer beider Sinn ohne Priester und Glockenklang, aber in der heiligen Morgenfrühe, die ersten Lerchen stiegen eben in die Luft.

Das war vorüber; aber er besaß sie noch in seinem Schmerze; wenn auch ungesehen, sie lebte noch mit ihm. Doch unbemerkt entschwand auch dies; er suchte sie oft mit Angst, aber immer seltener wußte er sie zu finden. Nun erst schien ihm sein Haus unheimlich leer und öde; in den Winkeln saß eine Dämmerung, die früher nicht dort gesessen hatte; es war so seltsam anders um ihn her; und sie war nirgends.

– – Der Mond war aus dem Wolkendunst hervorgetreten und beleuchtete hell die unten liegende Gartenwildnis. Er stand noch immer an derselben Stelle, den Kopf gegen das Fensterkreuz gelehnt; aber seine Augen sahen nicht mehr, was draußen war.

Da öffnete sich hinter ihm die Tür, und eine Frau von dunkler Schönheit trat herein.

Das leise Rauschen ihres Kleides hatte den Weg zu seinem Ohr gefunden; er wandte den Kopf und sah sie forschend an.

»Ines!« rief er; er stieß das Wort hervor, aber er ging ihr nicht entgegen. Sie war stehengeblieben.

»Was ist dir, Rudolf? Erschrickst du vor mir?«

Er schüttelte den Kopf und versuchte zu lächeln. »Komm«, sagte er, »laß uns hinuntergehen.«

Aber während er ihre Hand faßte, waren ihre Augen auf das von der Lampe beleuchtete Bild und die danebenstehenden Blumen gefallen. – Wie ein plötzliches Verständnis flog es durch ihre Züge. »Es ist ja bei dir wie in einer Kapelle«, sagte sie, und ihre Worte klangen kalt, fast feindlich.

Er hatte alles begriffen. »O, Ines«, rief er, »sind nicht auch dir die Toten heilig!«

»Die Toten! Wem sollten die nicht heilig sein! Aber, Rudolf« – und sie zog ihn wieder an das Fenster; ihre Hände zitterten und ihre schwarzen Augen flimmerten vor Erregung – »sag' mir, die ich jetzt dein Weib bin, warum hältst du diesen Garten verschlossen und lässest keines Menschen Fuß hinein?«

Sie zeigte mit der Hand in die Tiefe; der weiße Kies zwischen den schwarzen Pyramidensträuchern schimmerte gespenstisch; ein großer Nachtschmetterling flog eben darüber hin.

Er hatte schweigend hinabgeblickt. »Das ist ein Grab, Ines«, sagte er jetzt, »oder, wenn du lieber willst, ein Garten der Vergangenheit.«

Aber sie sah ihn heftig an. »Ich weiß das besser, Rudolf! Das ist der Ort, wo du bei *ihr* bist; dort auf dem weißen Steige wandelt ihr zusammen; denn sie ist nicht tot; noch eben, jetzt in dieser Stunde warst du bei ihr und hast mich, dein Weib, bei ihr verklagt. Das ist Untreue, Rudolf, mit einem Schatten brichst du mir die Ehe!«

Er legte schweigend den Arm um ihren Leib und führte sie, halb mit Gewalt, vom Fenster fort. Dann nahm er die Lampe von dem Schreibtisch und hielt sie hoch gegen das Bild empor. »Ines, wirf nur einen Blick auf sie!«

Und als die unschuldigen Augen der Toten auf sie herabblickten, brach sie in einen Strom von Tränen aus. »O, Rudolf, ich fühle es, ich werde schlecht!«

»Weine nicht so«, sagte er. »Auch ich habe unrecht getan; aber habe auch du Geduld mit mir!« – Er zog ein Schubfach seines Schreibtisches auf und legte einen Schlüssel in ihre Hand. »Öffne du den Garten wieder, Ines! – – Gewiß, es macht mich glücklich, wenn dein Fuß der erste ist, der wieder ihn betritt. Vielleicht, daß im Geiste sie dir dort begegnet und mit ihren milden Augen dich so lange ansieht, bis du schwesterlich den Arm um ihren Nacken legst!« Sie sah unbeweglich auf den Schlüssel, der noch immer in ihrer offenen Hand lag.

»Nun, Ines, willst du nicht annehmen, was ich dir gegeben habe?«

Sie schüttelte den Kopf.

»Noch nicht, Rudolf, ich kann noch nicht, später – später; dann wollen wir zusammen hineingehen.« Und indem ihre schönen dunklen Augen bittend zu ihm aufblickten, legte sie still den Schlüssel auf den Tisch.

Ein Samenkorn war in den Boden gefallen, aber die Zeit des Keimens lag noch fern.

Es war im November. – Ines konnte endlich nicht mehr daran zweifeln, daß auch sie Mutter werden solle, Mutter eines eigenen Kindes. Aber zu dem Entzücken, das sie bei dem Bewußtsein überkam, gesellte sich bald ein anderes. Wie ein unheimliches Dunkel lag es auf ihr, aus dem allmählich sich *ein* Gedanke gleich einer bösen Schlange emporwand. Sie suchte ihn zu verscheuchen, sie flüchtete sich vor ihm zu allen guten Geistern ihres Hauses, aber er verfolgte sie, er kam immer wieder und immer mächtiger. War sie nicht nur von außen wie eine Fremde in dies Haus getreten, das schon ohne sie ein fertiges Leben in sich schloß? – Und eine zweite Ehe – gab es denn überhaupt eine solche? Mußte die erste, die einzige, nicht bis zum Tode beider fortdauern? – Nicht nur bis zum Tode! Auch weiter – weiter, bis in alle Ewigkeit! Und wenn das? – Die heiße Glut schlug ihr ins Gesicht; sich selbst zerfleischend, griff sie nach den härtesten Worten. – Ihr Kind – ein Eindringling, ein Bastard würde es im eigenen Vaterhause sein!

Wie vernichtet ging sie umher; ihr junges Glück und Leid trug sie allein; und wenn der, welcher den nächsten Anspruch hatte, es mit ihr zu teilen, sie besorgt und fragend anblickte, so schlossen sich ihre Lippen wie in Todesangst.

– – In dem gemeinschaftlichen Schlafgemache waren die schweren Fenstervorhänge heruntergelassen, nur durch eine schmale Lücke zwischen denselben stahl sich ein Streifen Mondlicht herein. Unter quälenden Gedanken war Ines eingeschlafen, nun kam der Traum; da wußte sie es: sie konnte nicht bleiben, sie mußte fort aus diesem Hause, nur ein kleines Bündelchen wollte sie mitnehmen, dann fort, weit weg – – zu ihrer Mutter, auf Nimmerwiederkehr! Aus dem Garten, hinter den Fichten, welche die Rückwand desselben bildeten, führte ein Pförtchen in das Freie; den Schlüssel hatte sie in ihrer Tasche, sie wollte fort – – gleich. – –

Der Mond rückte weiter, von der Bettstatt auf das Kissen, und jetzt lag ihr schönes Antlitz voll beleuchtet in seinem blassen Schein. – Da richtete sie sich auf. Geräuschlos entstieg sie dem Bett und trat mit nackten Füßen in ihre davorstehenden Schuhe. Nun stand sie mitten im Zimmer in ihrem weißen Schlafgewand; ihr dunkles Haar hing, wie sie es nachts zu ordnen pflegte, in zwei langen Flechten über ihre Brust. Aber ihre sonst so elastische Gestalt schien wie zusammengesunken; es war, als liege noch die Last des Schlafes auf ihr. Tastend, mit vorgestreckten Händen, glitt sie durch das Zimmer, aber sie nahm nichts mit, kein Bündelchen, keinen Schlüssel. Als sie mit den Fingern über die auf einem Stuhle liegenden Kleider ihres Mannes streifte, zögerte sie einen Augenblick, als gewinne eine andere Vorstellung in ihr Raum; gleich darauf aber schritt sie leise und feierlich zur Stubentür hinaus und weiter die Treppe hinab. Dann klang unten im Flure das Schloß der Hoftür, kalte Luft blies sie an, der Nachtwind hob die schweren Flechten auf ihrer Brust.

– – Wie sie durch den finsteren Wald gekommen, der hinter ihr lag, das wußte sie nicht; aber jetzt hörte sie es überall aus dem Dickicht hervorbrechen; die Verfolger waren hinter ihr. Vor ihr erhob sich ein großes Tor; mit aller Macht ihrer kleinen Hände stieß sie den einen Flügel auf; eine öde, unabsehbare Heide dehnte sich vor ihr aus, und plötzlich wimmelte es von großen schwarzen Hunden, die in emsigem Laufe gegen sie daherrannten; sie sah die roten Zungen aus ihren dampfenden Rachen hängen, sie hörte ihr Gebell, immer näher – tönender – –

Da öffneten sich ihre halbgeschlossenen Augen, und allmählich begann sie es zu fassen. Sie erkannte, daß sie eben innerhalb des großen Gartens stehe; ihre eine Hand hielt noch die Klinke der eisernen Gittertür. Der Wind spielte mit ihrem leichten Nachtgewande; von den Linden, welche zur Seite des Einganges standen, wirbelte ein Schauer von gelben Blättern auf sie herab. – Doch – was war das? – Drüben aus den Tannen, ganz wie sie es vorhin zu hören glaubte, erscholl auch jetzt das Bellen eines Hundes, sie hörte deutlich etwas durch die dürren Zweige brechen. Eine Todesangst überfiel sie. – Und wieder erscholl das Gebell. »Nero«, sagte sie; »es ist Nero.«

Aber sie hatte sich mit dem schwarzen Hüter des Hauses nie befreundet, und unwillkürlich lief ihr das wirkliche Tier mit den grimmigen Hunden des Traumes in eins zusammen; und jetzt sah sie ihn von jenseit des Rasens in großen Sprüngen auf sich zukommen. Doch er legte sich vor ihr nieder, und jenes unverkennbare Winseln der Freude ausstoßend, leckte er ihre nackten Füße. Zugleich kamen Schritte vom Hofe her, und einen Augenblick darauf umfingen sie die Arme ihres Mannes; gesichert legte sie den Kopf an seine Brust.

Vom Gebell des Hundes aufgewacht, hatte er mit jähem Schreck ihr Lager an seiner Seite leer gesehen. Ein dunkles Wasser glitzerte plötzlich vor seinem inneren Auge; es lag nur tausend Schritt hinter ihrem Garten an einem Feldweg unter dichten Erlenbüschen. Wie vor einigen Tagen sah er sich mit Ines an dem grünen Uferrande stehen; er sah sie bis in das Schilf hinabgehen und einen Stein, den sie vorhin am Wege aufgesammelt, in die Tiefe werfen. »Komm zurück, Ines!« hatte er gerufen, »es ist nicht sicher dort.« Aber sie war noch immer stehengeblieben, mit den schwermütigen Augen in die Kreise starrend, welche langsam auf dem schwarzen Wasserspiegel ausliefen. »Das ist wohl unergründlich?« hatte sie gefragt, da er sie endlich in seinen Armen fortgerissen.

Das alles war in wilder Flucht durch seinen Kopf gegangen, als er die Treppe nach dem Hofe hinabgestürmt. – Auch damals waren sie durch den Garten von ihrem Hause fortgegangen, und jetzt traf er sie hier, fast unbekleidet, das schöne Haar vom Nachttau feucht, der noch immer von den Bäumen tropfte.

Er hüllte sie in den Plaid, welchen er sich selbst vorm Hinuntergehen übergeworfen hatte. »Ines«, sagte er – das Herz schlug ihm so gewaltig, daß er das Wort fast rauh hervorstieß –, »was ist das? Wie bist du hierhergekommen?«

Sie schauerte in sich zusammen.

»Ich weiß nicht, Rudolf – – ich wollte fort – mir träumte; o Rudolf, es muß etwas Furchtbares gewesen sein!«

»Dir träumte? Wirklich, dir träumte!« wiederholte er und atmete auf, wie von einer schweren Last befreit.

Sie nickte nur und ließ sich wie ein Kind ins Haus und in das Schlafgemach zurückführen.

Als er sie hier sanft aus seinen Armen ließ, sagte sie: »Du bist so stumm, du zürnst gewiß?«

»Wie sollt' ich zürnen, Ines! Ich hatte Angst um dich. Hast du schon früher so geträumt?«

Sie schüttelte erst den Kopf, bald aber besann sie sich. »Doch – – einmal; nur war nichts Schreckliches dabei.«

Er trat ans Fenster und zog die Vorhänge zurück, so daß das Mondlicht voll ins Zimmer strömte.

»Ich muß dein Antlitz sehen«, sagte er, indem er sie auf die Kante ihres Bettes niederzog und sich dann selbst an ihre Seite setzte. »Willst du mir nun erzählen, was dir damals Liebliches geträumt hat? Du brauchst nicht laut zu sprechen; in diesem zarten Lichte trifft auch der leiseste Ton das Ohr.«

Sie hatte den Kopf auf seine Brust gelegt und sah zu ihm empor.

»Wenn du es wissen willst«, sagte sie nachsinnend. »Es war, glaub' ich, an meinem dreizehnten Geburtstag; ich hatte mich ganz in das Kind, in den kleinen Christus verliebt, ich mochte meine Puppen nicht mehr ansehen.«

»In den kleinen Christus, Ines?«

»Ja, Rudolf«; und sie legte sich wie zur Ruhe noch fester in seinen Arm; »meine Mutter hatte mir ein Bild geschenkt, eine Madonna mit dem Kinde; es hing hübsch eingerahmt über meinem Arbeitstischchen in der Wohnstube.«

»Ich kenne es«, sagte er, »es hängt ja noch dort; deine Mutter wollte es behalten zur Erinnerung an die *kleine* Ines.«

– »O meine liebe Mutter!«

Er zog sie fester an sich; dann sagte er: »Darf ich weiter hören, Ines?«

– »Doch! Aber ich schäme mich, Rudolf.« Und dann leise und zögernd fortfahrend: »Ich hatte an jenem Tage nur Augen für das Christuskind; auch nachmittags, als meine Gespielinnen da waren; ich schlich mich heimlich hin und küßte das Glas vor seinem kleinen Munde – – es war mir ganz, als wenn's lebendig wäre – – hätte ich es nur auch wie die Mutter auf dem Bild in meine Arme nehmen können!« – Sie schwieg; ihre Stimme war bei den letzten Worten zu einem flüsternden Hauch herabgesunken.

»Und dann, Ines?« fragte er. »Aber du erzählst mir so beklommen!«

– »Nein, nein, Rudolf! Aber – – in der Nacht, die darauf folgte, muß ich auch im Traume aufgestanden sein; denn am anderen Morgen fanden sie mich in meinem Bette, das Bild in beiden Armen, mit meinem Kopf auf dem zerdrückten Glase eingeschlafen.«

Eine Weile war es totenstill im Zimmer.

– – »Und jetzt?« fragte er ahnungsvoll und sah ihr tief und herzlich in die Augen »Was hat dich heute denn von meiner Seite in die Nacht hinausgetrieben?«

»Jetzt, Rudolf?« – – Er fühlte, wie ein Zittern über alle ihre Glieder lief. Plötzlich schlang sie die Arme um seinen Hals, und mit erstickter Stimme flüsterte sie angstvolle und verworrene Worte, deren Sinn er nicht verstehen konnte.

»Ines, Ines!« sagte er und nahm ihr schönes, kummervolles Antlitz in seine beiden Hände.

– »O Rudolf! Laß mich sterben; aber verstoße nicht unser Kind!«

Er war vor ihr aufs Knie gesunken und küßte ihr die Hände. Nur die Botschaft hatte er gehört und nicht die dunklen Worte, in denen sie ihm verkündigt wurde; von seiner Seele flogen alle Schatten fort, und hoffnungsreich zu ihr emporschauend, sprach er leise: »Nun muß sich alles, alles wenden!«

Die Zeit ging weiter, aber die dunklen Gewalten waren noch nicht besiegt. Nur mit Widerstreben fügte Ines die noch aus Nesis Wiegenzeit vorhandenen Dinge der kleinen Ausrüstung ein, und manche Träne fiel in die kleinen Mützen und Jäckchen, an welchen sie jetzt stumm und eifrig nähte.

– – Auch Nesi war es nicht entgangen, daß etwas Ungewöhnliches sich vorbereitete. Im Oberhause, nach dem großen Garten hinaus, stand plötzlich eine Stube fest verschlossen, in der sonst ihre Spielsachen aufbewahrt gewesen waren; sie hatte durchs Schlüsselloch hineingeguckt; eine Dämmerung, eine feierliche Stille schien darin zu walten. Und als sie ihre Puppenküche, die man auf den Korridor hinausgesetzt hatte, mit Hilfe der alten Anne auf den Hausboden trug, suchte sie dort vergebens nach der Wiege mit dem grünen Taffetschirme, welche, solange sie denken konnte, hier unter dem schrägen Dachfenster gestanden hatte. Neugierig spähte sie in alle Winkel.

»Was gehst du herum wie ein Kontrolleur?« sagte die Alte.

– »Ja, Anne, wo ist aber meine Wiege geblieben?«

Die Alte blickte sie mit schlauem Lächeln an. »Was meinst«, sagte sie, »wenn dir der Storch noch so ein Brüderchen brächte?«

Nesi sah betroffen auf; aber sie fühlte sich durch diese Anrede in ihrer elfjährigen Würde gekränkt. »Der Storch?« sagte sie verächtlich.

»Nun freilich, Nesi.«

– »Du mußt nicht so was zu mir sprechen, Anne. Das glauben die kleinen Kinder; aber ich weiß wohl, daß es dummes Zeug ist.«

»So? – Wenn du es besser weißt, Mamsell Naseweis, woher kommen denn die Kinderchen, wenn nicht der Storch sie bringt, der es doch schon die Tausende von Jahren her besorgt hat?«

– »Sie kommen vom lieben Gott«, sagte Nesi pathetisch. »Sie sind auf einmal da.«

»Bewahr' uns in Gnaden!« rief die Alte. »Was doch die Guckindiewelte heutzutage klug sind! Aber du hast recht, Nesi; wenn du's gewiß weißt, daß der liebe Gott den Storch vom Amte gesetzt hat – ich glaub's selber, er wird es schon allein besorgen können. – Nun aber –

wenn's denn so auf einmal da wär', das Brüderchen – oder wolltest du lieber ein Schwesterlein? –, würd's dich freuen, Neschen?«

Nesi stand vor der Alten, die sich auf einen Reisekoffer niedergelassen hatte; ein Lächeln verklärte ihr ernstes Gesichtchen, dann aber schien sie nachzusinnen.

»Nun, Neschen«, forschte wieder die Alte. »Würd's dich freuen, Neschen?«

»Ja, Anne«, sagte sie endlich, »ich möchte wohl eine kleine Schwester haben, und Vater würde sich gewiß auch freuen; aber – –«

»Nun, Neschen! was hast du noch zu abern?«

»Aber«, wiederholte Nesi und hielt dann wieder einen Augenblick wie grübelnd inne – »das Kind würde ja dann doch keine Mutter haben!«

»Was?« rief die Alte ganz erschrocken und strebte mühsam von ihrem Koffer auf; »das Kind keine Mutter? Du bist mir zu gelehrt, Nesi; komm, laß uns hinabgehen! – Hörst du? Da schlägt's zwei! Nun mach', daß du in die Schule kommst!«

Schon brausten die ersten Frühlingsstürme um das Haus; die Stunde nahte. – – »Wenn ich's nicht überlebte«, dachte Ines, »ob er auch meiner dann gedenken würde?«

Mit scheuen Augen ging sie an der Tür des Zimmers vorüber, welches schweigend sie und ihr künftiges Geschick erwartete; leise trat sie auf, als sei drinnen etwas, was sie zu wecken fürchte.

Und endlich war dem Hause ein Kind, ein zweites Töchterchen geboren. Von außen pochten die lichtgrünen Zweige an die Fenster; aber drinnen in dem Zimmer lag die junge Mutter bleich und entstellt; das warme Sonnenbraun der Wangen war verschwunden; aber in ihren Augen brannte ein Feuer, das den Leib verzehrte. Rudolf saß an dem Bett und hielt ihre schmale Hand in der seinen.

Jetzt wandte sie mühsam den Kopf nach der Wiege, die unter der Hut der alten Anne an der anderen Seite des Zimmers stand. »Rudolf«, sagte sie matt; »ich habe noch eine Bitte!«

– – »Noch *eine,* Ines? Ich werde noch viel von dir zu bitten haben.«

Sie sah ihn traurig an; nur eine Sekunde lang; dann flog ihr Auge hastig wieder nach der Wiege. »Du weißt«, sagte sie, immer schwerer atmend, »es gibt kein Bild von mir! Du wolltest immer, es solle nur von einem guten Meister gemalt werden – – wir können nicht mehr warten auf die Meisterhand. – Du könntest einen Photographen kommen lassen, Rudolf; es ist ein wenig umständlich; aber – mein Kind, es wird mich nicht mehr kennen lernen; es muß doch wissen, wie die Mutter ausgesehen.«

»Warte noch ein wenig!« sagte er und suchte einen mutigen Ton in seine Stimme zu legen. »Es würde dich jetzt zu sehr erregen; warte, bis deine Wangen wieder voller werden!«

Sie strich mit beiden Händen über ihr schwarzes Haar, das lang und glänzend auf dem Deckbett lag, indem sie einen fast wilden Blick im Zimmer umherwarf.

»Einen Spiegel!« sagte sie, indem sie sich völlig in den Kissen aufrichtete. »Bringt mir einen Spiegel!«

Er wollte wehren; aber schon hatte die Alte einen Handspiegel herbeigeholt und auf das Bett gelegt. Die Kranke ergriff ihn hastig; aber als sie hineinblickte, malte sich ein heftiges Erschrecken in ihren Zügen; sie nahm ein Tuch und wischte an dem Glase; doch es wurde nicht anders; nur immer fremder starrte das kranke Leidensantlitz ihr entgegen.

»Wer ist das?« schrie sie plötzlich. »Das bin nicht ich! – O, mein Gott! Kein Bild, kein Schatten für mein Kind!«

Sie ließ den Spiegel fallen und schlug die mageren Hände vors Gesicht.

Da drang ein Weinen an ihr Ohr. Es war nicht ihr Kind, das ahnungslos in seiner Wiege lag und schlief; Nesi hatte sich unbemerkt hereingeschlichen; sie stand mitten im Zimmer und sah mit düsteren Augen auf die Stiefmutter, während sie schluchzend in ihre Lippe biß.

Ines hatte sie bemerkt. »Du weinst, Nesi?« fragte sie.

Aber das Kind antwortete nicht.

»Warum weinst du, Nesi?« wiederholte sie heftig.

Die Züge des Kindes wurden noch finsterer. »Um meine Mutter!« brach es fast trotzig aus dem kleinen Munde.

Die Kranke stutzte einen Augenblick; dann aber streckte sie die Arme aus dem Bett, und als das Kind, wie unwillkürlich, sich genähert hatte, riß sie es heftig an ihre Brust. »O Nesi, vergiß deine Mutter nicht!« Da schlangen zwei kleine Arme sich um ihren Hals, und nur ihr verständlich, hauchte es: »Meine liebe, süße Mama!«

– »Bin ich deine liebe Mama, Nesi?«

Nesi antwortete nicht; sie nickte nur heftig in die Kissen.

»Dann, Nesi«, und in traulich seligem Flüstern sprach es die Kranke, »vergiß auch mich nicht! O, ich will nicht gern vergessen werden!«

– – Rudolf hatte regungslos diesen Vorgängen zugesehen, die er nicht zu stören wagte; halb in tödlicher Angst, halb in stillem Jubel; aber die Angst behielt die Oberhand. Ines war in ihre Kissen zurückgesunken; sie sprach nicht mehr; sie schlief – plötzlich.

Nesi, die sich leise von dem Bett entfernt hatte, kniete vor der Wiege ihres Schwesterchens; voll Bewunderung betrachtete sie das winzige Händchen, das sich aus den Kissen aufreckte, und wenn das rote Gesichtlein sich verzog und der kleine unbeholfene Menschenlaut hervorbrach, dann leuchteten ihre Augen vor Entzücken. Rudolf, der still herangetreten war, legte liebkosend die Hand auf ihren Kopf; sie wandte sich um und küßte die andere Hand des Vaters; dann schaute sie wieder auf ihr Schwesterchen. –

Die Stunden rückten weiter. Draußen leuchtete der Mittagsschein, und die Vorhänge an den Fenstern wurden fester zugezogen. Längst schon saß er wieder an dem Bette der geliebten Frau, in dumpfer Erwartung; Gedanken und Bilder kamen und gingen; er schaute sie nicht an, er ließ sie kommen und gehen. Schon einmal früher war es so wie jetzt gewesen; ein unheimliches Gefühl befiel ihn; ihm war, als lebe er zum zweitenmal. Er sah wieder den schwarzen Totenbaum aufsteigen und mit den düsteren Zweigen sein ganzes Haus bedecken. Angstvoll sah er nach der Kranken; aber sie schlummerte sanft; in ruhigen Atemzügen hob sich ihre Brust. Unter dem Fenster, in den blühenden Syringen sang ein kleiner Vogel immerzu; er hörte ihn nicht; er war bemüht, die trügerischen Hoffnungen fortzuscheuchen, die ihn jetzt umspinnen wollten.

Am Nachmittage kam der Arzt; er neigte sich über die Schlafende und nahm ihre Hand, die ein warmer feuchter Hauch bedeckte. Rudolf blickte gespannt in das Antlitz seines Freundes, dessen Züge den Ausdruck der Überraschung annahmen.

»Schone mich nicht!« sagte er. »Laß mich alles wissen!«

Aber der Doktor drückte ihm die Hand.

– »Gerettet!« – Das einzige Wort hatte er behalten. Er hörte auf einmal den Gesang des Vogels; das ganze Leben kam zurückgeflutet. »Gerettet!« – Und er hatte auch sie schon verloren gegeben in die große Nacht; er hatte geglaubt, die heftige Erschütterung des Morgens müsse sie verderben; doch:

»Es ward ihr zum Heil,
Es riß sie nach oben!«

In diese Worte des Dichters faßte er all sein Glück zusammen; wie Musik klangen sie fort und fort in seinen Ohren.

– – Immer noch schlief die Kranke; immer noch saß er wartend an ihrem Bette. Nur die Nachtlampe dämmerte jetzt in dem stillen Zimmer; draußen aus dem Garten kam statt des Vogelsangs nun das Rauschen des Nachtwindes; manchmal wie Harfenton wehte es auf und zog vorüber; die jungen Zweige pochten leise an die Fenster.

»Ines!« flüsterte er; »Ines!« Er konnte es nicht lassen, ihren Namen auszusprechen.

Da schlug sie die Augen auf und ließ sie fest und lange auf ihm ruhen, als müsse aus der Tiefe des Schlafes ihre Seele erst zu ihm hinaufgelangen.

»Du, Rudolf?« sagte sie endlich. »Und ich bin noch einmal wieder aufgewacht!«

Er blickte sie an und konnte sich nicht ersättigen an ihrem Anblick. »Ines«, sagte er – fast demütig klang seine Stimme –, »ich sitze hier, und stundenlang schon trage ich das Glück wie eine schwere Last auf meinem Haupte; hilf es mir tragen, Ines!«

»Rudolf –!« Sie hatte sich mit einer kräftigen Bewegung aufgerichtet.

– »Du wirst leben, Ines!«

»Wer hat das gesagt?«

– »Dein Arzt, mein Freund; ich weiß, er hat sich nicht getäuscht.«

»Leben! O mein Gott! Leben! – Für mein Kind, für dich!« – Es war, als käme ihr plötzlich eine Erinnerung; sie schlang die Hände um den Hals ihres Mannes und drückte sein Ohr an ihren Mund. »Und für deine – für eure, unsere Nesi!« flüsterte sie. Dann ließ sie seinen Nakken los, und seine beiden Hände ergreifend, sprach sie zu ihm sanft und liebevoll. »Mir ist so leicht!« sagte sie. »Ich weiß gar nicht mehr, warum alles sonst so schwer gewesen ist!« Und ihm zunickend: »Du sollst nur sehen, Rudolf; nun kommt die gute Zeit! Aber –« und sie hob den Kopf und brachte ihre Augen ganz dicht an die seinen – »ich muß teilhaben an deiner Vergangenheit, dein ganzes Glück mußt du mir erzählen! Und, Rudolf, *ihr* süßes Bild soll in dem Zimmer hängen, das uns gemeinschaftlich gehört; sie muß dabei sein, wenn du mir erzählst!«

Er sah sie an wie ein Seliger.

»Ja, Ines; sie soll dabei sein!«

»Und Nesi! Ich erzähl' ihr wieder von ihrer Mutter, was ich von dir gehört habe – was für ihr Alter paßt, Rudolf, nur das – –«

Er konnte nur stumm noch nicken.

»Wo ist Nesi?« fragte sie dann; »ich will ihr noch einen Gutenachtkuß geben!«

»Sie schläft, Ines«, sagte er und strich sanft mit der Hand über ihre Stirn. »Es ist ja Mitternacht!«

»Mitternacht! So mußt auch du nun schlafen! Ich aber – lache mich nicht aus, Rudolf – mich hungert; ich muß essen! Und dann, nachher, die Wiege vor mein Bett; ganz nahe, Rudolf! Dann schlaf' auch ich wieder; ich fühl's gewiß, du kannst ganz ruhig fortgehen.«

Er blieb noch.

»Ich muß erst eine Freude haben!« sagte er.

»Eine Freude?«

»Ja, Ines, eine ganz neue; ich muß dich essen sehen!«

– »O du!«

– Und als ihm auch das geworden, trug er mit der Wärterin die Wiege vor das Bett.

»Und nun gute Nacht! Mir ist, als sollte ich noch einmal in unseren Hochzeitstag hineinschlafen.«

Sie aber wies glücklich lächelnd auf ihr Kind.

– Und bald war alles still. Aber nicht der schwarze Totenbaum streckte seine Zeige über das Dach des Hauses; aus fernen goldenen Ährenfeldern nickte sanft der rote Mohn des Schlummers. Noch eine reiche Ernte stand bevor.

Und es war wieder Rosenzeit. – Auf dem breiten Steige des großen Gartens hielt ein lustiges Gefährt. Nero war augenscheinlich avanciert; denn nicht vor einem Puppen-, sondern vor einem wirklichen Kinderwagen stand er angeschirrt und hielt geduldig still, als Nesi an seinem mächtigen Kopfe jetzt die letzte Schnalle zuzog. Die alte Anne beugte sich zu dem Schirm des Wägelchens und zupfte an den Kissen, in denen das noch namenlose Töchterchen des Hauses mit großen offenen Augen lag; aber schon rief Nesi: »Hü, hott, alter Nero!« und in würdevollem Schritt setzte die kleine Karawane sich zu ihrer täglichen Spazierfahrt in Bewegung.

Rudolf und mit ihm Ines, die schöner als je an seinem Arme hing, hatten lächelnd zugeschaut; nun gingen sie ihren eigenen Weg; seitwärts schlugen sie sich durch die Büsche entlang der Gartenmauer, und bald standen sie vor der noch immer verschlossenen Pforte. Das Gesträuch hing nicht wie sonst herab; ein Gestelle war untergebaut, so daß man wie durch einen schattigen Laubengang hinangelangte. Einen Augenblick horchten sie auf den vielstimmigen Gesang der Vögel, die drüben in der noch ungestörten Einsamkeit ihr Wesen trieben. Dann aber, von Ines' kleinen kräftigen Händen bezwungen, drehte sich der Schlüssel, und kreischend sprang der Riegel zurück. Drinnen hörten sie die Vögel aufrauschen, und dann war alles still. Um eine Handbreit stand die Pforte offen; aber sie war an der Binnenseite von blühendem Geranke überstrickt; Ines wandte alle ihre Kräfte auf, es knisterte und knickte auch dahinter; aber die Pforte blieb gefangen.

»Du mußt!« sagte sie endlich, indem sie lächelnd und erschöpft zu ihrem Mann emporblickte.

Die Männerhand erzwang den vollen Eingang; dann legte Rudolf das zerrissene Gesträuch sorgsam nach beiden Seiten zurück.

Vor ihnen schimmerte jetzt in hellem Sonnenlicht der Kiesweg; aber leise, als sei es noch in jener Mondnacht, gingen sie zwischen den tiefgrünen Koniferen auf ihm hin, vorbei an den Zentifolien, die mit Hunderten von Rosen aus dem wuchernden Kraut hervorleuchteten, und am Ende des Steiges unter das verfallene Rohrdach, vor welchem jetzt die Klematis den ganzen Gartenstuhl besponnen hatte. Drinnen hatte, wie im vorigen Sommer, die Schwalbe ihr Nest gebaut; furchtlos flog sie über ihnen aus und ein.

Was sie zusammen sprachen? – Auch für Ines war jetzt heiliger Boden hier. – Mitunter schwiegen sie und hörten nur auf das Summen der Insekten, die draußen in den Düften spielten. Vor Jahren hatte Rudolf es schon ebenso gehört; immer war es so gewesen. Die Menschen starben; ob denn diese kleinen Musikanten ewig waren?

»Rudolf, ich habe etwas entdeckt!« begann jetzt Ines wieder. Nimm einmal den ersten Buchstaben meines Namens und setzt' ihn an das Ende! Wie heißt er dann?«

»*Nesi!*« sagte er lächelnd. »Das trifft sich wunderbar.«

»Siehst du!« fuhr sie fort; »so hat die Nesi eigentlich meinen Namen. Ist's nicht billig, daß nun mein Kind den Namen *ihrer* Mutter erhält? – Marie! – Es klingt so gut und mild; du weißt, es ist nicht einerlei, mit welchem Namen die Kinder sich gerufen hören!«

Er schwieg einen Augenblick.

»Laß uns mit diesen Dingen nicht spielen!« sagte er dann und sah ihr innig in die Augen. »Nein, Ines; auch mit dem Antlitz meines lieben kleinen Kindes soll mir ihr Bild nicht übermalt werden. Nicht Marie, auch nicht Ines – wie es deine Mutter wünschte – darf das Kind mir heißen! Auch Ines ist für mich nur einmal und niemals wieder auf der Welt.« – Und nach einer Weile fügte er hinzu: »Wirst du nun sagen, daß du einen eigensinnigen Mann hast?«

»Nein, Rudolf; nur, daß du Nesis rechter Vater bist!«

»Und du, Ines?«

»Hab' nur Geduld – ich werde schon dein rechtes Weib! – Aber –«

»Ist doch noch ein Aber da?«

»Kein böses, Rudolf! – Aber – wenn einst die Zeit dahin ist – denn einmal kommt ja doch das Ende – wenn wir alle dort sind, woran du keinen Glauben hast, aber vielleicht doch eine Hoffnung – wohin *sie* uns vorangegangen ist; dann« – und sie hob sich zu ihm empor und schlang beide Hände um seinen Nacken – »schüttle mich nicht ab, Rudolf! Versuch' es nicht; ich lasse doch nicht von dir!«

Er schloß sie fest in seine Arme und sagte: »Laß uns das Nächste tun; das ist das Beste, was ein Mensch sich selbst und andere lehren kann.«

»Und das wäre?« fragte sie.

»*Leben,* Ines; so schön und lange, wie wir es vermögen!«

Da hörten sie Kinderstimmen von der Pforte her; kleine zum Herzen dringende Laute, die noch keine Worte waren, und ein helles »Hü!« und »Hott!« von Nesis kräftiger Stimme. Und unter dem Vorspann des getreuen Nero, behütet von der alten Dienerin, hielt die fröhliche Zukunft des Hauses ihren Einzug in den Garten der Vergangenheit.

Zerstreute Kapitel

Der Amtschirurgus – Heimkehr

Allerlei Seltsames war in der alten Stadt. In der alten, sage ich; denn seit der große Brand ihre Treppengiebel verzehrt und die Eisenbahn den Arm nach ihr ausgestreckt hat, ist sie jünger geworden, als sie es in meiner Jugend war.

Damals, wenn Unwetter in der Luft drohte, ließen wir uns das nicht, wie anderwärts, durch ein Wetterglas prophezeien, auch nicht durch einen Laubfrosch, der die Leiter in seinem Glase hinabkletterte, sondern durch einen alten Amtschirurgus, der die Treppen der drei Rathausböden hinaufstieg und dann aus der obersten Giebelluke über die Stadt hinausprophezeite. Zwar betrafen seine Worte nicht zunächst das Wetter; vielmehr pflegte er sich dann als Kronprinzen von Preußen zu proklamieren und hinterher allerlei Verwünschungen über die höchsten Würdenträger der Stadt herabzurufen; aber wir Eingeborenen wußten Bescheid, ein Sturm aus Nordwest war gewiß im Anzuge. Oft habe ich aus dem engen Steinhofe eines Nachbarhauses hinaufgeschaut, wenn das breite rubinrote Gesicht mit dem weißgepuderten Haarschopf droben aus dem Rathausgiebel hinausfuhr, und mit Wonne die ungeheuren Aufrichtigkeiten eingesogen, die der aufgeregte Redner mit beiden Armen aus der Bodenluke hervorarbeitete. Es war dies allerdings nicht das geeignetste Mittel, um in einem jungen Herzen den Respekt vor den Autoritäten des Staatskalenders großzuziehen, und ich habe später oft darüber nachdenken müssen, was der Mann nicht alles in mir zerstört haben mag. – Ob im Grunde genommen nicht der Amtschirurgus klarer sah als die Leute unten in der Stadt, die ihn für einen Narren hielten? – Nur so viel ist gewiß; auch wir Gesunden sehen die Dinge nicht, wie sie sind; uns selber unbewußt webt unser Inneres eine Hülle um sie her, und erst in dieser Scheingestalt erträgt es unser Auge, sie zu sehen, unsere Hand, sie zu berühren.

Ich glaube nicht, daß unser Amtschirurgus der Kronprinz von Preußen war; aber er war vielleicht ein Prinz jenes weit entlegenen, aber viel größeren und schöneren Reiches, in welchem Aschenbrödel einst den

Thron bestieg. Bestimmtes über seine Herkunft kann ich nicht berichten; denn er war lange vor meiner Geburt aus der Fremde eingewandert. Seit seine Denkweise von der der anderen guten Bürger in so anstoßerregender Weise abzuweichen begonnen hatte und, wie es hieß, sogar die Kehle eines hohen Beamten unter seinem Schermesser in Gefahr geraten war, hauste er, ich weiß nicht infolge welches Abkommens, auf den wüsten Böden des Rathauses, die er weder sommers noch winters verließ. – Dennoch konnte man sein Leben kein ungeselliges nennen; nur etwas seltsam mochte, wenigstens dem oberflächlichen Beobachter, die Gesellschaft erscheinen, die er bei sich sah. Da er nämlich auf menschlichen Besuch nicht eingerichtet war, so hatte er dafür desto traulichere Beziehungen mit den großen Ratten der benachbarten Brauerei angeknüpft; und er stand sich dabei um nichts schlechter.

Die meisten Leute in der Stadt kannten von dem Amtschirurgus nur noch die Stimme, wie sie an düsteren Novembertagen in der Luft über ihren Köpfen laut wurde; mich aber hatte schon lange die Neugierde geplagt, dies geheimnisvolle Leben einmal in unmittelbarer Nähe zu betrachten; auch wußte ich von meiner dicken Freundin, der Ratskellerwirtin, daß der Amtschirurgus, wenn die Geister des Sturmes ihn nicht beunruhigten, ein gar wohlanständiger alter Herr sei. Und so schlich ich denn an einem sonnigen schulfreien Nachmittage die engen Wendelstiegen hinauf, bis ich endlich durch die Bodentür in den untersten der weiten, unbenutzten Räume eintrat. Es war totenstill, von dem Wirtschaftsleben drunten im Keller drang kein Laut herauf; überall jene bekannte Bodendämmerung; nur hie und da durch die kleinen Dachfenster fiel ein Lichtstrahl mit emsig tanzenden Sonnenstäubchen. Dort hinten in der dunklen Ecke sah ich eine Stiege, die durch einen Ausschnitt in der Decke zu einem weiteren Boden führte, der, wie ich wußte, noch nicht der letzte war. Eine seltsame Beklommenheit befiel mich, und ich wollte schon ganz leise meinen Rückzug nehmen; da hörte ich hinter mir eine Tür aufklinken, und als ich mich umwandte, stand eine aufrechte, breitschulterige Gestalt vor mir, und ein stattliches Burgundergesicht mit vollem weißen Haarschopf schaute aus kleinen zugeschnürten Augen gelassen auf mich herab. »Nun, mein Söhnchen« – er sprach es aber: Sehnchen –, »was hast denn du zu bestellen?« Diese Worte wurden mit einer auffallend zarten Tenorstimme an mich gerichtet, und ich wollte eben wohlgemut eine Antwort geben, als zum Unglück mein Blick in die offene Tür einer Kammer fiel und ich drinnen eine ganze Reihe halbgeöffneter spiegelblanker Schermesser an dem Balken hängen sah. Aber schon legte sich beschwichtigend eine große Hand gar sanft auf meinen Kopf: »Warte nur, mein Sehnchen; wir sollen wohl meine Haustierchen einmal zu Gaste laden!« – Ich blickte auf, vermochte aber nur durch ein stummes Nicken mein Einverständnis zu erkennen zu geben; der Mann sah mir so altertümlich vornehm aus, und es war plötzlich, ich weiß nicht wie, in meinem Knabenhirne fertig, daß der Amtschirurgus, wenn auch kein Prinz, so doch wenigstens ein in Ungnade gefallener Kammerherr sein müsse. Der blaue Kleidrock mit dem aufrechtstehenden Kragen und den blanken Knöpfen, zwischen dessen Schößen der goldene Schlüssel nicht übel gepaßt hätte, mochte ein Wesentliches zu dieser Vorstellung beitragen. Freilich, *en grande tenue* habe ich ihn auch später nie gesehen; seine hellgrauen Pantalons waren über den Knöcheln zugebunden, und seine Füße steckten immer in großen Lederpantoffeln, wenn er, die Hände auf dem Rücken, in seinem öden Reiche promenierte.

Damals war übrigens zu langen Betrachtungen keine Zeit gelassen; denn der Amtschirurgus begann jetzt in scharfem Tempo den Marsch des alten Dessauer zu pfeifen. Unter dieser Musik stieg er die Treppe zu dem zweiten Boden hinan, und während ich ihn so immer weiter bis unter das Dach hinaufpfeifen hörte, wurden über mir alle Böden nach und nach lebendig, überall hörte ich es rascheln und an dem Holzwerk herunterhuschen, kleine Kalkstückchen fielen mir vor die Füße, und hie und da zwischen Pfannen und Sparren fuhr ein grauer Rattenkopf hervor und lugte wie suchend mit den blutschwarzen Augen umher, während an der anderen Seite der kahle Schwanz herabhing. Meine Gegenwart schien hier keinen Zwang zu tun; denn bald begann es dicht neben mir immer emsiger auf den Fußboden herabzuplumpen, bis endlich ein ganzer Haufen von glatten grauen Pelzen durcheinanderwimmelte. Und jetzt verbreitete sich auch der eigentümliche Dunst, den die Ratte an sich hat, so daß ich unwillkürlich einen Schritt zurücktrat.

Mittlerweile hatte der Amtschirurgus seinen Marsch vollendet und war mit einer Brotschnitte in der Hand herangetreten. Einen Augenblick wurde es ruhig, und die sämtlichen Köpfchen hoben sich empor; sobald aber der erste Brocken zwischen sie fiel, fuhr alles wieder quieksend und beißend in einen Haufen zusammen. Nur eine Ratte mit lichtgrauem Fell, es mochte eine junge sein, war nicht unter dem Wirrsal; sie hob sich auf den Hinterfüßchen, ließ die Vorderpfötchen hängen und sah erwartungsvoll zu ihrem Meister auf. Alsbald auch begann dieser eine neue musikalische Figur zu pfeifen; die Ratte huschte über den Fußboden und saß im Nu in derselben zuwartenden Stellung auf der Lehne einer zerbrochenen Holzbank; und der Amtschirurgus trat dicht an sie heran. – Sie kannten sich wohl, das fremde unheimliche Tier und der einsame alte Mann; sie blickten sich traulich in die Augen, als hätten sie in deren Tiefe den kleinen Punkt gefunden, der unterschiedslos für alle Kreatur aus dem Urquell des Lebens springt. Und jetzt nahm der Alte ein Krüstchen Brot zwischen seine Lippen, und sein Lieblingstier lief an ihm herauf, erfaßte es mit den zierlichen Pfötchen und saß gleich darauf wieder auf der zerbrochenen Bank, behaglich knuspernd und dann und wann einen Blick auf seinen großen menschlichen Freund werfend, der lächelnd danebenstand.

Ehe ich fortging, führte der Amtschirurgus mich noch in seine Kammer, wo die blanken Schermesser mich nun nicht mehr erschreckten. – Es war nur ein Bretterverschlag, den man von dem großen Boden abgeteilt hatte; darin stand ein Stuhl, ein Tisch und ein Bett; das war alles. Ein Ofen war nicht darin; und wenn im Januar die »hahnebüchene« Kälte bei uns einzog, so mußte der Amtschirurgus auch den Tag über im Bett bleiben, und er lag dann, wie mir die Ratskellerwirtin später erzählte, so tief darin vergraben, daß nur die bläuliche Burgundernase und die kleinen Augen über der rotkarierten Bettdecke hervorsahen. – Allein es war auch dann so übel nicht in seiner Kammer; denn die Wände waren ganz mit jenen hübschen Bilderbogen bedeckt, wie wir Älteren sie in unserer Kinderzeit für einen Schilling uns beim Krämer holen konnten. Derzeit, vor der Erfindung des Steindrucks, war noch jeder Bilderbogen ein illuminierter Kupferstich und zum mindesten ein halbes Kunstwerk, und der Amtschirurgus wußte wohl, was er tat, als er mit dieser Tapete seine Bretterwand bekleiden ließ. Da sah man außer dem Affen- und dem Ritterspiel jenen berühmten Bilderbogen von der verkehrten Welt, wo die Bauern von den Ochsen auf die Weide getrieben werden und der Schulmeister von den Schuljungen die Rute bekommt; da war ferner ein Bogen mit kleinen Landschaften in runden Schildern, hier eine Heuernte, über der so lustig die gelbe Sommersonne schien, dort ein Vogelherd mit dem alten Vogelsteller im tiefen grünen Walde; lauter trauliche Orte für den Amtschirurgus; denn ich zweifle nicht, daß er sich dieselben Bilder ausgesucht hatte, für welche einst in seiner Knabenzeit seine ersparten Dreier zum Krämer gewandert waren. Und so, während draußen auf den wüsten Böden die Bretter im Froste krachten, während das Trinkwasser vor seinem Bette gefror und durch die bereiften Dachfenster das kalte Dämmerlicht des Winters in seine Kammer fiel, führte er seine Augen an den Wänden spazieren und wandelte vergnügt in seinem Kindheitsgarten, wo er einst gewandelt, da er noch nicht der Kronprinz von Preußen und der Wetterprophet unserer grauen Stadt gewesen war.

Aber es gab noch andere Unterhaltungen für den alten Herrn. – Unter seinem ersten Bodenraum befand sich der große Rathaussaal, in welchem nicht nur unsere heimischen Komödianten zuweilen ihre Gerüste aufschlugen, sondern wo auch wir Primaner alljährlich um Michaelis von einem hohen Katheder herab mehr oder minder selbstverfertigte Reden hielten. Von allem diesem bekam der Alte seinen stillen Anteil. Denn wenn unten – und das geschah unfehlbar jedesmal – die Begeisterung die Luft allzusehr erhitzt hatte, dann wurde in der Bretterdecke des Saales eine Luke ausgehoben, und alsbald vom Rande der Öffnung glänzte das rote Gesicht des Amtschirurgus teilnehmend zu uns herab.

Es war immer ein großer Tag, diese »Redefeierlichkeit«. Wir konnten damals noch nicht am eigenen Tische frühstücken und in Hamburg zu Mittag essen; alles blieb deshalb hübsch zu Hause, und was wir dort hatten, das würzten wir uns und machten es schmackhaft und kosteten es aus bis auf den letzten Tropfen. – An jenem Tage standen die Häuser der Honoratioren wie der kleineren Bürgersleute leer; der Rattenfänger von Hameln hätte sie nicht leerer fegen können. Frauen und Töchter in Flor und Seide saßen dicht gereiht vor dem weißen Katheder mit der grünsamtenen goldbefransten Bordüre; den Männern blieben nur die hintersten Bänke, oder sie standen an der Wand unter den großen Bildern vom Jüngsten Gericht und vom Urteil Salomonis. Wer hätte auch zu Hause bleiben können, wenn wir Primaner uns nicht zu vornehm hielten, die gedruckten Einladungen in eigener Person von Haus zu Haus zu tragen! Freilich war auch diese Pflicht, besonders für die älteren Schüler, nicht ohne allen Reiz; denn die »Stellen«, welche nach einem Maßstabe von Wein und Kuchen in »fette« und »magere« zerfielen, wurden von dem Primus Classis streng nach der Anciennität verteilt. Die Einladungen selbst enthielten nur unsere Namen und die Thematen unserer Vorträge; aber dessenungeachtet waren es keine öden Listen, wovon es heutzutage an allen Ecken wimmelt; unser alter Rektor – möge der allverehrte Greis noch lange seiner fruchtbringenden Muße genießen! – wußte durch eine feine Abtönung auch diesen Dingen einen munteren Anstrich zu geben. Denn während der erste nur »redete«, suchte der zweite schon »auszuführen«, der dritte »vertiefte sich in«, der vierte »verbreitete sich über«; und so arbeitete jeder in seinem eigenen Charakter. Was blieb endlich mir übrig, der ich schon damals in einigen Versen gesündigt hatte? Ich, selbstverständlich: »besang« – »Matathias, der Befreier der Juden«, so hieß meine Dichtung, welche der Rektor mir ohne Korrektur und mit den lächelnd beigefügten Worten zurückgab, er sei kein Dichter. Ich will nicht leugnen, es überrieselte mich so etwas von einer exklusiven Lebensstellung, und ich mag in jenem Augenblick meinen Knabenkopf wohl um einige Linien höher getragen haben. – Freilich, unser Schultisch war derzeit nur mit geistiger Hausmannskost besetzt; wir kannten noch nicht den bunten Krautsalat, der – »Friß, Vogel, oder stirb!« – den heutigen armen Jungen aufgetischt wird. Ich habe niemals Kaviar essen können, und – Gott sei Dank! – ich habe ihn auch niemals im Namen der »Gleichmäßigkeit der Bildung« essen müssen; diese schöne Lehre beglückte noch nicht unsere Jugend; der Fundamentalsatz aller Ökonomie »Was kostet es dir, und was bringt es dir ein?« fand damals, freilich harmlos und unbewußt, auch für die Schule noch seine Anwendung. – Leider muß ich bekennen, daß auch die deutsche Poesie als Luxusartikel betrachtet und lediglich dem Privatgeschmack anheimgegeben war; und dieser Geschmack war äußerst unerheblich. Unseren Schiller kannten wir wohl; aber Uhland hielt ich noch als Primaner für einen mittelalterlichen Minnesänger, und von den Romantikern hatte ich noch nichts gesehen als einmal Ludwig Tiecks Porträt auf dem Umschlage eines Schreibbuchs. – Nichtsdestoweniger dichtete ich den »Matathias«.

Und endlich kam der große Tag. Während draußen vor der Kirche die Buden zum Michaelis-Jahrmarkte aufgeschlagen wurden, war oben in unserem Rathaussaale die Redefeierlichkeit schon in vollem Schwunge. Die an den Fenstern entlang postierte Liebhaberkapelle hatte schon einige Pausen mit entsprechenden Walzern und Ekossaisen ausgefüllt; nun aber begann ein feierlicher Marsch, und mir klopfte das Herz, denn ich hatte ihn bestellt als Ouvertüre zum Matathias. Dort stand auch mein würdiger Freund, der Doktor, derzeit Primaner und Mitglied des »Dilettantenvereins«, und noch hübscher, als er redete, blies er die Klarinette; heute aber leistete er das Außerordentliche. Da plötzlich, noch ein heroischer Akkord, und oben auf dem Katheder stand ich in dem lautlosen Saale, die erwartungsvolle Menge unter mir. Wie durch einen Schleier sah ich noch die Dilettanten ihre Klarinettenschnäbel mit den Taschentüchern putzen; ein Blick nach oben zeigte mir am Rande der Deckenöffnung das leuchtende Gesicht des Amtschirurgus, der wie ein umgekehrter sixtinischer Engelskopf zur Erde statt zum Himmel blickte; dann:

»O Söhne Judas, rächt der Väter Schmach!«

– – Zum Unglück für den Leser ist das Gedicht verlorengegangen, und mein Gedächtnis vermag dem Schaden nicht mehr abzuhelfen; doch kann ich versichern, daß es ohne Anstoß zu Ende gebracht wurde. Und das war keine Kleinigkeit; denn unter den Zuhörerinnen hatte ich ein Paar wohlbekannte vergißmeinnichtblaue Augen entdeckt, die mit dem Ausdruck zarter Fürsorge auf mich gerichtet waren. Ich kannte solche Klippen nur zu wohl; war es mir doch in meiner vorjährigen Rede »Über den Untergang der Staaten« begegnet, daß ich in denselben Augen eine ganze Weile, alle Feierlichkeit vergessend, hängenblieb, wodurch denn eine allen übrigen Zuhörern unbegreifliche Kunstpause entstanden war. Diesmal aber, und das von Rechts wegen, half mir der Gott Israels. Denn dort hinten, unter dem Urteil Salomonis, erschien mein Freund, der jüdische Handelsherr aus unserer Nachbarstadt, und nickte mir zu und lächelte mich an; und der Geist meiner heutigen Sendung erfüllte mich wieder, ich sah nicht mehr in die vergißmeinnichtblauen Augen, sondern auf die goldenen Uhrberlocken, die an dem behäbigen Leibe des jüdischen Mannes funkelten; und für ihn eigentlich habe ich diese Rede gehalten.

»Dein Stern ging unter, Judas Stern
Erglänzt in neuer Pracht und brennt
An deiner Gruft die würd'ge Todesfackel.«

Das waren meine letzten Worte für den Matathias. Als ich das Katheder verlassen und mich nach dem alttestamentarischen Bilde durchgedrängt hatte, nahm der Urenkel desselben schweigend und mit sanftem Druck meinen Arm in den seinen, und wir stiegen miteinander die schmale Wendeltreppe hinab bis unten in den Ratskeller und tranken dort in altem Madera auf das Gedächtnis des unsterblichen Matathias und auf die Gesundheit seines jungen sterblichen Dichters. Dann, da die Redefeierlichkeit für den Vormittag beendet war, gingen wir auf den Markt hinaus und setzten uns im Lindenschatten vor einem Hause auf den Beischlag. Uns gegenüber im Sonnenschein wurde eine Bude nach der anderen aufgeschlagen; aber der sonst so eifrige Handelsmann, obgleich er noch nicht einmal sein herkömmliches Tuchgeschäft mit meinem Vater gemacht hatte, wandte kein Auge auf dieses werktätige Treiben. Von meiner Rede ausgehend, hatte er mich, wie er es liebte, in allerlei religiös-moralisches Gespräch verwickelt: »Was soll's!« rief er mit den scharfen Akzenten seines Volkes, »ich sage bloß: Tue Recht und scheue niemand!« – Bald darauf schien er indessen durch den jetzt vom nahen Kirchturm tönenden Schlag der Viertelsglocke an die Kostbarkeit der Zeit erinnert zu werden; denn als wolle er alle grauen Theorien von sich schütteln, stand er plötzlich auf und klopfte mich zärtlich auf die Schulter. »Komm nun!« sagte er schmunzelnd; »woll'n wir gehen und woll'n noch betrügen ein bißchen den Alten!«

Aber das war nur dein Scherz, mein alter Freund; ich kann nicht anders, als es dir in dein Grab nachsagen, worin du nun seit lange auf dem kleinen Judenkirchhof der Nachbarstadt ruhst, daß du meinem Vater gewiß gutes niederländisches Tuch zu den christlichsten Preisen verkauft hast. – Wer weiß, ob nicht die Freundlichkeit, die du dem Knaben einst erwiesest, den Keim jener Zuneigung gelegt hat, die ich deinem Volke stets bewahrte, und die mir auch der schmutzigste Schacherjude nicht hat stören können. Habe ich doch aus jener Sympathie heraus noch vor wenigen Jahren die nachstehenden Verse gedichtet, welche freilich von meinem Freunde Alexander, da ich sie ihm noch warm aus dem Herzen vortrug, mit der kurzen Kritik: »Auch eine Auffassung!« ganz und für immer abgefertigt sind:

Crucifixus

»Am Kreuz hing sein gequält Gebeine,
Mit Blut besudelt und geschmäht;
Dann hat die stets jungfräulich reine
Natur das Schreckensbild verweht.

Doch, die sich seine Jünger nannten,
Die formten es in Erz und Stein,
Und stellten's in des Tempels Düster
Und in die lichte Flur hinein.

So, jedem reinen Aug' ein Schauder,
Ragt es herein in unsre Zeit;
Verewigend den alten Frevel,
Ein Bild der Unversöhnlichkeit.«

Aber ich kann so nicht weiterschreiben. Durch das offene Fenster weht der Primelduft aus dem Garten, und draußen unter dem sprießenden Syringenbaum steht plötzlich meine Muse, die ich so lange nicht mehr sah. Sie legt den schönen, ewig jugendlichen Kopf zurück und sieht mich an; schimmernd liegt die Frühlingssonne auf ihrem goldig blonden Haar. Soll ich noch einmal deine träumerischen Wege wandeln? – Aber, wenn du mich zur Höhe führst, und nun dein Fuß von der festen Erde auf die rosigen Wolken hinaustritt? – Zwar meine Seele hat noch ihre Flügel; aber manche der rauschenden Schwungfedern sind schon gebrochen, und mächtiger als sonst fühl' ich die Erde mich zu sich niederziehen. – Doch, wer könnte diesen Augen widerstehen? So gehen wir denn! Streich mit deiner Götterhand das graue Haar von meinen Schläfen, und dann sage mir: wie war es doch?

– – Ich war wieder in der kleinen Küstenstadt, in der ich einst die Tage meiner Jugend lebte. Weit dahinter lag jene Zeit, unabsehbar weit; denn es gibt Gräber, über die hinweg der Blick in die Vergangenheit unmöglich wird. Dennoch hatte es mich dahin zurückgezogen; in allen Jahren, die ich in der Fremde lebte, war immer wieder das Brausen des heimatlichen Meeres an mein inneres Ohr gedrungen, und oft war ich von Sehnsucht ergriffen worden, wie nach dem Wiegenliede, womit einst die Mutter das Tosen der Welt von ihrem Kinde ferngehalten hatte. – Nun hörte ich es wieder, das Wiegenlied des Meeres; am Tage wanderte ich hinaus an seine Küste und ließ die Wellen zu meinen Füßen rauschen, des Nachts klang es hinüber in die schlafende Stadt, nur unterbrochen von dem tönenden Flug der Wandervögel, die in großen Zügen unsichtbar unter den Sternen dahinrauschten. Wie oft stand ich jetzt im Dunkel meines Gartens, blickte hinauf zu der lichten Sternenhöhe und ließ mein Ohr von diesen Akkorden des Schöpfungsliedes erfüllen!

Ich entsinne mich eines Spätherbstnachmittages; so ungestört war ich seit meiner Heimkehr nicht durch die Stadt gewandert; denn der erste Novembersturm hatte die Gassen leergefegt. Ich sah mir die Häuser an und gedachte ihrer einstigen Bewohner. Hier auf der Bank unter den Linden, von deren Zweigen jetzt die letzten Blätter wehten, saß einst der lustige Herbergsvater, der uns Schülern stets das griechische »Heureka« zum Gruß entgegenrief. – Heureka – Gefunden! – Ob man wohl das Wort auf seinen Sarg geschrieben hat?

Und drüben jenes Giebelfenster mit den zertrümmerten Scheiben; – die Donner des Frühlingsungewitters sind längst verhallt, die ich in lauer düsterschwerer Nacht dort über meinem Haupte rollen hörte; aber wo ist *sie* geblieben, die ich so fest in meinen Armen hielt? – Ich habe das blasse Gesichtchen nie vergessen können, wie es beim Schein der Blitze aus dem Dunkel auftauchte und wieder darin verschwand. – Hu! Wie kommen und gehen die Menschen! Immer ein neuer Schub, und wieder: Fertig! – Ratlos kehrt und kehrt der unsichtbare Besen und kann kein Ende finden. Woher kommt all das immer wieder, und wohin geht der grause Kehricht? – Ach, auch die zertretenen Rosen liegen dazwischen.

Ich will zum Kirchhofe gehen; es stillt die Unruhe, in den Blättern dieses grünen Stammbuches zu lesen. Auf dem Wege dahin sieht hie und da ein übriggebliebener Treppengiebel vertraut auf mich herab. Ob droben in der Tertia der nun abgesetzten »Gelehrtenschule« das halbzerschnittene Pult noch steht, vor dem ich einst »Üb' immer Treu und Redlichkeit« so weltvertrauend deklamierte? Mir ahnte damals noch nicht, daß die Redlichkeit nur so weit geübt werden dürfe, als sie nicht verboten ist. Jetzt weiß ich es und begreife nur nicht, warum man die Kinder Dinge lernen läßt, die ihnen später so gefährlich werden können.

Äußerst schmucklos waren jene alten Räume; höchstens, daß hie und da eine aus Strafgeldern zusammengesparte Landkarte an der Wand hing. Wir kannten weder die Schöne griechischer Götterbilder, noch anderseits jenes cäsarische Wesen, in dem Bilde des jemaligen Herrschers der aufstrebenden Jugend ein drohendes Symbol der Gewalt entgegenzuhalten. Aber jenseits der schmalen Straße in dem Hofe der damaligen Propstei stand derzeit ein mächtiger Kastanienbaum, dessen Zweige zu den Fenstern der Tertia und der danebenliegenden Sekunda hinüberreichten. Wie oft, wenn es draußen Frühling war, flogen meine Gedanken über den Nepos oder später über den Ovid hinweg und schwärmten drüben mit den Bienen um die weißen rotgesprenkelten Blütenkerzen, die aus den jungen lichtgrünen Blättern emporgestiegen waren! Aber weiter – weiter! Hier noch den kurzen Baumgang hinab, und schon sehe ich die Totenkränze an den Kreuzen wehen und die weißen Bänder flattern. Die Ulmen an der Seite des Kirchhofes ächzen und schlagen ihre nackten Zweige aneinander, wie der Sturm ihnen die letzten Blätter abreißt und sie weithin über die Gräber wirft. Wie wüst dort im Nordwest das Meer am Horizonte aufsteigt! Ich lese die Inschriften der Leichensteine: »Du warst, wirst sein, wirst nie vergehen, nie Todesraub.«

Überall dies unheimliche Wehren gegen die Vernichtung; nur hier der alte aufrechte Stein trägt einen anderen Spruch:

»Het Liden hier geleden,
Het Striden hier gestreden,
Ick was het Leven möd;
Ick zegg Adies min Vrienden,
Gy zelt mi niet mer vinden;«

— — —

Das übrige bedeckt die Erde.

Es ist sehr einsam hier – doch nein, da stehe ich ja an deinem Grabe, alter ehrlicher Georg, *candidatus* der Gottesgelahrtheit. Wie lange ist es her, daß wir unter den blühenden Apfelbäumen deines elterlichen Gartens auf dem widerspenstigen Esel Schule reiten wollten! Mir ist, als sei das nur ein Kapitel aus einer sonnigen Idylle, die ich in schöner Jugendzeit gelesen. Etwas später war es – wir waren schon Studenten –, da wir am lauen Frühlingsabend über den Hamburger Wall schlenderten. Als in der Dämmerung die Frösche aus dem Graben ihre Stimme erhuben, legtest du die Hand auf meinen Arm und sagtest andächtig: »Horch nur, wie lieblich doch die Nachtigallen girren!« Freilich, du warst ein Sohn unserer Küste, und selten und nur zu flüchtigem Besuche kehrt Philomele bei uns ein; denn sie weiß es wohl, daß ihre Liebesklage von dem Brausen der großen Naturorgel verschlungen wird, die Boreas hier so meisterlich zu spielen weiß. Aber daß dir auch der Frosch, der Sänger unserer Marschen, plötzlich fremd geworden war, das mußte mich billig wundernehmen, und ich komme nachträglich auf den Verdacht, daß du die seltsamen Worte nur gesprochen hast, damit ich jenen Abend nicht vergäße, an dem sonst nichts war als Frieden in der Natur und in unseren jungen Herzen. – Das Pfeifen ganz anderer Vögel war es, die dir bei Idstedt dein letztes Schlummerlied gesungen haben, und mit Andacht lese ich auf deinem Grabe den Spruch aus dem Evangelium Johannis, den, wie ich anderswo berichtet habe, auch der alte Landschullehrer auf seines Knaben Grabstein hauen ließ: »Niemand hat größere Liebe denn die, daß er sein Leben lässet für seine Freunde.« Für seine Freunde; möge das dein Los gewesen sein!

Und hier stolpere ich über den Hügel unseres Amtschirurgus; der Nordwest, der jetzt den Sand von seinem Grabe bläst, beunruhigt ihn nicht mehr. Ich war ihm noch begegnet nach meiner Heimkehr; aber schon damals hatte er seine großen Räume verlassen und begnügte sich mit einem Winkel in dem städtischen Krankenhause. Seine Seltsamkeiten hatten abgeblüht, und er war nur noch ein müder abgebrauchter Mensch, gleich allen übrigen, die dort der Ewigkeit entgegenträumen. Hier auf der Bank am Kirchhofssteige saß er und wärmte seine Glieder in der Frühlingssonne. Als ich ihn begrüßte, stand er auf, und ich sah, wie das Alter seine hohe Gestalt gebeugt hatte. »Und was ist aus Ihren trefflichen Ratzen geworden?« So fragte ich, nachdem die üblichen Reden eines ersten Wiedersehens zwischen uns gewechselt waren. Ich hatte einen unverharschte Wunde berührt; aus seinen kleinen Augen blickte er wehmütig auf mich herab, indem er mit seinem Stock im Sande scharrte: »Sie wissen ja; die große Brauerei nebenan – vergiftet! alle vergiftet!« Und er schlich von dannen mit einem Seufzer über die schöne alte Zeit; denn, wie Freund Mörike sagt:

»Doch besser dünkt ja allen, was vergangen ist.«

Aber wo bist denn du, Ludwig? Ich lebe noch, und schon finde ich dein Grab nicht mehr. Wir waren gute Kameraden; hab' ich doch einst, da wir auf dem Lübecker Gymnasium unserer Schulbildung die letzte Politur geben ließen, meine goldene Uhr zum Pfandverleiher getragen, damit du in der Rolle des *Dottore Bartolo* die Maskerade im Schauspielhause besuchen konntest! Mit dem Bambusrohr und der Pillenschachtel stapftest du wacker im Saale umher; und als der spanische Grande dich wegen der Donna Ines konsultierte, die zart und schmächtig an seinem Arme hing, da versichertest du mit großer Innigkeit, daß die Dame nur an den Würmern leide, was dir seltsamerweise mehr Entrüstung als Dank von dem Gemahl der hohen Patientin eintrug. – Auch eine Maskerade war es, die wir beide wenige Jahre später in unserer grauen Küstenstadt veranstalteten. Dein Name stand neben dem meinigen auf dem Einladungsbogen; aber als der Abend des Festes herangekommen war und die Masken sich durcheinanderdrängten, die du mit mir berufen, da hattest du dich so tief vermummt, daß dich niemand zwischen ihnen zu finden vermochte; und auch später bist du niemals wieder zum Vorschein gekommen. – –

Aber es wird schon dämmerig; mir ist, als höre ich zwischen dem Brüllen des Sturmes das gewichtige Wort des alten Jobst Sackmann, das bei jeder Wiederkehr immer dröhnender ins Gehör fällt: »Wo is he bleven! – Wo is he bleven? – *Mortuus est!*«

Ich will nach Hause gehen. Die eiserne Kirchhofstür fällt klirrend hinter mir ins Schloß; die lange Straße, die nach meiner Wohnung führt, ist noch so öde wie zuvor. Aber dort sehe ich eine weibliche Gestalt mit dem Winde kämpfen; und wie wir uns einander nähern, bemerke ich mit Verwunderung, daß sie einen maigrünen Sonnenschirm in der Hand hält. Unter einem lila Seidenhütchen mit Blumen hängen lange braune Locken auf die Schultern herab. Und jetzt erkenne ich sie! In meiner Erinnerung taucht ein Erkerfenster auf mit Reseda- und Geranienstöcken, hinter denen ein junges Mädchen an einer Stickerei zu sitzen pflegte. Wie tief zogen wir Primaner unsere Mützen, um einen Aufschlag dieser Augen, ein Erröten dieses frischen Antlitzes zu erhaschen! – Auch jetzt ziehe ich den Hut. Ein ältliches maskenartiges Gesicht verzieht sich zu einem verbindlichen Lächeln, und mit altjüngferlichem Knicks geht die Gestalt an mir vorüber.

O, meine Muse, war das der Weg, den du mich führen wolltest? Die sommerlichen Heiden, deren heilige Einsamkeit ich sonst an deiner Hand durchstreifte, bis durch den braunen Abendduft die Sterne schienen, sind sie denn alle, alle abgeblüht?

Es ist ein melancholisches Lied, das Lied von der Heimkehr.

LENA WIES

Aber an deinem niedrigen Häuschen kann ich nicht so vorübergehen, du liebreiche Freundin meiner Jugend, die du wie Scheherezade einen unerschöpflichen Born der Erzählung in dir trugst. – Ich will eine Gänsefeder nehmen; die weiße Fahne soll nicht gestutzt werden, und das gesellige vogelartige Gezwitscher, das sie, ihres Ursprungs eingedenk, beim Schreiben hören läßt, soll mich an vergangene Zeit gemahnen, während ich dies zu deinem Gedächtnis niederschreibe.

Noch stehen die steinernen Bänke vor dem Hause, noch die gemalten Schwarzbrote, das Zeichen des Betriebes, auf dem einen Fensterladen, und wenn man die Haustür mit den dicken, grünen Glasscheiben aufstößt, so schellt die Glocke, und hinten im Backhause läßt »Perle« seine Stimme erschallen; denn – der Hund ist tot; es lebe der Hund! der Hund stirbt nicht! – Aber es ist nicht mehr der »Perle« meiner Jugend.

Wie manchen Herbst- und Winterabend bin ich nach diesem kleinen Hause gegangen! – Gegangen? – Nein, gelaufen, gerannt! – Es gab damals in unserer Stadt noch keine Straßenbeleuchtung; aber desto mehr Gespenster; »es übte vor«, es »jankte« draußen im »Austrom«, im Schlosse wurde nachts eine kleine braune Frau gesehen. Und das alles wurde mit jedem Abend bei mir lebendig, und meine kleine Handlaterne warf zweifelhafte Lichter auf die unbewohnte Plankenstrecke, die in jener Straße zu passieren war. Hatte ich glücklich das Haus erreicht, so stürzte ich fast die Tür ein; die Glocke läutete, hinten im Backhause riß Perle an der Kette und erhob ein wütendes Gebell.

Atemlos stand ich vor dem kleinen hitzigen Gesellen, der nun freudewinselnd an mir aufstrebte. Kräftig dufteten die frischen Roggenbrote, welche reihenweise auf den Wandgestellen lagen; und nebenan in der offenen Kammer stand die alte Mutter Wies am Backtroge, mit dem Ansäuern des Teiges für den morgenden Tag beschäftigt. Im Backhause selbst drängte sich eine Schar von Nachbarskindern, welche, mit irdenen Schüsseln in der Hand, auf die Austeilung der Abendmilch warteten; denn auch eine Milchwirtschaft wurde hier mit vier oder fünf schweren Marschkühen betrieben.

»Lena noch nicht fardig?« fragte ich auf plattdeusch; und die alte

Frau hielt im Kneten inne, und ihre noch immer schönen Augen blickten mit großmütterlicher Zärtlichkeit auf mich.

Nein, Lena und Vater Wies waren noch im Stall beim Melken.

Schnell war meine Handleuchte ausgeblasen und auf den Tisch gestellt; dann ging's über den dunkeln Steinhof und in den alten niedrigen Stall hinein, durch den übrigens im Sommer der Weg zu einem seltsam stillen Garten voll roter Zentifolien und kleiner süßer Stachelbeeren führte. – Wie ein kleiner Privilegierter dünkte ich mich den armen Nachbarskindern gegenüber, die beim Schein des dünnen Talglichts ruhig auf ihrem Platze bleiben mußten, bis sie ihr herkömmliches Quantum Milch zugemessen erhalten hatten.

Unter dem Boden des Stalles hing eine Hornleuchte; aber es war kein Licht, sondern nur eine Art leuchtenden Dunstes, den sie in einem engen Kreise um sich her verbreitete. Und doch, für welch trauliche kleine Welt war sie der Mittelpunkt!

Aus dem Dunkel, wo die Kühe an ihren Raufen wiederkäuten, klang es mir leibhaftig wie der alte Volksreim entgegen:

»Stripp, strapp, stroll –
Is de Ammer nich bald voll?«

Ich rief ihn denn auch lustig in das Dunkel hinein, und: »Geduld überwindet Schweinebraten!« kam sogleich von dorther die heitere Stimme meiner Freundin Lena an mich zurück, und unter einer anderen Kuh heraus scholl als Begleitung im Grundbaß das behagliche Lachen von Vater Johann Wies.

Lena regierte mich mit scherzenden Worten, ja bloß mit ihren klugen Augen sicher genug; und so warf ich mich geduldig neben der Tür auf einen Haufen Heu, während seitwärts auf der Hühnerleiter der Hahn mit seinen Hennen im Traume kakelte und von den Kühen her der Strich des Melkens eintönig hervorklang, nur mitunter durch einen Zuruf unterbrochen, wenn die Bläß oder die Schwarze etwa nicht ordnungsmäßig standhielten.

Endlich mit schwerem Eimer und heißem Gesicht trat Lena in den Leuchtkreis der Laterne und bot mir freundlich guten Abend. Sie war von kleiner Statur; ihre Gesichtszüge – sie mochte in meiner Knabenzeit etwas über dreißig Jahre zählen – ließen erkennen, daß sie einst ungewöhnlich wohlgebildet gewesen sein mußten; aber die Blattern hatten das Kindergesicht auf das unbarmherzigste zerrissen, als wenn, nach dem Volkswitz, der Teufel Erbsen darauf gedroschen hätte. Sie selber meinte freilich, am Ende müsse sie noch eitel werden; denn: »So'n Bildhauerarbeid ward nu nahgrad wat Rares!« – Nur die schönen braunen Augen blickten unversehrt; und sie gehören mit zu den Sternen, die über meiner Kindheit standen, und mitunter in dunkeln Stunden glaube ich, sie noch jetzt zu sehen, obgleich auch sie erloschen sind. – –

Während nun Lena den Milchverkauf besorgte, hatte »Vader« den Kühen ihr letztes Futter vorgeworfen, »Moder« in ihrem Troge den Teig zusammengeballt und sorgsam zugedeckt; ich selbst war schon vorher in die Wohnstube gewiesen, in jenen engen, aber traulichen Raum, in welchem ich die schönsten Geschichten meines Lebens gehört habe. Fast immer, so wenigstens scheint es mir jetzt, blühten hier auf den Fensterbrettern die roten Winterlevkoien; meine Blicke aber gingen nach dem eisernen Beileger-Ofen, der an der Wand gegenüber zwischen den beiden verhangenen Alkovenbetten stand und für mich einen Gegenstand der anziehendsten Betrachtung bildete; denn nicht allein, daß sich auf der vordersten Platte, wie nach einem Dürerschen Holzschnitt, die Verkündigung Mariä dargestellt zeigte, daß er an den Seiten und oben an beiden Ecken mit blankpolierten Messingknöpfen geziert war, welche ich, aller Warnung unerachtet, nicht unterlassen konnte, vielfach abzuschrauben und mir fast ebensooft auf die Füße zu werfen; er strömte auch, was nicht jeder Ofen von sich sagen kann, einen leckeren Duft aus, welcher, mit dem der Levkoien vermischt, noch jetzt in meiner Erinnerung diesen Raum erfüllt, und war überdies allezeit von einer sanften Hausmusik umgeben. Das erstere hatte seinen Grund in einer Schüssel, je nachdem mit Waffeln, Pfeffernüssen oder Bratäpfeln gefüllt, die unfehlbar unter dem blanken Messingstülp auf der Ofenplatte warmgehalten wurden; und da von der dem Backhause nahen Küche aus geheizt wurde, so mangelte es von dort her nie am Gesange der Heimchen, der gesellig in das Zimmer hineinklang.

Ich muß hier, obgleich es einen nicht zu beseitigenden Vorwurf für ihn enthält, bekennen, daß mein alter Freund Johann Wies, ich weiß nicht weshalb, ein unerbittlicher Verfolger dieser musikalischen Tierchen war. Oft, wenn er mit seinem ehrwürdigen Gesicht unter der blauen Zipfelmütze, mit den friedlich gefalteten Händen in seinem Lehnstuhl saß, habe ich ihn darauf ansehen müssen, wie doch der gute alte Mann so grausamer Dinge fähig sein könne.

Aber jetzt dachte Johann Wies an keine Heimchenjagd; unter dem Schutze der Dunkelheit sangen sie sicher in ihrem warmen Backhause; und während ich ihnen und der alten Wanduhr zuhörte, die bescheiden dazu den Takt schlug, war auch schon Lena hereingetreten, von der Arbeit gesäubert, in frischer weißer Mütze mit schmalgefältetem Strich, und setzte Teegeschirr und Abendbrot auf den mit Wachstuch überzogenen Tisch, der dicht unter Mariä Verkündigung und den blanken Messingknöpfen seine Stelle hatte; bald kamen auch die beiden Alten und nahmen je zu einer Seite des Ofens ihren Platz. Mutter Wies, die vom Lande war, trug ihr graues Haar unter ein Käppchen zurückgestrichen, wie man es früher bei unseren Bäuerinnen sah; ihre fleißigen Hände waren, wovon an unserer Küste das Alter selten verschont bleibt, mit Gichtknoten besetzt und zitterten, wenn sie die Tasse an den Mund führte; gleichwohl, sobald wir unsere Mahlzeit beendigt hatten, holte sie ihr Spinnrad aus der Ecke, und dem Tagewerk folgte nun noch das Werk des Abends. – Dann wurde der duftende Teller aus seinem Versteck unter dem Messingstülp hervorgezogen, und Johann Wies lehnte sich behaglich in seinen Lehnstuhl zurück. Auch ich saß oder vielmehr ritt auf einem solchen; denn es war eine von jenen nun verschwundenen Raritäten, die dem Sitzenden die eine Ecke entgegenstrecken; und zwar war er, mir unvergeßlich, mit einem bunten Flickenpolster ausgestattet.

Und dann – ja, dann erzählte Lena Wies; und wie erzählte sie! – Plattdeutsch, in gedämpftem Ton, mit einer andachtsvollen Feierlichkeit; und mochte es nun die Sage von dem gespenstischen Schimmelreiter sein, der bei Sturmfluten nachts auf den Deichen gesehen wird und, wenn ein Unglück bevorsteht, mit seiner Mähre sich in den Bruch hinabstürzt, oder mochte es ein eigenes Erlebnis oder eine aus dem Wochenblatt oder sonstwie aufgelesene Geschichte sein, alles erhielt in ihrem Munde sein eigentümliches Gepräge und stieg, wie aus geheimnisvoller Tiefe, leibhaftig vor den Hörern auf. Oftmals griff die alte Mutter in ihr Rad und ließ es stillstehen, oder nickte aus seiner Ecke Johann Wies behaglich blinzelnd herüber; und dazu tickte die Uhr und sangen aus der Ofenwand die Heimchen; mitunter an Herbstabenden – und dann war es am allerschönsten – rauschten auch noch von fern die Lindenbäume, die drüben jenseit der Gasse hinter einer Gartenplanke standen – wie weit dahinter lag dann die ganze Alltagswelt! In den Pausen wurden zwar auch die Pfeffernüsse und die Bratäpfel keineswegs verschmäht; aber lange hielt ich doch nicht Ruhe, und Lena war ebenso unerschöpflich, als ich unersättlich war; sie legte wieder die Hände ineinander, und den Kopf ein wenig übergebeugt, begann sie eine neue Geschichte, wobei sie langsam die Daumen umeinander bewegte. – Später, als ich selbst dergleichen Dinge entsann und niederschrieb, sandte ich ihr wohl das eine oder andere Buch; und sie hat dann lächelnd geäußert, das hätte ich von ihr gelernt.

Aber nicht nur die Kunst des Erzählens, auch die Achtung vor ernster bürgerlicher Sitte lernte ich in diesem guten Hause. – Ein kleiner Vorfall ist mir unvergeßlich geblieben. Die Tochter aus einer angesehenen Familie hatte sich mit einem Kavalier verlobt, dessen Aufführung man nicht das beste Zeugnis geben wollte; die kleine Stadt war voll davon, in und außer den Häusern wurde in Ernst und Spott darüber geredet, und auch an unserem Teetisch kam das Gespräch darauf. Da, in knabenhafter Unbedachtsamkeit, und da es mich drängte, doch auch mein Teil dazuzugeben, entfuhr mir ein wenig sauberes Wort, das ich, Gott weiß wie, von der Gasse aufgelesen hatte. – Augenblicklich stockte die bisher lebhafte Unterhaltung, Lena sah auf den Tisch und fegte ein paar Pfeffernußkrumen mit der Hand zusammen, und erst nach einer längeren Pause blickte sie wieder auf und sprach, als sei nichts vorgefallen, von anderen Dingen. Ich glaube kaum, daß ich jemals so beschämt gewesen bin, und noch später als erwachsenen Mann überkam mich, wenn ich daran dachte, das unbequeme Gefühl einer empfangenen und wohlverdienten Züchtigung.

Dergleichen Zurechtweisungen beeinträchtigten indessen weder meine Zuneigung noch das sichere Gefühl, der Liebling des Hauses zu sein; war doch die zweite sehr geliebte Tochter, welche derzeit in einer fernen Großstadt in guten Verhältnissen verheiratet war, die treue und langjährige Pflegerin meiner Kinderzeit gewesen. Viel zu früh erschien jedesmal der Kutscher meiner Eltern, um mich nach Hause zu holen, oder schlug es, als ich später meinen Weg allein finden mußte, von der alten Wanduhr zehn. Ich weiß noch wohl, wie ich in der letzten Viertelstunde mit Lena kämpfte, ob nicht noch Zeit sei für wenigstens eine ganz kleine Geschichte, und wie es dann plötzlich in der Uhr einen Ruck tat und die Warnung vor dem Stundenschlage alle meine Hoffnung zunichte machte. Dann aber galt es nach Hause zu kommen; und das »Vorüben« und das »Janken« drüben in der Au, alles konnte mir unterwegs begegnen; dazu waren die Lichter in den Häusern schon ausgetan, denn die Straße wurde meist von sogenannten kleinen Leuten bewohnt, welche, wenn der Tagelohn verdient war, früh zur Ruhe gingen. So legte ich mich denn aufs Betteln und ließ nicht nach, bis Lena die Kommodenschublade aufgezogen und ihr Umschlagtuch herausgenommen hatte. – Wenigstens bis an das Ende der bösen Plankenstrecke mußte sie mich begleiten; aber auch dann noch ließ ich sie nicht los; zum mindesten mußte sie stehenbleiben und hinter mir her, und zwar recht laut, ein paarmal »gute Nacht« rufen, bis ich spornstreichs, mein flimmerndes Laternchen in der Hand, um die nächste Straßenecke schwenkte; denn von hier aus waren es nur noch wenige Schritt bis zum Hause meiner Eltern. – Alles dies hat viele Jahre so gedauert; und frisch und erquickend ist mir die Erinnerung an jene Menschen geblieben, denen ich so viele glückliche Stunden meiner Jugend verdanke. Allmählich aber ging die Zeit dahin; ich verließ unsere Stadt, um die Studien für meinen künftigen Beruf zu beginnen; sie blieben in ihrem Häuschen und trieben es in alter Weise fort.

Dann eines Tages kam der Tod, nahm Vater Wies aus seinem Lehnstuhl und legte ihn in ein noch bequemeres Ruhebett; und als ich nach Jahren heimgekehrt war und schon mein eigenes Haus begründet hatte, ergriff er auch die arbeitsame Hand der alten Mutter, zog sie von ihrem Backtroge und ihrem Spinnrade fort und hieß uns, sie auf dem schönen grünen Kirchhof zur Ruhe legen, wo von der See her die kühlen Lüfte über die Gräber wehen. –

Lena war nun allein; aber sie nahm eine junge Verwandte ins Haus und setzte mit deren Hilfe den elterlichen Betrieb fort. Oftmals in der schönsten Sommerzeit, wenn hinten in ihrem Gärtchen die Zentifolien blühten, kamen aus der großen Stadt die Schwester oder deren Kinder auf Besuch; dann wurde es lebendig in dem niedrigen Häuschen; Kammern und Herzen, alles voll Sonnenschein. – Aber auch diese jüngere Schwester sollte sie überleben. Als ich auf die Todesnachricht zu ihr ging, fand ich sie eben beschäftigt, aus Schubfächern und Kästchen ihre Barschaft zusammenzusuchen; es sollte heute noch alles an ihren Schwager abgesandt werden, damit – so sagte sie – die Überlebenden außer der Trauer nicht etwa noch mit der kleinen Not des Lebens zu kämpfen hätten.

Dann kam die Zeit, daß die Dänenherrschaft mich aus dem Lande trieb, und ich sah meine Freundin nur, wenn ich, in oft mehrjährigen Zwischenräumen, zum Besuch bei meinen Eltern einkehrte. Voll gesunden Zornes hoffte sie fest auf den endlichen Sieg der deutschen Sache. Dies und die Kränkungen, die sie dort von dem Übermut der feindlichen Nation erdulden mußte, gaben uns jetzt den Stoff zur Unterhaltung. Als endlich bei uns die deutsche Schmach ihr Ende erreicht und ich in meiner Vaterstadt wieder einen Platz gefunden hatte, traf ich Lena Wies noch rüstig an Körper und Geist, und mit der vollen Freude der Genugtuung trat sie bei unserem Wiedersehen mir entgegen. Sie hatte es gut in ihren alten Tagen; ihre Pflegetochter hatte geheiratet, und die jungen Leute, die nun die Wirtschaft übernahmen, hegten und verehrten sie wie eine Mutter. Und wieder saß ich jetzt behaglich an ihrem Teetisch, die roten Levkoien dufteten von den Fensterbrettern noch wie sonst, sogar der leckere Kuchenteller fehlte nicht unter dem blankpolierten Messingstülp; nur daß statt des alten Ehepaares jetzt ein junges da war und statt des aufhorchenden Knaben ein schon dem Alter entgegenstehender Mann. Aber die Sitte, die geistige Luft des Hauses war dieselbe geblieben, und Lenas braune Augen blickten noch so klar und klug wie immer.

Sie hatte noch die Freude, aus den beiden Töchtern ihrer Schwester zwei wohlangesehene Predigerfrauen und aus ihrem einzigen Neffen einen der angeseheneren Ärzte jener großen Stadt werden zu sehen. Wiederholt und dringend wurde sie zu diesen eingeladen; aber sie meinte, sie passe nicht dahin, die Kinder könnten zu ihr kommen. Und so geschah es auch.

Der Ausgang des Lebens sollte ihr nicht leicht werden. Eine jener

Krankheiten ergriff sie, die sich an den Menschen anhaften wie ein fressendes Tier, das er nicht abschütteln noch ausreißen kann, sondern jahrelang mit sich umhertragen muß, bis er ihm endlich erlegen ist. In ihrem letzten Lebensjahre war ich als einer der dazu erforderlichen Zeugen bei der Niederschrift ihres Testaments zugegen. Sie hatte sich zu dieser feierlichen Handlung aufs sorgfältigste kleiden lassen und empfing uns ernst und ruhig; ihr Antlitz schaute noch unverstellt aus der weißen Haube mit dem lila Seidenband; nur ihre Gestalt war jetzt zusammengesunken. Vorher nahm sie mich in eine Nebenkammer und sprach über ihren bevorstehenden Tod und die jetzt vorzunehmenden Verfügungen; nicht ihrer Leiden, sondern nur mit Dank der Liebe gedenkend, die sie während derselben von den Ihrigen empfangen hatte; nur eine Besorgnis äußerte sie dabei: sie fürchte, ihr sonst noch kräftiger Körper möge sie noch lange auf das Ende warten lassen.

Und lange hat es gedauert. Ihr wurde keine Qual, kein Entsetzen jener furchtbaren Krankheit erspart; aber sie blieb bis zu Ende aus dieselbe, die sie in gesunden Tagen gewesen war, ruhig in sich selbst, fürsorglich für andere. »Lena Wies stirbt wie ein Held!« pflegte ihr Arzt von ihr zu sagen. – Um das Hauswesen der jungen Verwandten nicht gar zu sehr mit ihrem Leid zu stören, begehrte sie in der letzten Zeit wiederholt, in eine kleine nach dem Hofe hinausliegende Kammer gebracht zu werden. Aber freilich, für »Tante«, solange sie noch da war, durfte nichts zu gut sein; und so blieb sie denn bei ihren Blumen, in der freundlichen Stube, wo die Erinnerung aller guten Stunden ihres Lebens bei ihr war.

Mitunter während ihrer Krankheit empfing sie auch den Besuch des Ortsgeistlichen; aber Lena Wies hatte über Leben und Tod ihre eigenen Gedanken, und es lag nicht in ihrer Art, was sich durch lange Jahre in ihr aufgebaut hatte, auf Zureden eines Dritten in einer Stunde wieder abzutragen. Still und aufmerksam folgte sie den Auseinandersetzungen des Seelsorgers; dann, mit ihrem klugen Lächeln zu ihm aufschauend, legte sie sanft die Hand auf seinen Arm: »Hm, Herr Propst! Se kriegen mi nich!« – Und er, in seinem Sinne, mag dann wohl gedacht haben: »Wehre dich nur! Die Barmherzigkeit Gottes wird dich doch zu finden wissen!« – –

Als ich zum letztenmal in ihre Stube trat, erschrak ich bei ihrem Anblick; denn ihr Gesicht war ganz entstellt. Meine Bewegung entging ihr nicht; aber selbst dem Tode suchte sie mit ihrer guten Laune zu begegnen. »Ja, kiek man mal! Wo seh ick ut!« rief sie, scheinbar mit der alten Munterkeit, mir entgegen. – Als ich mich kaum gesetzt hatte, entstand ein Lärmen draußen vor den Fenstern. »Da hebb't all wedder de arme Jung to'm besten!« sagte sie; und krank und sterbend, wie sie war, ging sie aus der Stube und hinaus auf die Gasse. – Es war ein blödsinniger Knabe aus der Nachbarschaft, der sich vergebens gegen ein Rudel übermütiger Jungen zu wehren suchte. Bald aber hörte ich draußen vor der Haustür die gelassene Stimme meiner Freundin und sah durchs Fenster, wie still und beschämt die Ruhestörer auseinanderschlichen.

»Se hebben noch immer so väl Respekt vör Tante«, sagte, nicht ohne einen gewissen Stolz, die junge Frau, die neben mir am Fenster stand.

Das war das letztemal, daß ich Lena Wies gesehen habe. Noch einige schwerste Leidenswochen folgten; dann hat auch sie das trauliche Häuschen mit dem engen Kirchhofsgrab vertauscht, in dem sie jetzt bei ihren Eltern ruht.

– – Mitunter an stillen Sommervormittagen besuche ich die alten Freunde meiner Jugend und lese die Inschrift auf ihrem Grabkreuze. Auch hier singen dann die Grillen; aber es sind nicht die Heimchen des häuslichen Herdes, und Geschichten werden bei ihrem Gesange nicht erzählt.

Von heut und ehedem

Auf der Reise

Unser Freund, der kleine muntere Bahnhofsinspektor, ging neben mir auf dem Perron. »Besorgen Sie den Herrschaften einen guten Platz!« rief er mit einer seiner resoluten Handbewegungen; und der Schaffner, an den diese Worte gerichtet waren, schlug eine Tür des hintersten Wagens auf. »Hier«, sagte er; »es schaukelt nur ein wenig.«

»Dafür«, erwiderte der Inspektor nicht ohne einen gewissen Nachdruck, »ist der Wagen hier aber auch der sicherste.«

»Der sicherste?« – Wer hatte an eine Unsicherheit gedacht! – Auch bei einer Eisenbahnfahrt gilt also die alte Geschichte: »Es ging ein Mann im Syrerland.« – Ich äußerte indessen nichts dergleichen; wir stiegen ein und saßen bald bequem genug. Wir, sage ich; denn auch unsere beiden Freundinnen ließen es darauf ankommen, in meiner Gesellschaft dritter Klasse zu fahren. Freilich, vor einer etwas vertraulichen Höflichkeit des Schaffners vermochte ich sie nicht ganz zu schützen, und ebensowenig vor einem kleinen impertinenten Blick, mit welchem sie von einem elegant gekleideten Backfisch bestrichen wurden, der an einer der nächsten Stationen mit einer laut redenden Badegesellschaft ein Coupé erster Klasse in Besitz nahm.

Ich mußte dabei eines Vorfalles gedenken, den mir vor Jahren eine dir sehr bekannte edle Frau erzählte. – Die Familie, deren Glück und Stolz sie war, hatte, während die Dänen in unserer Heimat wirtschafteten, im mittleren Deutschland einen Unterschlupf gefunden. Die Einkünfte waren klein, die Kopfzahl groß; desungeachtet wurde Jahr um Jahr ein Besuch bei den zurückgebliebenen Eltern ermöglicht; nur freilich, bescheiden mußte gereist werden; aber sie entbehrte nichts dabei; denn, wie du weißt, ihr schönes sicheres Wesen bedurfte äußerer Stützen nicht. – Bei einer solchen Heimatsreise vermochte sie einst auf einem größeren Bahnhofe das verlassene Coupé nicht wiederzufinden und irrte, nur von einer Magd begleitet, mit ihrer Kinderschar auf dem weiten Perron umher, als ein junger Offizier sich zu ihnen fand und mit gutmütiger Höflichkeit ihr seine Hilfe anbot. Sie nahm das dankend an; als sie jedoch bemerkte, daß er sein Augenmerk nur auf die zweite Wagenklasse richtete, wandte sie sich gegen ihren höflichen Begleiter und sagte: »Wir fahren dritter Klasse!«

Auf dieses Wort hin sah sie zu ihrem Erstaunen den jungen Mann spurlos und auf Nimmerwiederkehr im Gewühl verschwinden; und erst später kam es ihr zum Bewußtsein, daß es denn doch wohl gegen die Standesehre sein müsse, im Dienste einer Frau gesehen zu werden, welche dritter Klasse fuhr.

Sie hat mir lächelnd dies kleine Abenteuer erzählt; und du weißt es, wie schön und mild einst dieser Mund gelächelt hat.

Doch das sind nur Gefahren, die aus der ersten Wagenklasse kommen; und – halsgefährlich sind sie eben nicht. Der arme junge Offizier; was soll denn einer machen, der zufällig seine Persönlichkeit nicht in sich selber, sondern in der Regimentsrangliste stecken hat! – –

Am Nachmittage verließen mich meine beiden Damen, die ein anderes Reiseziel hatten; unverkennbar übrigens mit einer kindlichen Genugtuung über den gesparten blanken Taler, den sie durch den Sieg ihrer Demut im Knipptäschchen behalten hatten.

Es war kühl geworden; als der Zug weiterklapperte, vermummte ich mich in meinen Plaid und gab meinen Gedanken Audienz. Die Reisestimmung wollte noch nicht kommen. Weshalb hastet denn im Mittsommer alles von Hause fort? – Um Genesung für irgendein Übel zu finden, das vielleicht eben dort sitzt, wo es am leichtesten zu tragen ist? – Ich fürchte, der arme Solitär hat nicht unrecht mit seiner Warnung:

> »Drum sei nur still, trag' deinen Kummer gerne:
> Das Leiden, das dich quält, hält andre Leiden ferne!«

Die schlimmsten aus dieser dunklen Genossenschaft, die kleinen schwarzen Dinger mit den Fledermausflügeln, die Sorgen, machen es doch wie unser heimischer Hausgeist, der treffliche Niß Puk; sie setzen sich hinter uns auf den Karren und rufen ganz vergnügt mit ihren schrillen Stimmchen: »Wir ziehen um!«

Es war heute gerad' ein Wetter, in dem sie sich besonders lustig fühlen; denn es regnete; es klatschte oben auf die Wagendecke; wie zornig schlug es mitunter gegen die aufgezogenen Fenster; an den Scheiben rieselten einförmig die Tropfen und zeichneten kleine Ströme auf dem beschlagenen Glase.

Ja, das war das rechte Wetter; und schon hörte ich ihr emsiges Gesumme. Die von heute mochte ich selber unversehens mitgenommen haben; wie die anderen, die ich doch zu Hause lassen wollte, in den festgeschlossenen Wagen kamen, weiß ich nicht. Aber sie kamen, eine nach der andern; und nicht bloß die von morgen und übermorgen und vom nächsten Jahr; in ganzer Kette schwärmten sie aus; es war, als hätte die eine immer die andre herbeigerufen; ganz aus dem Nebel der Zukunft, vom Ende des Lebens kamen sie herangeflogen, und ich fühlte es jedesmal an einem Ruck an meinem Herzen, sowie eine neue zu mir heranflog und sich mit ihren Klammerzehen an mich anhing; zuletzt kamen sogar die von jenseit des Grabes. Auch die kamen; und es war etwas Fürchterliches dabei. Kleine süße Kindergesichter, mir die trautesten auf der Welt, drangen lächelnd auf mich ein, und auch der Sonnenschein war da, den ich immer um ihre Häupter sehe; aber unmerklich verwandelten sie sich; bleich, mit kranken Augen, wie um Hilfe flehend und ohne Sonnenschein sahen sie mich an; dann verschwand alles, und ich sah nur eine Menge blutdürstiger Augen, die aus der Finsternis auf mich zublitzten. Nun wußte ich es, das waren die von jenseit des Grabes, die furchtbaren, vor denen kein Entrinnen ist; und ich würde vielleicht zum Erstaunen meiner Reisegenossen einen lauten Schrei ausgestoßen haben, wenn von dem Verwesungsdunste, den sie mit sich führten, mir nicht die Kehle wie zugeschnürt gewesen wäre.

Da tat es in den Spuk hinein plötzlich einen gellenden Pfiff, der unleugbar aus der Welt von heute kam; und nicht lange, so scholl die tröstliche Menschenstimme des Wagenmeisters: »Hamburg! Station Klostertor! Alles aussteigen!«

Ich schüttelte mich, griff nach Schirm und Reisegepäck und stolperte auf den Perron hinaus.

Es war inzwischen dunkel geworden, und der Regen strich noch immer ebenmäßig vom Himmel herab. Aber der Vetter war zur Stelle, und am Arme eines Mannes, der allzeit erster Klasse fährt, fühlte ich den Boden noch um eins so fest unter meinen Füßen. Leider hatte er bei solchem Wetter seinen Einspänner zu Haus gelassen; die Droschken waren alle schon vergriffen; auf der Pferdeeisenbahn trabte es wohl vorüber, aber drinnen war alles besetzt. So marschierten wir denn unter unseren Schirmen noch eine halbe Stunde, bald durch ein Wirrnis überschwemmter Straßen, bald auf durchweichten Kieswegen unter tropfenden Alleen, bis endlich ein hellerleuchtetes Zimmer und bekannte freundliche Gesichter dem heutigen Reisetage ein Ziel setzten.

Aber mitten im heitersten Plaudern überfiel's mich wieder; denn ich hatte einen Schatten an den Wänden huschen sehen. Er kam wohl nur von einer Amaryllisblüte, die neben mir aus einem Blumenkorb ragte und jetzt von einem Zugwind hin und her bewegt wurde. Ich bemerkte das sofort; als ich aber durch die offenstehende Stubentür auch die Haustür offen sah, sprang ich hastig auf und schloß dieselbe zu.

»Was fällt dir ein?« rief die junge muntere Base; du weißt, der alte Musikmeister nannte sie einst so allerliebst »das Rotkehlchen«.

»Was mir einfällt?«

»Ja, dir! – Hast du Angst vor Fledermäusen?«

Ich starrte sie an. »Vor Fledermäusen? – Nein, so eigentlich nicht; ich hoffe auch, sie fliegen nicht in diesem Schlackerwetter; aber ich hatte eine Gesellschaft unterwegs; ich möchte lieber, daß sie draußen bliebe.«

»Du! –Was sprichst du komisch!« sagte das Rotkehlchen und sah mich lustig mit ihren hellen Augen an. »Dahinter steckt eine prachtvolle Geschichte; nimm dein Glas, setz' dich in die Sofaecke und erzähle!«

»Ja«, stimmte nun auch der Onkel bei, indem er bedächtig einen Zug aus seiner langen Pfeife tat; »erzähle; du weißt doch, daß sich das nicht schickt, solch unverständliches Zeug von anderen Leuten reden.«

Der Onkel sah mich schelmisch an; aber ich erzählte die »prachtvolle Geschichte« nicht.

In Urgroßvaters Hause

Da, es war eine Trompete, nur eine; und es war ein Choral, der von ihr geblasen wurde! – Ich sprang aus dem Bette und weckte den neben mir schlafenden Vetter, und wir stellten fest, daß in dem dritten Nachbarhause links geblasen wurde.

Bald hatten wir uns angekleidet und saßen unten im Familienzimmer am Kaffeetisch; und die Trompete blies noch immerfort; wenn der Choral aus war, wurde sogleich mit einem neuen weitergeblasen; und so blies die eine Trompete zwei Stunden lang Choräle. Dann wurde sie vermutlich durch ein Glas Wein erfrischt; denn die Musik schwieg, und bald darauf – wir waren alle in die Veranda getreten – sahen wir den Bläser aus dem Hause kommen; er hatte seine Trompete in ein schwarzes Tuch gewickelt; aber das blanke Mundstück, das daraus hervorsah, verriet ihn. – Dann fuhr eine Kutsche vor; von einer Bonne wurde ein festlich weißgekleidetes Wickelkind herausgetragen, dem ein geistlich aussehender Herr mit weißer Halsbinde folgte. Das alles, von einer kleinen behaglichen Matrone an den Droschkenschlag bekomplimentiert, stieg ein und fuhr davon.

Diese Sache ist mir höchst verdächtig. Was mag das Wickelkind zu der furchtbaren Musik gedacht haben? – Am Ende hat es gar nichts dazu denken sollen! Denn wir wohnen hier im Quartier der Frommen; wie der Berliner Pastor zu unserer Freundin Rosa sagte, als er in einer Abendgesellschaft beim *Ragoût fin* an ihrer Seite saß: »Und wo wohnen Sie denn, mein wertes Fräulein?« – »Ich? Ich wohne in der Matthäikirchstraße.« – »In der Matthäikirchstraße! Ei, das ist ja eine liebe Gegend, eine herrliche Gegend! *Eine* liebe Seele bei der anderen! Und die Glok-ken, sie lok-ken!«

– – Es ist mir in diesem Augenblick eine seltsame Erquickung, daß ich aus dem Fenster, an welchem ich dieses schreibe, den Blick auf die Hamburger Abdeckerei habe, die drüben mit ihrem braunroten Ziegeldach aus grünen Bäumen hervorschaut. – –

Als wir uns, nicht ohne Anstrengung, von der Trompete erholt hatten und wieder – denn es war am Sonntagmorgen – ruhig um den runden Tisch saßen, kündigte ich meine mitgebrachte Rarität an.

»Hm!« machte der Onkel und rauchte erst ein paar Gedankenstriche in die Luft, »das wird wohl wieder so etwas vom poetischen Tandelmarkt sein, wofür wir hier keinen Absatz haben.«

Ich aber ließ mich das nicht anfechten, sondern legte meinen kleinen Pergamentband auf den Tisch.

– »Nun, das sieht denn doch wenigstens solide aus.«

Und während Tante Friede die Augenbrauen in die Höhe zog und über die Brillengläser weg zu mir herüberblickte, schlug ich das Büchlein auf und las: »Regeln der vereinigten freundschaftlichen Gesellschaft, samt eigenhändiger Einschrift derselben Mitgliedere Namen.«

– Du weißt, es sind darin nicht nur die Namen, sondern auch die Schattenbilder der alten Herren, samt deren voraussetzlich nicht minder wohlgetroffenen Haarbeuteln und Zopffrisuren.

Nun ging das Buch von Hand zu Hand; die Groß- und Urgroßväter und -Onkel wurden aufgesucht und gefunden und mit kleinen über dem Sofa hängenden Miniaturbildchen zusammengehalten; zuletzt verglichen wir noch unsere eigenen lebendigen Familiennasen mit den Nasen der armen Silhouetten.

Schatten von Schatten! – Über ein halbes Jahrhundert bestand diese freundschaftliche Gesellschaft; aber endlich mußte doch auch sie sterben, wie sie so viele ihrer Mitglieder hatte sterben sehen; trotz ihrer fürtrefflichen Gesetze: Paragraph 5, daß kein Rangstreit Platz haben solle, so wenig als ein unerlaubter handgreiflicher Spaß, bei Vermeidung von 2 Schilling Lübisch Strafe; Paragraph 6, daß derjenige, so übermäßig und vorsätzlich fluchet, für jeden Fluch bezahlen solle 1 Schilling; und Paragraph 7 – der weiseste von allen –, daß die Gesellschaft jedesmal nicht länger als höchstens bis eilf Uhr abends beisammenbleibe, und zwar für jeden bei Strafe von 1 Mark. –

»Ist mir doch mitunter«, sagte ich, »als wäre ich selbst einmal dabei gewesen!«

»Oho!« rief der Onkel, und das Rotkehlchen warf die Lippen auf und sah ganz spöttisch nach mir hin.

»Nein, nein; ich meine nicht zur Zeit der Gründung Anno 1747 –«

»Nun, das wollte ich doch auch nur sagen!« unterbrach mich die Tante und lachte ganz befriedigt.

»Nein, Tante Friede; nicht Anno 1747, wo noch beliebet war, daß kein Kaffee und beim Weggehen kein hitziges Getränke außer Wein gereicht werden solle; vielmehr ist mir, als sei es an einem heiteren Julitage in den achtziger Jahren gewesen, wo allerdings noch der Großvater ein Bräutigam war; und zwar im Hause des Urgroßvaters großmutter-mütterlicherseits. Hier ist das Schattenbild dieses kleinen behaglichen Mannes, der leider schon lange vor meiner Geburt sein darunterstehendes ›*Obiit*‹ erhalten hat!«

Damals aber war auch ein Tag! – Das Haus mit der Sandsteinvase auf dem spitzen Giebel, welches zu Pfingsten seinen frischen, sandgrauen Ölanstrich erhalten hatte, schaute aus den blankpolierten Fenstern wie die lachende Gegenwart auf die Schiffe des gegenüberliegenden Hafens, deren Wimpel regungslos an den heißen Masten hingen. Auch drinnen der weißgetünchte, durch zwei Stockwerke hinaufreichende Flur des Hauses war voll von Sonnenschein, der durch die beiden übereinanderliegenden Fenster freien Eingang hatte. Aber alles war still und feierlich. Der Riesenschrank, welcher, die Leinenschätze des Hauses enthaltend, über die Hälfte der einen Wand einnahm, war augenscheinlich frisch gebohnt, die krausen Messingbeschläge blitzten; stattlich erhoben sich auf seiner Bekrönung die großen blau und weiß glasierten Vasen. Aus der offenstehenden Tür des schmalen Wohnzimmers zogen Blumendüfte auf den Flur hinaus; denn drinnen im Ausbaufenster blühten Reseden und die Blume der alten Zeit, die düsterreiche Volkameria.

Und jetzt erscholl ein Schritt vom Hinterhause her; begleitet von seinem Mops Fidel, der pflichtgemäß hinterherwatschelte, erschien der Urgroßvater, ein wackerer Fünfziger, zierlich bezopft, im schokoladefarbenen Rock; und nicht von ungefähr spielten seine Finger mit der emaillierten Festtagsdose: er erwartete »die vereinigte freundschaftliche Gesellschaft«! – Da schlug es draußen drei vom Turm der alten Marienkirche – sie ist jetzt längst schon abgebrochen –, und der Urgroßvater zog seine goldene Uhr hervor, schälte sie aus zwei Gehäusen und stellte dann die Weiser nach der Kirchenuhr; denn ihm als Wirt lag heut die Sorge für die Beobachtung der Gesellschaftsregeln ob; und wer allererst nicht vor einem Viertel nach drei Uhr erschien, der mußte Strafe zahlen. Und fast wünschte der gutherzige Mann, die Uhren der übrigen Mitglieder möchten heut nicht allzurichtig gehen; war er für dieses Jahr doch auch der Rechnungsführer der Gesellschaft und hatte für seine Kasse zu streben, die statutengemäß um Weihnachten unter geheim Bedürftige verteilt werden sollte! Mit ein paar lebhaften Schritten trat er in das Wohnzimmer und griff nach der blechernen Büchse, die dort hinter dem Vorhängsel des nach der Außendiele liegenden Guckfensters stand. Er wog sie in der Hand; sie war schon recht gewichtig; aber auch der armen Leute waren ja so viele! Und hastig, damit von den Gästen ihn niemand über diesem heimlichen Tun ertappe, nahm er eine Anzahl kleiner Münzen aus seiner Börse und ließ sie in den Spalt der Büchse fallen.

»Und wüßten wir, wo jemand traurig läge,
Wir brächten ihm den Wein!«

Unwillkürlich summte er das Lied seines lieben Wandsbecker Boten, welches die Gesellschaft am Abend der Weihnachtsverteilung bei einem Gläschen echten Rüdesheimer anzustimmen pflegte. Singend war er ans Fenster getreten, und im Nacken schlug der Zopf bescheidentlich den Takt dazu; vergnüglich blickte er durch die Blumen über die sonnige Straße nach dem Hafen hinab, wo eben eine Menge größerer und kleinerer Tonnen in ein Helgoländer Schiff verladen wurden. Der Urgroßvater schmunzelte; sie enthielten freilich nicht jenen »Labewein« vom Rhein, wohl aber das berühmte Gutbier aus seiner eigenen Brauerei, das derzeit weit und breit versandt wurde.

Jetzt aber rief das plötzliche Schellen der Türglocke ihn wieder nach dem Hausflur, wo ihm zu seinem Erstaunen ein friesländischer Seemann in Jacke und Hose vom gröbsten blauen Wollenzeug, mit kurzgeschorenem Haar und einer Pelzmütze auf dem Kopf, entgegentrat. Der Urgroßvater schaute etwas unsicher auf die unerwartete Erscheinung; als ihm aber sogleich unter lebhaften Gestikulationen eine Begrüßung, aus wenigstens vier lebenden Sprachen zusammengemischt, entgegensprudelte, da wußte er freilich, daß er es mit einem Mitgliede der »freundschaftlichen Gesellschaft« zu tun habe, mit seinem trefflichen Hausarzte, dem vielberufenen holländischen Doktor, der gleich vielen anderen »Patrioten« nach der Wiedereinsetzung der Prinzessin von Oranien seine Heimat verlassen und in unserer guten Stadt sich rasch zum Modearzt emporgeschwungen hatte. Lachend schüttelte er ihm jetzt die Hände.

»Alle Tausend, Doktor! Was habt Ihr da nur wieder ausgeheckt!«

Der Doktor aber tat gar nicht, als ob was Auffälliges an ihm zu sehen sei. Hatte er doch kurz zuvor in blausamtener Husarenuniform, mit Säbel und goldbequasteten Stiefeln, und ein andermal im schwarzseidenen Kostüm eines französischen Abbé dem Publikum der kleinen Stadt mit Glück zu imponieren gewußt. – So ließ denn auch der Urgroßvater es bei seiner einmaligen Verwunderung bewenden und verschwand mit seinem übrigens grundgelehrten Gaste in dem Hinterhause, wo im oberen Stockwerk der Gesellschaftssaal belegen war.

– – Von droben, durch das über der Tür des Wohnzimmers befindliche Kammerfenster hatten zwei blaue Mädchenaugen aus einem blonden, leichtgepuderten Köpfchen neubegierig und lachend auf den Flur hinabgeblickt. Es war das Haustöchterchen, meine Großmutter, die dort noch bei ihrer Toilette säumte. Sie hatte keine Eile; denn auf den liebsten Gast, den Großvater, dem sie, sobald die Astern blühten, ihre Hand am Altar reichen sollte, hatte sie heute nicht zu hoffen, da ihn Geschäfte in der benachbarten Handelsstadt zurückhielten. Aber wußte sie ihn doch auch dort bei guten Freunden wohlbehalten!

Wieder schellte es unten; und eine breite untersetzte Gestalt mit fleischigen, stark geröteten Wangen, in Zopfperücke und lederfarbenem Rock, schob sich zur Tür hinein. Es war der Herr Zoll- und Schloßverwalter; er stützte sich auf sein langes Rohr und pustete mächtig, während er mit dem Schnupftuch den Schweiß sich von der Stirn trocknete. – Das Großmütterchen lächelte: der Mann hatte einen so seltsamen Beinamen – der »Ballenfräter« hieß er –, sie hatte als Kind ihn selbst einmal danach gefragt.

Und wieder läutete die Türglocke. Eine stattlichere Erscheinung, ihr Großonkel, der alte Herr Ober- und Landgerichtsadvokat, war eingetreten, der allein von allen Mitgliedern noch die große Lockenperücke auf seinem schönen, ausdrucksvollen Haupte trug. Das Großmütterchen liebte ihn sehr, diesen Helfer der Bedrängten; und fast hätte sie ihn angerufen. Aber eben legte er lächelnd seine Hand auf die Schulter des kleinen Schloßverwalters, und beide schritten nun dem Hinterhause zu.

Droben am Fenster war der hübsche Mädchenkopf verschwunden; die Inhaberin desselben hatte sich in die Tiefe der Kammer zurückgezogen. Sie saß mit aufgestütztem Arm vor ihrem Toilettentischchen und blätterte in einem winzigen pergamentnen Goldschnittbändchen, das ihr vor kurzem der Bräutigam gebracht hatte. Es war der mit Höltys Bildnis geschmückte Jahrgang des Vossischen Musenalmanachs. – Wie ernst und früh gealtert erschien ihr das Antlitz des so jung verblichenen Dichters; und welche Friedhofsstille war in seinen Liedern! – – Doch jetzt geriet sie in die vielgerühmte Ballade Friedrich Stolbergs: »Hört, ihr lieben deutschen Frauen, die ihr in der Blüte seid!« – Zu grausam war es doch, und ihr junger Busen wallte von Mitgefühl, daß die treulose Ritterfrau so Tag für Tag aus dem Schädel ihres getöteten Buhlen trinken mußte! Aber – ja so! – sie wurde doch, dem Himmel Dank, von ihrem beleidigten Eheherrn noch zur rechten Zeit zu Gnaden wieder angenommen! – Dem Großmütterchen fiel es im Traum nicht ein, daß auch sie selber zu den deutschen Frauen gehöre, denen der ungalante Dichter diesen Schädel zum Exempel aufgestellt hatte; sie wäre arg erschrocken, hätte ihr jemand das gesagt. Es ging sehr schön zu lesen; aber es war ja doch nur eine Geschichte, weitab von ihr und ihrer Welt! – Dagegen ein paar Seiten weiter, wo der lila Seidenfaden eingelegt war: »Blühe, liebes Veilchen«, das kleine süße Lied von Overbeck, das sie schon selbst an ihrem grünlackierten Klavier gesungen hatte; das freilich, das war wie nebenan im Nachbargärtchen nur gewachsen! –

Oftmals hatte indessen unten im Hausflur die Türschelle geläutet; immer neue Gäste waren eingetreten, geistliche und weltliche, gelehrte und ungelehrte, Träger von Namen, die durch viele Geschlechter an der Spitze des städtischen Lebens gestanden hatten, und welche jetzt die neue rasch lebende Zeit spurlos hinweggefegt hat.

Und nun knarrte auch oben die Kammertür; ein kleiner Schritt klapperte die Treppe herab, und da stand es unten auf dem Flur, das Großmütterchen; eine zierliche Gestalt, hausmütterlich ein weißes Schürzchen vorgebunden, das Brusttuch mit einer Rosenknospe zugesteckt. – Schon trat sie auf die Falltür des Kellers, welche den Auftritt zum geräumigen Pesel bildete; da schellte es noch einmal, und zugleich auch hörte sie von dorther ihren Namen rufen.

Ein alter Herr in dunkler Kleidung, mit seinem weißen Jabot, war eingetreten; der Vater ihres Bräutigams, ein hochangesehener Kaufherr und Ratsverwandter dieser Stadt. Wenn unter den starken Brauen nicht die schönen blauen Augen gewesen wären, der strenge Mund hätte leicht ein junges Wesen zurückschrecken können; aber sie wußte wohl, daß sie sein Liebling war; und schon hing sie an dem Arm des alten Mannes.

»Nicht wahr, Papa, Sie haben mir etwas mitgebracht?«

Er zog schweigend die goldene Tabatiere aus der Schoßtasche seiner Weste und bot ihr eine Prise.

»Aber, *fi donc,* Papa! Sie wissen besser, was ich meine!«

Der alte Herr lächelte. »Seit wann ist deine Französin entlassen, Tochter? Du hast dein *Vocabulaire* noch nicht vergessen.«

– »Papa, Sie dürfen mich nicht necken!«

»Aber du, eines Kaufherrn Braut; und weißt noch nicht, daß heut kein Posttag ist!«

– »Ach!«

»Nun, Geduld nur, Töchterchen, und Köpfchen in die Höh'! Wer weiß, was mit Gelegenheit geschehen kann! Unser Herr Stadtsekretär soll ja heut noch von der Reise kommen.« – Und er streichelte die Wange seines Lieblings.

Da schlug draußen vom Turm die Viertelsglocke.

»Papa, machen Sie rasch; sonst setzt es Strafe!«

Der alte Herr aber hielt sein Schwiegertöchterchen an der Hand zurück. »Laß nur, mein Kind; wir wollen doch deinem Papa sein Späßchen nicht verderben.«

Langsam durchschritten sie den düsteren, mit Fliesen ausgelegten Pesel, dessen hohe Fenster nach einer engen, sonnenlosen Twiete hinauslagen; einem so alten Gäßchen, daß nach der Chronik ein dort einstmals verübter Mord noch durch die Mannbuße war gesühnt worden; dann traten sie durch eine Flügeltür in den Flur des Hinterhauses. Schon ehe sie hier die Treppe hinaufstiegen, hörten sie von droben den lebhaften Diskurs der versammelten Gesellschaft. Oben angekommen aber, ließ das hübsche Kind den Herrn Schwiegerpapa allein in den Saal gehen; sie selbst, während von dort neben dem Scharren der Kratzfüße auch das Rasseln der unerbittlichen Blechbüchse erscholl, trat gegenüber in die offene Tür der Geschirrkammer, wo sie auf einem der Binsenstühle ein verwachsenes Männlein in zeisiggrünem Rocke hatte hucken sehen. Jetzt sprang es mit devotem Bückling auf, schüttelte sein dürftiges Zöpflein und fuhr dabei mit den langen Fingern säubernd über seine breiten Ärmelaufschläge.

»Mach' Er nur keine Umstände, Meister«, sagte das Großmütterchen; »ich wollte mich nur nach Seiner kleinen Stina bei Ihm erkundigen.«

Und während das Männlein ihr ein Breites über sein kümmerlich Würmchen vorklagte, hatte sie, wehleidig wie sie war, sich abgewandt, indem sie eifrig in ihrem Täschchen suchte. Und bald zog auch der

Meister ein mageres Lederbeutlein hervor und schob zwei blanke Silbermünzen zu der darin befindlichen kupfernen Gesellschaft. Dabei hatte er ein feines Scherchen auf den Tisch gelegt; denn er betrieb außer seiner Flickschneiderei auch noch eine höhere Kunst; er war ein beliebter Silhouetteur und auf heute bestellt, um den kleinen Stadtwagemeister, ein neues Mitglied, für das Buch der Gesellschaftsregeln auszuschneiden. Das gute Meisterlein wollte durchaus zum Beweise seiner Dankbarkeit auch die Silhouette der liebwertesten Demoiselle anfertigen; und wirklich ist sie später von seiner Hand als einziges Damen-Konterfei unter die Mitglieder der freundschaftlichen Gesellschaft aufgenommen; für jetzt aber entschlüpfte ihm das Großmütterchen und trat gegenüber zu den Gästen in den Saal.

Es war ein besonders tiefes, geräumiges Gemach; die Decke mit schwerer Stukkatur verziert, die weißen Wände mit Kupferstichen in den verschiedensten Manieren und einzelnen Pastellbildern fast bedeckt. – Der kunstliebende Hauswirt hatte sich soeben den hageren Propsten eingefangen und demonstrierte mit ihm vor dem neu erworbenen Chodowiecki: »Zieten sitzend vor seinem Könige.« Daneben unter Berghemschen Landschaften sah man zwei schöne Stiche nach Guercino: *»Abram ancillam Agar dimittit«* und *»Esther coram Asuero supplex«*. Unweit davon, in Rotstiftmanier, hing ein Blatt, dem gewiß keine gefühlvolle Seele vorbeiging, die je bei Millers berühmtem Siegwart Trost in Tränen gefunden hatte. Von zwei grimmig blickenden Mönchen wird eine in spanischer Männertracht entflohene Nonne in ihr Kloster zurückgeführt; die in zierlichen Schleifenschuhen steckenden Füßchen schreiten wie in Todesangst; entsetzt unter dem breiten Federhut blicken die Augen aus dem Bilde heraus. – »Und nun soll sie lebendig eingemauert werden!« So hatte oft das Großmütterchen ihren Freundinnen das Bild erklärt. »Seht nur, dort wird schon an dem Glockenstrang geläutet!« – Doch was hier erregt wurde, war nur das Grauen vor den Menschen. Dort neben dem Ofen aber, wohin bei Tagesabschied zuerst die Schatten fielen, befand sich ein kleineres Bild, dem selbst die heiteren Augen des Großmütterchens nicht gern begegneten, wenn sie um solche Zeit allein das abgelegene Festgemach betreten mußte. Die jugendliche Frauengestalt in der düsteren Kammer schien wie unbewußt vom Schlafe auf das Ruhebett hingeworfen; der Kopf mit dem zurückfallenden Haar hängt tief herab. Auf ihrer Brust huckt der Nachtmahr mit großen, rauhen Fledermausflügeln. Sie vermag kein Glied zu rühren; vielleicht geht ein Stöhnen aus ihrem geöffneten Munde; hilflos in der Einsamkeit der Nacht ist sie ihm preisgegeben. Nur durch den Vorhang sieht der wildblickende Kopf eines Rappen, der ihn hierher hat tragen müssen, der selbst nicht von der Stelle kann. – Zwar dem Großmütterchen war dergleichen niemals widerfahren; aber des Bräutigams Schwester hatte erzählt, wie einmal von ihrem Nachttisch solch Unwesen im Traum ihr auf die Brust gesprungen sei; und auch von den Brauknechten hatte sie gehört, daß mitunter der Nachtmahr die Pferde auf den Weiden reite, wo es denn tausend Not mache, die verfilzte Mähne wieder aufzulösen, in welcher er beim Ritt sich mit den Krallen festgehalten. Jedenfalls, die Sache hatte ihren Haken!

Doch heute war Gesellschaft und fröhliches Leben in dem großen Saale; und der Nachtmahr hing ganz unbeachtet in seiner Ofenecke. Die beiden Fenster zwar gingen, wie unten die des Pesels, auf die enge Twiete; aber es war trotzdem nicht unfreundlich hier; ein Sonnenstreifchen, das durch die höchste Eckscheibe des einen Fensters hereinglänzte, erinnerte an den Sommertag da draußen und ließ hier innen die Kühle doppelt labend empfinden.

In der Tiefe des Zimmers war der Kaffeetisch serviert. Daneben stand die Urgroßmutter, eine noch immer hübsche Frau, deren feiner Kopf jedoch heute einen fast zu hohen Bau aus Spitzen und Gaze zu tragen hatte. Ihre eine Hand ruhte auf dem Griff der Porzellankanne, aus der sie schon die runden Täßchen vollgeschenkt hatte, mit der anderen drohte sie, nicht gerade gar zu ernsthaft, dem eben eingetretenen Töchterchen.

Ein überfliegendes Rot machte ein paar Sekunden lang die jungen Augen dunkeln. »Verzeihen Sie, Mama!« Dann nahm sie geschickt das große Präsentierbrett, auf dessen schwarzlackierter Fläche sich ein Muster von kleinen Rosenbuketts zeigte, und bot mit wohlgeschultem Knicks einem jeden Gast sein Schälchen dar, wobei sie auf die zierlichen Scherze der älteren Herren über das nun bald erwünschte Ende ihrer Brautschaft eine noch zierlichere Erwiderung nicht schuldig blieb.

Und alsbald, unter den belebenden Duftwolken des javanischen Trankes, erscholl das gesellige Klirren der Tassen und Löffelchen; wäre ein Kanarienvogel hier gewesen, er hätte jetzt unfehlbar seinen Sang erschallen lassen. Selbst der Herr Zoll- und Schloßverwalter erhob sich von dem Tokkadilletische, an dem er, den Würfelbecher in der Hand, bis jetzt sich ausgeruht hatte. Das derzeitige Thema des Stadtgesprächs kam aufs Tapet. Stimmen waren laut geworden, welche die Baufälligkeit des hohen Kirchturms behaupteten, ja den Abbruch der ganzen Kirche forderten, und schon zirkulierte der erste Spottreim, gleichsam die Überschrift zu den vielen anderen, womit nachmals die kleine Stadt ihr eigenes Tun verhöhnte, als sie mit unsäglicher Mühe ihr ältestes Baudenkmal zerstörte.

De Tönninger Torn ist hoch un spitz;
De Husumer Herr'n hemm Verstand in de Mütz!

Wo kam das her? Wer hatte es gemacht? Niemand wußte es. Aber es traf; ein lebhaftes Für und Wider erhob sich und wogte durch den Saal.

Inzwischen war, fast ungesehen, noch ein letzter Gast eingetreten, nach welchem unter Herzklopfen und – es ist nicht zu verschweigen – ganz unbekümmert um den alten Kirchturm schon längst zwei junge Augen ausgeblickt hatten. Zierlich, wie immer, obgleich eben von der Reise kommend, begrüßte der galante Herr Stadtsekretär die versammelte Gesellschaft. Zum Leidwesen des Hauswirts war seine Verspätung schon im voraus entschuldigt worden; und jetzt nahte er sich mit höflicher Verbeugung der Tochter des Hauses, die eben allein am Kaffeetische stand.

»Mamsell Lenchen!« flüsterte er und legte leise etwas vor ihr auf die Damastserviette; »ein Billetdoux vom Herzallerliebsten; alles wohl und munter!« – Und als sie glücklich lächelnd aufblickte, sah sie die dunklen Augen ihres Schwiegervaters auf sich gerichtet. Ihr freundlich zunickend, hielt er einen Brief empor, den auch er soeben durch den gefälligen Reisenden erhalten hatte. Aber sie schüttelte den Kopf: »Ich tausche nicht, Papa!« Und sorgsam barg sie ihren Brief unter der Rose ihres Brusttuchs.

– – »Ei der Tausend! Der grüne Schneider draußen wäre ja fast vergessen!« Der Hauswirt rief es, und sofort auch holte er ihn herein; und bald saß der Stadtwagemeister mitten im Zimmer auf einem Stuhl, daneben auf einem anderen der grüne Künstler, mit Eifer an seinem Werke arbeitend. Es wollte indessen nicht wie sonst gelingen; schon zum zweiten Male wurde ein frisches Papierblättchen hervorgezogen.

»Aber Herr Wagemeister!« rief der Hauswirt, der teilnehmenden Blicks der kleinen Schere folgte, »Sie bekommen eine doppelte Nase, wenn Sie nicht ruhig sitzen!«

»Freilich, freilich! Bitte submissest!« akkompagnierte der arme Künstler, indem er unruhig die Beine unter seinem Stuhle kreuzte.

Der Herr Wagemeister räusperte sich verlegen; er hatte gegen den bösen Fluß eine getrocknete Kröte auf der Brust sitzen, die plötzlich an zu rutschen fing.

»Nur Kontenance, Meister!« rief der Hauswirt. »Herr Stadtsekretarius! Ei, helfen Sie mir doch, hier unseren Freund ein wenig festzuhalten!«

Der Herr Stadtwagemeister protestierte lebhaft und wollte solches Beginnen als einen »unerlaubten handgreiflichen Spaß« und als den Regeln der freundschaftlichen Gesellschaft ganz zuwiderlaufend angesehen wissen. Aber der muntere Hauswirt berief sich auf den Entscheid der Gesellschaft, und als diese die Sache außer allem Spaß, ja es sogar für die ernsteste Pflicht eines jeden Mitgliedes erklärte, ein naturgetreues Konterfei in das Buch der Gesellschaftsregeln zu liefern, da biß der kleine Wagemeister die Zähne zusammen, hielt sich baumstill und ließ die Kröte rutschen. Saßen doch die Knieschnallen fest genug, daß sie nicht etwa dort zum Vorschein kommen konnte! – Das freilich wäre fürchterlich gewesen; denn ihm gegenüber, sein Kaffeeschälchen in der Hand, die Pelzmütze noch immer wie fest genagelt auf dem Kopfe, saß der holländische Doktor, ein Mensch ohne alle Egards und Lebensart. – Freilich war es um mehrere Jahre später, als er bei Gelegenheit der jährlichen Schulreden im gefüllten Rathaussaale das Katheder beschritt, im Leidener Redekostüm, in Frack und Schuhen, mit dem Degen an der Seite und dreieckigem Hut auf dem Kopfe, um, wie er sich unhöflicherweise ausdrückte, »den dummen Tieren« *in puncto* der Jennerschen Vakzine einige Wahrheiten einzuimpfen. So viel aber wußte schon damals der Herr Stadtwagemeister, daß dieser Holländer alles, was ihm beliebte, »medizinischen Aberglauben« zu titulieren, mit einer schauderhaften Rücksichtslosigkeit verfolgte.

So nahm er sich denn zusammen, bis der grüne Künstler das wohlgelungene Bildchen mit zweien seiner langen Finger stolz dem Tageslicht entgegenhielt; und so ist denn, wie der Urgroßvater zu sagen pflegte, auch »das Hammelgesicht« dieses kleinen Mannes für die Nachwelt gerettet worden.

Aber das Großmütterchen! Wo war das Großmütterchen indes geblieben? –

In Großvaters Hause

Während bei dem Urgroßvater sich das Leben in die kühle Tiefe des Hauses zurückgezogen hatte, saßen die Bewohner der Nachbarhäuser im Schatten wohlgestutzter Linden vor der Tür auf ihren Bänken. Beim Nachbar Krämer saß der Nachbar Schlachter; sie hatten mit Stahl und Feuerschwamm eben ihre Kalkpfeifen in Gang gebracht und den Kopf derselben sorgfältig mit einem Drahthütchen versichert, und schauten nun, ohne viel überflüssige Worte, auf das Treiben am Hafen und auf die jenseits liegende Schiffswerfte, von wo die taktmäßig herüberschallenden Hammerschläge ihnen die beruhigende Versicherung gaben, daß doch die Zeit nicht ungenützt entfliehe. – Daneben lag das Bäckerhaus; die Heißewecken und Eiermahne waren ausverkauft; die Bäckerfrau und ihre dicke Schwester mit dem runden roten Gesicht in der schneeweißen Mützenkrause, »Fru Nawersch« und »Jungfer Möddern«, saßen sich gegenüber auf den vorspringenden Beischlägen; aber das emsige Nadelklirren ihrer großen Strickzeuge verstummte allgemach; denn von Sommermüdigkeit übernommen, waren die Hände der guten Frauen in den Schoß gesunken, während der Kopf über den vollen Busen nickte. – Vor dem Wohnkeller des Hauses, zwischen den schwarzen jütischen Töpfen, welche auf der niedergeklappten Schlußluke feilgestellt waren, saß spinnend die weiße Katze des Kellermanns; mitunter bog sie den Kopf zurück und rieb ihr rosiges Näschen an den gesalzenen Stockfischen, die vom Rande des Vorbaues herabbaumelten. Kinder waren nicht zu sehen; die kleinen hielten Sommerschlaf in ihren Bettchen, die größeren waren noch in der Schule; nur drüben vom »Helling« tönten ununterbrochen die gleichmäßigen Hammerschläge.

Da ging ein junger flüchtiger Schritt am Hause vorüber. »Fru Nawersch« und »Jungfer Möddern« erwachten, die Stricknadeln fingen mechanisch wieder an zu klirren; Jungfer Möddern hob ihre schwere Last ein wenig von dem Beischlag auf und ließ sie wieder sinken, indem sie tief schmunzelnd einen Gruß auf die Straße hinausnickte. »Mamsell Feddersen!« flüsterte sie ihrer Schwester zu, die mit kleinen Augen zu ihr hinüberstarrte.

Und richtig! Es war das Großmütterchen; in leichter Kontusche eilte sie vorüber. – –

Nebenan in der Gasse, die kaum hundert Schritt weiter von Norden her in den Hafenplatz ausmündet, lag das neuerbaute Haus des Großvaters, in welchem zurzeit noch eine Schwester ihm die Wirtschaft führte. Anders als das gegenüberliegende seines Vaters und die übrigen alten Giebelhäuser in der Stadt, kehrte es der Straße eine breite Fassade zu, aus deren Mitte über dem Kellergeschoß eine mächtige Steintreppe vorsprang. Kein düsterer Pesel, keine entlegenen Kammern befanden sich darin; die Fenster gingen entweder auf die helle Straße oder hintenaus ins Grüne, auf den Hof und den danebenliegenden Garten; auch die Räume der beiden unteren Hausböden empfingen ihr Licht durch stattliche Fensterreihen des Giebels, der mit seiner geschnörkelten Sandsteinbekrönung in der Mitte des Hauses aufstieg. Hart daran lag das Packhaus mit Fahrpforte und Eingangstür. – Der Urgroßvater drüben hatte im vorletzten Sommer alles für den Sohn vollenden lassen, während dieser zu seiner kaufmännischen Ausbildung die Handelsstädte Frankreichs besuchte und entzückte Briefe über den milden Himmelsstrich nach Hause schrieb; ja, auf den Promenaden von Bordeaux, wo er derzeit weilte, hatte er einmal die linde Sommernacht auf einer Gartenbank verschlafen.

Aber jetzt war er wieder in der Heimat; sein Haus stand aufgerichtet und harrte nur der jungen Frau. Und eben war diese, für jetzt zwar eine Braut noch, von hinten durch die Hoftür eingetreten. Sie hatte in den unteren Zimmern vergebens ihre junge Stellvertreterin gesucht; jetzt ging sie oben in den hellen Saal, an dessen tapezierten Wänden schon mancherlei Gerät für die junge Wirtschaft aufgestellt war. Flüchtig sah sie ihr frisches Antlitz in den Spiegelscheiben des Mahagonischranks vorüberwandeln, dessen Aufsatz mit vergoldeten Vasen und Girlanden geschmückt war; dann trat sie in das Nebenzimmer, wo Reiseerinnerungen ihres Bräutigams, die Vernetschen Ansichten der französischen Hafenplätze, an den Wänden hingen. Aber auch hier fand sie die Gesuchte nicht. – Als sie in den Saal zurücktrat, wäre sie fast erschrocken; eine lebensgroße weiße Gestalt, in der ausgestreckten Hand eine Schale haltend, stand ihr gegenüber auf dem zierlichen Untersatz des Ofens, der auf breiten Marmorfliesen ruhte. Sie mußte lachen; es war ja die Hygiea, welche man, wie ihr wohlbekannt war, gestern erst hier aufgestellt hatte; an der sie vorhin, ohne umzublicken, vorbeigegangen war.

Sie stand auf gutem Fuß mit dieser Göttin der Gesundheit, »der schönäugigen Beisitzerin des Apollo, ohne welche niemand glücklich ist«; sie war eine der Auserwählten, die aus ihrer Schale einen vollen Trunk getan. – Hoch aufatmend in Glück und Lebensfülle trat sie an eines der Fenster und blickte in die Sommernacht hinaus. Jenseit der Stadt, wohinaus der Blick über die niedrigen Häuser der vorliegenden Nebengasse frei war, zwischen dem grünen Festlande und der Nachbarinsel, breitete sonnenfunkelnd sich die Reede aus; kaum erkennbar aus dem Geflimmer ragten die Masten eines großen Schiffes, einer Brigg ihres Schwiegervaters, die, von glücklicher Fahrt zurückgekehrt, seit kurzem dort vor Anker lag. Die junge Frau des Kapitäns hatte die Reise mitgemacht; und lebhaft wünschte sich das Großmütterchen das große Teleskop von der Bodenkammer ihres Schwiegervaters, um einmal nach ihr auszuschauen. Denn sie kannte sie wohl, die schlanke, grauäugige Insulanerin; hatte sie doch letzte Woche erst mit Bräutigam und Schwiegerin einen Besuch an Bord gemacht; und welch ein angenehmer Nachmittag war das gewesen! Vorüber an der Schiffswand hatten sie den Tümmler tauchen, durch den Tubus des Kapitäns die Robben auf dem fernen Sande schlafen sehen; zu guter Letzt hatten sie auf Deck, während die Seeschwalben über ihnen gaukelten, nach der Violine des Leichtmatrosen einen English-Shake getanzt. – Wo waren hier noch Schatten?

Und doch, das Geschenk der Hygiea ist ein verhängnisvolles; wer zu tief aus ihrer Schale trinkt, der muß alle Augen brechen sehen, die ihm in süßer Jugendzeit gelacht. Aber auch dann noch zeigt sich die Gunst der milden jungfräulichen Göttin. Sie selbst, die das erfahren müssen, haben ihre heiteren Augensterne auf die Gegenwart gerichtet; die Gespenster der Zukunft haben keine Macht über sie.

Das Großmütterchen stand noch am Fenster; sie blickte jetzt hinunter in die Straße nach dem vorspringenden Ausbau des schwiegerelterlichen Hauses; aber sie sah hinter den spiegelblanken Fenstern nicht das Leilach wehen, das, wie bald! durch seinen Schatten den Sarg eines gütigen und für das Leben selbst geschaffenen Mädchens mit jener herzerdrückenden Dämmerung umgeben sollte, die auf die Nacht des Grabes vorbereitet. – Sonnig und schweigend lagen die Räume um sie her, in denen, weit über ein zweifaches Lebensalter hinaus, alles Menschengeschick über sie ergehen sollte; aber kein unheimlicher Nebel kroch aus den Ecken, kein Schrei hallte vorspukend durch das Treppenhaus hinauf. Lachend nickte sie dem neu erhobenen Götterbilde zu und flog dann die Treppen hinab, leicht, wie sie gekommen war.

Im Kellergeschoß kam hinten aus der Gesindestube die Köchin im buntgestreiften Wollenrock und berichtete von unten herauf, daß die Mamsell »nur ein Gewerbe ausgegangen« und bald wieder da sein werde. – Das Großmütterchen ging wieder aus der Hoftür, dann rechts ein Steintreppchen hinauf in den Garten, wo zwischen gefälligen Partien im Jasmingesträuche das in Holz geschnitzte Bildnis einer Flora stand. Eine weitere Treppe, deren Geländer auf buntfarbigen Stäben ruhte, führte sie in den Obergarten. Hier waren noch die steifen geradlinigen Rabatten, der breite Steig dazwischen mit weißen Muscheln ausgestreut; perennierende Gewächse mit zarten blauen oder weißen Blumen und leuchtend gelben Staubfäden, andere mit feinen rötlichen Quästchen oder mit Blumen wie aus durchsichtigem Papier geschnitten, dergleichen man nur noch in alten Gärten findet, daneben gelbe und blutrote Nelken blühten hier zu beiden Seiten und verhauchten ihren süßen Sommerduft.

Zu Ende des Steiges in der jungen Lindenlaube saß jetzt das Großmütterchen. Sie zog unter ihrem Brusttuch den dort verwahrten Brief hervor, den sie freilich schon daheim im Kämmerchen erbrochen und gelesen hatte. Aber das war ja nur das erstemal.

»Mein teures, liebes Lenchen!« – so lasen ihre Augen, und leise sprachen es die jungen Lippen nach –

»Den besten Dank für Ihre liebe und wärmevolle Zuschrift! Noch nie ist mir bei Eröffnung eines Briefes so wohl gewesen, und nie las ich mit mehr Begierde einen Brief als diesen.

Meine gütige Wirtin hatte mir soeben ein Gläschen eingeschenkt, das auf unser beiderseitiges Wohlergehen geleeret werden sollte; und da wir uns just von Ihnen, meine Liebe, unterhielten, ich mein Glück und meine erwünschte Wahl so mit vollen Empfindungen schilderte, da trat Vetter Asmus herein, nach dem ich mich schon verschiedentlich erkundigt hatte, und brachte mir Ihren so werten Brief.

Siehe da – es wurde eine Stille – ich erbrach ihn; ein jeder hielt sein Gläschen in der Hand und erwartete das Ende, um sich nach Ihrem Wohlbefinden zu erkundigen.

Mit voller Freude rief ich aus: Mein gutes Mädchen ist, dem Himmel sei gedanket, wohl! – So lebe denn Ihre liebe Braut! – Wir klingten an; und es wurde Jubel um uns her.

Heute bin ich wahrlich so recht seelenvergnügt, da mir die Nachricht von Ihrem Wohlbefinden noch so neu ist. – Wenn ich gleich, meine Beste, die Abende niemalen in der Einsamkeit zubringe, so fühle ich doch immer, daß mir Ihre schätzbare Gegenwart fehlt. Doch die Hälfte der Zeit ist verflossen, und binnen wenig Tagen sehen wir uns wieder und genießen in einer unzerstörbaren Ruhe die echten Freuden dieses Lebens, wogegen alles andere hienieden doch – – – und glauben Sie, daß ich ewig bin Ihr zärtlich liebender – –«

Lächelnd und immer tiefer senkte sich der Kopf der jungen Leserin auf das Blatt in ihrer Hand, als hätten die lieben Worte sie zu sich herabgezogen. Sie hörte nicht den jugendlichen Schritt, der jetzt über die knirschenden Muscheln sich ihr nahte, nicht das rasche Zuschlagen eines Fächers; erst als ein Arm sich um ihren Leib legte, blickte sie tief aufatmend in die ernsten Augen ihrer Schwiegerin.

Das Großmütterchen wollte ihren Brief verbergen; aber es gelang ihr nicht. »Mädchen, springe mir nicht so um den Busch!« rief die Schwester; und schon hatte eine kleine resolute Hand die ihre eingefangen. – Bald saßen die Mädchen, Wange an Wange lehnend, und studierten nun gemeinschaftlich den Brief des ihnen beiden teuren Mannes. Standen doch auch praktische und sehr zu erwägende Dinge darin; denn wie viele Aufträge hatte der Gefällige nicht bei der Abreise in seinem Promemoria notieren müssen, für deren manchen ein männlicher Verstand nicht einmal reichen wollte! Zwar die Hummer für die liebe Frau Wirtin waren richtig angekommen, und den Fuhrlohn und das Futtergeld für unterwegs hatte er sofort mit dem Fuhrmann abgemacht; auch der kirschrote Taffet sollte mit Vergnügen besorget werden; aber wie sich die »florenen Fomeln« in dem letzten Briefe zu den zwei Ellen Milchflor in seinem Promemoria verhielten, das war selbst dem Scharfblick der Liebe unentwirrbar geblieben.

Ein Lächeln mitleidiger Überlegenheit flog über das Gesicht der Mädchen. Wie man nur so was nicht verstehen konnte!

Der Brief war ausgelesen. – Auf dem ein wenig schärfer umrissenen Antlitz der einen, unter den dunkeln Brauen in ihren klugen Augen lag es plötzlich wie scheidender Abendstrahl; wie aus dunkelm Antrieb schlang sie ihren Arm noch fester um die jüngere Freundin. So saßen sie schweigend, jede ihren eigenen Gedanken lauschend.

Und leise über sie hin strich die Zeit. Sie wehte den Puder aus ihren blonden Haaren; sie blies unmerklich, aber emsig von dem einen jungen Antlitz das Rot des Lebens, um es einer frühen Vergessenheit zu überliefern. Aber die Augen der Braut lachten vor Seligkeit.

»Ja«, sagte der Onkel – denn wir befinden uns noch immer an dem runden Tisch des Onkels –, indem er die Pfeife absetzte und wie zu plötzlich vertraulicher Mitteilung sich gegen den geduldig zuhörenden Vetter neigte. »Hat er uns doch nicht richtig angeführt! Was habe ich Euch gesagt? Lauter Dunst und Phantasie!« – Ich hatte die Briefstellen vorhin aus dem Gedächtnis angeführt; jetzt zog ich das dir bekannte »Promemoria« des Großvaters aus der Tasche, in welchem noch ein Teil des großelterlichen Briefwechsels aufbehalten ist. Wie in dem fahlen Gelb des seidenen Umschlags das einstige Rosa, so läßt sich in dem daraufgestickten Tempel mit dem flatternden Taubenpaare die zärtliche Bestimmung nicht verkennen, welche die Verfertigerin einst dieser Arbeit gab.

Mit gespannten Augen blickte Tante Friede über ihre Brillengläser nach dem verblichenen Kunstwerke, mir zugleich, in richtiger Erkenntnis meines Vorhabens, ihre freundliche Parteinahme zunickend. Ich aber hatte indes aus den auf rauhem Papier geschriebenen Blättern, an welchen noch überall die kleinen roten Familiensiegel haften, den vergilbten Liebesbrief des Großvaters hervorgesucht und legte ihn jetzt schweigend vor dem Onkel auf den Tisch.

Da mußten alle Respekt haben; das war heiliges Papier. –

Staub und Plunder

Ich saß im Obergarten in der Lindenlaube; sie war von dem alljährlichen Kappen jetzt so verästet, daß es kaum noch des Laubes bedurfte um die Sonnenstrahlen abzuhalten. Die alte Zeit war aus; die einst fast mit der Stadt zugleich entstandene Kirche, vor meiner Geburt schon, glücklich abgebrochen; an Stelle des altehrwürdigen Baues stand jetzt ein gelbes, häßliches Kaninchenhaus mit zwei Reihen viereckiger Fenster, einem Turm wie eine Pfefferbüchse und einem abscheulichen, von einem abgängigen Pastor verfaßten Reimspruch über dem Eingangstore, einem lebendigen Protest gegen alles Heidentum der Poesie. Die Denkmäler und Kunstschätze der alten Kirche waren auf Auktionen verkauft oder sonst verstreut; die schöne Kanzel war zertrümmert, den Altar aus Hans Brüggemanns Schule hatte ich selbst als Knabe in dem Pesel einer Branntweinschenke stehen sehen, wo er unbeachtet allem Unfug preisgegeben war, bis er schließlich noch in einer Dorfkirche Unterkommen fand; die einst zur Seite des Altars befindliche Monstranz, ein kostbares Schnitzwerk von des großen Husumer Meisters eigener Hand, war spurlos verschwunden; nur das Muttergottesbild derselben war fast ein halbes Jahrhundert nach dem Abbruch der Kirche zwischen staubigem Gerümpel eines Hausbodens von einem kunstsinnigen Dänen aufgefunden und dann für immer der Vaterstadt des Meisters entführt worden. Keine Spur seines Lebens war in ihr zurückgeblieben, keine Spur jener Kunst, die besonders in unserem Lande sich einst zu einer Hauskunst ausgebildet hatte.

Das war eine pietätlose, nüchterne Zeit gewesen, von allem Segen der Schönheit und der Kunst verlassen; und wir haben noch daran zu leiden. Aber die alten Herren der »vereinigten freundschaftlichen Gesellschaft« hatten sie nur von fern am Horizont aufsteigen sehen, bevor sie alle schlafen gegangen waren.

Auch das einst vom Urgroßvater so stattlich für den Sohn errichtete Haus hatte dieser Zeit seinen Tribut entrichten müssen. Die einst so behaglich in die Straße vorspringende Steintreppe war auf Anordnung der modernen Polizei verschnitten und verhunzt; den hohen Giebel hatte man selbst herabgenommen, die steinerne Bekrönung sollte das Haus zu schwer gedrückt haben; sogar die hölzerne Flora hatte den ihr einst geweihten Garten mit Gott weiß welchem düsteren Winkel vertauschen müssen.

Dort lag das Haus hinter dem mächtigen Ahornbaum, der mit seiner Krone fast das hohe Dach bedeckte. Es war jetzt ein altes, ein Familienhaus geworden; in allen Winkeln und auf allen Dielen lagen die Schatten vergangener Dinge; von allen, die einst darin lebten und starben, war eine Spur zurückgeblieben; uns, die wir ihres Blutes waren, trat sie überall entgegen und gab uns das Gefühl des Zusammenhanges mit einer großen Sippschaft; denn auch die Toten gehörten mit dazu. Ja, einige von uns wollten wissen, daß das Leben jener noch nicht ganz vorüber sei, daß es zuweilen in Nächten oder in einsamer Mittagsstunde sich den Enkeln kundzugeben ringe; droben in der Stube hinter dem Saal, wo noch die Vernetschen Kupferstiche des Großvaters hingen, sollte es zuzeiten recht »unruhig« zugehen.

Unter dem Dach auf den drei übereinanderliegenden Hausböden war alles Gerümpel aufgespeichert, das während eines zwei Menschenalter überdauernden Zeitraumes allmählich aus dem Gebrauch des Tages zu verschwinden pflegt; was man als abgenutzt beiseitesetzt, weil man den Mut nicht hat, es fortzuwerfen, und was man vielleicht nie wieder berührt, es sei denn, daß das Leid oder die Leere der Gegenwart uns antreibt, zu den Zeichen einer reicheren Vergangenheit zu flüchten.

Der zunächst über dem unbewohnten zweiten Stockwerk belegene Boden mit seinen Winkeln und Treppchen und der gleich einem großen Kasten hineingebauten »Gewürzstube« war ein besonders heimlicher Ort, an dem ich manche Stunde meiner Knabenzeit verbracht habe. – Schon der Duft der Hagebutten und Lavendelsträuße, die hier auf den Fensterbänken getrocknet wurden, erregte meine Phantasie;

es roch fast wie in einem Garten, aber wie in einem Garten der Vergangenheit. Zwar mit dem grauen Schrank, in dem die Großmutter ihr Sterbehemd bewahrte, mochte ich nichts zu schaffen haben; auch wurde es mir zuweilen unheimlich, daß dort unter der Dachschräge der große Ohrenlehnstuhl, in welchem einst der Großonkel seinen letzten Seufzer getan hatte, immer so unverrückt auf seinem Platze stand, als warte er darauf, daß sich endlich wieder einer in ihn hineinlege; aber gegenüber der altmodische buntfurnierte Schrank mit dem hohen Aufsatz ließ mich diese widerstrebenden Gefühle überwinden. Auch er stand in feierlichem Schweigen und wie zur ewigen Ruhe gestellt; allein ich respektierte dieses Schweigen nicht; ich wußte die Schubladen zu öffnen – noch höre ich dabei das Klirren der vergoldeten Messinggriffe –, und mit lüsternem Grauen durchstöberte ich das in ihnen eingesargte Spielzeug einer vergangenen Zeit. Da lagen Perücken und schwarzseidene Haarbeutel; da war ein Kästchen mit den Fächern der Großmutter, ein anders mit den Bräutigamsmanschetten des Urgroßvaters; da war vor allem ein höchst ergötzliches und nützliches Instrument, ein sauber aus dunkelm Mahagoni gearbeiteter »Buckelkratzer«, und endlich – sollte auch der Großvater sie gegen das Rheuma angewandt haben, oder war es nur ein Vermächtnis des kleinen Wagemeisters? – eine große getrocknete Kröte, die Beine wie zum angestrengten Fortstreben ausgestreckt, in der Mitte des warzigen Leibes das Loch des Nagels, der es verhindert hatte, und an dem sie, zur Gewinnung stärkerer Heilkraft, einst hatte krepieren müssen. – Lange und nachdenklich habe ich oft, vor der aufgezogenen Schublade kniend, dieses Ding betrachtet. Mitunter auch ergriff der Dunst der Vergänglichkeit, der aus all den Raritäten aufstieg, mich so beängstigend, daß ich plötzlich fortrannte und die Treppe hinabsprang oder lieber noch am Geländer hinabrutschte, um nur bald wieder in die Region der Lebendigen zu gelangen.

Doch das geschah nur selten; meistens wurde auch der Inhalt der oberen Fächer einer behaglichen Musterung unterzogen; der schöne Tafelaufsatz aus mattem Porzellan, ein sitzender Apoll nebst seinen Musen, welchen letzteren freilich schon hier und da eins der zarten Fingerchen abhandengekommen war; das Reiseglas des Großvaters mit der Eigenschaft eines »Staamantjes« und der Inschrift:

Trink mich aus, leg' mich nieder!
Steh' ich auf, füll' mich wieder!

die gläsernen Pokale mit dem roten Gewebe in den Stengeln, mit eingeschmolzenen Schaumünzen oder auf dem Kelche eingeschliffenen Schäferszenen; insbesondere zwei greuliche chinesische Pagoden, – alles wurde behutsam herabgenommen und demnächst ebenso wieder an seinen Ort gesetzt.

Zwar, sehr einsam war es hier, und an den Seitenräumen fielen tiefe Schatten überall; der hinter der Gewürzstube befindliche Teil des Bodens lag, da die Luken dort fast stets geschlossen waren, auch bei Tage im Dunkeln; von den nach der Gartenseite aus dem Dache vorspringenden kleineren Fenstern war das eine hinter großen Kisten versteckt, vor dem anderen verbreitete die Laubkrone des Ahorns eine grüne Dämmerung; so dicht drängte sie sich heran, daß ich an Sommerabenden, wenn die Vögel zur Ruhe gegangen waren, mehrmals, wiewohl vergebens, versucht habe, einen schlafenden Sperling von den Zweigen abzupflücken. Selbst das um die Mittagszeit mir stets so traulich klingende Mörserstoßen aus der im Kellergeschoß liegenden Küche drang nicht herauf. Deutlich genug aber hörte man das Hämmern der Holzkäfer in den morschen Schränken, oder von den Packhausböden, die dort hinter den verriegelten Flügeltoren lagen, den behutsamen Tritt einer Katze, die einsam die steilen Treppen auf und ab spazierte. – Freilich, nach Westen an der Straßenseite befanden sich zwei größere Fenster in dem hier aufsteigenden Giebel des Hauses – die Gewürzstube schloß das dritte ein –, durch welche man über die Dächer auf die grüne Marsch und darüber hinaus auf das Meer sah; doch alles, was sich dem Auge darbot, die weidenden Rinder, das vorüberziehende Schiff, die Mühle, welche jenseits am Horizonte auf der gleich einem Nebelstreifen oberhalb des Wassers hingestreckten Insel ihre Flügel drehte – es war so fern, daß es nur wie ein Bild dalag und kein Laut von dort herüberdrang.

In dem freundlichen Raum vor diesen Fenstern, durch welche schon früh die Nachmittagssonne hereinschien, befand sich eins der Hauptstücke der ganzen Bodenwirtschaft: das »Gesundheitspferd« meines Großvaters. – Daß er auf diesem Pferde die entflohene Gesundheit wieder eingeholt habe, ist kaum anzunehmen; denn der Tod, der dem ganzen Lebensritt ein Ende macht, hatte diesen liebreichen Mann schon während meiner frühesten Kindheit aus dem Kreise der Seinen fortgerissen. – Übrigens war es eigentlich gar kein Pferd, sondern nur ein auf Sprungfedern ruhender, schön ausgenähter Sattel mit einem vierbeinigen Holzgestell darunter. Allein, ging die Bewegung auf demselben auch nicht vorwärts, so ging sie doch auf und ab, und manchen ebenso ungefährlichen als vergnüglichen Spazierritt habe ich darauf gemacht; denn vorn befand sich eine Krücke zum Festhalten, und an den Seiten hingen ein paar Steigbügel, in deren Riemen ich die Füße steckte, bis meine Beine allmählich zu ihnen hinabgewachsen waren. Nicht zu begreifen vermag ich jetzt, wo mir im sicheren Lehnstuhl schon mitunter die Buchstaben nicht standhalten wollen, wie ich, auf diesem Gesundheitspferde reitend, Spindlers dreibändige Romane, untermischt mit Schillerschen Dramen, eins hinter dem anderen weg zu lesen vermocht habe.

Auch alles dies ist lange nun vergangen. Jetzt, wo auch die Gespenster meiner eigenen Jugend in ihnen umgehen, betrete ich nicht gern mehr diese Räume.

– Neben mir in der Lindenlaube saß eine uralte Frau; es war meine Großmutter, die ich in den milden Septembersonnenschein hinausgeführt hatte. Noch vor einigen Jahren war sie rüstig genug gewesen und hatte es sich nicht versagen können, mit mir in die Familiengruft hinabzusteigen, welche an jenem Morgen zur Aufnahme eines jüngeren Familiengliedes geöffnet worden war. – Der mit schwarzem Tuch überzogene Sarg des Großvaters war noch wohlerhalten. Sie betrachtete ihn lange schweigend; dann suchte sie nach ihren Söhnen, welche sämtlich noch in den Kinderjahren sich dieser stillen Gesellschaft hatten zugesellen müssen. Die kleinen Särge, außer einem, waren schon in Trümmer gefallen. Als wir von diesem den auch schon gelösten Deckel abgehoben hatten, da lagen unterhalb eines kleinen weißen Schädels – überaus rührend, als seien sie seit dem letzten Lebensatem unverrückt geblieben – die feinen Knochen eines Ärmchens und eines ausgespreizten Kinderhändchens. Die Großmutter tastete mit zitternder Hand an diesen armen Überresten; sie betrachtete aufmerksam den Sarg, nickte mit dem Kopfe und sagte dann: »Das ist mein Simon; was für ein lustiger kleiner Junge war er!« Und als ich von ihr fort zu einem anderen Sarge trat, sah ich, wie die Lippen der greisen Mutter sich noch einmal lang und innig auf die Stirn ihres lieben kleinen Jungen preßten.

– Von diesem ihrem Knaben, den sie einst gehabt, erzählte sie mir jetzt. Der Großvater hatte ihm ein kleines Gefährt mit zwei weißen Ziegenböcken geschenkt; damit war er überall umherkutschiert; die Ziegenböcke waren ein paar ebenso lustige Gesellen gewesen wie ihr kleiner Herr. Sie hatten der Welt nicht nachgefragt; im Garten hatten sie die schönsten Nelken und Ranunkeln abgefressen, auf der Straße waren sie mit ihren Hörnern in einen Haufen irdener Töpferwaren geraten, die zum Verkauf vor einem Keller ausgestanden; tausend Wirtschaft hatte es gegeben.

Die Großmutter lachte ganz herzlich; es war zu lustig, wie der Junge auf seine weißen Ziegenböcke peitschte; sie mußte noch mehr davon erzählen. Aber allmählich verwandelten sich die zwei Ziegenböcke in einen widerspenstigen Esel, auf dem »ein Ausbund von einem Jungen« zwischen den Beeten unseres Gartens umhertrabte, immer im Kreis um die hölzerne Flora, bis der Esel hinten ausschlug und ihn in die Büsche warf.

»Großmutter«, sagte ich leise; »das war wohl nicht dein Simon; ich glaube, das bin ich selbst gewesen.«

Die alte Frau wurde plötzlich still; und ein Ausdruck von ergebener Trauer trat in ihr liebes Gesicht. »Ja, mein Kind«, sagte sie endlich, »meine Nerven haben Bankrott gemacht; ich habe schon soviel erlebt.«

Es war ihr in den letzten Jahren zuweilen begegnet, daß sie für unsere, der Jüngeren, Anschauung weit auseinanderliegende Zeiten und Personen verwechselte. Wir suchten dann wohl einzuhelfen; aber wenn sie es bemerkte, schwieg sie gewöhnlich, wie in tiefer innerer Beschämung. »Gebrauch' doch unser junges Gedächtnis, Großmutter!« riet ich ihr einmal; aber sie sagte nur: »Man mag doch auch nicht lästig fallen.«

Ihr frohes und bescheidenes Wesen hatte ein langes Leben mit ihr ausgehalten und tausend glückliche Stunden über meine Jugend gebracht; nun sie sich selbst nicht mehr zu helfen wußte, wollte es mit dem Frohsinn nicht mehr fort. Aber sie hoffte den wiederzusehen, mit dem sie die glücklichsten Stunden ihrer Jugend gelebt hatte, und auch ihre kleinen lustigen Jungen, die ja hier auf Erden nicht zu Männern aufgewachsen waren.

Mit diesen ihren Toten mochte sie im Geiste verkehren, als sie jetzt so still an meiner Seite saß, die von Gicht gelähmten Hände in ihrem Schoß gefaltet; denn wie in seliger Zufriedenheit waren die halberblindeten Augen nach dem Gipfel des gegenüberstehenden alten Birnbaums gerichtet, der einst mit ihrem Glück jung gewesen war und aus dessen Zweigen die gelben Blätter niedersanken.

Ich höre dich fragen: »Sind das die Reisebriefe, die du mir versprochen?« – Ich kann nur sagen: »Nimm fürlieb!« Und im übrigen mögen die Manen meines Großmütterchens es mir verzeihen, daß ich, ein ungewandter Nekromant, aus der Nacht, in die es schon so tief versunken, ihr Jugendbild heraufzubeschwören suchte.

Zwei Kuchenesser der alten Zeit

Nur wenige mögen sich noch des Verfassers der Urhygiene entsinnen; insonders seiner so beherzigenswerten Worte: »Was süß und was lieblich ist, das genießet; aber werfet von euch mit hochsinnigem Abscheu das giftige Dampf- und Nieskraut!« Und doch ist wenigstens der erste Teil derselben seit lange Fleisch geworden; Denker, Dichter und Helden, alles ißt jetzt Kuchen, ohne dadurch in den Verdacht der Originalität zu kommen oder sonst von der bürgerlichen Reputation etwas Merkliches einzubüßen. Die meisten Älteren aber werden wissen, daß in unserer Jugend solches für ganz unmännlich galt und lediglich den Frauen zugestanden wurde; und nicht zu leugnen ist es, daß sich unter den Kuchenessern der alten Zeit manche seltsame oder wohl gar unheimliche Figuren befanden.

Zu den ersteren gehörte ein alter Familienonkel, den wir »Onkel Hahnekamm« nannten. Der feingeschnittene Kopf des sauberen alten Herrn wurde nämlich von einem wohlgepflegten Toupet gekrönt, das durch die glatt angekämmten Schläfenhaare nur noch mehr zum Ausdruck kam. Nie und nirgends wieder habe ich ein solches Toupet gesehen; aber es war auch der Stolz und die Wonne des Besitzers. Jeden Abend vor dem Schlafengehen wurde es von ihm selbst – denn der arme Alte hatte an seinem Lebensabend keinen Diener mehr – mit Papilloten eingewickelt und dann die Nachtmütze behutsam darübergezogen; die Frisierstunde selbst pflegte er bei verschlossenen Türen und ohne Zeugen zu begehen. Aber wer vergäße nicht einmal, den Schlüssel umzudrehen? – Und so kam ich denn am Ende dahinter, weshalb, wie unsere Köchin behauptete, »der Pull« im Winter doch am schönsten sei. – Es war an einem Neujahrsmorgen, als ich wie herkömmlich den Großohm für den Abend auf »Karpfen und Fürtgen« einzuladen hatte; aber ich klopfte diesmal wiederholt an seine Tür, ohne das »Herein!« der alten Stimme zu vernehmen. Als ich endlich dennoch zu öffnen wagte, erblickte ich ihn vor seinem großen Ofen in einer Stellung, die mich zuerst auf den Gedanken brachte, der gute Alte wolle durch einen Feuertod seinem Leben ein Ende machen; denn Kopf und Hals steckten völlig in dem heißen Ofenloch. Glücklicherweise, ehe ich einen Rettungsversuch begann, kam mir wie durch Eingebung der innere Zusammenhang der Dinge; ich schlich mich leise fort, um erst nach einer halben Stunde wiederzukehren, wo das Toupet bereits wie ein silbergraues Sträußchen über der Stirn saß; und der gute Alte hat es nie erfahren, daß sein keuschestes Geheimnis von mir belauscht wurde. – Wer weiß! Jenes Toupet war vielleicht das einzige, was er aus den Tagen seines Glanzes in sein einsames Greisenalter hinübergerettet hatte; er hatte es vielleicht in seinem Bräutigamsstande als allerneueste Mode aus Hamburg oder gar aus Paris mit heimgebracht; und es war nun das letzte Zeichen, das ihn, wenn er in voller Toilette vor dem Spiegel stand, noch an die verstorbene Tante erinnerte, die ich in meiner frühesten Kindheit mit gelben falschen Locken und kupferigen Wangen auf dem Sofa hatte sitzen sehen, von der aber die Großmutter sagte, daß sie einst eine große Schönheit gewesen sei.

Am Abend trat er dann in seinem olivenbraunen Überrock und feingefaltetem Jabot in die Gesellschaft. L'Hombre spielte er nicht mehr, er hatte nichts mehr zu verspielen; er saß nur als ein bescheidener und wenig beachteter Zuschauer bald bei dieser, bald bei jener Spielpartie. Dafür aber fand er denn auch Gelegenheit, in dem letzten halben Stündchen vor dem Abendessen, wo die Hausfrauen in der Küche ihre Saucen zu revidieren pflegen, in das noch einsame Tafelzimmer hinüberzugehen und ungestört die zu erwartenden Genüsse vorzukosten. Nicht zu leugnen ist es, daß dabei hier ein Törtchen, dort eine Traubenrosine aus den Kristallschalen verschwand. Indes, der Onkel war einer von den harmlosen Kuchenessern; die Törtchen und Rosinen gehörten zu den wenigen Veilchen, die ihm zuletzt noch an seinem Wege blühten, und er befolgte nur die Mahnung des alten Liedes, sie nicht ungepflückt zu lassen. –

Eine ganz andere Figur war der Herr Ratsverwandte Quanzfelder. – Noch sehe ich ihn, wie er unserem Hause gegenüber aus seiner Tür zu treten pflegte; im mausgrauen Kleidrock, den rotbaumwollenen Regenschirm unter dem Arm. Trotz seiner knochigen Gestalt machte er mir immer den Eindruck einer alten Mamsell. Denn seine Bewegungen waren klein und seine Stimme dünn und gläsern gleich der eines Verschnittenen; dabei hingen ihm in dem runzligen zusammengedrückten Gesicht die Augenlider wie Säckchen über den kleinen Augen. Wenn er vor einer Dame den Hut zog, so krächzte er sein »Gud'n

Dag, gud'n Dag, Madam!« wie ein heiserer Vogel; und seltsam war es anzusehen, wie er dann mit gespreizten Fingern und taktmäßig hin und her bewegten Armen seinen Weg fortsetzte.

Von dem intimeren Gebaren des Mannes weiß ich aus eigener Erfahrung nichts zu berichten; aber unsere Tante Laura, in deren elterlichem Hause er aus und ein ging, hat mir gründlichen Bescheid gegeben, da ich mich neulich nach diesem weiland »Hausfreunde« bei ihr erkundigte.

»Hm, Vetter!« begann sie – und sah mich dabei mit äußerstem Behagen an, wie immer, wenn wir auf unsere alte Stadt zu reden kommen. – »Er kam allerdings mitunter zu uns; aber unser Hausfreund ist er nicht gewesen. – Mein Vater hatte, wie Sie wissen, einen Kram mit Galanterie- und Eisenwaren, aus dem auch Herr Quanzfelder seinen kleinen Bedarf, und zwar auf Rechnung, zu entnehmen beliebte; sobald aber sein Konto nur zu ein paar Mark aufgelaufen war« – und Tante Laura nahm die verbindlichste Miene an und fiel für einen Augenblick in ihr geliebtes Platt –, »so wurr en Grötniß bestellt, Herr Ratsverwandter keem van Namiddag Klock dree, um de Räken to betalen.« – Nebenan bei meinem Onkel, aus dessen Laden er seine Ellenwaren kaufte, bedeutete das eine Anmeldung zum Kaffee, bei uns auf Tee und Pfeffernüsse. Der Mann übte einen seltsamen Bann auf mich aus, so daß ich ihn immerfort betrachten mußte, und doch bekam ich allzeit einen Schreck, wenn ich seine Krähstimme von draußen vor dem Laden hörte, besonders aber, wenn er nun in der Stube mit altjüngferlicher Zierlichkeit seine knochigen Hände ausstreckte, um sich die wildledernen Handschuhe abzuziehen, und darauf Hut und Schirm so seltsam hastig in die Ecke stellte.

Es war mir damals ganz unzweifelhaft, daß es der Geruch der Pfeffernüsse sei, wodurch er in diese Unruhe versetzt wurde. Kaum daß noch die rote Perücke mit beiden Händen plattgedrückt war, so saß er in seinem mausgrauen Rock auch schon unter dem Fenster am Teetische. – Ich höre noch sein ›Danke, danke, Madam!‹ krähen, wenn meine Mutter ihm das Backwerk präsentierte. Er nahm dann mit der einen Hand eine Pfeffernuß, zugleich aber mit der anderen auch den ganzen Teller und schob ihn neben sich unter das Blumenbrett auf die Fensterbank.

Gesprochen wurde nicht viel; man hörte meistens nur das Klirren der Teelöffel und das Scharren des Kuchentellers, der unter dem Blumenbrett aus und ein geschoben wurde und unter der pflichtschuldigen Nötigung meiner Mutter sich allmählich leerte. Zuweilen geschah das Abbeißen auch nur scheinbar, und die Pfeffernuß verschwand in dem weiten Rockärmel, worauf dann plötzlich der Herr Ratsverwandte das Bedürfnis empfand, sich die Nase zu schneuzen. Das buntseidene Taschentuch wurde hinten aus der Rocktasche gezogen, und das Backwerk glitt bei dieser Gelegenheit hinein. Wir Kinder sahen dem allem aufmerksam zu; sehnsüchtig nach der süßen Speise, von der heute für uns nichts abfiel. – Schließlich, nach der dritten oder vierten Tasse, stand Herr Ratsverwandter auf: ›Dörf ick nu bidden um en bät Papier darum!‹ Und mein Vater, der inmittelst rauchend im Zimmer auf und ab gegangen war, machte ihm eine Tüte; Herr Quanzfelder schüttelte den Rest der Pfeffernüsse hinein und steckte sie zu ihren Brüdern in die Schoßtasche; dann nahm er Hut und Schirm, krächzte noch ein paarmal: ›Adje, adje, Madam!‹ und empfahl sich.

Auch zu Fasten« – fuhr Tante Laura nach einer kleinen Pause in ihren Mitteilungen fort – »machte er regelmäßig seine Visite; und wenn meine Mutter, wie nicht anders schicklich, dann die Anfrage tat, ob Herr Ratsverwandter Appetit auf einen Heißewecken habe – und Sie wissen, Vetter, wie butterig die am Fastnachtmontag sind! –, so erbat er sich außerdem noch immer Butter und holländischen Käs' darauf, der alte Bösewicht!

Seine größte Schandtat aber verübte er am Geburtstag meines jüngsten Bruders. – Der gute Junge hatte von seiner Tante ein Stück Kirschkuchen bekommen und saß seelenvergnügt damit auf seinem Kindersofa. Da – Gott verzeihe mir, Vetter; ich glaube, er hatte es im Geruch! – da tritt Quanzfelder herein: ›Na, min lütje Jung, schall ick dat Stück Koken hemm?‹ –

Ob mein Bruder das für Scherz hielt, ich weiß es nicht; genug, er gab richtig seinen Kirschkuchen hin; Herr Ratsverwandter aber ging ungesäumt zu meinem Vater: ›Dat lütje Jung hätt mi dat Stück Koken gäben; will'n Se mi dat en bäten inwickeln?‹ – Und mein Vater verlor so die Fassung, daß er ihm auch noch einen Bogen schönes weißes Papier darumgab. ›Danke, danke, min Leeve.‹ Und fort ging Herr Ratsverwandter mitsamt dem Kirschkuchen; und ich sehe noch meinen Bruder mit seinem langen Gesicht auf dem Kindersofa sitzen.«

Tante Laura schwieg; sie hatte ihre Erinnerungen ausgeschüttet.

Ich selbst entsinne mich des Herrn Ratsverwandten besonders aus der Kirche, wo er seinen Stuhl neben dem unserigen hatte, und wo er an keinem Sonntage fehlte. Eine breite Hornbrille auf der Nase, das aufgeschlagene Gesangbuch in der Hand, ließ er bei jedem Verse noch vor dem Kantor den Einsatz seiner scharfen Stimme hören. Kaum aber war nach Schluß des Gesanges der Propst auf die Kanzel getreten, so verfiel der Herr Ratsverwandte in seinen eigenen Zeitvertreib; legte zuerst den linken Arm auf den rechten, dann den rechten auf den linken, paßte sorgsam die Nähte der Ärmelaufschläge aneinander und maß und verglich in immer neuen Lagen ihre beiderseitige Länge, begann dann ebenso mit den gelbledernen Stulpen seiner Stiefel und fuhr in diesen stillen Unterhaltungen, denen ich zum unersetzlichen Schaden meiner Andacht stets wie unter dem Blick der Klapperschlange zusehen mußte, wechselweise fort, bis er jedesmal noch vor dem Vaterunser fest entschlafen war. – Sowie aber die Orgel wieder einsetzte, fuhr er mit einem Schnarcher in die Höhe, und indem seine Hand mechanisch nach dem Gesangbuch griff, intonierte er unfehlbar das »O Lamm Gottes!« oder was sonst an der Nummertafel stehen mochte; und sein tremulierendes Falsett schwebte wieder wie eine flatternde Krähe über dem Gesang der Gemeinde. Wenn schon überall die Türen der Kirchenstühle klappten, und unter dem Herausdrängen der Menge, hörte man noch immer den Diskant des Herrn Ratsverwandten. Erst wenn die Orgel schwieg, klappte auch er sein Gesangbuch zu, stäubte sich mit seiner ausgespreizten Hand die Andacht aus den Rockaufschlägen und schritt dann eilig über den Markt in das Weinhaus zur großen Traube. – Hier bemächtigte er sich der neuesten Zeitung. Er las indessen nicht, er tat nur desgleichen; in Wahrheit nahm er sie nur für seinen Freund, den Aktuarius, in Beschlag; und wenn außer den anderen Sonntagsgästen auch dieser in die Gaststube getreten war, so verschwand er bald darauf und machte sich ein Scheingeschäft auf dem Hofe, wo immer eine Anzahl fetter Küken umherspazierte. – Und eine dunkle Sage ging, der Herr Ratsverwandte habe bei solcher Gelegenheit stets einigen der fettesten den Hals umgedreht und sie hinten in die unergründlichen Taschen seines grauen Rocks gleiten lassen, wobei die jungen Hähne mit doppelten Kämmen besonders in Gefahr gewesen sein sollen.

Ich glaube zwar nicht an diese Mordgeschichte; dennoch hat sie in meinem Kopfe sich immer seltsam mit der Erzählung von einer schönen blassen Frau verflochten, welche er lange vor meiner Geburt besessen haben sollte. In Bremen oder Lübeck – so hieß es – sei sie ihm wider ihren Willen bei Abschluß eines Handels angeheiratet worden, dann aber jung und kinderlos verstorben. Nach der Meinung einiger hatte sie nur vor Angst und Widerwillen nicht länger leben können, während andere von noch unheimlicheren Dingen munkelten. So viel ist gewiß, daß ich in meinen Knabenjahren die knochigen Hände des Herrn Ratsverwandten stets mit einer heimlichen Scheu betrachtet habe.

O seliger Theodor Amadeus Hoffmann, dessen *Laterna magica* ich an stillen Herbstabenden so gern noch vor mir aufstelle, weshalb schlägt nicht mehr die Stunde deiner Serapionsabende, auf daß ich dir diesen Kuchenesser der alten Zeit überliefern könnte! In welch wunderbaren, geheimnisvoll glühenden Farben würdest du durch deine Zaubergläser sein Bild an der grauen Wand erscheinen lassen!

Von Kindern und Katzen, und wie sie die Nine begruben

Mit Katzen ist es in früherer Zeit in unserem Hause sehr »begänge« gewesen. Noch vor meiner Hochzeit wurde mir von einem alten Hofbesitzer ein kleines kaninchenblaues Kätzchen ins Haus gebracht; er nahm es sorgsam aus seinem zusammengeknüpften Schnupftuch, setzte es vor mir auf den Tisch und sagte: »Da bring' ich was zur Aussteuer!«

Diese Katze, welche einen weißen Kragen und vier weiße Pfötchen hatte, hieß die »Manschettenmietze«. Während ihrer Kindheit hatte ich sie oft, wenn ich arbeitete, vorn in meinem Schlafrock sitzen, so daß nur der kleine hübsche Kopf hervorguckte. Höchst aufmerksam folgten ihre Augen meiner schreibenden Feder, die bei dem melodischen Spinnerlied des Kätzchens gar munter hin und wieder glitt. Oftmals, als wolle sie meinen gar zu großen Eifer zügeln, streckte sie auch wohl das Pfötchen aus und hielt die Feder an, was mich dann stets bedenklich machte und wodurch mancher Gedankenstrich in meine nachher gedruckten Schriften gekommen ist.

Die Manschettenmietze selber ist, wie ich fürchte, durch diesen Verkehr etwas gar zu gebildet geworden; denn da sie endlich groß und dann auch Mutter manches allerliebsten kaninchengrauen Kätzchens geworden war, verlangte sie, gleich den feinen Damen, allzeit eine Amme für ihre Kinder; und da die Nachbarskatzen sich nur selten zu diesem Dienst verstehen wollten, so sind fast alle ihre kleinen Ebenbilder elendiglich zugrunde gegangen. Nur einen kleinen weißen Kater zog sie wirklich groß, welcher wegen seines grimmigen Aussehens »der weiße Bär« genannt wurde und nachher aber eine Katze war.

Später, da schon zwei kleine Buben lustig durch Haus und Garten tobten, waren drei Katzen in der Wirtschaft; nämlich außer den vorbenannten noch ein Sohn des weißen Bären, genannt »der schwarze Kater«, ein großer ungebärdiger Geselle; vielleicht ein Held, aber jedenfalls ein Scheusal, von dem nicht viel zu sagen, als daß er, besonders in der schönen Frühlingszeit, unter schauderhaftem Geheul gegen alle Nachbarskater zu Felde lag, daß er stets mit einem blutigen Auge und zerfetztem Fell umherlief und außerdem noch seine kleinen Herren biß und kratzte.

Von der Großmutter, der Manschettenmietze, die nachmals ganz berühmt geworden ist, wäre noch vielerlei zu berichten; da sie aber in der Geschichte, die ich hier am Schluß erzählen will, nur ein einzigmal »Miau« zu sagen hat, so soll's für eine schicklichere Gelegenheit verspart sein.

Es geschah aber, daß unser mit drei Katzen also stattlich begründetes Heimwesen durch den hereingebrochenen Dänenkrieg gar jämmerlich zugrunde ging; meine beiden Knaben und noch ein kleiner dritter, der hinzugekommen war, mußten mit mir und ihrer Mutter in die Fremde wandern, und so gastlich man uns draußen aufnahm, es war doch in den ersten Jahren eine trübe, katzenlose Zeit.

Zwar hatten wir ein Kindermädchen, welches Anna hieß; ihr gutes rundes Gesicht sah allzeit aus, als wäre sie eben vom Torfabladen hergekommen, weshalb die Kinder sie die »schwarze Anna« nannten; aber eine Katze in unser gemietetes Haus zu nehmen, konnten wir noch immer nicht den Mut gewinnen. Da – drei Jahre waren so vergangen – kam von selber eine zugelaufen, ein weiß und schwarz geflecktes Tierchen, schon wohlerzogen und von anschmiegsamer Gemütsart.

Was ist von diesem Käterchen zu sagen? – Zum mindesten der Pyramidenritt.

Da nämlich den beiden größeren Buben das gewöhnliche Zubettegehen doch gar zu simpel war, so hatten sie's erfunden, auf der schwarzen Anna zu Bett zu reiten; derart, daß sie dabei auf ihrer Schulter saßen und die keinen Kinderbeinchen vorn herunterbaumelten. Jetzt aber wurde das um vieles stattlicher; denn eines Abends, da sich die Tür der Schlafkammer öffnete, kam in das Wohnzimmer zum Gutenachtsagen eine vollständige Pyramide hereingeritten: über dem großen Kopf der schwarzen Anna der kleinere des lachenden Jungen, über diesem dann der noch viel kleinere Kopf des Käterchens, das sich ruhig bei den Vorderpfötchen halten und dabei ein gar behaglich und vernehmbares Spinnen ausgehen ließ. – Dreimal ritt diese Pyramide die Runde in der Stube und dann zu Bett.

Es war sehr hübsch; aber es wurde der Tod des kleinen Katers. Die guten Stunden, die er nach solchem Ritt zur Belohnung im Federbett bei seinem jungen Freunde zubringen durfte, hatten ihn so verwöhnt, daß er eines scharfen Wintermorgens, da er am Abend ausgeschlossen worden, tot und steifgefroren im Waschhause aufgefunden wurde.

Und wieder kam eine stille, katzenlose Zeit.

Aber wo fände sich nicht eine Aushilfe! Ich konnte ja vortrefflich Katzen *zeichnen* – und ich zeichnete! Freilich nur mit Feder und Tinte; aber sie wurden ausgeschnitten und aus dem Tuschkasten sauber angemalt: Katzen von allen Farben und Arten, sitzende und springende, auf vieren und auf zweien gehend, Katzen mit einer Maus im Maule und einem Milchtopf in der Pfote, Katzen mit Kätzchen auf dem Arme und einem bunten Vöglein in der Tatze; den Preis über alle aber gewann ein würdig blickender grauer Kater mit rauhem, bärtigem Antlitz. Ihm wurde in einer Kammer, wo die Kinder spielten, aus Bauholz ein eigenes Haus mit Wohn- und Staatsgemächern aufgebaut. Viel Zeit und Mühe war darauf verwandt worden; deshalb erhielt es aber auch das Vorrecht, vor dem zerstörenden Eulbesen der Köchin durch strenges Verbot geschützt zu werden. Es hieß »das Hotel zur schwarzen Anna«; und »der alte Herr«, welchen Namen der Graue sich gar bald erworben hatte, hat lange darin gewohnt. Selten nur verließ er seine angenehmen Räume; desto lieber, da es ihm an Dienerschaft nicht fehlte, versammelte er bei sich die Gesellschaft seiner Freunde und Freundinnen. Dann ging es hoch her; wir haben oft durchs Fenster eingeguckt. Fetter Rahm in Tassenschälchen, Bratwürstchen und gebratene Lerchen wurden immer aufgetragen; den Ehrenplatz zur Rechten des Gastgebers aber hatte allzeit ein allerliebstes weißes Kätzchen mit einem roten Bändchen um den Hals; ob es eine Verwandte oder gar die Tochter desselben gewesen, haben wir nicht erfahren können.

Außer solchen Festen lebte übrigens der alte Herr still für sich weg; nur manchmal liebte er es, aus seinem Hause auf die Spiele der Kinder in der Kammer hinabzublicken, wozu er die bequemste Gelegenheit hatte, da das Hotel »Zur schwarzen Anna« auf einer Fensterbank erbaut war. Dann stieß wohl eins der Kinder das andere an und flüsterte: »Seht, seht! Der alte Herr steht wieder einmal am Fenster!«

Auch seinen Geburtstag sollte er noch erleben. Zu diesem Feste, an welchem alle Kater und Katzen sich zur Gratulation versammeln sollten, bekam ich den Auftrag, sein Brustbild in Lebensgröße zu malen, was dann auch wirklich am Morgen des Festtages, in einen breiten Goldrahmen gefaßt, im Saale des Hotels aufgehangen wurde.

Aber es nimmt alles einmal ein Ende. – Da wir eines Morgens aufgestanden waren, fanden wir ihn tot in seinem Bette. Ob er bei dem letzten leckeren Mahle sich zuviel getan, ob die ihm zugemessene Lebensdauer abgelaufen war – so viel steht fest, was wir hier vor uns sahen, war nur noch seine entseelte Hülle.

Also wurde ein Schächtelchen mit schwarzem Papier beklebt und ausgeschlagen und so ein Sarg daraus gemacht. Der alte Herr wurde hineingelegt und stand zur Parade in dem großen Saale des Hotels, wo von der Wand sein noch in aller Lebensfülle gemaltes Bildnis auf den Sarg herabsah.

Endlich wurde er auf dem Steinhofe – ach, einen Garten hatten wir da draußen nicht! – in das für ihn gegrabene Grab gesenkt und mit einem schweren Steine fest und dauerhaft bedeckt.

– – Aber wer möchte nicht gern wissen, wie die Toten aussehen. – Natürlich wurde der alte Herr nach einem halben Jahr wieder ausgegraben, sehr mit Schimmel überzogen vorgefunden, schaudernd und ganz genau betrachtet und dann endlich noch einmal und auch zum allerletztenmal begraben.

Für Kinder und alte Leute, welch ein erlösender Zauber liegt in dem Begraben!

In der Heimat zur Zeit der Manschettenmietze, als die zwei ältesten Knaben ihre ersten Kittel noch nicht ausgetragen hatten, als sie für den großen Garten, der am Hause war, mit eigenem »Schmierzeug« noch versehen waren – in jener glücklichen Zeit gab es außer Katzen auch noch anderes Getier im Hause. Da war ein kleiner weißer Pudel, welcher »Bube« hieß, aber leider trotz des Tierarztes schon früh an einer Hunde-Kinderkrankheit sterben mußte; dann war ein weißes Kaninchen, welches »Nine« hieß, und außerdem noch eine weiße Taube, welche keinen Namen hatte, sonst aber sehr wohl »Federlos« hätte heißen können.

In dem geräumigen Taubenschlage auf dem Hausboden hatte sie einst mit vielen schönen Gefährten, Hahnenschwänzen und Mohrenköpfen, gewohnt und sich von dort aus lustig mit ihnen über den grünen Gärten in der Luft getummelt; aber eines Nachts war der Marder eingebrochen, und sie allein blieb die Überlebende. Damit sie in dem großen leeren Schlage nicht allzusehr die Einsamkeit empfinde, wurde das Kaninchen ihr zum Gesellen beigegeben, und da weder dieses von ihren Erbsen, noch sie die Hundeblumenblätter des Kaninchens begehrte, so lebten sie wie Geschwister einträchtiglich beisammen. Wenn die Taube von ihren Ausflügen heimkam, klappte Nine allzeit freudig mit den Hinterläufen; denn sie spielten dann Greif oder Haschemännchen miteinander, und da das Kaninchen sehr gut greifen konnte, so geschah es dabei ganz von selber, daß es seiner Freundin einen Mund voll Federn nach dem anderen abbiß. – So wurde sie das Täubchen »Federlos« und konnte nur noch mit den Posen fliegen.

Aber weiter kam es nicht; die Posen sollte sie behalten. Denn da die Knaben eines Morgens in den Schlag hinanstiegen, flatterte das Täubchen Federlos zwar noch um sie herum, Nine aber lag mit ausgestreckten vieren tot und platt am Boden.

Eilig stürmten sie die Treppen hinab und verkündeten im Wohnzimmer ihre Trauerkunde, wo ich ahnungslos bei meine Tasse Tee saß.

Wahrscheinlich hatte Nine sich an Taubenfedern tot gegessen; indessen ich bedachte solches nicht und sagte ohne viel Umstände: »Da habt ihr's wohl verhungern lassen!«

Ob das Gewissen der beiden dennoch nicht ganz rein gewesen? – Aber – hilf Himmel! Wie huben auf dieses Wort die kleinen Kerle an zu schreien! Kein Trost, kein Zuspruch half, die Tränen liefen ihnen stromweis über die Backen.

Da trat mein Freund, der Doktor – der als Primaner einst so schön die Klarinette spielte –, in die Tür. »Hallo! Jungens, was ist da los?«

Die Augen wandten sich zu dem Sprecher, und einen Augenblick lang stockte das Geheul. »Doktor«, rief der eine im wehmütigsten Klagelaut, »unser Nine ist tot!«

»Und wir haben es verhungern lassen!« schrie der andere. – Dann heulten sie beide wieder mit vereinten Kräften.

»Jungens!« rief der Doktor. »Euer Nine wird nicht mehr lebendig! Aber wißt ihr denn das nicht? Wenn es tot ist, so müßt ihr es begraben!«

Begraben! – Das Zauberwort war gesprochen. Das Geschrei verstummte, die Tränen wurden abgewischt, ein wahres Sonnenleuchten verklärte die Gesichter der beiden Kinder. – Schon waren sie aus dem Zimmer und die Bodentreppe hinauf; und nicht lange, so kamen sie fröhlichen Angesichts mit dem Leichnam ihres Nine angezogen; der eine hatte es an den Ohren, der andere an den Hinterläufen. So zogen wir mitsammen in den Garten hinaus.

Als wir auf dem großen Steige waren, begegnete uns die Manschettenmietze. »Miau!« sagte sie, indem sie stehen blieb und uns ansah.

Der Zug hielt; und die Kinder sahen sie wieder an. »Mite«, sagte der Kleine, noch einmal in seinen Klageton verfallend, »unser Nine ist tot!«

Dann setzte der Zug sich wieder in Bewegung, und Mite machte einen Buckel und sprang mit, um dem Begräbnis beizuwohnen.

Der Doktor hatte schon den Spaten in der Hand, und an der Geißblattlaube unter überhängenden Ulmenzweigen wurde nach reiflicher Erwägung die Stätte auserwählt. Da wurde ich von der Magd ins Haus zurückgerufen und überließ dem Doktor allein die Leitung unserer Trauerfeierlichkeit.

Drinnen im Hause erwarteten mich ganz andere Dinge. Da war ein Mann, der hatte einen bösen Schuldner, von dem er weder Kapital noch Zinsen erhalten konnte, und wir sprachen wohl eine halbe Stunde miteinander, auf welche Weise ihm zu beidem zu verhelfen sei.

Als ich dann wieder in den Garten hinauskam, war der Doktor nicht mehr da; auch der Körper des verstorbenen Nine war verschwunden, und der Spaten lehnte an der Planke. Die beiden kleinen Totengräber aber – die natürlich ihr Schmierzeug anhatten – lagen neben der Geißblattlaube auf den Knien und hatten einen kleinen seltsam glänzenden Erdhügel zwischen sich, auf dem sie beide eifrig mit ihren rotkarierten Taschentüchern rieben.

»Was macht ihr da?« fragte ich, indem ich zu ihnen trat; denn diese Sache war mir völlig unverständlich.

Da guckte der Kleine auf. »Papa!« sagte er, und sein Gesicht leuchtete so fröhlich wie droben kaum die liebe Himmelssonne – »wir polieren Nine sein Grab mit Spucke!«

– – Und also endete dies vergnügliche Begräbnis.

Pole Poppenspäler

Ich hatte in meiner Jugend einige Fertigkeit im Drechseln und beschäftigte mich sogar wohl etwas mehr damit, als meinen gelehrten Studien zuträglich war; wenigstens geschah es, daß mich eines Tages der Subrektor bei Rückgabe eines nicht eben fehlerlosen Exerzitiums seltsamerweise fragte, ob ich vielleicht wieder eine Nähschraube zu meiner Schwester Geburtstag gedrechselt hätte. Solche kleine Nachteile wurden indessen mehr als aufgewogen durch die Bekanntschaft mit einem trefflichen Manne, die mir infolge jener Beschäftigung zuteil wurde. Dieser Mann war der Kunstdrechsler und Mechanikus Paul Paulsen, auch deputierter Bürger unserer Stadt. Auf die Bitte meines Vaters, der für alles, was er mich unternehmen sah, eine gewisse Gründlichkeit forderte, verstand er sich dazu, mir die für meine kleinen Arbeiten erforderlichen Handgriffe beizubringen.

Paulsen besaß mannigfache Kenntnisse und war dabei nicht nur von anerkannter Tüchtigkeit in seinem eigenen Handwerk, sondern er hatte auch eine Einsicht in die künftige Entwicklung der Gewerke überhaupt, so daß bei manchem, was jetzt als neue Wahrheit verkündigt wird, mir plötzlich einfällt: das hat dein alter Paulsen ja schon vor vierzig Jahren gesagt. – Es gelang mir bald, seine Zuneigung zu erwerben, und er sah es gern, wenn ich noch außer den festgesetzten Stunden am Feierabend einmal zu ihm kam. Dann saßen wir entweder in der Werkstätte oder sommers – denn unser Verkehr hat jahrelang gedauert – auf der Bank unter der großen Linde seines Gärtchens. In den Gesprächen, die wir dabei führten, oder vielmehr, welche mein älterer Freund dabei mit *mir* führte, lernte ich Dinge kennen und auf Dinge meine Gedanken richten, von denen, so wichtig sie im Leben sind, ich später selbst in meinen Primaner-Schulbüchern keine Spur gefunden habe.

Paulsen war seiner Abkunft nach ein Friese und der Charakter dieses Volksstammes aufs schönste in seinem Antlitz ausgeprägt; unter dem schlichten blonden Haar die denkende Stirn und die blauen, sinnenden Augen; dabei hatte, vom Vater ererbt, seine Stimme noch etwas von dem weichen Gesang seiner Heimatsprache.

Die Frau dieses nordischen Mannes war braun und von zartem Gliederbau, ihre Sprache von unverkennbar süddeutschem Klange. Meine Mutter pflegte von ihr zu sagen, ihre schwarzen Augen könnten einen See ausbrennen, in ihrer Jugend aber sei sie von seltener Anmut gewesen. – Trotz der silbernen Fädchen, die schon ihr Haar durchzogen, war auch jetzt die Lieblichkeit dieser Züge noch nicht verschwunden, und das der Jugend angeborene Gefühl für Schönheit veranlaßte mich bald, ihr, wo ich immer konnte, mit kleinen Diensten und Gefälligkeiten an die Hand zu gehen.

»Da schau' mir nur das Buberl«, sagte sie dann wohl zu ihrem Manne; »wirst doch nit eifersüchtig werden, Paul?«

Dann lächelte Paul. Und aus ihren Scherzworten und aus seinem Lächeln sprach das Bewußtsein innigsten Zusammengehörens.

Sie hatten außer einem Sohne, der damals in der Fremde war, keine Kinder, und vielleicht war ich den beiden zum Teil deshalb so willkommen, zumal Frau Paulsen mir wiederholt versicherte, ich habe gerad' ein so lustiges Naserl wie ihr Joseph. Nicht verschweigen will ich, daß letztere auch eine mir sehr zusagende, in unserer Stadt aber sonst gänzlich unbekannte Mehlspeise zu bereiten verstand und auch nicht unterließ, mich dann und wann darauf zu Gaste zu bitten. – So waren denn dort der Anziehungskräfte für mich genug. Von meinem Vater aber wurde mein Verkehr in dem tüchtigen Bürgerhause gern gesehen. »Sorge nur, daß du nicht lästig fällst!« war das einzige, woran er in dieser Beziehung zuweilen mich erinnerte. Ich glaube indessen nicht, daß ich meinen Freunden je zu oft gekommen bin.

Da geschah es eines Tages, daß in meinem elterlichen Hause einem alten Herrn aus unserer Stadt das neueste und wirklich ziemlich gelungene Werk meiner Hände vorgezeigt wurde.

Als dieser seine Bewunderung zu erkennen gab, bemerkte mein Vater dagegen, daß ich ja aber auch schon seit fast einem Jahre bei Meister Paulsen in der Lehre sei.

»So, so«, erwiderte der alte Herr; »bei Pole Poppenspäler!«

Ich hatte nie gehört, daß mein Freund einen solchen Beinamen führe, und fragte, vielleicht ein wenig naseweis, was das bedeuten solle.

Aber der alte Herr lächelte nur ganz hinterhaltig und wollte keine weitere Auskunft geben. –

Zum kommenden Sonntag war ich von den Paulsenschen Eheleuten auf den Abend eingeladen, um ihnen ihren Hochzeitstag feiern zu helfen. Es war im Spätsommer, und da ich mich frühzeitig auf den Weg gemacht und die Hausfrau noch in der Küche zu wirtschaften hatte, so ging Paulsen mit mir in den Garten, wo wir uns zusammen unter der großen Linde auf die Bank setzten. Mir war das »Pole Poppenspäler« wieder eingefallen, und es ging mir so im Kopfe herum, daß ich kaum auf seine Reden Antwort gab; endlich, da er mich fast ein wenig ernst wegen meiner Zerstreuung zurechtgewiesen hatte, fragte ich ihn geradezu, was jener Beiname zu bedeuten habe.

Er wurde sehr zornig. »Wer hat dich das dumme Wort gelehrt?« rief er, indem er von seinem Sitze aufsprang. Aber bevor ich noch zu antworten vermochte, saß er schon wieder neben mir. »Laß, laß!« sagte er sich besinnend; »es bedeutet ja eigentlich das Beste, was das Leben mir gegeben hat. – Ich will es dir erzählen; wir haben wohl noch Zeit dazu. –

In diesem Haus und Garten bin ich aufgewachsen, meine braven Eltern wohnten hier, und hoffentlich wird einst mein Sohn hier wohnen! – Daß ich ein Knabe war, ist nun schon lange her; aber gewisse Dinge aus jener Zeit stehen noch, wie mit farbigem Stift gezeichnet, vor meinen Augen.

Neben unserer Haustür stand damals eine kleine weiße Bank mit grünen Stäben in den Rück- und Seitenlehnen, von der man nach der einen Seite die lange Straße hinab bis an die Kirche, nach der anderen aus der Stadt hinaus bis in die Felder sehen konnte. An Sommerabenden saßen meine Eltern hier, der Ruhe nach der Arbeit pflegend; in den Stunden vorher aber pflegte ich sie in Beschlag zu nehmen und hier in der freien Luft und unter erquickendem Ausblick nach Ost und West meine Schularbeit anzufertigen.

So saß ich auch eines Nachmittags – ich weiß noch gar wohl, es war im September, eben nach unserem Michaelis-Jahrmarkte – und schrieb für den Rechenmeister meine Algebra-Exempel auf die Tafel, als ich unten von der Straße ein seltsames Gefährt heraufkommen sah. Es war ein zweiräderiger Karren, der von einem kleinen rauhen Pferde gezogen wurde. Zwischen zwei ziemlich hohen Kisten, mit denen er beladen war, saß eine große blonde Frau mit steifen, hölzernen Gesichtszügen und ein etwa neunjähriges Mädchen, das sein schwarzhaariges Köpfchen lebhaft von einer Seite nach der anderen drehte; nebenher ging, den Zügel in der Hand, ein kleiner, lustig blickender Mann, dem unter seiner grünen Schirmmütze, die kurzen schwarzen Haare wie Spieße vom Kopfe abstanden.

So, unter dem Gebimmel eines Glöckchens, das unter dem Halse des Pferdes hing, kamen sie heran. Als sie die Straße vor unserem Hause erreicht hatten, machte der Karren halt. ›Du, Bub‹, rief die Frau zu mir herüber, ›wo ist denn die Schneiderherberg‹?

Mein Griffel hatte schon lange geruht; nun sprang ich eilfertig auf und trat an den Wagen: ›Ihr seid gerad' davor‹, sagte ich und wies auf das alte Haus mit der viereckig geschorenen Linde, das, wie du weißt, noch jetzt hier gegenüberliegt.

Das feine Dirnchen war zwischen den Kisten aufgestanden, streckte das Köpfchen aus der Kapuze ihres verschossenen Mäntelchens und sah mit ihren großen Augen auf mich herab; der Mann aber, mit einem ›Sitz' ruhig, Diendl!‹ und ›Schönen Dank, Bub!‹ peitschte auf den kleinen Gaul und fuhr vor die Tür des bezeichneten Hauses, aus dem auch schon der dicke Herbergsvater in seiner grünen Schürze ihm entgegentrat.

Daß die Ankömmlinge nicht zu den zunftberechtigten Gästen des Hauses gehörten, mußte mir freilich klar sein; aber es pflegten dort – was mir jetzt, wenn ich es bedenke, mit der Reputation des wohlehrsamen Handwerks sich keineswegs reimen will – auch andere, mir viel angenehmere Leute einzukehren. Droben im zweiten Stock, wo noch heute statt der Fenster nur einfache Holzluken auf die Straße gehen, war das hergebrachte Quartier aller fahrenden Musikanten, Seiltänzer oder Tierbändiger, welche in unserer Stadt ihre Kunst zum besten gaben.

Und richtig, als ich am anderen Morgen oben in meiner Kammer vor dem Fenster stand und meinen Schulsack schnürte, wurde drüben eine der Luken aufgestoßen; der kleine Mann mit den schwarzen Haarspießen steckte seinen Kopf ins Freie und dehnte sich mit beiden Armen in die frische Luft hinaus; dann wandte er den Kopf hinter sich nach dem dunkeln Raum zurück, und ich hörte ihn ›Lisei! Lisei!‹ rufen. – Da drängte sich unter seinem Arm ein rosiges Gesichtlein vor, um das wie eine Mähne das schwarze Haar herabfiel. Der Vater wies mit dem Finger nach mir herüber, lachte und zupfte sie ein paarmal an ihren seidenen Strähnen. Was er zu ihr sprach, habe ich nicht verstehen können; aber es mag wohl ungefähr gelautet haben: ›Schau' dir ihn an, Lisei! Kennst ihn noch, den Bub'n von gestern? – Der arme Narr, da muß er nun gleich mit dem Ranzen in die Schule traben! – Was du für ein glückliches Diendl bist, die du allweg nur mit unserem Braunen landab, landauf zu fahren brauchst!‹ – Wenigstens sah die Kleine ganz mitleidig zu mir herüber, und als ich es wagte, ihr freundlich zuzunicken, nickte sie sehr ernsthaft wieder.

Bald aber zog der Vater seinen Kopf zurück und verschwand im Hintergrund seines Bodenraumes. Statt seiner trat jetzt die große blonde Frau zu dem Kinde; sie bemächtigte sich ihres Kopfes und begann ihr das Haar zu strählen. Das Geschäft schien schweigend vollzogen zu werden, und das Lisei durfte offenbar nicht mucksen, obgleich es mehrmals, wenn ihr der Kamm so in den Nacken hinabfuhr, die eckigsten Figuren mit ihrem roten Mäulchen bildete. Nur einmal hob sie den Arm und ließ ein langes Haar über die Linde draußen in die Morgenluft hinausfliegen. Ich konnte von meinem Fenster aus es glänzen sehen; denn die Sonne war eben durch den Herbstnebel gedrungen und schien drüben auf den oberen Teil des Herberghauses.

Auch in den vorhin undurchdringlich dunklen Bodenraum konnte ich jetzt hineinsehen. Ganz deutlich erblickte ich in einem dämmerigen Winkel den Mann an einem Tische sitzen; in seiner Hand blinkte etwas wie Gold oder Silber; dann wieder war's wie ein Gesicht mit einer ungeheuren Nase; aber so sehr ich meine Augen anstrengte, ich vermochte nicht klug daraus zu werden. Plötzlich hörte ich, als wenn etwas Hölzernes in einen Kasten geworfen würde, und nun stand der Mann auf und lehnte aus einer zweiten Luke sich wieder auf die Straße hinaus.

Die Frau hatte indessen der kleinen schwarzen Dirne ein verschossenes rotes Kleidchen angezogen und ihr die Haarflechten wie einen Kranz um das runde Köpfchen gelegt.

Ich sah noch immer hinüber. ›Einmal‹, dachte ich, ›könnte sie doch wieder nicken.‹

– – ›Paul, Paul!‹ hörte ich plötzlich unten aus unserem Hause die Stimme meiner Mutter rufen.

›Ja, ja, Mutter!‹

Es war mir ordentlich wie ein Schrecken in die Glieder geschlagen.

›Nun‹, rief sie wieder, ›der Rechenmeister wird dir schön die Zeit verdeutschen! Weißt du denn nicht, daß es lang' schon sieben geschlagen hat?‹

Wie rasch polterte ich die Treppe hinunter!

Aber ich hatte Glück! Der Rechenmeister war gerade dabei, seine Bergamotten abzunehmen, und die halbe Schule befand sich in seinem Garten, um mit Händen und Mäulern ihm dabei zu helfen. Erst um neun Uhr saßen wir alle mit heißen Backen und lustigen Gesichtern an Tafel und Rechenbuch auf unseren Bänken.

Als ich um elf, die Taschen noch von Birnen starrend, aus dem Schulhofe trat, kam eben der dicke Stadtausrufer die Straße herauf. Er schlug mit dem Schlüssel an sein blankes Messingbecken und rief mit feiner Bierstimme:

›Der Mechanikus und Puppenspieler Herr *Joseph Tendler* aus der Residenzstadt München ist gestern hier angekommen und wird heute abend im Schützenhofsaale seine erste Vorstellung geben. Vorgestellt wird *Pfalzgraf Siegfried und die heilige Genoveva,* Puppenspiel mit Gesang in vier Aufzügen.‹

Dann räusperte er sich und schritt würdevoll in der meinem Heimwege entgegengesetzten Richtung weiter. Ich folgte ihm von Straße zu Straße, um wieder und wieder die entzückende Verkündigung zu hören; denn niemals hatte ich eine Komödie, geschweige denn ein Puppenspiel gesehen. – Als ich endlich umkehrte, sah ich ein rotes Kleidchen mir entgegenkommen; und wirklich, und wirklich, es war die kleine Puppenspielerin; trotz ihres verschossenen Anzuges schien sie mir von einem Märchenglanz umgeben.

Ich faßte mir ein Herz und redete sie an: ›Willst du spazierengehen, Lisei?‹

Sie sah mich mißtrauisch aus ihren schwarzen Augen an. ›Spazieren?‹ wiederholte sie gedehnt. ›Ach, du – du bist g'scheit!‹

›Wohin willst du denn?‹

– ›Zum Ellenkramer will i!‹

›Willst du dir ein neues Kleid kaufen?‹ fragte ich tölpelhaft genug.

Sie lachte laut auf. ›Geh, laß mi aus! – Nein; nur so Fetzeln!‹

›Fetzeln, Lisei?‹

– ›Freili! Halt nur so Resteln zu G'wandl für die Pupp'n; 's kostet immer nit viel!‹

Ein glücklicher Gedanke fuhr mir durch den Kopf. Ein alter Onkel von mir hatte damals am Markt hier eine Ellenwarenhandlung, und sein alter Ladendiener war mein guter Freund. ›Komm mit mir‹, sagte ich kühn; ›es soll dir gar nichts kosten, Lisei!‹

›Meinst?‹ fragte sie noch; dann liefen wir beide nach dem Markt und in das Haus des Onkels. Der alte Gabriel stand wie immer in seinem pfeffer- und salzfarbenen Rock hinter dem Ladentisch, und als ich ihm unser Anliegen deutlich gemacht hatte, kramte er gutmütig einen Haufen ›Rester‹ auf den Tisch zusammen.

›Schau', das hübsch Brinnrot!‹ sagte Lisei und nickte begehrlich nach einem Stückchen französischen Kattuns hinüber.

›Kannst es brauchen?‹ fragte Gabriel. – Ob sie es brauchen konnte! Der Ritter Siegfried sollte ja auf den Abend noch eine neue Weste geschneidert bekommen.

›Aber da gehören auch die Tressen noch dazu‹, sagte der Alte und brachte allerlei Endchen Gold- und Silberflittern. Bald kamen noch grüne und gelbe Seidenläppchen und Bänder, endlich ein ziemlich großes Stück braunen Plüsches. ›Nimm's nur, Kind!‹ sagte Gabriel. ›Das gibt ein Tierfell für eure Genoveva, wenn das alte vielleicht verschossen wäre!‹ Dann packte er die ganze Herrlichkeit zusammen und legte sie der Kleinen in den Arm.

›Und es kost't nix?‹ fragte sie beklommen.

Nein, es kostete nichts. Ihre Augen leuchteten. ›Schön' Dank, guter Mann! Ach, wird der Vater schauen!‹

Hand in Hand, Lisei mit ihrem Päckchen unter dem Arm, verließen wir den Laden; als wir aber in die Nähe unserer Wohnung kamen, ließ sie mich los und rannte über die Straße nach der Schneiderherberge, daß ihr die schwarzen Flechten in den Nacken flogen.

– – Nach dem Mittagessen stand ich vor unserer Haustür und erwog unter Herzklopfen das Wagnis, schon heute zur ersten Vorstellung meinen Vater um das Eintrittsgeld anzugehen; ich war ja mit der Galerie zufrieden, und die sollte für uns Jungens nur einen Doppelschilling kosten. Da, bevor ich's noch bei mir ins reine gebracht hatte, kam das Lisei über die Straße zu mir hergeflogen. ›Der Vater schickt's!‹ sagte sie, und eh' ich mich's versah, war sie wieder fort; aber in meiner Hand hielt ich eine rote Karte, darauf stand mit großen Buchstaben: *Erster Platz.*

Als ich aufblickte, winkte auch von drüben der kleine schwarze Mann mit beiden Armen aus der Bodenluke zu mir herüber. Ich nickte ihm zu; was mußten das für nette Leute sein, diese Puppenspieler! ›Also heute abend‹, sagte ich zu mir selber; ›heute abend und – Erster Platz!‹

– – Du kennst unseren Schützenhof in der Süderstraße; auf der Haustür sah man damals noch einen schön gemalten Schützen in Lebensgröße, mit Federhut und Büchse; im übrigen war aber der alte Kasten damals noch baufälliger, als er heute ist. Die Gesellschaft war bis auf drei Mitglieder herabgesunken; die vor Jahrhunderten von den alten Landesherzögen geschenkten silbernen Pokale, Pulverhörner und Ehrenketten waren nach und nach verschleudert; den großen Garten, der, wie du weißt, auf den Bürgersteig hinausläuft, hatte man zur Schaf- und Ziegengräsung verpachtet. Das alte zweistöckige Haus wurde von niemandem weder bewohnt noch gebraucht; windrissig und verfallen stand es da zwischen den munteren Nachbarhäusern; nur in dem öden, weißgekalkten Saale, der fast das ganze obere Stockwerk einnahm, produzierten mitunter starke Männer oder durchreisende Taschenspieler ihre Künste. Dann wurde unten die große Haustür mit dem gemalten Schützenbruder knarrend aufgeschlossen.

– – Langsam war es Abend geworden; und – das Ende trug die Last, denn mein Vater wollte mich erst fünf Minuten vor dem angesetzten Glockenschlage laufen lassen; er meinte, eine Übung in der Geduld sei sehr vonnöten, damit ich im Theater stillsitze.

Endlich war ich an Ort und Stelle. Die große Tür stand offen, und allerlei Leute wanderten hinein; denn derzeit ging man noch gern zu solchen Vergnügungen; nach Hamburg war eine weite Reise, und nur wenige hatten sich die kleinen Dinge zu Hause durch die dort zu schauenden Herrlichkeiten leid machen können. – Als ich die eichene Wendeltreppe hinaufgestiegen war, fand ich Liseis Mutter am Eingange des Saales an der Kasse sitzen. Ich näherte mich ihr ganz vertraulich und dachte, sie würde mich so recht als einen alten Bekannten begrüßen; aber sie saß stumm und starr und nahm mir meine Karte ab, als wenn ich nicht die geringste Beziehung zu ihrer Familie hätte. – Etwas gedemütigt trat ich in den Saal; der kommenden Dinge harrend, plauderte alles mit halber Stimme durcheinander; dazu fiedelte unser Stadtmusikus mit drei seiner Gesellen. Das erste, worauf meine Augen fielen, war in der Tiefe des Saales ein roter Vorhang oberhalb der Musikantenplätze. Die Malerei in der Mitte desselben stellte zwei lange Trompeten vor, die kreuzweise über einer goldenen Leier lagen; und, was mir damals sehr sonderbar erschien, an dem Mundstück einer jeden hing, wie mit den leeren Augen daraufgeschoben, hier eine finster, dort eine lachend ausgeprägte Maske. – Die drei vordersten Plätze waren schon besetzt; ich drängte mich in die vierte Bank, wo ich einen Schulkameraden bemerkt hatte, der dort neben seinen Eltern saß. Hinter uns bauten sich die Plätze schräg ansteigend in die Höhe, so daß der letzte, die sogenannte Galerie, welche nur zum Stehen war, sich fast mannshoch über dem Fußboden befinden mochte. Auch dort schien es wohlgefüllt zu sein; genau vermochte ich es nicht zu sehen, denn die wenigen Talglichter, welche in Blechlampetten an den beiden Seitenwänden brannten, verbreiteten nur eine schwache Helligkeit; auch dunkelte die schwere Balkendecke des Saales. Mein Nachbar wollte mir eine Schulgeschichte erzählen; ich begriff nicht, wie er an so etwas denken konnte, ich schaute nur auf den Vorhang, der von den Lampen des Podiums und der Musikantenpulte feierlich beleuchtet war. Und jetzt ging ein Wehen über seine Fläche, die geheimnisvolle Welt hinter ihm begann sich schon zu regen; noch einen Augenblick, da erscholl das Läuten eines Glöckchens, und während unter den Zuschauern das summende Geplauder wie mit einem Schlage verstummte, flog der Vorhang in die Höhe. – Ein Blick auf die Bühne versetzte mich um tausend Jahre rückwärts. Ich sah in einen mittelalterlichen Burghof mit Turm und Zugbrücke; zwei kleine ellenlange Leute standen in der Mitte und redeten lebhaft miteinander. Der eine mit dem schwarzen Barte, dem silbernen Federhelm und dem goldgestickten Mantel über dem roten Unterkleide war der Pfalzgraf Siegfried; er wollte gegen die heidnischen Mohren in den Krieg reiten und befahl seinem jungen Hausmeister Golo, der in blauem, silbergesticktem Wamse neben ihm stand, zum Schutze der Pfalzgräfin Genoveva in der

Burg zurückzubleiben. Der treulose Golo aber tat gewaltig wild, daß er seinen guten Herrn so allein in das grimme Schwerterspiel sollte reiten lassen. Sie drehten bei diesen Wechselreden die Köpfe hin und her und fochten heftig und ruckweise mit den Armen. – Da tönten kleine langgezogene Trompetentöne von draußen hinter der Zugbrücke, und zugleich kam auch die schöne Genoveva in himmelblauem Schleppkleide hinter dem Turm hervorgestürzt und schlug beide Arme über des Gemahls Schultern: ›O, mein herzallerliebster Siegfried, wenn dich die grausamen Heiden nur nicht massakrieren!‹ Aber es half ihr nichts; noch einmal ertönten die Trompeten, und der Graf schritt steif und würdevoll über die Zugbrücke aus dem Hof; man hörte deutlich draußen den Abzug des gewappneten Trupps. Der böse Golo war jetzt Herr der Burg. –

Und nun spielte das Stück sich weiter, wie es in deinem Lesebuche gedruckt steht. – Ich war auf meiner Bank ganz wie verzaubert; diese seltsamen Bewegungen, diese feinen oder schnarrenden Puppenstimmchen, die denn doch wirklich aus ihrem Munde kamen – es war ein unheimliches Leben in diesen kleinen Figuren, das gleichwohl meine Augen wie magnetisch auf sich zog.

Im zweiten Aufzuge aber sollte es noch besser kommen. – Da war unter den Dienern auf der Burg einer im gelben Nankinganzug, der hieß Kasperl. Wenn *dieser* Bursche nicht lebendig war, so war noch niemals etwas lebendig gewesen; er machte die ungeheuersten Witze, so daß der ganze Saal vor Lachen bebte; in seiner Nase, die so groß wie eine Wurst war, mußte er jedenfalls ein Gelenk haben; denn wenn er so sein dumm-pfiffiges Lachen herausschüttelte, so schlenkerte der Nasenzipfel hin und her, als wenn auch er sich vor Lustigkeit nicht zu lassen wüßte; dabei riß der Kerl seinen großen Mund auf und knackte, wie eine alte Eule, mit den Kinnbacksknochen. ›Pardauz!‹ schrie es; so kam er immer auf die Bühne gesprungen; dann stellte er sich hin und sprach erst bloß mit seinem großen Daumen; den konnte er so ausdrucksvoll hin und wider drehen, daß es ordentlich ging wie ›Hier nix und da nix! kriegst du nix, so hast du nix!‹ Und dann sein Schielen – das war so verführerisch, daß im Augenblick dem ganzen Publikum die Augen verquer im Kopfe standen. Ich war ganz vernarrt in den lieben Kerl!

Endlich war das Spiel zu Ende, und ich saß wieder zu Hause in unserer Wohnstube und verzehrte schweigend das Aufgebratene, das meine gute Mutter mir warmgestellt hatte. Mein Vater saß im Lehnstuhl und rauchte seine Abendpfeife. ›Nun, Junge‹, rief er, ›waren sie lebendig?‹

›Ich weiß nicht, Vater‹, sagte ich und arbeitete weiter in meiner Schüssel; mir war noch ganz verwirrt zu Sinne.

Er sah mir eine Weile mit seinem klugen Lächeln zu. ›Höre, Paul‹, sagte er dann, ›du darfst nicht zu oft in diesen Puppenkasten; die Dinger könnten dir am Ende in die Schule nachlaufen.‹

Mein Vater hatte nicht unrecht. Die Algebraaufgaben gerieten mir in den beiden nächsten Tagen so mäßig, daß der Rechenmeister mich von meinem ersten Platz herabzusetzen drohte. – Wenn ich in meinem Kopfe rechnen wollte: ›a + b gleich x – c‹, so hörte ich statt dessen vor meinen Ohren die feine Vogelstimme der schönen Genoveva: ›Ach, mein herzallerliebster Siegfried, wenn dich die bösen Heiden nur nicht massakrieren!‹ Einmal – aber es hat's niemand gesehen – schrieb ich sogar ›y + Genoveva‹ auf die Tafel. – Des Nachts in meiner Schlafkammer rief es einmal ganz laut ›Pardauz‹, und mit einem Satz kam der liebe Kasperl in seinem Nankinganzug zu mir ins Bett gesprungen, stemmte seine Arme zu beiden Seiten meines Kopfes in das Kissen und rief grinsend auf mich herabnickend: ›Ach, du lieb's Brüderl! Ach, du herztausig lieb's Brüderl!‹ Dabei hackte er mir mit seiner langen roten Nase in die meine, daß ich davon erwachte. Da sah ich denn freilich, daß es nur ein Traum gewesen war.

Ich verschloß das alles in meinem Herzen und wagte zu Hause kaum den Mund aufzutun von der Puppenkomödie. Als aber am nächsten Sonntag der Ausrufer wieder durch die Straßen ging, an sein Becken schlug und laut verkündigte: ›Heut abend auf dem Schützenhof: Doktor Fausts Höllenfahrt, Puppenspiel in vier Aufzügen!‹ – da war es doch nicht länger auszuhalten. Wie die Katze um den heißen Brei, so schlich ich um meinen Vater herum, und endlich hatte er meinen stummen Blick verstanden. – ›Pole‹, sagte er, ›es könnte dir ein Tropfen Blut vom Herzen gehen; vielleicht ist's die beste Kur, dich einmal gründlich satt zu machen.‹ Damit langte er in die Westentasche und gab mir einen Doppelschilling.

Ich rannte sofort aus dem Hause; erst auf der Straße wurde es mir klar, daß ja noch acht lange Stunden bis zum Anfang der Komödie abzuleben waren. So lief ich denn hinter den Gärten auf den Bürgersteig. Als ich an den offenen Grasgarten des Schützenhofs gekommen war, zog es mich unwillkürlich hinein; vielleicht, daß gar einige Puppen dort oben aus den Fenstern guckten; denn die Bühne lag ja an der Rückseite des Hauses. Aber ich mußte dann erst durch den oberen Teil des Gartens, der mit Linden- und Kastanienbäumen dicht bestanden war. Mir wurde etwas zag zumute; ich wagte doch nicht weiter vorzudringen. Plötzlich erhielt ich von einem großen hier angepflockten Ziegenbock einen Stoß in den Rücken, daß ich um zwanzig Schritt weiterflog. Das half; als ich mich umsah, stand ich schon unter den Bäumen.

Es war ein trüber Herbsttag; einzelne gelbe Blätter sanken schon zur Erde; über mir in der Luft schrien ein paar Strandvögel, die ans Haff hinausflogen; kein Mensch war zu sehen noch zu hören. Langsam schritt ich durch das Unkraut, das auf den Steigen wucherte, bis ich einen schmalen Steinhof erreicht hatte, der den Garten von dem Hause trennte. – Richtig! Dort oben schauten zwei große Fenster in den Hof herab; aber hinter den kleinen in Blei gefaßten Scheiben war es schwarz und leer, keine Puppe war zu sehen. Ich stand eine Weile, mir wurde ganz unheimlich in der mich rings umgebenden Stille.

Da sah ich, wie unten die schwere Hoftür von innen eine Handbreit geöffnet wurde, und zugleich lugte auch ein schwarzes Köpfchen daraus hervor.

›Lisei!‹ rief ich.

Sie sah mich groß mit ihren dunkeln Augen an. ›B'hüt Gott!‹ sagte sie; ›hab' i doch nit gewußt, was da außa rumkraxln tät! Wo kommst denn du daher?‹

›Ich? – Ich geh' spazieren, Lisei. – Aber sag' mir, spielt ihr denn schon jetzt Komödie?‹

Sie schüttelte lachend den Kopf.

›Aber, was machst du denn hier?‹ fragte ich weiter, indem ich über den Steinhof zu ihr trat.

›I wart' auf den Vater‹, sagte sie; ›er ist ins Quartier, um Band und Nagel zu holen; er macht's halt firti für heunt abend.‹

›Bist du denn ganz allein hier, Lisei?‹

– ›O nei; du bist ja aa no da!‹

›Ich meine‹, sagte ich, ›ob nicht deine Mutter oben auf dem Saal ist?‹

Nein, die Mutter saß in der Herberge und besserte die Puppenkleider aus; das Lisei war hier ganz allein.

›Hör'‹, begann ich wieder, ›du könntest mir einen Gefallen tun; es ist unter euren Puppen einer, der heißt Kasperl; den möcht' ich gar zu gern einmal in der Nähe sehen.‹

›Den Wurstl meinst?‹ sagte Lisei und schien sich eine Weile zu bedenken. ›Nu, es ging scho; aber g'schwind mußt sein, eh' denn der Vater wieder da ist!‹

Mit diesen Worten waren wir schon ins Haus getreten und liefen eilig die steile Wendeltreppe hinauf. – Es war fast dunkel in dem großen Saale; denn die Fenster, welche sämtlich nach dem Hofe hinaus lagen, waren von der Bühne verdeckt; nur einzelne Lichtstreifen fielen durch die Spalten des Vorhangs.

›Komm!‹ sagte Lisei und hob seitwärts an der Wand die dort aus einem Teppich bestehende Verkleidung in die Höhe; wir schlüpften hindurch, und da stand ich in dem Wundertempel. – Aber von der Rückseite betrachtet und hier in der Tageshelle sah er ziemlich kläglich aus; ein Gerüst aus Latten und Brettern, worüber einige buntbekleckste Leinwandstücke hingen; das war der Schauplatz, auf welchem das Leben der heiligen Genoveva so täuschend an mir vorübergegangen war.

Doch ich hatte mich zu früh beklagt; dort, an einem Eisendrahte, der vor einer Kulisse nach der Wand hinübergespannt war, sah ich zwei der wunderbaren Puppen schweben; aber sie hingen mit dem Rücken gegen mich, so daß ich sie nicht erkennen konnte.

›Wo sind die anderen, Lisei?‹ fragte ich; denn ich hätte gern die ganze Gesellschaft auf einmal mir besehen.

›Hier im Kast'l‹, sagte Lisei und klopfte mit ihrer kleinen Faust auf eine im Winkel stehende Kiste; ›die zwei da sind scho zug'richt; aber geh nur her dazu und schau's dir a; er is scho dabei; dei Freund, der Kasperl!‹

Und wirklich, er war es selber. ›Spielt denn der heute abend auch wieder mit?‹ fragte ich.

›Freili, der is allimal dabei!‹

Mit untergeschlagenen Armen stand ich und betrachtete meinen lieben lustigen Allerweltskerl. Da baumelte er, an sieben Schnüren aufgehenkt; sein Kopf war vorn übergesunken, daß seine großen Augen auf den Fußboden stierten und ihm die rote Nase wie ein breiter Schnabel auf der Brust lag. ›Kasperle, Kasperle‹, sagte ich bei mir selber, ›wie hängst du da elendiglich!‹ Da antwortete es ebenso: ›Wart' nur, lieb's Brüderl, wart' nur bis heut abend!‹ – War das auch nur so in meinen Gedanken, oder hatte Kasperl selbst zu mir gesprochen?

Ich sah mich um. Das Lisei war fort; sie war wohl vor die Haustür, um die Rückkehr ihres Vaters zu überwachen. Da hörte ich sie eben noch von dem Ausgang des Saales rufen: ›Daß d' mir aber nit an die Puppen rührst!‹ – – Ja – nun konnte ich es aber doch nicht lassen. Leise stieg ich auf eine neben mir stehende Bank und begann erst an der einen, dann an der anderen Schnur zu ziehen; die Kinnladen fingen an zu klappen, die Arme hoben sich, und jetzt fing auch der wunderbare Daumen an, ruckweise hin und her zu schießen. Die Sache machte gar keine Schwierigkeit; ich hatte mir die Puppenspielerei doch kaum so leicht gedacht. – Aber die Arme bewegten sich nur nach vorn und hinten aus; und es war doch gewiß, daß Kasperle sie in dem neulichen Stück auch seitwärts ausgestreckt, ja, daß er sie sogar über dem Kopf zusammengeschlagen hatte! Ich zog an allen Drähten, ich versuchte mit der Hand die Arme abzubiegen; aber es wollte nicht gelingen. Auf einmal tat es einen leisen Krach im Inneren der Figur. ›Halt!‹ dachte ich, ›Hand vom Brett! Da hättest du können Unheil anrichten!‹

Leise stieg ich wieder von meiner Bank herab, und zugleich hörte ich auch Lisei von außen in den Saal treten.

›G'schwind, g'schwind!‹ rief sie und zog mich durch das Dunkel an die Wendeltreppe hinaus; ›'s is eigentli nit recht‹, fuhr sie fort, ›daß i di eilass'n hab'; aber, gel, du hast doch dei Gaudi g'habt!‹

Ich dachte an den leisen Krach von vorhin. ›Ach, es wird ja nichts gewesen sein!‹ Mit dieser Selbsttröstung lief ich die Treppe hinab und durch die Hintertür ins Freie.

So viel stand fest, der Kasper war doch nur eine richtige Holzpuppe; aber das Lisei – was das für eine allerliebste Sprache führte! Und wie freundlich sie mich gleich zu den Puppen mit hinaufgenommen hatte! – Freilich, und sie hatte es ja auch selbst gesagt, daß sie es so heimlich vor ihrem Vater getan, das war nicht völlig in der Ordnung.

Unlieb – zu meiner Schande muß ich's gestehen – war diese Heimlichkeit mir gerade nicht; im Gegenteil, die Sache bekam für mich dadurch noch einen würzigen Beigeschmack, und es muß ein recht selbstgefälliges Lächeln auf meinem Gesicht gestanden haben, als ich durch die Linden- und Kastanienbäume des Gartens wieder nach dem Bürgersteig hinabschlenderte.

Allein zwischen solchen schmeichelnden Gedanken hörte ich von Zeit zu Zeit vor meinem inneren Ohre immer jenen leisen Krach im Körper der Puppe; was ich auch vornahm, den ganzen Tag über konnte ich diesen, jetzt aus meiner eigenen Seele herauftönenden unbequemen Laut nicht zum Schweigen bringen.

Es hatte sieben Uhr geschlagen; im Schützenhofe war heute, am Sonntagabend, alles besetzt; ich stand diesmal hinten, fünf Schuh hoch über dem Fußboden, auf dem Doppelschillingplatze. Die Talglichter brannten in den Blechlampetten, der Stadtmusikus und seine Gesellen fiedelten; der Vorhang rollte in die Höhe.

Ein hochgewölbtes gotisches Zimmer zeigte sich. Vor einem aufgeschlagenen Folianten saß im langen schwarzen Talare der Doktor Faust und klagte bitter, daß ihm all seine Gelehrsamkeit so wenig einbringe; keinen heilen Rock habe er mehr am Leibe, und vor Schulden wisse er sich nicht zu lassen; so wolle er denn jetzo mit der Hölle sich verbinden. – ›Wer ruft nach mir?‹ ertönte zu seiner Linken eine furchtbare Stimme von der Wölbung des Gemaches herab. – ›Faust, Faust, folge nicht!‹ kam eine andere feine Stimme von der Rechten. – Aber Faust verschwor sich den höllischen Gewalten. – ›Weh, weh deiner armen Seele!‹ Wie ein seufzender Windeshauch klang es von der Stimme des Engels; von der Linken schallte eine gellende Lache durchs Gemach. – – Da klopfte es an die Tür. ›Verzeihung, Eure Magnifizenz?‹ Fausts Famulus Wagner war eingetreten. Er bat, ihm für die grobe Hausarbeit die Annahme eines Gehilfen zu gestatten, damit er sich besser aufs Studieren legen könne. ›Es hat sich‹, sagte er, ›ein junger Mann bei mir gemeldet, welcher Kasperl heißt und gar fürtreffliche Qualitäten zu besitzen scheint.‹ – Faust nickte gnädig mit dem Kopfe und sagte: ›Sehr wohl, lieber Wagner, diese Bitte sei Euch gewährt.‹ Dann gingen beide miteinander fort.

›Pardauz!‹ rief es; und da war er. Mit einem Satze kam er auf die Bühne gesprungen, daß ihm das Felleisen auf dem Buckel hüpfte.

– – ›Gott sei gelobt!‹ dachte ich; ›er ist noch ganz gesund; er springt noch ebenso wie vorigen Sonntag in der Burg der schönen Genoveva!‹ Und seltsam, so sehr ich ihn am Vormittage in meinen Gedanken nur für eine schmähliche Holzpuppe erklärt hatte, mit seinem ersten Worte war der ganze Zauber wieder da.

Emsig spazierte er im Zimmer auf und ab. ›Wenn mich jetzt mein Vater-Papa sehen tät‹, rief er, ›der würd' sich was Rechts freuen. Immer pflegt' er zu sagen: Kasperl, mach', daß du dein Sach' in Schwung bringst! – O, jetzund hab' ich's in Schwung; denn ich kann mein Sach' haushoch werfen!‹ – Damit machte er Miene, sein Felleisen in die Höhe zu schleudern; und es flog auch wirklich, da es am Draht gezogen wurde, bis an die Deckenwölbung hinauf; aber – Kasperles Arme waren an seinem Leibe kleben geblieben; es ruckte und ruckte, aber sie kamen um keine Handbreit in die Höhe.

Kasperl sprach und tat nichts weiter. – Hinter der Bühne entstand eine Unruhe, man hörte leise, aber heftig sprechen, der Fortgang des Stückes war augenscheinlich unterbrochen.

Mir stand das Herz still; da hatten wir die Bescherung! Ich wäre gern fortgelaufen, aber ich schämte mich. Und wenn gar dem Lisei meinetwegen etwas geschähe!

Da begann Kasperl auf der Bühne plötzlich ein klägliches Geheule, wobei ihm Kopf und Arme schlaff herunterhingen, und der Famulus Wagner erschien wieder und fragte ihn, warum er denn so lamentiere.

›Ach, mei Zahnerl, mei Zahnerl!‹ schrie Kasperl.

›Guter Freund‹, sagte Wagner, ›so laß Er sich einmal in das Maul sehen!‹ – Als er ihn hierauf bei der großen Nase packte und ihm zwischen die Kinnladen hineinschaute, trat auch der Doktor Faust wieder in das Zimmer. – ›Verzeihen Eure Magnifizenz‹, sagte Wagner, ›ich werde diesen jungen Mann in meinem Dienst nicht gebrauchen können; er muß sofort in das Lazarett geschafft werden!‹

›Is das a Wirtshaus?‹ fragte Kasperle.

›Nein, guter Freund‹, erwiderte Wagner, ›das ist ein Schlachthaus. Man wird Ihm dort einen Weisheitszahn aus der Haut schneiden, und dann wird Er seiner Schmerzen ledig sein.‹

›Ach, du lieb's Herrgotl‹, jammerte Kasperl, ›muß mi arm's Viecherl so ein Unglück treffen! Ein Weisheitszahnerl, sagt Ihr, Herr Famulus? Das hat noch keiner in der Famili gehabt! Da geht's wohl auch mit meiner Kasperlschaft zu End'?‹

›Allerdings, mein Freund‹, sagte Wagner; ›eines Dieners mit Weisheitszähnen bin ich baß entraten; die Dinger sind nur für uns gelehrte Leute. Aber Er hat ja noch einen Bruderssohn, der sich auch bei mir zum Dienst gemeldet hat. Vielleicht‹, und er wandte sich gegen den Doktor Faust, ›erlauben Eure Magnifizenz!‹

Der Doktor Faust machte eine würdige Drehung mit dem Kopfe.

›Tut, was Euch beliebt, mein lieber Wagner‹, sagte er; ›aber stört mich nicht weiter mit Euren Lappalien in meinem Studium der Magie!‹

– – ›Heere, mei Gutester‹, sagte ein Schneidergesell, der vor mir auf der Brüstung lehnte, zu seinem Nachbar, ›das geheert ja nicht zum Stück, ich kenn's, ich hab' es vor ä Weilchen erst in Seiefersdorf gesehn.‹ – Der andere aber sagte nur: ›Halt's Maul, Leipziger!‹ und gab ihm einen Rippenstoß.

– – Auf der Bühne war indessen Kasperle, der zweite, aufgetreten. Er hatte eine unverkennbare Ähnlichkeit mit seinem kranken Onkel, auch sprach er ganz genau wie dieser; nur fehlte ihm der bewegliche Daumen, und in seiner großen Nase schien er kein Gelenk zu haben.

Mir war ein Stein vom Herzen gefallen, als das Stück nun ruhig weiterspielte, und bald hatte ich alles um mich her vergessen. Der teuflische Mephistopheles erschien in seinem feuerfarbenen Mantel, das Hörnchen vor der Stirn, und Faust unterzeichnete mit seinem Blute den höllischen Vertrag:

›Vierundzwanzig Jahre sollst du mir dienen; dann will ich dein sein mit Leib und Seele.‹

Hierauf fuhren beide in des Teufels Zaubermantel durch die Luft davon. Für Kasperle kam eine ungeheure Kröte mit Fledermausflügeln aus der Luft herab. ›Auf dem höllischen Sperling soll ich nach Parma reiten?‹ rief er, und als das Ding wackelnd mit dem Kopfe nickte, stieg er auf und flog den beiden nach.

– – Ich hatte mich ganz hinten an die Wand gestellt, wo ich besser über alle die Köpfe vor mir hinwegsehen konnte. Und jetzt rollte der Vorhang zum letzten Aufzug in die Höhe.

Endlich ist die Frist verstrichen. Faust und Kasper sind beide wieder in ihrer Vaterstadt. Kasper ist Nachtwächter geworden; er geht durch die dunkeln Straßen und ruft die Stunden ab:

›Hört, ihr Herrn, und laßt euch sagen,
Meine Frau hat mich geschlagen;
Hüt't euch vor dem Weiberrock!
Zwölf ist der Klock! Zwölf ist der Klock!‹

Von fern hört man eine Glocke Mitternacht schlagen. Da wankt Faust auf die Bühne; er versucht zu beten, aber nur Heulen und Zähneklappern tönt aus seinem Halse. Von oben ruft eine Donnerstimme:

›*Fauste, Fauste, in aeternum damnatus es!*‹

Eben fuhren in Feuerregen drei schwarzhaarige Teufel herab, um sich des Armen zu bemächtigen, da fühlte ich eins der Bretter zu meinen Füßen sich verschieben. Als ich mich bückte, um es zurechtzubringen, glaubte ich aus dem dunklen Raume unter mir ein Geräusch zu hören; ich horchte näher hin; es klang wie das Schluchzen einer Kinderstimme. – ›Lisei!‹ dachte ich; ›wenn es Lisei wäre!‹ Wie ein Stein fiel meine ganze Untat mir wieder aufs Gewissen; was kümmerte mich jetzt der Doktor Faust und seine Höllenfahrt!

Unter heftigem Herzklopfen drängte ich mich durch die Zuschauer und ließ mich seitwärts an dem Brettergerüst herabgleiten. Rasch schlüpfte ich in den darunter befindlichen Raum, in welchem ich an der Wand entlang ganz aufrecht gehen konnte; aber es war fast dunkel, so daß ich mich an den überall untergestellten Latten und Balken stieß. ›Lisei!‹ rief ich. Das Schluchzen, das ich eben noch gehört hatte, wurde plötzlich still; aber dort in dem tiefsten Winkel sah ich etwas sich bewegen. Ich tastete mich weiter bis an das Ende des Raumes, und – da saß sie, zusammengekauert, das Köpfchen in den Schoß gedrückt.

Ich zupfte sie am Kleide. ›Lisei!‹ sagte ich leise, ›bist du es? Was machst du hier?‹

Sie antwortete nicht, sondern begann wieder vor sich hin zu schluchzen.

›Lisei‹, fragte ich wieder; ›was fehlt dir? So sprich doch nur ein einziges Wort!‹

Sie hob den Kopf ein wenig. ›Was soll i da red'n!‹ sagte sie; ›du weißt's ja von selber, daß du den Wurstl hast verdreht.‹

›Ja, Lisei‹, antwortete ich kleinlaut; ›ich glaub' es selber, daß ich das getan habe.‹

– ›Ja, du! – Und i hab' dir's doch g'sagt!‹

›Lisei, was soll ich tun?‹

– ›Nun, halt nix!‹

›Aber was soll denn daraus werden?‹

– ›Nu, halt aa nix!‹ Sie begann wieder laut zu weinen. ›Aber i – wenn i z'Haus komm – da krieg' i die Peitsch'n!‹

›Du die Peitsche, Lisei!‹ – Ich fühlte mich ganz vernichtet. ›Aber ist dein Vater denn so strenge?‹

›Ach, mei gut's Vaterl!‹ schluchzte Lisei.

Also die Mutter! O, wie ich, außer mir selber, diese Frau haßte, die immer mit ihrem Holzgesicht an der Kasse saß!

Von der Bühne hörte ich Kasperl, den zweiten, rufen: ›Das Stück ist aus! Komm, Gret'l, laß uns Kehraus tanzen!‹ Und in demselben Augenblick begann auch über unseren Köpfen das Scharren und Trappeln mit den Füßen, und bald polterte alles von den Bänken herunter und drängte sich dem Ausgange zu; zuletzt kam der Stadtmusikus mit seinen Gesellen, wie ich aus den Tönen des Brummbasses hörte, mit dem sie beim Fortgehen an den Wänden anstießen. Dann allmählich wurde es still, nur hinten auf der Bühne hörte man noch die Tendlerschen Eheleute miteinander reden und wirtschaften. Nach einer Weile kamen auch sie in den Zuschauerraum; sie schienen erst an den Musikantenpulten, dann an den Wänden die Lichter auszuputzen; denn es wurde allmählich immer finsterer.

›Wenn i nur wüßt', wo die Lisei abblieben ist!‹ hörte ich Herrn Tendler zu seiner an der gegenüberliegenden Wand beschäftigten Frau hinüberrufen.

›Wo soll't sie sein!‹ rief diese wieder; ›'s ist 'n störrig Ding; ins Quartier wird sie gelaufen sein!‹

›Frau‹, antwortete der Mann, ›du bist auch zu wüst mit dem Kind gewesen; sie hat doch halt so a weich's Gemüt!‹

›Ei was‹, rief die Frau; ›ihr' Straf' muß sie hab'n; sie weiß recht gut, daß die schöne Marionett noch von mei'm Vater selig ist! Du wirst sie nit wieder kurieren, und der zweit' Kasper ist doch halt nur ein Notknecht!‹

Die lauten Wechselreden hallten in dem leeren Saale wider. Ich hatte mich neben Lisei hingekauert; wir hatten uns bei den Händen gefaßt und saßen mäuschenstille.

›G'schieht mir aber schon recht‹, begann wieder die Frau, die eben gerade über unseren Köpfen stand, ›warum hab' ich's gelitten, daß du das gotteslästerlich Stück heute wieder aufgeführt hast! Mein Vater selig hat's nimmer wollen in seinen letzten Jahren!‹

›Nu, nu, Resel!‹ rief Herr Tendler von der anderen Wand; ›dein Vater war ein b'sondrer Mann. Das Stück gibt doch allfort eine gute Kassa; und ich mein', es ist doch auch a Lehr' und Beispiel für die vielen Gottlosen in der Welt!‹

›Ist aber bei uns zum letztenmal heut geb'n. Und nu red' mir nit mehr davon!‹ erwiderte die Frau.

Herr Tendler schwieg. – Es schien jetzt nur noch ein Licht zu brennen, und die beiden Eheleute näherten sich dem Ausgange.

›Lisei‹, flüsterte ich, ›wir werden eingeschlossen.‹

›Laß!‹ sagte sie, ›i kann nit; i geh' nit furt!‹

›Dann bleib' ich auch!‹

– ›Aber dei Vater und Mutter!‹

›Ich bleib' doch bei dir!‹

Jetzt wurde die Tür des Saales zugeschlagen – dann ging's die Treppe hinab, und dann hörten wir, wie draußen auf der Straße die große Haustür abgeschlossen wurde.

Da saßen wir denn. Wohl eine Viertelstunde saßen wir so, ohne auch nur ein Wort miteinander zu reden. Zum Glück fiel mir ein, daß sich noch zwei Heißewecken in meiner Tasche befanden, die ich für einen meiner Mutter abgebettelten Schilling auf dem Herwege gekauft und über all dem Schauen ganz vergessen hatte. Ich steckte Lisei den einen in ihre kleinen Hände; sie nahm ihn schweigend, als verstehe es sich von selbst, daß ich das Abendbrot besorge, und wir schmausten eine Weile. Dann war auch das zu Ende. – Ich stand auf und sagte: ›Laß uns hinter die Bühne gehen; da wird's heller sein; ich glaub', der Mond scheint draußen!‹ Und Lisei ließ sich geduldig durch die kreuz und quer stehenden Latten von mir in den Saal hinausleiten.

Als wir hinter der Verkleidung in den Bühnenraum geschlüpft waren, schien dort vom Garten her das helle Mondlicht in die Fenster.

An dem Drahtseil, an dem am Vormittag nur die beiden Puppen gehangen hatten, sah ich jetzt alle, die vorhin im Stück aufgetreten waren. Da hing der Doktor Faust mit seinem scharfen blassen Gesicht, der gehörnte Mephistopheles, die drei kleinen schwarzhaarigen Teufelchen, und dort neben der geflügelten Kröte waren auch die beiden Kasperls. Ganz stille hingen sie da in der bleichen Mondscheinbeleuchtung; fast wie Verstorbene kamen sie mir vor. Der Hauptkasperl hatte zum Glück wieder seinen breiten Nasenschnabel auf der Brust liegen, sonst hätte ich geglaubt, daß seine Blicke mich verfolgen müßten.

Nachdem Lisei und ich eine Weile, nicht wissend, was wir beginnen sollten, an dem Theatergerüst umhergestanden und geklettert waren, lehnten wir uns nebeneinander auf die Fensterbank. – Es war Unwetter geworden; am Himmel, gegen den Mond, stieg eine Wolkenbank empor; drunten im Garten konnte man die Blätter zu Haufen von den Bäumen wehen sehen.

›Guck‹, sagte Lisei nachdenklich, ›wie 's da aufi g'schwomma kimmt! Da kann mei alte gute Bas' nit mehr vom Himm'l abi schaun.‹

›Was für eine Bas', Lisei?‹ fragte ich.

– ›Nun, wo i g'west bin, bis sie halt g'storb'n ist.‹

Dann blickten wir wieder in die Nacht hinaus. – Als der Wind gegen das Haus und auf die kleinen undichten Fensterscheiben stieß, fing hinter mir an dem Drahtseil die stille Gesellschaft mit ihren hölzernen Gliedern an zu klappern. Ich drehte mich unwillkürlich um und sah nun, wie sie, vom Zugwind bewegt, mit den Köpfen wackelten und die steifen Arme und Beine durcheinanderregten. Als aber plötzlich der kranke Kasperl seinen Kopf zurückschlug und mich mit seinen weißen Augen anstierte, da dachte ich, es sei doch besser, ein wenig an die Seite zu gehen.

Unweit vom Fenster, aber so, daß die Kulissen dort vor dem Anblick dieser schwebenden Tänzer schützen mußten, stand die große Kiste; sie war offen; ein paar wollene Decken, vermutlich zum Verpacken der Puppen bestimmt, lagen nachlässig darüberhin geworfen.

Als ich mich eben dorthin begeben hatte, hört ich Lisei vom Fenster her so recht aus Herzensgrunde gähnen.

›Bist du müde?‹ fragte ich.

›O nei‹, erwiderte sie, indem sie ihre Ärmchen fest zusammenschränkte; ›aber i frier' halt!‹

Und wirklich, es war kalt geworden in dem großen leeren Raume, auch mich fror. ›Komm hierher!‹ sagte ich, ›wir wollen uns in die Decken wickeln.‹

Gleich darauf stand Lisei bei mir und ließ sich geduldig von mir in die eine Decke wickeln; sie sah aus wie eine Schmetterlingspuppe, nur daß oben noch das allerliebste Gesichtchen herausguckte. ›Weißt‹, sagte sie und sah mich mit zwei großen müden Augen an, ›i steig' ins Kist'l, da hält's warm!‹

Das leuchtete auch mir ein; im Verhältnis zu der wüsten Umgebung winkte hier sogar ein traulicher Raum, fast wie ein dichtes Stübchen. Und bald saßen wir armen törichten Kinder wohlverpackt und dicht aneinandergeschmiegt in der hohen Kiste. Mit Rücken und Füßen hatten wir uns gegen die Seitenwände gestemmt; in der Ferne hörten wir die schwere Saaltür in den Falzen klappen; wir aber saßen ganz sicher und behaglich.

›Friert dich noch, Lisei?‹ fragte ich.

›Ka bisserl!‹

Sie hatte ihr Köpfchen auf meine Schulter sinken lassen; ihre Augen waren schon geschlossen. ›Was wird mei gut's Vaterl –‹ lallte sie noch; dann hörte ich an ihren gleichmäßigen Atemzügen, daß sie eingeschlafen war.

Ich konnte von meinem Platze aus durch die oberen Scheiben des einen Fensters sehen. Der Mond war aus seiner Wolkenhülle wieder hervorgeschwommen, in der er eine Zeitlang verborgen gewesen war; die alte Bas' konnte jetzt wieder vom Himmel herunterschauen, und ich denke wohl, sie hat's recht gern getan. Ein Streifen Mondlicht fiel auf das Gesichtchen, das nahe an dem meinen ruhte; die schwarzen Augenwimpern lagen wie seidene Fransen auf den Wangen, der kleine rote Mund atmete leise, nur mitunter zuckte noch ein kurzes Schluchzen aus der Brust herauf; aber auch das verschwand; die alte Bas' schaute gar so mild vom Himmel. – Ich wagte mich nicht zu ihren. ›Wie schön müßte es sein‹, dachte ich, ›wenn das Lisei deine Schwester wäre, wenn sie dann immer bei dir bleiben könnte!‹ Denn ich hatte keine Geschwister, und wenn ich auch nach Brüdern kein Verlangen trug, so hatte ich mir doch oft das Leben mit einer Schwester in meinen Gedanken ausgemalt, und konnte es nie begreifen, wenn meine Kameraden mit denen, die sie wirklich besaßen, in Zank und Schlägerei gerieten.

Ich muß über solchen Gedanken doch wohl eingeschlafen sein; denn ich weiß noch, wie mir allerlei wildes Zeug geträumt hat. Mir war, als säße ich mitten in dem Zuschauerraum, die Lichter an den Wänden brannten, aber niemand außer mir saß auf den leeren Bänken. Über meinem Kopfe, unter der Balkendecke des Saales, ritt Kasperl auf dem höllischen Sperling in der Luft herum und rief ein Mal übers andere: ›Schlimm's Brüderl! Schlimm's Brüderl!‹ oder auch mit kläglicher Stimme: ›Mein Arm! Mein Arm!‹

Da wurde ich von einem Lachen aufgeweckt, das über meinem Kopfe erschallte; vielleicht auch von dem Lichtschein, der mir plötzlich in die Augen fiel. ›Nun seh' mir einer dieses Vogelnest!‹ hörte ich die Stimme meines Vaters sagen, und dann etwas barscher: ›Steig' heraus, Junge!‹

Das war der Ton, der mich stets mechanisch in die Höhe trieb. Ich riß die Augen auf und sah meinen Vater und das Tendlersche Ehepaar an unserer Kiste stehen; Herr Tendler trug eine brennende Laterne in der Hand. Meine Anstrengung, mich zu erheben, wurde indessen durch Lisei vereitelt, die, noch immer fortschlafend, mit ihrer ganzen kleinen Last mir auf die Brust gesunken war. Als sich aber jetzt zwei knochige Arme ausstreckten, um sie aus der Kiste herauszuheben, und ich das Holzgesicht der Frau Tendler sich auf uns niederbeugen sah, da schlug ich die Arme so ungestüm um meine kleine Freundin, daß ich dabei der guten Frau fast ihren alten italienischen Strohhut vom Kopfe gerissen hätte.

›Nu, nu, Bub!‹ rief sie und trat einen Schritt zurück; ich aber, aus unserer Kiste heraus, erzählte mit geflügelten Worten, und ohne mich dabei zu schonen, was am Vormittag geschehen war.

›Also, Madame Tendler‹, sagte mein Vater, als ich mit meinem Bericht zu Ende war, und machte zugleich eine sehr verständliche Handbewegung, ›da könnten Sie es mir ja wohl überlassen, dieses Geschäft allein mit meinem Jungen abzumachen.‹

›Ach ja, ach ja!‹ rief ich eifrig, als wenn mir soeben der angenehmste Zeitvertreib verheißen wäre.

Lisei war indessen auch erwacht und von ihrem Vater auf den Arm genommen worden. Ich sah, wie sie die Arme um seinen Hals schlang und ihm bald eifrig ins Ohr flüsterte, bald ihm zärtlich in die Augen sah oder wie beteuernd mit dem Köpfchen nickte. Gleich darauf ergriff auch der Puppenspieler die Hand meines Vaters. ›Lieber Herr‹, sagte er, ›die Kinder bitten füreinander. Mutter, du bist ja auch nit gar so schlimm! Lassen wir es diesmal halt dabei!‹

Madame Tendler sah indes noch immer unbeweglich aus ihrem großen Strohhute. ›Du magst selb schauen, wie du ohne den Kasperl fertig wirst!‹ sagte sie mit einem strengen Blick auf ihren Mann.

In dem Antlitz meines Vaters sah ich ein gewisses lustiges Augenzwinkern, das mir Hoffnung machte, es werde das Unwetter diesmal so an mir vorüberziehen; und als er jetzt sogar versprach, am anderen Tag seine Kunst zur Herstellung des Invaliden aufzubieten, und dabei Madame Tendlers italienischer Strohhut in die holdseligste Bewegung geriet, da war ich sicher, daß wir beiderseits im Trockenen waren.

Bald marschierten wir unten durch die dunkeln Gassen, Herr Tendler mit der Laterne voran, wir Kinder Hand in Hand den Alten nach. – Dann: ›Gut Nacht, Paul! Ach, will i schlaf'n!‹ Und weg war das Lisei; ich hatte gar nicht gemerkt, daß wir schon bei unseren Wohnungen angekommen waren.

Am anderen Vormittage, als ich aus der Schule gekommen war, traf ich Herrn Tendler mit seinem Töchterchen schon in unserer Werkstatt. ›Nun, Herr Kollege‹, sagte mein Vater, der eben das Innere der Puppe untersuchte, ›das sollte denn doch schlimm zugehen, wenn wir zwei Mechanici den Burschen hier nicht wieder auf die Beine brächten!‹

›Gel, Vater‹, rief das Lisei, ›da werd aa die Mutter nit mehr brumm'n.‹

Herr Tendler strich zärtlich über das schwarze Haar des Kindes; dann wendete er sich zu meinem Vater, der ihm die Art der beabsichtigten Reparatur auseinandersetzte. ›Ach, lieber Herr‹, sagte er, ›ich bin kein Mechanikus, den Titel hab' ich nur so mit den Puppen überkommen; ich bin eigentlich meines Zeichens ein Holzschnitzer aus Berchtesgaden. Aber mein Schwiegervater selig – Sie haben gewiß von ihm gehört – das war halt einer, und mein Reserl hat noch allweg ihr klein's Gaudi, daß sie die Tochter vom berühmten Puppenspieler Geißelbrecht ist. Der hat auch die Mechanik in dem Kasperl da g'macht; ich hab' ihm derzeit nur 's G'sichtl ausgeschnitten.‹

›Ei, nun, Herr Tendler‹, erwiderte mein Vater, ›das ist ja auch schon eine Kunst. Und dann – sagt mir nur, wie war's denn möglich, daß Ihr Euch gleich zu helfen wußtet, als die Schandtat meines Jungen da so mitten in dem Stück zum Vorschein kam?‹

Das Gespräch begann mir etwas unbehaglich zu werden; in Herrn Tendlers gutmütigem Angesicht aber leuchtete plötzlich die ganze Schelmerei des Puppenspielers. ›Ja, lieber Herr‹, sagte er, ›da hat man halt für solche Fäll' sein G'spaßerl in der Taschen! Auch ist da noch so ein Bruderssöhnerl, ein Wurstl Nummer zwei, der grad 'ne solche Stimm' hat wie dieser da!‹

Ich hatte indessen die Lisei am Kleid gezupft und war glücklich mit ihr nach unserem Garten entkommen. Hier unter der Linde saßen wir, die auch über uns beide jetzt ihr grünes Dach ausbreitet; nur blühten damals nicht mehr die roten Nelken auf den Beeten dort; aber ich weiß noch wohl, es war ein sonniger Septembernachmittag. Meine Mutter kam aus ihrer Küche und begann ein Gespräch mit dem Puppenspielerkinde; sie hatte denn doch auch so ihre kleine Neugierde.

Wie es denn heiße, fragte sie, und ob es denn schon immer so von Stadt zu Stadt gefahren sei? – – Ja, Lisei heiße es – ich hatte das meiner Mutter auch schon oft genug gesagt –, aber dies sei seine erste Reis', drum könne es auch das Hochdeutsch noch nit so völlig firti krieg'n. – – Ob es denn auch zur Schule gegangen sei? – – Freili; es sei scho zur Schul' gang'n; aber das Nähen und Stricken habe es von seiner alten Bas' gelernt; die habe auch so a Gärtl g'habt, dadrin hätten sie zusammen auf dem Bänkerl gesessen; nun lerne es bei der Mutter, aber die sei gar streng!

Meine Mutter nickte beifällig. – Wie lange ihre Eltern denn wohl hier verweilen würden, fragte sie das Lisei wieder. – – Ja, das wüßt' es nit, das käme auf die Mutter an; doch pflegten sie so ein vier Wochen am Ort zu bleiben. – – Ja, ob's denn auch ein warmes Mäntelchen für die Weiterreise habe? Denn so im Oktober würde es schon kalt auf dem offenen Wägelchen. – – Nun, meinte Lisei, ein Mäntelchen habe sie schon, aber ein dünnes sei es nur; es hab' sie auch schon darin gefroren auf der Herreis'.

Und jetzt befand sich meine gute Mutter auf dem Fleck, wonach ich sie schon lange hatte zusteuern sehen. ›Hör', kleine Lisei‹, sagte sie, ›ich habe einen braven Mantel in meinem Schranke hängen, noch von den Zeiten her, da ich ein schlankes Mädchen war; ich bin aber jetzt herausgewachsen und habe keine Tochter, für die ich ihn noch zurechtschneidern könnte. Komm nur morgen wieder, Lisei, da steckt ein warmes Mäntelchen für dich darin.‹

Lisei wurde rot vor Freude und hatte im Umsehen meiner Mutter die Hand geküßt, worüber diese ganz verlegen wurde; denn du weißt, hierzulande verstehen wir uns schlecht auf solche Narreteien! – Zum Glück kamen jetzt die beiden Männer aus der Werkstatt. ›Für diesmal gerettet‹, rief mein Vater; ›aber – –!‹ Der warnend gegen mich geschüttelte Finger war das Ende meiner Buße.

Fröhlich lief ich ins Haus und holte auf Geheiß meiner Mutter deren großes Umschlagetuch; denn um den kaum Genesenen vor dem zwar wohlgemeinten, aber immerhin unbequemen Zujauchzen der Gassenjugend zu bewahren, das ihn auf seinem Herwege begleitet hatte, wurde der Kasperl jetzt sorgsam eingehüllt; dann nahm Lisei ihn auf den Arm, Herr Tendler das Lisei an der Hand, und so, unter Dankesversicherungen, zogen sie vergnügt die Straße nach dem Schützenhof hinab.

Und nun begann eine Zeit des schönsten Kinderglückes. – Nicht nur am anderen Vormittage, sondern auch an den folgenden Tagen kam das Lisei; denn sie hatte nicht abgelassen, bis ihr gestattet worden, auch selbst an ihrem neuen Mäntelchen zu nähen. Zwar war's wohl mehr nur eine Scheinarbeit, die meine Mutter in ihre kleinen Hände legte; aber sie meinte doch, das Kind müßte recht ordentlich angehalten sein. Ein paarmal setzte ich mich daneben und las aus einem Bande von Weißes ›Kinderfreunde‹ vor, den mein Vater einmal auf einer Auktion für mich gekauft hatte, zum Entzücken Liseis, der solche Unterhaltungsbücher noch unbekannt waren. ›Das ist g'schickt!‹ oder ›Ei du, was geit's für Sachan auf der Welt!‹ Dergleichen Worte rief sie oft dazwischen und legte die Hände mit ihrer Näharbeit in den Schoß. Mitunter sah sie mich auch von unten mit ganz klugen Augen an und sagte: ›Ja, wenn's Geschichtl nur nit derlog'n is!‹ – Mir ist's, als hörte ich es noch heute.«

– – Der Erzähler schwieg, und in seinem schönen männlichen Antlitz sah ich einen Ausdruck stillen Glückes, als sei das alles, was er mir erzählte, zwar vergangen, aber keineswegs verloren. Nach einer Weile begann er wieder.

»Meine Schularbeiten machte ich niemals besser als in jener Zeit; denn ich fühlte wohl, daß das Auge meines Vaters mich strenger als je überwachte, und daß ich mir den Verkehr mit den Puppenspielerleuten nur um den Preis eines strengen Fleißes erhalten könne. ›Es sind reputierliche Leute, die Tendlers‹, hörte ich einmal meinen Vater sagen; ›der Schneiderwirt drüben hat ihnen auch heute ein ordentliches Stübchen eingeräumt; sie zahlen jeden Morgen ihre Zeche; nur, meinte der Alte, sei es leider blitzwenig, was sie draufgehen ließen. – Und das‹, setzte mein Vater hinzu, ›gefällt mir besser als dem Herbergsvater; sie mögen an den Notpfennig denken, was sonst nicht die Art solcher Leute ist.‹ – – Wie gern hörte ich meine Freunde loben! Denn das waren sie jetzt alle; sogar Madame Tendler nickte ganz vertraulich aus ihrem Strohhut, wenn ich – keiner Einlaßkarte mehr bedürftig – abends an ihrer Kasse vorbei in den Saal schlüpfte. – Und wie rannte ich jetzt vormittags aus der Schule! Ich wußte wohl, zu Hause traf ich das Lisei entweder bei meiner Mutter in der Küche, wo sie allerlei kleine Dienste für sie zu verrichten wußte, oder es saß auf der Bank im Garten, mit einem Buche oder mit einer Näharbeit in der Hand. Und bald wußte ich sie auch in meinem Dienste zu beschäftigen; denn nachdem ich mich genügend in den inneren Zusammenhang der Sache eingeweiht glaubte, beabsichtigte ich nichts Geringeres, als nun auch meinerseits ein Marionettentheater einzurichten. Vorläufig begann ich mit dem Ausschnitzen der Puppen, wobei Herr Tendler, nicht ohne eine gutmütige Schelmerei in seinen kleinen Augen, mir in der Wahl des Holzes und der Schnitzmesser mit Rat und Hilfe zur Hand ging; und bald ragte auch in der Tat eine mächtige Kasperlenase aus dem Holzblöckchen in die Welt. Da aber anderseits der Nankinganzug des

›Wurstl‹ mir zu wenig interessant erschien, so mußte indessen das Lisei aus ›Fetzeln‹, die wiederum der alte Gabriel hatte hergeben müssen, gold- und silberbesetzte Mäntel und Wämser für Gott weiß welche andere künftige Puppen anfertigen. Mitunter trat auch der alte Heinrich mit seiner kurzen Pfeife aus der Werkstatt zu uns, ein Geselle meines Vaters, der, solang ich denken konnte, zur Familie gehörte; er nahm mir dann wohl das Messer aus der Hand und gab durch ein paar Schnitte dem Dinge hie und da den rechten Schick. Aber schon wollte meiner Phantasie selbst der Tendlersche Haupt- und Prinzipalkasperl nicht mehr genügen; ich wollte noch ganz etwas anderes leisten; für den meinigen ersann ich noch drei weitere, nie dagewesene und höchst wirkungsvolle Gelenke, er sollte seitwärts mit dem Kinne wackeln, die Ohren hin und her bewegen und die Unterlippe auf- und abklappen können; und er wäre auch jedenfalls ein ganz unerhörter Prachtkerl geworden, wenn er nur nicht schließlich über all seinen Gelenken schon in der Geburt zugrunde gegangen wäre Auch sollte leider weder der Pfalzgraf Siegfried noch irgendein anderer Held des Puppenspiels durch meine Hand zu einer fröhlichen Auferstehung gelangen. – Besser glückte es mir mit dem Bau einer unterirdischen Höhle, in der ich an kalten Tagen mit Lisei auf einem Bänkchen zusammensaß und ihr bei dem spärlichen Lichte, das durch eine oben angebrachte Fensterscheibe fiel, die Geschichten aus dem Weißeschen ›Kinderfreunde‹ vorlas, die sie immer von neuem hören konnte. Meine Kameraden neckten mich wohl und schalten mich einen Mädchenknecht, weil ich, statt wie sonst mit ihnen, jetzt mit der Puppenspielertochter meine Zeit zubrachte. Mich kümmerte das wenig; wußte ich doch, es redete nur der Neid aus ihnen, und wo es mir zu arg wurde, da brauchte ich denn auch einmal ganz wacker meine Fäuste.

– – Aber alles im Leben ist nur für eine Spanne Zeit. Die Tendlers hatten ihre Stücke durchgespielt; die Puppenbühne auf dem Schützenhofe wurde abgebrochen; sie rüsteten sich zum Weiterziehen.

Und so stand ich denn an einem stürmischen Oktobernachmittage draußen vor unserer Stadt auf dem hohen Heiderücken, sah bald traurig auf den breiten Sandweg, der nach Osten in die kahle Gegend hinausläuft, bald sehnsüchtig nach der Stadt zurück, die in Dunst und Nebel in der Niederung lag. Und da kam es herangetrabt, das kleine Wägelchen mit den zwei hohen Kisten darauf und dem munteren braunen Pferde in der Gabeldeichsel. Herr Tendler saß jetzt vorn auf einem Brettchen, hinter ihm Lisei in dem neuen warmen Mäntelchen neben ihrer Mutter. – Ich hatte schon vor der Herberge von ihnen Abschied genommen; dann aber war ich vorausgelaufen, um sie alle noch einmal zu sehen und um Lisei, wozu ich von meinem Vater die Erlaubnis erhalten hatte, den Band von Weißes ›Kinderfreunde‹ als Angedenken mitzugeben; auch eine Tüte mit Kuchen hatte ich um einige ersparte Sonntagssechslinge für sie eingehandelt. ›Halt! Halt!‹ rief ich jetzt und stürzte von meinem Heidehügel auf das Fuhrwerk zu. – Herr Tendler zog die Zügel an, der Braune stand, und ich reichte Lisei meine kleinen Geschenke in den Wagen, die sie neben sich auf den Stuhl legte. Als wir uns aber, ohne ein Wort zu sagen, an beiden Händen griffen, da brachen wir armen Kinder in ein lautes Weinen aus. Doch in demselben Augenblicke peitschte auch schon Herr Tendler auf sein Pferdchen. ›Ade, mein Bub! Bleib brav und dank aa no schön dei'm Vaterl und dei'm Mutterl!‹

›Ade! Ade!‹ rief das Lisei; das Pferdchen zog an, das Glöckchen an seinem Halse bimmelte; ich fühlte die kleinen Hände aus den meinen gleiten, und fort fuhren sie, in die weite Welt hinaus.

Ich war wieder am Rande des Weges emporgestiegen und blickte unverwandt dem Wägelchen nach, wie es durch den stäubenden Sand dahinzog. Immer schwächer hörte ich das Gebimmel des Glöckchens; einmal noch sah ich ein weißes Tüchelchen um die Kisten flattern; dann allmählich verlor es sich mehr in den grauen Herbstnebeln. – Da fiel es plötzlich wie eine Todesangst mir auf das Herz: du siehst sie nimmer, nimmer wieder! – – ›Lisei!‹ schrie ich, ›Lisei!‹ – Als aber dessenungeachtet, vielleicht wegen einer Biegung der Landstraße, der nur noch im Nebel schwimmende Punkt jetzt völlig meinen Augen entschwand, da rannte ich wie unsinnig auf dem Wege hinterdrein. Der Sturm riß mir die Mütze vom Kopfe, meine Stiefel füllten sich mit Sand; aber so weit ich laufen mochte, ich sah nichts anderes als die öde baumlose Gegend und den kalten grauen Himmel, der darüberstand. – Als ich endlich bei einbrechender Dunkelheit zu Hause wieder angelangt war, hatte ich ein Gefühl, als sei die ganze Stadt indessen ausgestorben. Es war eben der erste Abschied meines Lebens.

Wenn in den nun folgenden Jahren der Herbst wiederkehrte, wenn die Krammetsvögel durch die Gärten unserer Stadt flogen und drüben vor der Schneiderherberge die ersten gelben Blätter von den Lindenbäumen wehten, dann saß ich wohl manches Mal auf unserer Bank und dachte, ob nicht endlich einmal das Wägelchen mit dem braunen Pferde wie damals wieder die Straße heraufgebimmelt kommen würde.

Aber ich wartete umsonst; das Lisei kam nicht wieder.

Es war um zwölf Jahre später. – Ich hatte nach der Rechenmeisterschule, wie es damals manche Handwerkersöhne zu tun pflegten, auch noch die Quarta unserer Gelehrtenschule durchgemacht und war dann bei meinem Vater in die Lehre getreten. Auch diese Zeit, in der ich mich, außer meinem Handwerk, vielfach mit dem Lesen guter Bücher beschäftigte, war vorübergegangen. Jetzt, nach dreijähriger Wanderschaft, befand ich mich in einer mitteldeutschen Stadt. Es war streng katholisch dort, und in dem Punkte verstanden sie keinen Spaß; wenn man vor ihren Prozessionen, die mit Gesang und Heiligenbildern durch die Straßen zogen, nicht selbst den Hut abnahm, so wurde er einem auch wohl heruntergeschlagen; sonst aber waren es gute Leute. – Die Frau Meisterin, bei der ich in Arbeit stand, war eine Witwe, deren Sohn gleich mir in der Fremde arbeitete, um die nach den Zunftgesetzen vorgeschriebenen Wanderjahre bei der späteren Bewerbung um das Meisterrecht nachweisen zu können. Ich hatte es gut in diesem Hause; die Frau tat mir, wovon sie wünschen mochte, daß es in der Ferne andere Leute an ihrem Kinde tun möchten, und bald war unter uns das Vertrauen so gewachsen, daß das Geschäft so gut wie ganz in meinen Händen lag. – Jetzt steht unser Joseph dort bei ihrem Sohn in Arbeit, und die Alte, so hat er oft geschrieben, hätschelt mit ihm, als wäre sie die leibhaftige Großmutter zu dem Jungen.

– – Nun, damals saß ich eines Sonntagnachmittags mit meiner Frau Meisterin in der Wohnstube, deren Fenster der Tür des großen Gefangenhauses gegenüberlagen. Es war im Januar; das Thermometer stand zwanzig Grad unter Null; draußen auf der Gasse war kein Mensch zu sehen; mitunter kam der Wind pfeifend von den nahen Bergen herunter und jagte kleine Eisstücke klingend über das Straßenpflaster.

›Da behagt 'n warmes Stübchen und 'n heißes Schälchen Kaffee‹, sagte die Meisterin, indem sie mir die Tasse zum dritten Male vollschenkte.

Ich war ans Fenster getreten. Meine Gedanken gingen in die Heimat; nicht zu lieben Menschen, die hatte ich dort nicht mehr, das Abschiednehmen hatte ich jetzt gründlich gelernt. Meiner Mutter war mir noch vergönnt gewesen selbst die Augen zuzudrücken; vor einigen Wochen hatte ich nun auch den Vater verloren, und bei dem damals noch so langwierigen Reisen hatte ich ihn nicht einmal zu seiner Ruhestatt begleiten können. Aber die väterliche Werkstatt wartete auf den Sohn ihres heimgegangenen Meisters. Indes, der alte Heinrich war noch da und konnte mit Genehmigung der Zunftmeister die Sache schon eine kurze Zeit lang aufrecht halten; und so hatte ich denn auch meiner guten Meisterin versprochen, noch ein paar Wochen bis zum Eintreffen ihres Sohnes bei ihr auszuhalten. Aber Ruhe hatte ich nicht mehr, das frische Grab meines Vaters duldete mich nicht länger in der Fremde.

In diesen Gedanken unterbrach mich eine scharfe scheltende Stimme drüben von der Straße her. Als ich aufblickte, sah ich das schwindsüchtige Gesicht des Gefängnisinspektors sich aus der halbgeöffneten Tür des Gefangenhauses hervorrecken; seine erhobene Faust drohte einem jungen Weibe, das, wie es schien, fast mit Gewalt in diese sonst gefürchteten Räume einzudringen strebte.

›Wird wohl was Liebes drinnen haben‹, sagte die Meisterin, die von ihrem Lehnstuhle aus ebenfalls dem Vorgange zugesehen hatte; ›aber der alte Sünder da drüben hat kein Herz für die Menschheit.‹

›Der Mann tut wohl nur seine Pflicht, Frau Meisterin‹, sagte ich, noch immer in meinen eigenen Gedanken.

›Ich möcht' nicht solche Pflicht zu tun haben‹, erwiderte sie und lehnte sich fast zornig in ihren Stuhl zurück.

Drüben war indes die Tür des Gefangenhauses zugeschlagen, und das junge Weib, nur mit einem kurzen wehenden Mäntelchen um die Schultern und einem schwarzen Tüchelchen um den Kopf geknotet, ging langsam die übereiste Straße hinab. – Die Meisterin und ich waren schweigend auf unserem Platz geblieben; ich glaube – denn auch meine Teilnahme war jetzt erweckt –, es war uns beiden, als ob wir helfen müßten und nur nicht wüßten, wie.

Als ich eben vom Fenster zurücktreten wollte, kam das Weib wieder die Straße herauf. Vor der Tür des Gefangenhauses blieb sie stehen und setzte zögernd einen Fuß auf den zur Schwelle führenden Treppenstein; dann aber wandte sie den Kopf zurück, und ich sah ein junges Antlitz, dessen dunkle Augen mit dem Ausdruck ratlosester Verlassenheit über die leere Gasse streiften; sie schien doch nicht den Mut zu haben, noch einmal der drohenden Beamtenfaust entgegenzutreten. Langsam und immer wieder nach der geschlossenen Tür zurückblickend, setzte sie ihren Weg fort; man sah es deutlich, sie wußte selbst nicht, wohin. Als sie jetzt aber an der Ecke der Gefangenanstalt in das nach der Kirche hinaufführende Gäßchen einbog, riß ich unwillkürlich meine Mütze vom Türhaken, um ihr nachzugehen.

›Ja, ja, Paulsen, das ist das Rechte!‹ sagte die gute Meisterin; ›geht nur, ich werde derweil den Kaffee wieder heißsetzen!‹

Es war grimmig kalt, als ich aus dem Hause trat; alles schien wie ausgestorben; von dem Berge, der am Ende der Straße die Stadt überragt, sah fast drohend der schwarze Tannenwald herab; vor den Fensterscheiben der meisten Häuser saßen die weißen Eisgardinen; denn nicht jeder hatte, wie meine Meisterin, die Gerechtigkeit von fünf Klaftern Holz auf seinem Hause. – Ich ging durch das Gäßchen nach dem Kirchenplatz; und dort vor dem großen hölzernen Kruzifix auf der gefrorenen Erde lag das junge Weib, den Kopf gesenkt, die Hände in den Schoß gefaltet. Ich trat schweigend näher; als sie aber jetzt zu dem blutigen Antlitz des Gekreuzigten aufblickte, sagte ich: ›Verzeiht mir, wenn ich Eure Andacht unterbreche; aber Ihr seid wohl fremd in dieser Stadt?‹

Sie nickte nur, ohne ihre Stellung zu verändern.

›Ich möchte Euch helfen‹, begann ich wieder; ›sagt mir nur, wohin Ihr wollt!‹

›I weiß nit mehr, wohin‹, sagte sie tonlos und ließ das Haupt wieder auf ihre Brust sinken.

›Aber in einer Stunde ist es Nacht; in diesem Totenwetter könnt Ihr nicht länger auf der offenen Straße bleiben!‹

›Der liebi Gott wird helfen‹, hörte ich sie leise sagen.

›Ja, ja‹, rief ich, ›und ich glaube fast, er hat mich selbst zu Euch geschickt!‹

Es war, als habe der stärkere Klang meiner Stimme sie erweckt; denn sie erhob sich und trat zögernd auf mich zu; mit vorgestrecktem Halse näherte sie ihr Gesicht mehr und mehr dem meinen, und ihre Blicke drangen auf mich ein, als ob sie mich damit erfassen wollte. ›Paul!‹ rief sie plötzlich, und wie ein Jubelruf flog das Wort aus ihrer Brust – ›Paul, ja di schickt mir der liebi Gott!‹

Wo hatte ich meine Augen gehabt! Da hatte ich es ja wieder, mein Kindsgespiel, das kleine Puppenspieler-Lisei! Freilich, eine schöne schlanke Jungfrau war es geworden, und auf dem sonst so lachenden Kindergesicht lag jetzt, nachdem der erste Freudenstrahl darüberhin geflogen, der Ausdruck eines tiefen Kummers.

›Wie kommst du so allein hierher, Lisei?‹ fragte ich. ›Was ist geschehen? Wo ist denn dein Vater?‹

›Im Gefängnis, Paul.‹

›Dein Vater, der gute Mann! – Aber komm mit mir; ich stehe hier bei einer braven Frau in Arbeit; sie kennt dich, ich habe ihr oft von dir erzählt.‹

Und Hand in Hand, wie einst als Kinder, gingen wir nach dem Hause meiner guten Meisterin, die uns schon vom Fenster aus entgegensah. ›Das Lisei ist's!‹ rief ich, als wir in die Stube traten, ›denkt Euch, Frau Meisterin, das Lisei!‹

Die gute Frau schlug die Hände über ihre Brust zusammen. ›Heilige Mutter Gottes, bitt' für uns! das Lisei! – also so hat's ausgeschaut! – Aber‹, fuhr sie fort, ›wie kommst denn du mit dem alten Sünder da zusammen?‹ – und sie wies mit dem ausgestreckten Finger nach dem Gefangenhause drüben –, ›der Paulsen hat mir doch gesagt, daß du ehrlicher Leute Kind bist!‹

Gleich darauf aber zog sie das Mädchen weiter in die Stube hinein und drückte sie in ihren Lehnstuhl nieder, und als jetzt Lisei ihre Frage zu beantworten anfing, hielt sie ihr schon eine dampfende Tasse Kaffe an die Lippen.

›Nun trink einmal‹, sagte sie, ›und komm erst wieder zu dir; die Händchen sind dir ja ganz verklommen.‹

Und das Lisei mußte trinken, wobei ihr zwei helle Tränen in die Tasse rollten, und dann erst durfte sie erzählen.

Sie sprach jetzt nicht, wie einst und wie vorhin in der Einsamkeit ihres Kummers, in dem Dialekt ihrer Heimat, nur ein leichter Anflug war ihr davon geblieben; denn waren ihre Eltern auch nicht mehr bis an unsere Küste hier hinabgekommen, so hatten sie sich doch meistens in dem mittleren Deutschland aufgehalten. Schon vor einigen Jahren war die Mutter gestorben. ›Verlaß den Vater nicht!‹ das hatte sie der Tochter im letzten Augenblicke noch ins Ohr geflüstert, ›sein Kindesherz ist zu gut für diese Welt.‹

Lisei brach bei dieser Erinnerung in heftiges Weinen aus; sie wollte nicht einmal von der aufs neue vollgeschenkten Tasse trinken, mit der die Meisterin ihre Tränen zu stillen gedachte, und erst nach einer ziemlichen Weile konnte sie weiterberichten.

Gleich nach dem Tode der Mutter war es ihre erste Arbeit gewesen, an deren Stelle sich die Frauenrollen in den Puppenspielen von ihrem Vater einlernen zu lassen. Dazwischen waren die Bestattungsfeierlichkeiten besorgt und die ersten Seelenmessen für die Tote gelesen; dann, das frische Grab hinter sich lassend, waren Vater und Tochter wiederum ins Land hineingefahren und hatten, wie vorhin, ihre Stücke abgespielt, den verlorenen Sohn, die heilige Genoveva und wie sie sonst noch heißen mögen.

So waren sie gestern auf der Reise in ein großes Kirchdorf gekommen, wo sie ihre Mittagsrast gehalten hatten. Auf der harten Bank vor dem Tische, an welchem sie ihr bescheidenes Mahl verzehrten, war Vater Tendler ein halbes Stündchen in einen festen Schlaf gesunken, während Lisei draußen die Fütterung ihres Pferdes besorgt hatte. Kurz darauf, in wollene Decken wohlverpackt, waren sie aufs neue in die grimmige Winterkälte hinausgefahren.

›Aber wir kamen nit weit‹, erzählte Lisei; ›gleich hinterm Dorf ist ein Landreiter auf uns zugeritten und hat gezetert und gemordiot. Aus dem Tischkasten sollt' dem Wirt ein Beutel mit Geld gestohlen sein, und mein unschuldig's Vaterl war doch allein in der Stube dort gewesen! Ach, wir haben kei Heimat, kei Freund, kei Ehr'; es kennt uns niemand nit!‹

›Kind, Kind‹, sagte die Meisterin, indem sie zu mir hinüberwinkte, ›versündige dich auch nicht!‹

Ich aber schwieg, denn Lisei hatte ja nicht unrecht mit ihrer Klage. – Sie hatten in das Dorf zurückgemußt; das Fuhrwerk mit allem, was daraufgeladen, war vom Schulzen dort zurückgehalten worden; der alte Tendler aber hatte die Weisung erhalten, den Weg zur Stadt neben dem Pferde des Landreiters herzutraben. Lisei, von dem letzteren mehrfach zurückgewiesen, war in einiger Entfernung hinterhergegangen, in der Zuversicht, daß sie wenigstens, bis der liebe Gott die Sache aufkläre, das Gefängnis ihres Vaters werde teilen können. Aber – auf ihr ruhte kein Verdacht; mit Recht hatte der Inspektor sie als eine Zudringliche von der Tür gejagt, die auf ein Unterkommen in seinem Hause nicht den geringsten Anspruch habe.

Lisei wollte das zwar noch immer nicht begreifen; sie meinte, das sei ja härter als alle Strafe, die später doch gewiß den wirklichen Spitzbuben noch ereilen würde; aber, fügte sie gleich hinzu, sie wolle ihm auch so harte Straf' nit wünschen, wenn nur die Unschuld von ihrem guten Vaterl an den Tag komme; ach, der werd's gewiß nit überleben!

Ich besann mich plötzlich, daß ich sowohl dem alten Korporal da drüben als auch dem Herrn Kriminalkommissarius eigentlich ein unentbehrlicher Mann sei; denn dem einen hielt ich seine Spinnmaschinen in Ordnung, dem anderen schärfte ich seine kostbaren Federmesser; durch den einen konnte ich wenigstens Zutritt zu dem Gefangenen erhalten, bei dem anderen konnte ich ein Leumundszeugnis für Herrn Tendler ablegen und ihn vielleicht zur Beschleunigung der Sache veranlassen. Ich bat Lisei, sich zu gedulden, und ging sofort in das Gefangenhaus hinüber.

Der schwindsüchtige Inspektor schalt auf die unverschämten Weiber, die immer zu ihren spitzbübischen Männern oder Vätern in die Zellen wollten. Ich aber verbat mir in betreff meines alten Freundes solche Titel, solange sie ihm nicht durch das Gericht ›von Rechts wegen‹ beigelegt seien, was, wie ich sicher wisse, nie geschehen werde; und endlich, nach einigem Hin- und Widerreden, stiegen wir zusammen die breite Treppe nach dem Oberbau hinauf.

In dem alten Gefangenhause war auch die Luft gefangen, und ein widerwärtiger Dunst schlug uns entgegen, als wir oben durch den langen Korridor schritten, von welchem aus zu beiden Seiten Tür an Tür in die einzelnen Gefangenzellen führte. An einer derselben, fast zu Ende des Ganges, blieben wir stehen; der Inspektor schüttelte sein großes Schlüsselbund, um den rechten herauszufinden; dann knarrte die Tür, und wir traten ein.

In der Mitte der Zelle, mit dem Rücken gegen uns, stand die Gestalt eines kleinen mageren Mannes, der nach dem Stückchen Himmel hinaufzublicken schien, das grau und trübselig durch ein oben in der Mauer angebrachtes Fenster auf ihn herabdämmerte. An seinem Haupte bemerkte ich sogleich die kleinen abstehenden Haarspieße; nur hatten sie, wie jetzt draußen die Natur, sich in die Farbe des Winters gekleidet. Bei unserem Eintritt wandte der kleine Mann sich um.

›Sie kennen mich wohl nicht mehr, Herr Tendler?‹ fragte ich.

Er sah flüchtig nach mir hin. ›Nein, lieber Herr‹, erwiderte er, ›hab' nicht die Ehre.‹

Ich nannte ihm den Namen meiner Vaterstadt und sagte: ›Ich bin der unnütze Junge, der Ihnen damals Ihren kunstreichen Kasperl verdrehte!‹

›O, schad't nichts, gar nichts!‹ erwiderte er verlegen und machte mir einen Diener; ›ist lange schon vergessen.‹

Er hatte offenbar nur halb auf mich gehört; denn seine Lippen bewegten sich, als spräche er zu sich selber von ganz anderen Dingen.

Da erzählte ich ihm, wie ich vorhin sein Lisei aufgefunden habe, und jetzt sah er mich mit offenen Augen an. ›Gott Dank! Gott Dank!‹ sagte er und faltete die Hände. ›Ja, ja, das kleine Lisei und der kleine Paul, die spielten derzeit miteinander! – Der kleine Paul! Seid Ihr der kleine Paul? O, i glaub's Euch schon; das herzige G'sichtl von dem frischen Bub'n, das schaut da no heraus!‹ Er nickte mir so innig zu, daß die weißen Haarspießchen auf seinem Kopfe bebten. ›Ja, ja, da drunten an der See bei euch; wir sind nit wieder hinkommen; das war no gute Zeit dermal; da war aa noch mein Weib, die Tochter vom großen Geißelbrecht, dabei! ‚Joseph!' pflegte sie zu sagen, ‚wenn nur die Menschen aa so Dräht an ihre Köpf hätten, da könnt'st du aa mit ihne ferti werd'n!' – Hätt' sie nur heute noch gelebt, sie hätten mich nicht eingesperrt. Du lieber Gott; ich bin kein Dieb, Herr Paulsen.‹

Der Inspektor, der draußen vor der angelehnten Tür im Gange auf und ab ging, hatte schon ein paarmal mit seinem Schlüsselbunde gerasselt. Ich suchte den alten Mann zu beruhigen und bat ihn, sich bei seinem ersten Verhör auf mich zu berufen, der ich hier bekannt und wohlgeachtet sei.

Als ich wieder zu meiner Meisterin in die Stube trat, rief diese mir entgegen: ›Das ist ein trotziges Mädel, Paulsen; da helft mir nur gleich ein wenig; ich hab' ihr die Kammer zum Nachtquartier geboten; aber sie will fort, in die Bettelherberg oder Gott weiß wohin!‹

Ich fragte Lisei, ob sie ihre Pässe bei sich habe.

›Mein Gott, die hat der Schulz im Dorf uns abgenommen!‹

›So wird kein Wirt dir seine Tür aufmachen‹, sagte ich, ›das weißt du selber wohl.‹

Sie wußte es freilich, und die Meisterin schüttelte ihr vergnügt die Hände. ›Ich denk' wohl‹, sagte sie, ›daß du dein eignes Köpfchen hast; der da hat mir's haarklein erzählt, wie ihr zusammen in der Kiste habt gesessen; aber so leicht wärst du doch nicht von mir fortgekommen.‹

Das Lisei sah etwas verlegen vor sich nieder; dann aber fragte sie mich hastig aus nach ihrem Vater. Nachdem ich ihr Bescheid gegeben hatte, erbat ich mir ein paar Bettstücke von der Meisterin, nahm von den meinigen noch etwas hinzu und trug es selbst hinüber in die Zelle des Gefangenen, wozu ich vorhin von dem Inspektor die Erlaubnis erhalten hatte. – So konnten wir, als nun die Nacht herankam, hoffen, daß im warmen Bett und auf dem besten Ruhekissen, das es in der Welt gibt, auch unseren alten Freund in seiner öden Kammer ein sanfter Schlaf erquicken werde.

Am anderen Vormittage, als ich eben, um zum Herrn Kriminalkommissarius zu gehen, auf die Straße trat, kam von drüben der Inspektor in seinen Morgenpantoffeln auf mich zugeschritten. ›Ihr habt recht gehabt, Paulsen‹, sagte er mit seiner gläsernen Stimme, ›für diesmal ist's kein Spitzbube gewesen; den Richtigen haben sie soeben eingebracht; Euer Alter wird noch heute entlassen werden.‹

Und richtig, nach einigen Stunden öffnete sich die Tür des Gefangenhauses, und der alte Tendler wurde von der kommandierenden Stimme des Inspektors zu uns hinübergewiesen. Da das Mittagessen eben aufgetragen war, so ruhte die Meisterin nicht, bis auch er seinen Platz am Tisch eingenommen hatte; aber er berührte die Speisen kaum, und wie sie sich auch um ihn bemühen mochte, er blieb wortkarg und in sich gekehrt neben seiner Tochter sitzen; nur mitunter bemerkte ich, wie er deren Hand nahm und sie zärtlich streichelte. Da hörte ich draußen vom Tore her ein Glöckchen bimmeln; ich kannte es ganz genau, aber es läutete mir weither aus meiner Kinderzeit.

›Lisei!‹ sagte ich leise.

›Ja, Paul, ich hör' es wohl.‹

Und bald standen wir beide draußen vor der Haustür. Siehe, da kam es die Straße herab, das Wägelchen mit den beiden hohen Kisten, wie ich daheim es mir so oft gewünscht hatte. Ein Bauernbursche ging nebenher mit Zügel und Peitsche in der Hand; aber das Glöckchen bimmelte jetzt am Halse eines kleinen Schimmels.

›Wo ist das Braunchen geblieben?‹ fragte ich Lisei.

›Das Braunchen‹, erwiderte sie, ›das ist uns eines Tages vorm Wagen hingefallen; der Vater hat sogleich den Tierarzt aus dem Dorf geholt; aber es hat nimmer leben können.‹ Bei diesen Worten stürzten ihr die Tränen aus den Augen.

›Was fehlt dir, Lisei?‹ fragte ich, ›es ist ja nun doch alles wieder gut!‹

Sie schüttelte den Kopf. ›Mein Vaterl gefallt mir net! Er ist so still; die Schand', er verwind't es nit.‹ –

– – Und Lisei hatte mit ihren treuen Tochteraugen recht gesehen. Als kaum die beiden in einem kleinen Gasthause untergebracht waren und der Alte schon seine Pläne zur Weiterfahrt entwarf – denn hier wollte er jetzt nicht vor die Leute treten –, da zwang ihn ein Fieber, im Bett zu bleiben. Bald mußten wir einen Arzt holen, und es entwickelte sich ein längeres Krankenlager. In Besorgnis, daß sie dadurch in Not geraten könnten, bot ich Lisei meine Geldmittel zur Hilfe an; aber sie sagte: ›I nimm's ja gern von dir; doch sorg' nur nit, wir sind nit gar so karg.‹ Da blieb mir denn nichts anderes zu tun, als in der Nachtwache mit ihr zu wechseln oder, als es dem Kranken besser ging, am Feierabend ein Stündchen an seinem Bett zu plaudern.

So war die Zeit meiner Abreise herangenaht, und mir wurde das Herz immer schwerer. Es tat mir fast weh, das Lisei anzusehen; denn bald fuhr es ja auch mit seinem Vater von hier wieder in die weite Welt hinaus. Wenn sie nur eine Heimat gehabt hätten! Aber wo waren sie zu finden, wenn ich Gruß und Nachricht zu ihnen senden wollte! Ich dachte an die zwölf Jahre seit unserem ersten Abschied – sollte wieder so lange Zeit vergehen oder am Ende gar das ganze Leben?

›Und grüß' mir aa dein Vaterhaus, wenn du heimkommst!‹ sagte Lisei, da sie am letzten Abend mich an die Haustür begleitet hatte. ›Ich seh's mit mein' Augen, das Bänkerl vor der Tür, die Lind' im Gart'l;

ach, i vergiß es nimmer; so lieb hab' ich's nit wieder g'funden in der Welt!‹

Als sie das sagte, war es mir, als leuchte aus dunkler Tiefe meine Heimat zu mir auf; ich sah die zärtlichen Augen meiner Mutter, das feste ehrliche Antlitz meines Vaters. ›Ach, Lisei‹, sagte ich, ›wo ist denn jetzt mein Vaterhaus! Es ist ja alles öd und leer.‹

Lisei antwortete nicht; sie gab mir nur die Hand und blickte mich mit ihren guten Augen an. Da war mir, als hörte ich die Stimme meiner Mutter sagen: ›Halte diese Hand fest und kehre mit ihr zurück, so hast du deine Heimat wieder!‹ – und ich hielt die Hand fest und sagte: ›Kehr' du mit mir zurück, Lisei, und laß uns zusammen versuchen, ein neues Leben in das leere Haus zu bringen, ein so gutes, wie es die geführt haben, die ja auch dir einst lieb gewesen sind!‹

›Paul‹, rief sie, ›was meinst du? I versteh' di nit.‹

Aber ihre Hand zitterte heftig in der meinen, und ich bat nur: ›Ach, Lisei, versteh' mich doch!‹

Sie schwieg einen Augenblick. ›Paul‹, sagte sie dann, ›i kann nit von mei'm Vaterl gehen.‹

›Der muß ja mit uns, Lisei! Im Hinterhause, die beiden Stübchen, die jetzt leerstehen, da kann er wohnen und wirtschaften; der alte Heinrich hat sein Kämmerchen dicht daneben.‹

Lisei nickte. ›Aber Paul, wir sind landfahrende Leut'. Was werden sie sagen bei dir daheim?‹

›Sie werden mächtig reden, Lisei!‹

›Und du hast nit Furcht davor?‹

Ich lachte nur dazu.

›Nun‹, sagte Lisei, und wie ein Glockenschlag schlug es aus ihrer Stimme, ›wenn *du* sie hast, – i hab schon die Kuraschi!‹

›Aber tust du's denn auch gern?‹

›Ja, Paul, wenn i 's nit gern tät‹ – und sie schüttelte ihr braunes Köpfchen gegen mich –, ›gel, da tät i 's nimmermehr!‹

Und mein Junge«, unterbrach sich hier der Erzähler, »wie einen bei solchen Worten ein Paar schwarze Mädchenaugen ansehen, das sollst du nun noch lernen, wenn du erst ein Stieg Jahre weiter bist!«

»Ja, ja«, dachte ich, »zumal so ein Paar Augen, die einen See ausbrennen können!«

»Und nicht wahr«, begann Paulsen wieder, »nun weißt du auch nachgerade, wer das Lisei ist?«

»Das ist die Frau Paulsen!« erwiderte ich. »Als ob ich das nicht längst gemerkt hätte! Sie sagt ja noch immer ›nit‹ und hat auch noch die schwarzen Augen unter den fein gepinselten Augenbrauen.«

Mein Freund lachte, während ich mir im stillen vornahm, die Frau Paulsen, wenn wir ins Haus zurückkämen, doch einmal recht darauf anzusehen, ob noch das Puppenspieler-Lisei in ihr zu erkennen sei. – »Aber«, fragte ich, »wo ist denn der alte Herr Tendler hingekommen?«

»Mein liebes Kind«, erwiderte mein Freund, »wohin wir schließlich alle kommen. Drüben auf dem grünen Kirchhof ruht er neben unserem alten Heinrich; aber es ist noch einer mehr in sein Grab mit hineingekommen; der andere kleine Freund aus meiner Kinderzeit. Ich will dir's wohl erzählen; nur laß uns ein wenig hinausgehen; meine Frau könnte nachgerade einmal nach uns sehen wollen, und sie soll die Geschichte doch nicht wieder hören.«

Paulsen stand auf, und wir gingen auf den Spazierweg hinaus, der auch hier hinter den Gärten der Stadt entlang führt. Nur wenige Leute kamen uns entgegen; denn es war schon um die Vesperzeit.

»Siehst du« – begann Paulsen seine Erzählung wieder –, »der alte Tendler war derzeit mit unserem Verspruch gar wohl zufrieden; er gedachte meiner Eltern, die er einst gekannt hatte, und er faßte auch zu mir Vertrauen. Überdies war er des Wanderns müde; ja, seit es ihn in die Gefahr gebracht hatte, mit den verworfensten Vagabunden verwechselt zu werden, war in ihm die Sehnsucht nach einer festen Heimat immer mehr heraufgewachsen. Meine gute Meisterin zwar zeigte sich nicht so einverstanden; sie fürchtete, bei allem guten Willen möge doch das Kind des umherziehenden Puppenspielers nicht die rechte Frau für einen seßhaften Handwerksmann abgeben. – Nun, sie ist seit lange schon bekehrt worden!

– – Und so war ich denn nach kaum acht Tagen wieder hier, von den Bergen an die Nordseeküste, in unserer alten Vaterstadt. Ich nahm mit Heinrich die Geschäfte rüstig in die Hand und richtete zugleich die beiden leerstehenden Zimmer im Hinterhause für den Vater Joseph ein. – Vierzehn Tage weiter – es strichen eben die Düfte der ersten Frühlingsblumen über die Gärten –, da kam es die Straße heraufgebimmelt. ›Meister, Meister!‹ rief der alte Heinrich, ›sie kommen, sie kommen!‹ Und da hielt schon das Wägelchen mit den zwei hohen Kisten vor unserer Tür. Das Lisei war da, der Vater Joseph war da, beide mit munteren Augen und roten Wangen; und auch das ganze Puppenspiel zog mit ihnen ein; denn ausdrückliche Bedingung war es, daß dies den Vater Joseph auf sein Altenteil begleiten solle. Das kleine Fuhrwerk wurde in den nächsten Tagen schon verkauft.

Dann hielten wir die Hochzeit! ganz in der Stille; denn Blutsfreunde hatten wir weiter nicht am Ort; nur der Hafenmeister, mein alter Schulkamerad, war als Trauzeuge mit zugegen. Lisei war, wie ihre Eltern, katholisch; daß aber das ein Hindernis für unsere Ehe sein könne, ist uns niemals eingefallen. In den ersten Jahren reiste sie wohl zur österlichen Beichte nach unserer Nachbarstadt, wo, wie du weißt, eine katholische Gemeinde ist; nachher hat sie ihre Kümmernisse nur noch ihrem Manne gebeichtet.

Am Hochzeitsmorgen legte Vater Joseph zwei Beutel vor mir auf den Tisch, einen größeren mit alten Harzdritteln, einen kleinen voll Kremnitzer Dukaten.

›Du hast nit danach fragt, Paul!‹ sagte er. ›Aber so völlig arm is doch mein Lisei dir nit zugebracht. Nimm's! i brauch's allfurt nit mehr.‹ –

Das war der Sparpfennig, von dem mein Vater einst gesprochen, und er kam jetzt seinem Sohne beim Neubeginn seines Geschäfts zu ganz gelegener Zeit. Freilich hatte Liseis Vater damit sein ganzes Vermögen hingegeben und sich selbst der Fürsorge seiner Kinder anvertraut; aber er war dabei nicht müßig; er suchte seine Schnitzmesser wieder hervor und wußte sich bei den Arbeiten in der Werkstatt nützlich zu machen.

Die Puppen nebst dem Theater-Apparat waren in einem Verschlage auf dem Boden des Nebenhauses untergebracht. Nur an Sonntagnachmittagen holte er bald die eine, bald die andere in sein Stübchen herunter, revidierte die Drähte und Gelenke und putzte oder besserte dies und jenes an denselben. Der alte Heinrich stand dann mit seiner kurzen Pfeife neben ihm und ließ sich die Schicksale der Puppen erzählen, von denen fast jede ihre eigene Geschichte hatte; ja, wie es jetzt herauskam, der so wirkungsvoll geschnitzte Kasper hatte einst für seinen jungen Verfertiger sogar den Brautwerber um Liseis Mutter abgegeben. Mitunter wurden zur besseren Veranschaulichung der einen oder anderen Szene auch wohl die Drähte in Bewegung gesetzt; Lisei und ich haben oftmals draußen an den Fenstern gestanden, die schon aus grünem Weinlaub gar traulich auf den Hof hinausschauten; aber die alten Kinder drin waren meist so in ihr Spiel vertieft, daß ihnen erst durch unser Beifallklatschen die Gegenwart der Zuschauer bemerklich wurde. – – Als das Jahr weiterrückte, fand Vater Joseph eine andere Beschäftigung; er nahm den Garten unter seine Obhut, er pflanzte und erntete, und am Sonntage wandelte er, sauber angetan, zwischen den Rabatten auf und ab, putzte an den Rosenbüschen oder band Nelken und Levkoien an seine selbstgeschnitzte Stäbchen.

So lebten wir einig und zufrieden; mein Geschäft hob sich mehr und mehr. Über meine Heirat hatte unsere gute Stadt sich ein paar Wochen lebhaft ausgesprochen; da aber fast alle über die Unvernunft meiner Handlungsweise einig waren und dem Gespräche so die gedeihliche Nahrung des Widerspruchs vorenthalten blieb, so hatte es sich bald selber ausgehungert.

Als es dann abermals Winter wurde, holte Vater Joseph an den Sonntagen auch wieder die Puppen aus ihrem Verschlage herunter, und ich dachte nicht anders, als daß in solchem stillen Wechsel der Beschäftigung ihm auch künftig die Jahre hingehen würden. Da trat er eines Morgens mit gar ernsthaftem Gesicht zu mir in die Wohnstube, wo ich eben allein an meinem Frühstück saß. ›Schwiegersohn‹, sagte er, nachdem er sich wie verlegen ein paarmal mit der Hand durch seine weißen Haarspießchen gefahren war, ›ich kann's doch nit wohl länger ansehen, daß ich alleweil so das Gnadenbrot an euerm Tisch soll essen.‹

Ich wußte nicht, wo das hinaussollte, aber ich fragte ihn, wie er auf solche Gedanken komme; er schaffe ja mit in der Werkstatt, und wenn mein Geschäft jetzt einen größeren Gewinn abwerfe, so sei dies wesentlich der Zins seines eigenen Vermögens, das er an unserem Hochzeitsmorgen in meine Hand gelegt habe.

Er schüttelte den Kopf. Das reiche alles nicht; aber eben jenes kleine Vermögen habe er zum Teil einst in unserer Stadt gewonnen; das Theater sei ja noch vorhanden, und die Stücke habe er auch alle noch im Kopfe.

Da merkte ich's denn wohl, der alte Puppenspieler ließ ihm keine Ruhe; sein Freund, der gute Heinrich, genügte ihm nicht mehr als Publikum, er mußte einmal wieder öffentlich vor versammeltem Volk seine Stücke aufführen.

Ich suchte es ihm auszureden; aber er kam immer wieder darauf zurück. Ich sprach mit Lisei, und am Ende konnten wir nicht umhin, ihm nachzugeben. Am liebsten hätte nun freilich der alte Mann gesehen, wenn Lisei wie vor unserer Verheiratung die Frauenrollen in seinen Stücken gesprochen hätte; aber wir waren übereingekommen, seine dahinzielenden Anspielungen nicht zu verstehen; für die Frau eines Bürgers und Handwerksmeisters wollte sich das denn doch nicht ziemen.

Zum Glück – oder, wie man will, zum Unglück – war derzeit ein ganz reputierliches Frauenzimmer in der Stadt, die einst bei einer Schauspielertruppe als Souffleuse gedient hatte und daher in derlei Dingen nicht unbewandert war. Diese – Kröpel-Lieschen nannten sie die Leute von wegen ihrer Kreuzlahmheit – ging sofort auf unser Anerbieten ein, und bald entwickelte sich am Feierabend und an den Sonntagnachmittagen die lebhafteste Tätigkeit in Vaters Josephs Stübchen. Während vor dem einen Fenster der alte Heinrich an den Gerüststücken des Theaters zimmerte, stand vor dem anderen zwischen frisch angemalten Kulissen, die von der Zimmerdecke herunterhingen, der alte Puppenspieler und exerzierte mit Kröpel-Lieschen eine Szene nach der anderen. Sie sei ein dreimal gewürztes Frauenzimmer, versicherte er stets nach solcher Probe; nicht einmal die Lisei hab' es so schnell kapiert; nur mit dem Singen ginge es nit gar so schön; sie grunze mit ihrer Stimme immer in der Tiefe, was für die schöne Susanne, die das Lied zu singen habe, nicht eben harmonierlich sei.

Endlich war der Tag der Aufführung festgesetzt. Es sollte alles möglichst reputierlich vor sich gehen; nicht auf dem Schützenhofe, sondern auf dem Rathaussaale, wo auch die Primaner um Michaelis ihre Redeübungen hielten, sollte jetzt der Schauplatz sein; und als am Sonnabendnachmittage unsere guten Bürger ihr frisches Wochenblättchen auseinanderfalteten, sprang ihnen in breiten Lettern die Anzeige in die Augen:

›Morgen Sonntagabend sieben Uhr auf dem Rathaussaale *Marionetten-Theater* des Mechanikus *Joseph Tendler* hieselbst. *Die schöne Susanna,* Schauspiel mit Gesang in vier Aufzügen.‹

Es war aber damals in unserer Stadt nicht mehr die harmlose schaulustige Jugend aus meinen Kinderjahren; die Zeiten des Kosakenwinters lagen dazwischen, und namentlich war unter den Handwerkslehrlingen eine arge Zügellosigkeit eingerissen; die früheren Liebhaber unter den Honoratioren aber hatten ihre Gedanken jetzt auf andere Dinge. Dennoch wäre vielleicht alles gut gegangen, wenn nur der schwarze Schmidt und seine Jungen nicht gewesen wären.« – –

Ich fragte Paulsen, wer das sei, denn ich hatte niemals von einem solchen Menschen in unserer Stadt gehört.

»Das glaub' ich wohl«, erwiderte er, »der schwarze Schmidt ist schon vor Jahren im Armenhaus verstorben; damals aber war er Meister gleich mir; nicht ungeschickt, aber liederlich in seiner Arbeit wie im Leben; der sparsame Verdienst des Tages wurde abends im Trunk und Kartenspiel vertan. Schon gegen meinen Vater hatte er einen Haß gehabt, nicht allein, weil dessen Kundschaft die seinige bei weitem überstieg, sondern schon aus der Jugend her, wo er dessen Nebenlehrling gewesen und wegen eines schlechten Streiches gegen ihn vom Meister fortgejagt worden war. Seit dem Sommer hatte er Gelegenheit gefunden, diese Abneigung in erhöhtem Maße auch auf mich auszudehnen; denn bei der damals hier neu errichteten Kattunfabrik war, trotz seiner eifrigen Bemühung um dieselbe, die Arbeit an den Maschinen allein mir übertragen worden, infolgedessen er und seine beiden Söhne, die bei dem Vater in Arbeit standen und diesen an wüstem Treiben womöglich überboten, schon nicht verfehlt hatten, mir ihren Verdruß durch allerlei Neckereien kundzugeben. Ich hatte indessen jetzt keine Gedanken an diese Menschen.

So war der Abend der Aufführung herangekommen. Ich hatte noch an meinen Büchern zu ordnen und habe, was geschah, erst später durch meine Frau und Heinrich erfahren, welche zugleich mit unserem Vater nach dem Rathaussaale gingen.

Der erste Platz dort war fast gar nicht, der zweite nur mäßig besetzt gewesen; auf der Galerie aber hatte es Kopf an Kopf gestanden. – Als man vor diesem Publikum das Spiel begonnen, war anfänglich alles in der Ordnung vorgegangen; die alte Lieschen hatte ihren Part fest und ohne Anstoß hingeredet. – Dann aber kam das unglückselige Lied! Sie bemühte sich vergebens, ihrer Stimme einen zarteren Klang zu geben;

wie Vater Joseph vorhin gesagt hatte, sie grunzte wirklich in der Tiefe. Plötzlich rief eine Stimme von der Galerie: ›Höger up, Kröpel-Lieschen! Hög erup!‹ Und als sie, diesem Rufe gehorsam, die unerreichbaren Diskanttöne zu erklettern strebte, da scholl ein rasendes Gelächter durch den Saal.

Das Spiel auf der Bühne stockte, und zwischen den Kulissen heraus rief die bebende Stimme des alten Puppenspielers: ›Meine Herrschaft'n, i bitt g'wogentlich um Ruhe!‹ Kasperl, den er eben an seinen Drähten in der Hand hielt und der mit der schönen Susanna eine Szene hatte, schlenkerte krampfhaft mit seiner kunstvollen Nase.

Neues Gelächter war die Antwort. ›Kasperl soll singen!‹ – ›Russisch! Schöne Minka, ich muß scheiden!‹ – ›Hurra für Kasperl!‹ – ›Nichts doch; Kasperl sein' Tochter soll singen!‹ – ›Jawohl, wischt euch's Maul! Die ist Frau Meisterin geworden, die tut's halt nimmermehr!‹

So ging's noch eine Weile durcheinander. Auf einmal flog, in wohlgezieltem Wurfe, ein großer Pflasterstein auf die Bühne. Er hatte die Drähte des Kasperl getroffen; die Figur entglitt der Hand ihres Meisters und fiel zu Boden.

Vater Joseph ließ sich nicht mehr halten. Trotz Liseis Bitten hat er gleich darauf die Puppenbühne betreten. – Donnerndes Händeklatschen, Gelächter, Fußtrampeln empfing ihn, und es mag sich freilich seltsam genug präsentiert haben, wie der alte Mann, mit dem Kopf oben in den Soffitten, unter lebhaftem Händeklatschen seinem gerechten Zorne Luft zu machen suchte. – Plötzlich, unter allem Tumult, fiel der Vorhang; der alte Heinrich hatte ihn herabgelassen.

– – Mich hatte indes zu Hause bei meinen Büchern eine gewisse Unruhe befallen; ich will nicht sagen, daß mir Unheil ahnte, aber es trieb mich dennoch fort, den Meinigen nach. – Als ich die Treppe zum Rathaussaal hinaufsteigen wollte, drängte eben die ganze Menge von oben mir entgegen. Alles schrie und lachte durcheinander. ›Hurra! Kasper is dod! Lott is dod. Die Kamedie ist zu End!‹ – Als ich aufsah, erblickte ich die schwarzen Gesichter der Schmidt-Jungen über mir. Sie waren augenblicklich still und rannten an mir vorbei zur Tür hinaus; ich aber hatte für mich jetzt die Gewißheit, wo die Quelle dieses Unfugs zu suchen war.

Oben angekommen, fand ich den Saal fast leer. Hinter der Bühne saß mein alter Schwiegervater wie gebrochen auf einem Stuhl und hielt mit beiden Händen sein Gesicht bedeckt. Lisei, die auf den Knien vor ihm lag, richtete sich, da sie mich gewahrte, langsam auf. ›Nun, Paul‹, fragte sie, mich traurig ansehend, ›hast du noch die Kuraschi?‹

Aber sie mußte wohl in meinen Augen gelesen haben, daß ich sie noch hatte; denn bevor ich noch antworten konnte, lag sie schon an meinem Halse. ›Laß uns nur fest zusammenhalten, Paul!‹ sagte sie leise.

– – Und siehst du! Damit und mit ehrlicher Arbeit sind wir durchgekommen.

– – Als wir am anderen Morgen aufgestanden waren, da fanden wir jenes Schimpfwort ›Pole Poppenspäler‹ – denn ein Schimpfwort sollte es ja sein – mit Kreide auf unsere Haustür geschrieben. Ich aber habe es ruhig ausgewischt, und als es dann später noch ein paarmal an öffentlichen Orten wieder lebendig wurde, da habe ich einen Trumpf daraufgesetzt; und weil man wußte, daß ich nicht spaße, so ist es danach stillgeworden. – – Wer dir es jetzt gesagt hat, der wird nichts Böses damit gemeint haben; ich will seinen Namen auch nicht wissen.

Unser Vater Joseph aber war seit jenem Abend nicht mehr der Alte. Vergebens zeigte ich ihm die unlautere Quelle jenes Unfugs und daß derselbe ja mehr gegen mich als gegen ihn gerichtet gewesen sei. Ohne unser Wissen hatte er bald darauf alle seine Marionetten auf eine öffentliche Auktion gegeben, wo sie zum Jubel der anwesenden Jungen und Trödelweiber um wenige Schillinge versteigert waren; er wollte sie niemals wiedersehen. – Aber das Mittel dazu war schlecht gewählt; denn als die Frühlingssonne erst wieder in die Gassen schien, kam von den verkauften Puppen eine nach der anderen aus den dunkeln Häusern an das Tageslicht. Hier saß ein Mädchen mit der heiligen Genoveva auf der Haustürschwelle, dort ließ ein Junge den Doktor Faust mit seinem schwarzen Kater reiten; in einem Garten in der Nähe des Schützenhofes hing eines Tages der Pfalzgraf Siegfried neben dem höllischen Sperling als Vogelscheuche in einem Kirschbaume. Unserem Vater tat die Entweihung seiner Lieblinge so weh, daß er zuletzt kaum noch Haus und Garten bei uns verlassen mochte. Ich sah es deutlich, daß dieser übereilte Verkauf an seinem Herzen nagte, und es gelang mir, die eine und die andere Puppe zurückzukaufen; aber als ich sie ihm brachte, hatte er keine Freude daran; das Ganze war ja überdies zerstört. Und, seltsam, trotz aller aufgewendeten Mühe konnte ich nicht erfahren, in welchem Winkel sich die wertvollste Figur von allen, der kunstreiche Kasperl, verborgen hatte. Und was war ohne ihn die ganze Puppenwelt!

Aber vor einem anderen, ernsteren Spiele sollte bald der Vorhang fallen. Ein altes Brustleiden war bei unserem Vater wieder aufgewacht, sein Leben neigte sich augenscheinlich zu Ende. Geduldig und voll Dankbarkeit für jeden kleinen Liebesdienst lag er auf seinem Bette. ›Ja, ja‹, sagte er lächelnd und hob so heiter seine Augen gegen die Bretterdecke des Zimmers, als sähe er durch dieselbe schon in die ewigen Fernen des Jenseits, ›es is scho richtig g'wes'n: mit den Menschen hab' ich nit immer könne firti werd'n; da droben mit den Engeln wird's halt besser gehen; und – auf alle Fäll', Lisei, i find' ja doch die Mutter dort.‹

– – Der gute, kindliche Mann starb; Lisei und ich, wir haben ihn bitterlich vermißt; auch der alte Heinrich, der ihm nach wenigen Jahren folgte, ging an seinen noch übrigen Sonntagnachmittagen umher, als wisse er mit sich selber nicht wohin, als wolle er zu einem, den er doch nicht finden könne.

Den Sarg unseres Vaters bedeckten wir mit allen Blumen des von ihm selbst gepflegten Gartens; schwer von Kränzen wurde er auf den Kirchhof hinausgetragen, wo unweit von der Umfassungsmauer das Grab bereitet war. Als man den Sarg hinabgelassen hatte, trat unser alter Propst an den Rand der Gruft und sprach ein Wort des Trostes und der Verheißung; er war meinen seligen Eltern stets ein treuer Freund und Rater gewesen; ich war von ihm konfirmiert, Lisei und ich von ihm getraut worden. Ringsum auf dem Kirchhofe war es schwarz von Menschen; man schien von dem Begräbnisse des alten Puppenspielers noch ein ganz besonderes Schauspiel zu erwarten. – Und etwas Besonderes geschah auch wirklich; aber es wurde nur von uns bemerkt, die wir der Gruft zunächst standen. Lisei, die an meinem Arme mit hinausgegangen war, hatte eben krampfhaft meine Hand gefaßt, als jetzt der alte Geistliche dem Brauche gemäß den bereitgestellten Spaten ergriff und die erste Erde auf den Sarg hinabwarf. Dumpf klang es aus der Gruft zurück. ›Von der Erden bist du genommen!‹ erscholl jetzt das Wort des Priesters; aber kaum war es gesprochen, als ich von der Umfassungsmauer her über die Köpfe der Menschen etwas auf uns zufliegen sah.

Ich meinte erst, es sei ein großer Vogel; aber es senkte sich und fiel gerade in die Gruft hinab. Bei einem flüchtigen Umblick – denn ich stand etwas erhöht auf der aufgeworfenen Erde – hatte ich einen der Schmidt-Jungen sich hinter die Kirchhofmauer ducken und dann davonlaufen sehen, und ich wußte plötzlich, was geschehen war. Lisei hatte einen Schrei an meiner Seite ausgestoßen, unser alter Propst hielt wie unschlüssig den Spaten zum zweiten Wurfe in den Händen. Ein Blick in das Grab bestätigte meine Ahnung: oben auf dem Sarge, zwischen den Blumen und der Erde, die zum Teil sie schon bedeckte, da hatte er sich hingesetzt, der alte Freund aus meiner Kinderzeit, Kasperl, der kleine lustige Allerweltskerl. – Aber er sah jetzt gar nicht lustig aus; seinen großen Nasenschnabel hatte er traurig auf die Brust gesenkt; der eine Arm mit dem kunstreichen Daumen war gegen den Himmel ausgestreckt; als solle er verkünden, daß, nachdem alle Puppenspiele ausgespielt, da droben nun ein anderes Glück beginnen werde.

Ich sah das alles nur auf einen Augenblick, denn schon warf der Propst die zweite Scholle in die Gruft: ›Und zur Erde wieder sollst du werden!‹ – Und wie es von dem Sarg hinabrollte, so fiel auch Kasperl aus seinen Blumen in die Tiefe und wurde von der Erde überdeckt.

Dann mit dem letzten Schaufelwurf erklang die tröstliche Verheißung: ›Und von der Erden sollst du auferstehen!‹

Als das Vaterunser gesprochen war und die Menschen sich verlaufen hatten, trat der alte Propst zu uns, die wir noch immer in die Grube starrten. ›Es hat eine Ruchlosigkeit sein sollen‹, sagte er, indem er liebreich unsere Hände faßte. ›Laßt *uns* es anders nehmen! In seiner Jugendzeit, wie ihr es mir erzähltet, hat der selige Mann die kleine Kunstfigur geschnitzt, und sie hat einst sein Eheglück begründet; später, sein ganzes Leben lang, hat er durch sie, am Feierabend nach der Arbeit, gar manches Menschenherz erheitert, auch manches Gott und den Menschen wohlgefällige Wort der Wahrheit dem kleinen Narren in den Mund gelegt – ich habe selbst der Sache einmal zugeschaut, da ihr noch beide Kinder waret. – Laßt nun das kleine Werk seinem Meister folgen; das stimmt gar wohl zu den Worten unserer Heiligen Schrift: Und seid getrost; denn die Guten werden ruhen von ihrer Arbeit.‹

– Und so geschah es. Still und friedlich gingen wir nach Hause; den kunstreichen Kasperl aber und unseren guten Vater Joseph haben wir niemals wiedergesehen.

– – Alles das«, setzte nach einer Weile mein Freund hinzu, »hat uns manches Weh bereitet; aber gestorben sind wir beiden jungen Leute nicht daran. Nicht lange nachher wurde unser Joseph uns geboren, und wir hatten nun alles, was zu einem vollen Menschenglück gehört. An jene Vorgänge aber werde ich noch jetzt Jahr um Jahr durch den ältesten Sohn des schwarzen Schmidt erinnert. Er ist einer jener ewig wandernden Handwerksgesellen geworden, die, verlumpt und verkommen, ihr elendes Leben von den Geschenken fristen, die nach Zunftgebrauch auf ihre Ansprache die Handwerksmeister ihnen zu verabreichen haben. Auch an meinem Hause geht er nie vorbei!«

Mein Freund schwieg und blickte vor sich in das Abendrot, das dort hinter den Bäumen des Kirchhofs stand; ich aber hatte schon eine Zeitlang über der Gartenpforte, der wir uns jetzt wieder näherten, das freundliche Gesicht der Frau Paulsen nach uns ausblicken sehen. »Hab' ich's nit denkt!« rief sie, als wir nun zu ihr traten. »Was habt ihr wieder für ein Langes abzuhandeln? Aber nun kommt ins Haus! Die Gottesgab' steht auf dem Tisch; der Hafenmeister is auch schon da; und ein Brief vom Joseph und der alt' Meisterin! – – Aber was schaust mi denn so an, Bub?«

Der Meister lächelte. »Ich hab' ihm was verraten, Mutter. Er will nun sehen, ob du auch richtig noch das kleine Puppenspieler-Lisei bist!«

»Ja, freili!« erwiderte sie, und ein Blick voll Liebe flog zu ihrem Mann hinüber. »Schau' nur richti zu, Bub! Und wenn du es nit kannst find'n – der da, der weiß es gar genau!«

Und der Meister legte schweigend seinen Arm um sie. Dann gingen wir ins Haus zur Feier ihres Hochzeitstages. –

Es waren prächtige Leute, der Paulsen und sein Puppenspieler-Lisei.

Nachwort

Als bei Begründung der Zeitschrift »Deutsche Jugend« auch meine Mitarbeiterschaft gewünscht wurde, vermochte ich, ungeachtet meiner Teilnahme für das so reich ausgestattete Unternehmen, dem Verlangen der Herren Herausgeber nach einer novellistischen Arbeit erst nach geraumer Zeit zu genügen.

Die Schwierigkeit der »Jugendschriftstellerei« war in ihrer ganzen Größe vor mir aufgestanden. »Wenn du für die Jugend schreiben willst« – in diesem Paradoxon formulierte es sich mir –, »so darfst du *nicht* für die Jugend schreiben! – Denn es ist unkünstlerisch, die Behandlung eines Stoffes so oder anders zu wenden, je nachdem du dir den großen Peter oder den kleinen Hans als Publikum denkst.«

Durch diese Betrachtungsweise aber wurde die große Welt der Stoffe auf ein nur kleines Gebiet beschränkt. Denn es galt einen Stoff zu finden, der, unbekümmert um das künftige Publikum und nur seinen inneren Erfordernissen gemäß behandelt, gleichwohl, wie für den reifen Menschen, so auch für das Verständnis und die Teilnahme der Jugend geeignet war.

Endlich wurde die vorstehende Erzählung geschrieben. – Ob nun darin die aufgestellte Theorie auch praktisch betätigt worden, oder, wenn dies auch im wesentlichen, ob nicht im einzelnen hie und da die Phantasie mir einen Streich gespielt, so daß ich unbewußt dem zunächst bestimmten jungen Hörerkreise beim Erzählen gegenübergesessen habe – beides wird der geneigte Leser besser als der Verfasser selbst zu beurteilen imstande sein.

Ein paar nicht eben erhebliche Stellen, welche in der Jugendzeitung, wenn auch unter Zustimmung des Verfassers, so doch nach dessen Überzeugung ohne zureichenden Grund, unterdrückt wurden, sind in dem vorstehenden Abdruck wiederhergestellt.

Waldwinkel

Über dem Dache des Rathauses, das zugleich die Wohnung des städtischen Bürgermeisters bildete, kreuzten die ersten Schwalben in der Frühjahrssonne; auf der Vorstraße standen die »Bürgermeistersbuben« und suchten vergebens die Königin der Luft mit den Lehmkugeln ihres Pustrohrs zu erreichen. Drinnen aber in seinem Geschäfts- und Arbeitszimmer saß der Gestrenge selbst, der außer dem genannten Amte auch das eines Gerichtsdirektors und Polizeimeisters in seiner Person vereinigte, vertieft in ein dickes Aktenfaszikel, nicht achtend des heiteren Glanzes, der durch die Fenster zu ihm hereinströmte. Da wurde draußen flüchtig an die Tür gepocht, und auf das verdrossene »Herein!« des Beamten trat ein brauner, stattlicher Mann über die Schwelle, der indes die erste Hälfte der Vierziger schon erreicht haben mochte.

Der Bürgermeister erhob das rote behagliche Gesicht aus seinen Akten, warf einen flüchtigen Blick auf den Eintretenden und sagte, als er die feinere Kleidung desselben bemerkt hatte, mit einer runden Handbewegung: »Wollen Sie gefälligst Platz nehmen; ich werde gleich zu Ihren Diensten sein.« Dann steckte er den Kopf wieder in die Akten.

Der andere aber war einen Schritt näher getreten. »Bist du jetzt immer so fleißig, Fritz?« sagte er. »Du littest ehemals nicht an dieser Krankheit.«

Der Bürgermeister fuhr empor, hakte die Brille von der Nase und starrte den Sprecher aus seinen kleinen gutmütigen Augen an. »Richard, du bist es!« rief er. »Mein Gott, wie gut du mich noch kennst! Und doch, mein Scheitel ist kahl und der Rest des Haares grau geworden! Ja, ja, ein solches Bürgermeisteramt!«

Die kleine beleibte Gestalt war hinter dem Aktentisch hervorgekommen. Voll Erstaunen blickte er in das Antlitz des ihn fast um Kopfeshöhe überragenden Freundes. »Das«, sagte er und tätschelte mit seiner kurzen Hand über das noch glänzend braune Haar desselben, »das ist natürlich nur Perücke; aber die Augen, diese unnatürlich jungen Augen, das sind doch wohl noch die echten alten aus unseren lustigen Tagen!«

Der Gast ließ lächelnd diesen Strom des Geplauders über sich ergehen, während der Bürgermeister ihn neben sich aufs Sofa niederzog. »Und nun«, fuhr der letztere fort, »wo kommst du her, was bist du, was treibst du?«

»Ich, Fritz?« erwiderte scherzend der andere, »ich suche einen Inhalt für das noch immer leere Gefäß meines Lebens; oder vielmehr«, fügte er etwas ernster hinzu, »ich suche ihn nicht, ich leide nur ein wenig an dieser Leere.«

Der Bürgermeister sah ihm treuherzig in die Augen. »Du, Richard?« sagte er, »der auf der Universität alle Fakultäten abgeweidet hat! Will doch ein alter Kamerad unter einem gewissen Anonymus sogar deine Feder in einer botanischen Zeitschrift entdeckt haben!«

»Wirklich, Fritz? – Er hat nicht fehlgesehen.«

Der kleine dicke Mann besann sich. »Du bist noch ledig?« fragte er. »Ja? Noch immer? Hm! Du warst ein Schwärmer, Richard! Weißt du noch, als wir Studenten auf der Dornburg tanzten? Du hattest derzeit die Braut zu Hause; du wolltest nicht tanzen; du saßest in der Ecke bei dem langen Wassermann, der wegen seiner großen Stiefeln nicht tanzen konnte, und trankest nur Wein, sehr viel Wein, Richard! Du wolltest die seligen Tänze nicht entweihen, die du daheim mit *ihr* getanzt hattest!«

Der andere war ein wenig still geworden, während der Bürgermeister in plötzlicher Unruhe seine goldene Uhr aus dem Abgrund seiner Tasche zog. »Sag' mir, Liebster«, begann er wieder, »du schenkst mir doch den heutigen Tag?«

»Ich muß am Nachmittag noch weiter.«

»Immer noch der alte Meister Unruh?«

»Verzeih, die Extrapost ist schon bestellt! Ihr habt hier einige Meilen nördlich zwischen Heidesumpf und Wald noch eine wenig abgesuchte Flora!«

»Aha!« rief der Bürgermeister, »bei Föhrenschwarzeck, wo die verrückten Junker wohnen, die weder einen Baum fällen noch ein Stück Heide aufbrechen wollen!«

Der Gast nickte. »So sagte man mir. Es soll dort in heimlichen Gründen noch allerlei sonst Verschwundenes zu finden sein.«

»Nun, Richard, da könntest du dich ja im Narrenkasten einquartieren!«

»Im Narrenkasten!«

»Freilich! Der Vater der jetzigen Herren hatte noch seine Spezialtollheit! Da ihm sein Schloß zu groß wurde, so baute er sich hinaus zwischen Heide und Wald; ein Häuslein, alle Fenster nach einer Seite und drum herum eine Ringmauer, zwanzig Fuß hoch! Und das Kastellchen nannte er den ›Waldwinkel‹, die Leute aber nennen's noch heut den ›Narrenkasten‹. Dort hat er mitten zwischen all dem Unkraut seine letzten Jahre abgelebt.«

Der andere hatte aufmerksam zugehört. »Wer wohnt denn jetzt darin?« fragte er.

»Jetzt? Ich denke, niemand; oder doch nur Eulen und Iltisse.«

– – Im Nebenzimmer schlug eine Uhr. Der Bürgermeister war aufgesprungen. »Schon elf!« sagte er. »Weißt du, Alter! Ich habe noch einen gerichtlichen Aktus vor mir; du warst ja in der Verbindung unser Schriftwart«, und schmunzelnd fuhr er fort: »da du so eilig bist, wir würden noch ein Plauderstündchen mehr gewinnen, wenn du heute dieses Amt noch einmal im Dienste unserer hochnotpeinlichen Gerichtsbarkeit verrichten wolltest!«

Richard lachte. »Hast du denn keinen Protokollführer?«

»Nein, Liebster; da ich die Würde und das Salarium eines Stadtsekretarius ebenfalls in meiner Person vereinige, so muß ich auch die Lasten dieses Amtes tragen, wenn nicht der Zufall einen so fähigen und gefälligen Freund mir in das Haus bringt.«

– – Einige Minuten später saßen beide am grünen Tisch in dem nebenanliegenden Gerichtszimmer. »Du wirst dich vielleicht noch des gelbhaarigen Theologen erinnern«, sagte der Bürgermeister, während er sich mit behaglicher Würde in den etwas erhöhten Präsidentensessel niederließ, »den wir seinerzeit wohl nicht mit Unrecht den Denunzianten nannten! Wir haben ihn seit Jahren hier am Ort; der Herr Magister betreibt ein einträgliches Pensionat und steht bei Adel und Honoratioren in hohem Ansehen; man wollte ihn eben auch noch mit dem Gottesdienst an unserem Landeszuchthaus hier betrauen.«

»Was ist mit ihm?« fragte der improvisierte Aktuarius, der schon seine Feder geschnitzt und den gebrochenen Bogen vor sich hingelegt hatte. »Ich entsinne mich eigentlich nur seines abgetragenen Frackes und seiner großen roten Hände.«

»Du wirst ihn gleich erscheinen sehen«, sagte der Bürgermeister, mit der einen Hand den über dem grünen Tisch hängenden Glockenstrang erfassend; »er hatte die Vormundschaft über ein elternloses Mädchen; sie ist jahrelang in seinem Hause gewesen, und er hat sie teilweise mit durch seine Schule laufen lassen. Jetzt ist er eines versuchten Verbrechens gegen dieses Mädchen auf das kläglichste verdächtig; es handelt sich heut nur noch um eine Gegenüberstellung beider.«

Der Bürgermeister zog die Klingel, und der eintretende Gefangenwärter erhielt Befehl, den Magister vorzuführen.

Es war eine widerwärtige Erscheinung, die sich jetzt, dem an der Tür zurückbleibenden Gefängniswärter vorbei, mit einem geschmeidigen Bückling in das Zimmer hineinwand.

»Sie brauchen nicht zu weit vorzutreten!« sagte der Bürgermeister, und der Magister zuckte sogleich um einige Fuß breit wieder rückwärts; gleich darauf erhob er seinen platten Kopf mit dem wie angeklebten Gelbhaar gegen die Zimmerdecke und begann sich zu den schwersten Eiden für seine Unschuld zu erbieten.

Ohne darauf zu achten, zog der Bürgermeister aufs neue die Glocke, und »Franziska Fedders« trat herein.

Es war die schmächtige Gestalt eines eben aufgeblühten Mädchens; sie war nicht gerade hübsch zu nennen; den Kopf mit den aufgesteckten dunkelblonden Flechten trug sie etwas vorgebeugt, der Mund war vielleicht zu voll, die Nase ein wenig zu scharf gerissen; und als sie jetzt ihre tiefliegenden grauen Augen aufschlug, murmelte der Aktuarius unwillkürlich vor sich hin: *»Scientes bonum et malum.«*

Mit abgewandtem Kopf und mit Glut übergossen, aber mit unverrückter Sicherheit wiederholte sie jetzt die Hauptangaben ihrer früheren Aussagen gegen ihren einstigen Vormund, während dieser seine knochigen Hände rang und seufzende Beteuerungen ausstieß.

Als sie geendet hatte, begann der Magister erst andeutungsweise, dann immer deutlicher sie eines Verhältnisses mit seinem Gehilfen zu beschuldigen; sie seien verschworen, ihn zu stürzen, um dann selbst das einträgliche Pensionat zu übernehmen.

Mit offenem Munde und vorgestrecktem Halse horchte das Mädchen diesen Beschuldigungen. Richard, der die Feder hingelegt hatte, glaubte zu sehen, wie von der Glut des Hasses ihre Augen dunkler wurden. Plötzlich warf sie den Kopf empor. »Sie lügen, Sie!« rief sie, und wie eine scharfe Schneide fuhr es aus dieser jungen Stimme. Aber wie über sich selbst erschrocken, flogen ihre Blicke unstet und hilfesuchend umher, bis sie in den ernsten Männeraugen haften blieben, die so ruhig zu ihr hinüberblickten.

Der Magister hatte beide Arme zum Himmel aufgestreckt. »Sie! Du nennst mich Sie, Franziska! Du, die ich in der Liebe des Lammes –« Er brach in sentimentale Tränen aus; er hatte etwas vom winselnden Affen an sich.

»Ich nenne Sie gar nicht mehr!« sagte Franziska ruhig, und ihre Augensterne ruhten noch immer in denen des ihr fremden Mannes, als habe sie hier einen Halt gefunden, den sie nicht mehr zu verlassen wage.

– – Über dessen Seele fuhr es wie ein Traum: das stille Haus am Waldesrand tauchte vor seinem inneren Auge auf; ein einsamer Mann und ein verlassenes Mädchen wohnten dort. Sie waren nicht mehr einsam und verlassen; aber um sie her in der lauen Sommerluft war nur der schwimmende Duft der Kräuter, das Rufen der Vögel und fernab aus der stillen Lichtung der unablässige Gesang der Grillen. – –

Der Klang der Botenglocke schrillte durch das Zimmer. Als Richard aufblickte, sah er eben das Mädchen aus der Tür verschwinden, der Magister wurde vom Gefängniswärter abgeführt. – – »Ein gescheites Rackerchen, diese Franziska«, sagte der Bürgermeister, indem er das sauber abgefaßte Protokoll durch seine Namensunterschrift vollzog. »Schade, daß sie nichts *in bonis* hat; wir wissen nicht recht, wohin mit ihr; für den gewöhnlichen Mägdedienst hat sie zuviel, für eine höhere Stellung zuwenig gelernt.«

Sein Gast war im Zimmer auf und ab gegangen. »Freilich, ein anziehendes Köpfchen!« sagte er; aber seine Worte klangen tonlos, als sei in der Tiefe die Seele noch mit anderem beschäftigt.

»Hm, Richard«, fuhr der Bürgermeister, seine Akten zusammenbindend, fort, »da stimmst du mit unserem Physikus, er meint – er hat mitunter solche Einfälle –, die Augen seien ein halbes Dutzend Jahre älter als das Mädchen selbst.«

»Und wer ist jetzt ihr Vormund, Fritz?«

»Ihr Vormund? – Sie hat keinen Verwandten; wir hatten augenblicklich keinen anderen, es ist der Schustermeister an der Hafenecke; seit Beginn der Untersuchung wohnt sie auch bei ihm.«

– – Eine Stunde später sah man den Gast des Bürgermeisters aus einem kleinen Hause an der Hafenecke treten und durch eine gegenüberliegende Straße aus der Stadt hinausschreiten.

Draußen vor den letzten Häusern hielt ein offener Wagen. Ein großer löwengelber Hund, den der auf dem Kutschersitze nickende Postillion an der Leine hatte, riß sich los und sprang, freudewinselnd und mit der mächtigen Rute den Staub der Straße peitschend, dem Kommenden entgegen.

»Leo, mein Hund, bist du da? Ja, ich komme, ich komme schon!« Ein lebensfroher Ton klang aus diesen Worten, unter denen der Hund die Liebkosungen seines Herrn entgegennahm.

Vor ihnen, im hellsten Sonnenscheine, breitete sich ein weites Tiefland aus, zu dem in Wellenlinien sich der Weg hinuntersenkte. Bald saß der Wanderer auf dem Wagen, und während der Hund in großen Sätzen nebenhersprang, rollte das Gefährt in den jungen Frühling hinaus, der blauen Waldferne zu, die in kaum erkennbaren Zügen den Horizont begrenzte.

Oben in den Eichbäumen, die vor dem Kruge des Dorfes Föhrenschwarzeck standen, lärmten die Elstern, welche ihr Nest gegen zwei rotbrüstige Turmfalken zu verteidigen suchten; die Gäste in der Schenkstube konnten kaum ihr eigenes Wort verstehen.

»Weiß der Henker!« rief der Krämer aus dem Nachbarstädtchen, der eben mit dem gegenübersitzenden Wirte sein Quartalgeschäft gemacht hatte, »was Euch hier alles für Raubzeug um die Ohren fliegt! Dürfen auch die Falken nicht geschossen werden, Inspektor?«

Der alte graubärtige Mann in brauner Joppe, an den diese Worte gerichtet waren, nahm mit der kleinen Messingzange eine Kohle aus dem auf dem Tische stehenden Becken, legte sie auf seine eben gestopfte kurze Pfeife und sagte dann, während er inmittelst die ersten Dampfwolken stoßweise über den Tisch blies: »Ich weiß nicht, Pfeffers, ich bin nicht für die Falken; da müßt Ihr den neuen Förster fragen.« Er schien, obschon es noch in der Morgenfrühe war, schon weit im Feld umher gewesen und nur zu kurzer Rast hier eingekehrt zu sein; denn die hellen Schweißperlen standen noch auf seiner Stirn, und seinen Strohhut hatte er vor sich auf dem Schoße liegen.

»Ein neuer Förster?« fragte der Krämer. »Wo habt Ihr denn den herbekommen?«

»Weiß nicht genau«, erwiderte der Alte; »da droben aus dem Reich, mein' ich; aber schießen kann er wie gehext, und auf die Dirnen ist er wie der Teufel!«

»Oho, Kasper-Ohm! Da nehmt Eure Ann-Margret in Obacht!«

»Wird sich schon von selber wehren, Pfeffers«, meinte der Wirt.

Aber der Krämer hatte noch mehr zu fragen. »Hm, Inspektor!« sagte er, »Ihr bekommt ja allerlei Neues in Euren Wald; Eure Herren müssen auf einmal ganz umgängliche Leute geworden sein! Habt Ihr denn wirklich den alten ›Narrenkasten‹ an einen Fremden, an einen ganz landfremden Mann vermietet?«

»Diesmal trefft Ihr ins Schwarze, Pfeffers«, sagte der Alte, indem er einen ungeheuren, rohgearbeiteten Schlüssel aus der Seitentasche seiner Joppe hervorzog; »ein paar Wagen mit Ingut sind schon gestern aus- und eingepackt worden; hab' des Teufels Arbeit damit gehabt und muß auch jetzt wieder hin, um Fenster aufzusperren und nach dem Rechten zu sehen; meinen Phylax hab' ich gestern abend hinter die hohe Hofmauer gesperrt, damit doch eine vernünftige Kreaturenseele bei all den Siebensachen über Nacht bliebe.«

»Und woher ist dieser Mietsmann denn gekommen?« fragte der Krämer wieder.

»Weiß nicht, Pfeffers; kümmert mich auch nicht«, erwiderte der Alte; »kann's selbst nicht kleinkriegen. Aber der Herr soll ein Botanikus sein; dergleichen Schlages liebt ja auch alles, was wild zusammenwächst.«

Der Wirt, der inzwischen seine mit Kreide auf die Tischplatte geschriebene Abrechnung mit dem Krämer noch einmal revidiert hatte, beugte sich jetzt vor und sagte, seine Stimme zu vertrautem Flüstern dämpfend, obgleich niemand außer den Dreien im Zimmer war: »Wißt Ihr noch, vor Jahren, als in den Blättern so viel von der großen Studentenverschwörung geschrieben wurde, als sie die Könige all vom Leben bringen wollten – da soll er mit dabei gewesen sein!«

Der Krämer ließ einen langgezogenen Pfiff ertönen. »Da liegt's, Inspektor!« sagte er. »Ich weiß, Ihr hört's nicht gern; aber die Junker, wenn sie jung sind, haben schon mitunter solche Mucken; Euer Junker Wolf ist ja derzumalen auch bei dem Wartburgstanze mit gewesen.«

Der Alte sagte nichts darauf; aber der Wirt wußte noch Weiteres zu erzählen, als wenn seine klugen Elstern ihm's von allen Seiten zugetragen hätten. – Hier aus der Gegend sollte der Fremde sein; aber drüben bei den Preußen hatte man ihn jahrelang in einem dunkeln Kerkerloch gehalten; weder die Sonne noch die Sterne der Nacht hatte er dort gesehen; nur der qualmige Schein einer Tranlampe war ihm vergönnt gewesen; dabei hatte er ohne Kunde, ob Morgen oder Mitternacht, tagaus, tagein gesessen und viele dicke Bücher durchstudiert.

»Aber Kasper-Ohm«, sagte der Krämer und hielt dem Wirte seine offene Tabaksdose hin, »Ihr seid doch nicht etwa wieder in einen Grenzprozeß verzwirnet?«

»Ich? Wie meint Ihr das, Pfeffers?«

»Nun, ich dachte, Ihr wäret wieder einmal in der Stadt bei dem Winkeladvokaten, dem Aktuariatsschreiber, gewesen, bei dem man für die Kosten die Lügen scheffelweis draufzubekommt.«

Kasper-Ohm nahm die dargebotene Prise. »Ja, ja, Pfeffers«, sagte er, einen Blick durchs Fenster werfend, »wenn sie einen nicht in Frieden leben lassen! Hört einmal, wie die armen Heisters schreien!«

»Freilich, Kasper-Ohm. Aber wie ging's denn weiter mit dem Herrn Botanikus?«

»Mit dem? – Nun, glaubt es oder nicht! Eines Tages ist er plötzlich zu Hause angekommen; aber es ist für ihn doch immer noch zu früh gewesen; denn als er mit seinen blinden Augen über die Straße stolpert, wird er von einer Karriole zu Boden gefahren, die eben lustig über das Pflaster rasselt.«

»Das verdammte Gejage!« rief der Krämer.

»Ja, ja, Pfeffers; Ihr kennt das nicht, Ihr seid ein lediger Mensch; aber der Herr und die feine Dame, die darin saßen, konnten nicht zwischen die Pferdeohren hindurchsehen; sie hatten zuviel an ihren eigenen Augen zu beobachten.«

»Und hatte er Schaden genommen, der arme Herr?«

»Nein, Pfeffers, nein, das nicht! Aber es ist seine eigene Frau gewesen, die Dame, die mit dem Baron in der Karriole saß.«

Der Krämer ließ wieder seinen langen Pfiff ertönen. »*Das* ist 'ne Sache; so ist er verheiratet gewesen, als die Preußen ihn gefangen haben! Nun, die Frau wird er wohl nicht mit sich bringen!«

»Sollte man nicht glauben«, meinte Kasper-Ohm; »denn er soll sich's noch einen meilenlangen Prozeß haben kosten lassen, um nur den Kopf aus diesem Eheknoten freizukriegen.«

»Und der Baron, was ist mit dem geworden?«

»Den Baron, Pfeffers? Den hat er totgeschossen, und dann ist er in die weite Welt gegangen, um sich all den Verdruß an den Füßen wieder abzulaufen. Nein, Freundchen, die feine Dame wird er wohl nicht mit herbringen, aber die alte taube Wieb Lewerenz aus Eurer Stadt, und das ist auch eine gute Frau. Sie hat ihren Dienst als Waisenmutter quittiert und kommt nun auf ihre alten Tage in den Narrenkasten.«

Der Inspektor war inzwischen aufgestanden. – »Schwatzt Ihr und der Teufel!« sagte er, indem er lachend auf die beiden anderen herabsah; dann trank er sein Glas und schritt, den schweren Schlüssel in der Hand, zur Tür hinaus.

– – Unter dem Eichbaum durch, auf welchem der Falke von dem indes eroberten Neste auf ihn herabsah, ging er aus dem Gehöfte auf den Weg hinaus, welcher hier, vom Nordende des Dorfes, zwischen dicht mit Haselnußbüschen bewachsenen Wällen auf die Hauptlandstraße hinausführte. Schon auf der Mitte desselben aber bog er durch eine Lücke des Walles nach links in einen Fußweg ein; in der schon drükkenden Sonne schritt er auf diesem über einige grüne, wellenförmig sich erhebende Saatfelder einer mit Eichenbusch besetzten Moorstrecke zu, hinter welcher in breitem Zuge und noch in dem bläulichen Duft des Morgens ein aus Eichen und stattlichen Buchen gemischter Laubwald seine weichen Linien gegen den blauen Himmel abzeichnete. Der Alte trocknete mit seinem Tuch den Schweiß sich von der Stirn, als er endlich in diese kühlen Schatten eintrat; über ihm aus einer hohen Baumkrone schmetterte eine Singdrossel ihren Gesang ins weite Land hinaus.

Ein Viertelstündchen mochte er so gewandert sein, und der ihn umgebende Laubwald hatte inzwischen einem Tannenforste Platz gemacht, als sich, aus einem Seitensteige kommend, zwei andere Wanderer zu ihm gesellten.

»Geht's denn recht hier nach dem Narrenkasten?«

Ein Bauernbursche fragte es, der einem zwar einfach, aber städtisch gekleideten Mädchen ihren Koffer nachtrug

Der Alte nickte. »Ihr könnt nur mit mir gehen.«

»Aber ich will zum Waldwinkel«, sagte das Mädchen. – »Wird wohl auf eins hinauslaufen. Wenn Sie im Waldwinkel was zu bestellen haben, so ist's schon richtig hier.«

»Ich gehöre dort zum Hause«, erwiderte sie.

Der Alte, der bisher seinen Weg ruhig fortgesetzt hatte, wandte sich nach ihr zurück, und seine Augen blickten immer munterer, während er sich das junge Wesen ansah. »Nun«, sagte er, »die Frau Lewerenz hätte ich mir, so zu verstehen, um ein paar Jährchen älter vorgestellt.«

Aber das Mädchen schien für solche Späße wenig eingenommen. Sie sah ihn mit ihren grauen Augen an und sagte: »Ich heiße Franziska Fedders. Die Frau Lewerenz wird wohl mit dem Herrn schon dort sein.«

»Da irren Sie denn doch, Mamsellchen«, meinte der Alte, indem er mit der einen Hand vor ihr den Hut zog und mit anderen ihr den großen Schlüssel zeigte; »die Herrschaft kommt erst heute abend; aber Einlaß sollen Sie drum doch schon bekommen.«

Sie stutzte; aber nur einen Augenblick ruhte der Zeigefinger an der Lippe. »Es ist gut«, sagte sie, »es paßte nicht anders mit dem Fuhrmann; lassen Sie uns gehen, Herr Inspektor!«

Und so wanderten sie auf dem schattigen, mit trockenen Tannennadeln bestreuten Steige miteinander fort; immer riesiger wurden die Föhren, die zu beiden Seiten aufstiegen und ihre Zweige über sie hinstreckten. Plötzlich öffnete sich das Dickicht; eine mit Wiesenkräutern bewachsene, muldenartige Vertiefung, gleich dem Bette eines verlassenen Flusses, zog sich quer zu ihren Füßen hin, während jenseits auf der Höhe wiederum ein Eichen- und Buchenwald seine Laubmassen ausbreitete. Nur ihnen gegenüber zeigte sich eine Lücke, durch welche man bis zum Horizont auf ein braunes Heideland hinausblickte. Zur Linken dieser Durchsicht aber, mit der anderen Seite sich hart an den Wald hinandrängend, ragte ein altes Backsteingebäude, das durch sein hohes Dach ein fast turmartiges Aussehen erhielt; eine Mauer, über welcher nur die vier Fenster des oberen Stockwerks sichtbar waren, trat, von den beiden Ecken der Front auslaufend, in ovaler Rundung fast an den Rand der Wiesenmulde hinaus.

Der Alte, der während des Gehens Franziska von seinen Einzugsmühen unterhalten hatte, war stehengeblieben und wies schweigend nach dem mit schwerem Metallbeschlag bedeckten Tore, das sich gegenüber in der Mitte der Mauer zeigte. Oberhalb desselben in einer Sandsteinverzierung befand sich eine Inschrift, deren einst vergoldete Buchstaben bei dem scharfen Sonnenlichte auch aus der Ferne noch erkennbar waren. »*Waldwinkel*« buchstabierte Franziska.

»Oho, Phylax!« rief der Inspektor. »Hören Sie ihn, Mamsellchen; er hat schon meinen Schritt erkannt!«

Aus dem verschlossenen Hofe drüben hatte sich das Bellen eines Hundes hören lassen; zugleich erhob sich von einem Eichenaste, der aus dem Walde auf das Dach hinüberlangte, ein großer Raubvogel und kreiste jetzt, seinen wilden Schrei ausstoßend, hoch über dem einsamen Bauwerk.

Sie waren indes auf der kaum noch sichtbaren Fortsetzung des Waldsteiges in die Wiesenmulde hinabgegangen. Die nach Süden gelegene Frontseite des immer näher vor ihnen aufsteigenden Gebäudes war von der Sonne hell beleuchtet, sogar an den Drachenköpfen der Wasserrinnen, welche unterhalb des Daches gegen den Wald hinausragten, sah man die Reste einstiger Vergoldung schimmern. Von den beiden Wetterfahnen, mit welchen an den Endpunkten die kurze First des Daches geziert war, hatte die eine sich fast ganz im grünen Laub versteckt, während die andere sich regungslos am blauen Himmel abzeichnete.

Und jetzt war das jenseitige Ufer erstiegen, und der Inspektor hatte den Schlüssel in dem Bohlentore umgedreht.

Ein schattiger, mit Steinplatten ausgelegter Hof empfing sie, während der Pudel mit Freudensprüngen an seinem Herrn emporstrebte. – Zur Linken des Einganges war ein steinerner Brunnen, neben dem ein augenscheinlich neu angefertigter mit Wasser gefüllter Eimer stand; an der Mauer des Hauses, an welcher eben der Sonnenschein hinabrückte, wucherten hohe, mit Knospen übersäte Rosenbüsche; die zu beiden Seiten der Haustür auf den Hof gehenden Fenster wurden fast davon bedeckt. »Der alte Herr«, sagte der Inspektor, »hat sie selber noch gepflanzt.«

Dann traten sie über ein paar Stufen in das Haus. – Zur Linken des Flurs lag die Küche; zur Rechten ein einfensteriges Zimmer, dessen Ausrüstung schon die künftige Bewohnerin erkennen ließ. Zwar das hohe Bettgerüst dort entbehrte noch des Umhanges wie des schwellenden Inhalts; aber in der Ecke standen Spinnrad und Haspel, und über der altfränkischen Kommode hing ein desgleichen Spiegelchen, hinter welchem nur noch die kreuzweis aufgesteckten Pfauenfedern fehlten »Also, das ist *nicht* Ihr Zimmer, Mamsellchen!« sagte der Alte, noch einmal einen Scherz versuchend.

Als er keine Antwort erhielt, deutete er auf seinen Pudel, der lustig die zum oberen Stockwerk führende Treppe hinaufsprang. »Folgen wir ihm!« sagte er; »dort hinten sind nur noch die Vorratskammern.«

Oben angekommen, schloß er die Tür zu einem mäßig großen Zimmer auf, das bis auf die Vorhänge völlig eingerichtet schien. Die beiden Fenster, mit denen es über die Wiesenmulde auf den Tannenwald hinaussah, waren die mittleren von den vieren, welche sie von drüben aus erblickt hatten. Vor dem zur Linken stand ein weichgepolsterter Ohrenlehnstuhl, an der Seitenwand des anderen ein Schreibtisch mit vielen Fächern und Schiebladen; neben diesem, bereits im Ticktack ihren Pendel schwingend, hing eine kleine Kuckucksuhr, wie sie so zierlich weit droben im Schwarzwalde verfertigt werden. Eine altmodische, aber noch wohlerhaltene Tapete, mit rot und violett blühendem Mohn auf dunkelbraunem Grund, bekleidete die Wände.

Schweigend, aber aufmerksam betrachtete Franziska alles, während sie dem Alten die Fensterflügel öffnen half.

Zu jeder Seite dieses Blumenzimmers und durch eine Tür damit verbunden, lag ein schmäleres; beide nur mit einem Fenster auf den Tannenwald hinausgehend. In dem zur Linken befanden sich außer einigen Stühlen nur noch ein eisernes Feldbett und ein paar hohe Reisekoffer. Franziska warf nur einen flüchtigen Blick hinein, während ihr Führer schon die Tür des gegenüberliegenden geöffnet hatte.

»Und nun gibt's was zu lesen!« rief dieser. »Der Herr Doktor ist selbst hier außen gewesen und hat einen ganzen Tag dadrinn' gesessen.«

Und wirklich, es war eine stattliche Hausbibliothek, die hier in sauberem Einband auf offenen Regalen an den Wänden aufgestellt war.

Aber während das Mädchen einen Band von Okens Isis herauszog, der ihr aus des Magisters Pensionat bekannt war, hatte der Alte dem Fenster gegenüber schon eine weitere Tür erschlossen.

Das Zimmer, in welches sie hineinführte, lag gegen Westen und im Gegensatz zu den sonnigen Räumen der Vorderseite noch in der Schattendämmerung des unmittelbar darangrenzenden Waldes.

»Sie müssen nicht erschrecken, Mamsellchen«, sagte der Alte, indem er auf ein Eisengitter zeigte, womit das einzige Fenster nach außen hin versehen war. »Es ist kein Gefängnis, sondern auch nur so eine Liebhaberei vom alten Herrn gewesen.«

»Ich erschrecke nicht so leicht«, sagte das Mädchen, indem sie, ihm nach, über die Schwelle trat.

»Nun, so wollen wir den Burschen Ihr Gepäck heraufbringen lassen; denn dort das Bettchen und das Jungfernspiegelchen hier auf der Kommode werden doch wohl für Sie dahinbeordert sein.«

Als Franziska ihre Sachen in Empfang genommen und den Burschen abgelohnt hatte, meinte der Alte: »Und jetzt, Mamsellchen, werd' ich Sie ins Dorf zurückbegleiten; es ist zwar ein Stündchen Wandern, aber einen guten Eierkuchen wird Ihnen Kaspers Margret schon zu Mittag backen, und gegen Abend wird der Herr Doktor dort zu Wagen einkehren, um von mir den Schlüssel in Empfang zu nehmen.«

Allein das Mädchen schüttelte den Kopf. »Ich bin nun einmal hier; zu essen habe ich noch in meiner Reisetasche.«

Der Alte rieb sich das bärtige Kinn mit seiner Hand. »Aber ich werde Sie einschließen müssen; ich muß dem Herrn Doktor selbst den Schlüssel überliefern.«

»Schließen Sie nur, Herr Inspektor!«

»Hm! – Soll ich Ihnen auch den Phylax hierlassen?«

»Den Phylax? Weshalb das? Da könnt's am Ende doch noch auf eine Hungersnot hinauslaufen.«

»Nun, nun; ich dachte nur, er ist so unterhaltsam.«

»Aber ich habe keine Langeweile.«

»Ja, ja; Sie haben recht.«

»Also, Herr Inspektor!«

»Also, Mamsellchen, soll ich schließen?

Sie nickte ernsthaft; dann, ruhig hinter ihm herschreitend, begleitete sie den Alten auf den Hof hinab. Als dieser aus der Ringmauer hinausgetreten und das schwere Tor hinter ihr abgeschlossen war, flog sie behende in das Haus zurück. Mit dem Kopf an den Fensterbalken lehnend, blickte sie droben vom Wohnzimmer aus dem Fortgehenden nach, der eben durch die Kräuter an der jenseitigen Höhe emporschritt. Als er nebst seinem Hunde drüben zwischen den Föhren verschwunden war, trat sie in die Mitte des Zimmers zurück; sie erhob ihre kleine Gestalt auf den Zehen, atmete tief auf, und langsam um sich blickend, drückte sie beide Hände auf ihr Herz. Ein zufriedenes Lächeln flog über das in diesem Augenblicke besonders scharfgezeichnete Gesichtchen.

Gleich darauf ging sie durch die Bibliothek in ihre Kammer, wohin nun auch der Sonnenschein den Weg gefunden hatte. Vor den Spiegel tretend, löste sie ihre schweren Flechten, daß das dunkelblonde Haar wie Wellen an ihr herabflutete. So kniete sie vor ihren Koffer hin, kramte zwischen ihren Habseligkeiten und räumte sie in die leeren Schubladen der Kommode. Ein Kästchen mit Saftfarben, Pinseln und Zeichenstiften, einige Blätter mit nicht ungeschickten Blumenmalereien waren dabei auch zum Vorschein gekommen. Als alles geordnet war, flocht sie sich das Haar aufs neue und kleidete sich dann so zierlich, als der mit gebrachte Vorrat es nur gestatten wollte.

Wie beiläufig hatte sie inzwischen ein paar Butterbrötchen aus ihrer Reisetasche verzehrt; jetzt, als müsse sie innerhalb dieser Mauern jedes Fleckchen kennen lernen, schlüpfte sie auf leichten Füßen noch einmal durch das ganze Haus; durch alle Zimmer, in die Küche, in den von dort hinabführenden Keller; dann stieg sie auf einer bald von ihr erspähten Treppe auf den Hausboden, über welchem hoch und düster sich das Dach erhob. Es huschte etwas an ihr vorbei, es mochte ein Iltis oder ein Marder gewesen sein; sie achtete nicht darauf, sondern tappte sich nach einer der insgesamt geschlossenen Luken und rüttelte daran, bis sie aufflog. Es war die Hinterseite des Daches, und unter ihr unabsehbar dehnte sich die Heide aus, immer breiter aus dem Walde herauswachsend.

Hier in dem dunklen Rahmen der Dachöffnung kauerte sie sich nieder; nur ihre grauen Falkenaugen schweiften lebhaft hin und her, bald zur Seite über die in der Mittagsglut wie schlummernd ruhenden Wälder, bald hinab auf die kargen Räderspuren, welche über die Heide zu der soeben von ihr verlassenen Welt hinausliefen.

In der Zeit, die hierauf folgte, erfuhr das Wild in der Umgebung des »Narrenkastens« eine ihm dort ganz ungewohnte Beunruhigung in der Stille seines Sommerlebens. Aus den Kräutern der jungen Tannenschonung springt plötzlich der Hirsch empor und stürmt, nicht achtend seines knospenden Geweihes, in das nahe Waldesdickicht; draußen im Moorgrund fliegen zwei stahlblaue Birkhähne glucksend in die Höhe, die seit Jahren hier unbehelligt ihre Tänze aufführen durften; selbst Meister Reineke bleibt nicht ungestört.

In einem alten Riesenhügel hat er sein Malepartus aufgeschlagen und sitzt jetzt in der warmen Mittagssonne vor einem seiner Ausgänge, bald behaglich nach den über der Heide spielenden Mücken blinzelnd, bald auf seine jungen Füchslein schauend, die um ihn her ihre ersten Purzelbäume versuchen. Da plötzlich streckt er den Kopf und bewegt horchend seine spitzen Ohren; drüben, vom Saum des Buchenwaldes, hat die Luft einen ungehörigen Laut ihm zugetragen.

Einige Minuten später schreitet ein nicht mehr junger, aber kräftiger Mann über die Heide; ein großer, löwengelber Hund springt ihm voraus und steckt die Schnauze in den Eingang des Hünengrabes, durch welchen kurz vorher der Fuchs und seine Brut verschwunden sind; doch sein Herr ruft ihn zurück, und er gehorcht ihm augenblicklich. Sie kommen eben aus dem Walde; jetzt schreiten sie weiter über die Heide; bald werden sie zusammen dort den Sumpf durchwaten. Sie sind unzertrennlich, sie tun das alle Tage; aber die Tiere brauchen sich vor ihnen nicht zu fürchten; denn der Hund hat nur Augen für seinen Herrn und dieser nur für die stille Welt der Pflanzen, welche, einmal aufgefunden, seiner Hand nicht mehr entfliehen können; heute sind es besonders die Moose und einige Zwergbildungen des Binsengeschlechts, die er unbarmherzig in seine grüne Kapsel sperrt.

Mitunter geht auch ein Mädchen an seiner Seite; doch dies geschieht nur selten und bei kürzeren Wanderungen. Meistens ist sie drüben an der Wiesenmulde, hinter den hohen Mauern des »Waldwinkels«; dort geht sie in Küch' und Keller einer alten Frau zur Hand, deren gutmütiges Gesicht schon durch die Einförmigkeit seines Ausdrucks eine langjährige Taubheit verraten würde, wenn dies nicht noch deutlicher durch ein Hörrohr geschähe, das sie wie ein Jägerhörnchen am Bande über der Schulter trägt Das Mädchen weiß, daß die Alte einst die Wärterin ihres jetzigen Herrn gewesen ist; sie zeigt sich ihr überall gefällig und sucht ihr alles an den Augen abzusehen. – Anders steht sie mit dem Herrn selber; er hat keinen Blick wieder von ihr erhalten, wie damals in der Gerichtsstube, als er der Aktuar des Bürgermeisters war, so ungeduldig er auch oft darauf zu warten scheint. Zuweilen, wenn sie nach dem Mittagstische die Zimmer oben geordnet hat, was stets mit pünktlicher Sauberkeit geschieht, sitzt sie auch wohl am Fenster des kleinen Bibliothekzimmers und malt auf bräunliche Papierblättchen eine Rispe oder einen Blütenstengel, den der Doktor allein oder sie mit ihm aus der Wildnis draußen heimgebracht hat. Dieser selbst steht dann oft lange neben ihr und blickt schweigend und wie verzaubert auf die kleine, regsame Hand.

So war es auch eines Nachmittags, da schon manche Woche ihres Zusammenlebens hingeflossen war. Er hatte einen Strauß aus Wollgras und gesterntem Bärenlauch vor ihr zurechtgelegt, und sie war emsig beschäftigt, ihn aufs Papier zu bringen. Mitunter hatte er ein kurzes Wort zu ihr gesprochen, und sie hatte ebenso und ohne aufzublicken ihm geantwortet.

»Aber sind Sie denn auch gern hierhergekommen?« fragte er jetzt.

»Gewiß! Weshalb denn nicht? Bei dem Schuster roch das ganze Haus nach Leder; und Bettelleute waren es auch.«

»Bettelleute? – Weshalb sprechen Sie so hart, Franziska?« – Es schien, als wenn er ihr zu zürnen suche; aber er vermochte es schon längst nicht mehr. Eine Weile ließ er seine Augen auf ihr ruhen, während sie eifrig an einem Blättchen fortschattierte; als keine Antwort erfolgte, sagte er: »Ich bin kein Bettelmann, aber einsam ist es hier für Sie.«

»Das hab' ich gern«, erwiderte sie leise und tauchte wieder den Pinsel in die Farbe.

Neben ihr auf dem Tische lagen mehrere fertige Blättchen; er nahm eins derselben, auf dem eine Blüte der *Cornus suecica* gemalt war, und schrieb mit Bleistift darunter:

Eine andre Blume hatt' ich gesucht –
Ich konnte sie nimmer finden;
Nur da, wo zwei beisammen sind,
Taucht sie empor aus den Gründen.

Er hatte das so beschriebene Blatt vor sie hingelegt; aber sie warf nur einen raschen Blick darauf und schob es dann, ohne aufzusehen, wieder unter die anderen Blätter, indem sie sich tief auf ihre Zeichnung bückte.

Noch eine Weile stand er neben ihr, als könne er nicht fort; da sie aber schweigend in ihrer Arbeit fortfuhr, so pfiff er seinem Hunde und schritt mit diesem in den Wald hinaus.

Es war ihm seltsam ergangen mit dem Mädchen. In augenblicklicher Laune, fast gedankenlos, hatte er sie in den Kreis seines Lebens hineingezogen; eine Zutat nur, eine Bereicherung für die einförmigen Tage hatte sie ihm sein sollen – und wie anders war es nun geworden! Freilich, die alte Frau Wieb, für die trotz ihrer Taubheit die Welt kein störendes Geheimnis barg, vermochte es nicht zu sehen; aber selbst der löwengelbe Hund sah es, daß sein Herr in den Bann dieses fremden Kindes geraten, daß er ihr ganz verfallen sei; denn mehr wie je drängte er sich an ihn und blickte ihn mit fast vorwurfsvollen Augen an.

Lange waren sie zweck- und ziellos miteinander umhergestreift; jetzt, da schon die Dämmerung in den Wald herabsank, lagerten Herr und Hund unweit des Fußsteigs unter einem großen Eichenbaum, in dem um diese Zeit die Nebelkrähen sich zu versammeln pflegten, bevor sie zu ihren noch abgelegeneren Schlafplätzen flogen.

Der Doktor hatte den Kopf gegen einen moosbewachsenen Granitblock gelehnt, auf dem Franziska sich einige Male ausgeruht, wenn sie mit ihm von einem Ausfluge hier vorbeigekommen war. Seine Augen blickten in das Geäst des Baumes über ihm, wo Vogel um Vogel niederrauschte, wo sie durcheinanderhüpften und krächzten, als hätten sie die Chronik des Tages miteinander festzustellen; aber die schwarzgrauen Gesellen kümmerten ihn im Grunde wenig; durch seine Phantasie ging der leichte Tritt eines Mädchens, desselben, deren müde Füßchen noch vor kurzem an diesem Stein herabgehangen hatten, gegen den er jetzt seinen grübelnden Kopf drückte.

Was hatte eine Betörung über ihn gebracht, wie er sie nie im Leben noch empfunden hatte? – Alles andere, was er ein halbes Leben lang wie ein unerträgliches Leid mit sich umhergeschleppt, es war wie ausgelöscht, er begriff es fast nicht mehr. War es nur der Taumel, nach einem letzten Jugendglück zu greifen? Oder war es das Geheimnis jener jungen Augen, die mitunter plötzlich in jähe Abgründe hinabzublicken schienen? – So manches hatte er an ihr bemerkt, das seinem Wesen widersprach; es blitzten Härten auf, die ihn empörten, es war eine Selbständigkeit in ihr, die fast verachtend jede Stütze abwies. Aber auch das ließ ihm keine Ruhe; es war ein Feindseliges, das ihn zum Kampf zu fordern schien, ja, von dem er zu ahnen glaubte, es werde, wenn er es bezwungen hätte, mit desto heißeren Liebeskräften ihn umfangen.

Er war aufgesprungen; er streckte die Arme mit geballten Fäusten in die leere Luft, als müsse er seine Sehnen prüfen, um sogleich auf Leben und Tod den Kampf mit der geliebten Feindin zu bestehen.

Über ihm in der Eiche rauschten noch immer die Vögel durcheinander; da schlug der Hund an, und die ganze Schar erhob sich mit lautem Krächzen in die Luft. Aber aus dem Walde hörte er ein anderes Geräusch; kleine leichte Schritte waren es, die eilig näherkamen, und bald gewahrte er zwischen den Baumstämmen das Flattern eines Frauenkleides. Er drückte die Faust gegen seine Brust, als könnte er das rasende Klopfen seines Blutes damit zurückdrängen.

Atemlos stand sie vor ihm.

»Franziska!« rief er. »Wie blaß Sie aussehen!«

»Ich bin gelaufen«, sagte sie, »ich habe Sie gesucht.«

»Mich, Franziska? Es wird schon dunkel hier im Walde.«

Sie mochte die Antwort, nach der ihn dürstete, in seinem Antlitz lesen; aber sie sagte einfach – und es war der Ton der Dienerin, welche ihrem Herrn eine Bestellung ausrichtet: »Es ist jemand da, der Sie zu sprechen wünscht.«

»Der mich zu sprechen wünscht, Franziska?«

Sie nickte. »Es ist der Vormund, der Schuster«, sagte sie beklommen, als fühle sie das Pech an ihren Fingern.

»Ihr Vormund! Was kann der von mir wollen?«

»Ich weiß es nicht; aber ich habe Angst vor ihm.«

»So kommen Sie, Franziska!«

Und rasch schritten sie den Weg zurück.

– – Es war ein untersetztes Männlein mit wenig intelligentem, stumpfnasigem Antlitz, das in dem Stübchen der Frau Lewerenz auf sie gewartet hatte. Richard führte ihn nach dem Wohnzimmer hinauf, wohin Franziska schon vorangegangen war.

»Nun, Meister, was wünschen Sie von mir?« sagte er, indem er sich auf den Sessel vor seinem Schreibtisch niederließ.

Der Handwerker, der trotz des angebotenen Stuhles wie verlegen an der Tür stehenblieb, brachte zuerst in ziemlicher Verworrenheit einige Redensarten vor, mit denen er die Veranlassung seines heutigen Besuches zum voraus zu entschuldigen suchte. Endlich aber kam er doch zur Hauptsache. Ein alter Bäckermeister, reich – sehr reich und ohne Kinder, wollte Franziska zu sich nehmen; er hatte fallen lassen, daß er sie sogar in seinem Testament bedenken werde, wenn sie treulich bei ihm aushalte; für ihn, den Vormund, sei es Gewissenssache, ein solches Glück für seine Mündel nicht von der Hand zu weisen.

Richard hatte, wenigstens scheinbar, geduldig zugehört. »Ich muß Ihre Fürsorglichkeit anerkennen, Meister«, sagte er jetzt, indem er gewaltsam seine Erregung unterdrückte; »aber Franziska wird nicht schlechter gestellt sein in meinem Hause; ich bin bereit, Ihnen die nötigen Garantien dafür zu geben.«

Der Mann drehte eine Weile den Hut in seinen Händen. »Ja«, sagte er endlich, »es wird denn doch nicht anders gehen.«

»Und weshalb denn nicht?«

Er erhielt keine Antwort; der Angeredete blickte mürrisch auf den Boden.

Das Mädchen hatte während dieser Verhandlung laut- und regungslos am Fenster gestanden. Als Richard jetzt den Kopf zurückwandte, sah er ihre großen grauen Augen weit geöffnet; angstvoll, in flehender Hingebung, alles Sträuben von sich werfend, blickte sie ihn an.

»Franziska!« murmelte er. Einen Augenblick war es totenstill im Zimmer.

Dann wandte er sich wieder an den Vormund; sein Herz schlug ihm, daß er nur in Absätzen die Worte hervorbrachte.

»Sie verschweigen mir den wahren Grund, Meister«, sagte er; »erklären Sie sich offen, wir werden schon zusammen fertigwerden.«

Der andere erwiderte nur: »Ich habe nichts weiter zu erklären.«

Franziska, die mit vorgebeugtem Kopf und offenem Munde den beiden zugehört hatte, war hinter des Doktors Stuhl getreten. »Soll ich den Grund sagen, Vormund?« fragte sie jetzt; und aus ihrer Stimme klang wieder jener schneidende Ton, der wie ein verborgenes Messer daraus hervorschoß.

»Sagen Sie, was Sie wollen!« erwiderte der Handwerker, seine Augen trotzig auf die Seite wendend.

»Nun, denn, wenn Sie es selbst nicht sagen wollen – der Bäckermeister hat eine Hypothek auf Ihrem Hause; ich weiß, Sie werden jetzt von ihm gedrängt!«

Richard atmete auf. »Ist dem so?« fragte er.

Der Mann mußte es bejahen.

»Und wie hoch beläuft sich Ihre Schuld?«

Es wurde eine Summe angegeben, die für die Verhältnisse eines kleinen Handwerkers immerhin beträchtlich war.

»Nun, Meister«, erwiderte Richard rasch; aber bevor er seinen Satz vollenden konnte, fühlte er wie einen Hauch Franziskas Stimme in seinem Ohr: »Nicht schenken! Bitte, nicht schenken!« und ebenso leise, aber wie in Angst, fühlte er seinen Arm von ihr umklammert.

Er besann sich; er hatte sie sofort verstanden.

»Meister«, begann er wieder; »ich werde Ihnen das Geld leihen; Sie können es sofort erhalten und brauchen mir nur einen Schuldschein auszustellen. Verstehen Sie mich wohl – solange Ihre Mündel sich in meinem Hause befindet, verlange ich keine Zinsen! Sind Sie das zufrieden?«

Der Mann hatte noch allerlei Bedenken, aber es war nur des schicklichen Rückzuges halber; nach einigem Hin- und Widerreden erklärte er sich damit einverstanden.

»So gedulden Sie sich einen Augenblick! Ich werde Ihnen den erforderlichen Auftrag an meinen Anwalt mitgeben.«

Franziska hatte sich aufgerichtet; Richard rückte seinen Sessel an den Schreibtisch. Man hörte die Feder kritzeln; denn die Hand flog, die jene Worte schrieb.

Rasch war der Brief versiegelt und wurde von begierigen Händen in Empfang genommen.

Gleich darauf hatte Richard den Mann zur Tür geleitet; Franziska stand noch an derselben Stelle. Wie gebannt, ohne sich zu rühren, blickten beide auf die Tür, die sich eben wieder geschlossen hatte; als käme es darauf an, sich der schwerfälligen Schritte zu versichern, die jetzt langsam die Treppe hinab verhallten. Einen Augenblick noch, und auch das Auf- und Zuschlagen der Haustür und nach einer Weile das des Hoftores klang zu ihnen herauf. Da wandte er sich gegen sie.

»Komm!« sagte er leise und öffnete die Arme.

Es mußte laut genug gewesen sein; denn sie flog an seine Brust, und er preßte sie an sich, als müsse er sie zerstören, um sie sicher zu besitzen. »Franzi! Ich bin krank nach dir; wo soll ich Heilung finden?«

»Hier!« sagte sie und gab ihm ihre jungen roten Lippen. – –

Ungehört von ihnen war die Zimmertür zurückgesprungen; ein schöner schwarzgelber Hundekopf drängte sich durch die Spalte, und bald schritt das mächtige Tier selbst fast unhörbar in das Zimmer. Sie bemerkten es erst, als es den Kopf an die Hüfte seines Herrn legte und mit den schönen braunen Augen wie anklagend zu ihm aufblickte.

»Bist du eifersüchtig, Leo?« sagte Richard, den Kopf des Tieres streichelnd; »armer Kamerad, gegen die sind wir beide wehrlos.«

– – Auch auf diesen Abend war die Nacht gefolgt. Auf der Schwarzwälder Uhr hatte eben der kleine Kunstvogel zehnmal unter Flügelschlagen sein »Kuckuck« gerufen, und Richard holte den großen Schlüssel aus seiner Schlafkammer, um, wie jeden Abend, das Hoftor in der Mauer abzuschließen.

Als unten auf dem Flur Franziska aus der Küche trat, haschte er im Dunkeln ihre Hand und zog sie mit sich auf den Hof hinab. Schweigend hing sie sich an seinen Arm. So blickten sie aus dem geöffneten Tor noch eine Weile in die Nacht hinaus.

Es stürmte; die Tannen sausten, hinter dem Wald herauf jagte schwarzes Gewölk über den bleichen Himmel; aus dem Dickicht scholl das Geheul des großen Waldkauzes. Das Mädchen schauderte. »Hu, wie das wüst ist!«

»Du, hast du Furcht?« sagte er. »Ich dachte, du könntest dich nicht grauen.«

»Doch! Jetzt!« Und sie drängte ihren Kopf an seine Brust.

Er trat mit ihr zurück und warf den schweren Riegel vor die Pforte; von oben aus den Fenstern fiel der Lampenschimmer in den umschlossenen Hof hinab. »Der nächtliche Graus bleibt draußen!« sagte er.

Sie lachte auf. »Und auch der Vormund!« raunte sie ihm ins Ohr.

Er nahm sie wie berauscht auf beide Arme und trug sie in das Haus. – Und auch hier drehte sich nun der Schlüssel, und wer draußen gestanden hätte, würde es gehört haben, wie auf diesen Klang der große Hund sich innen vor der Haustür niederstreckte.

Bald war auch in den Fenstern oben das Licht erloschen, und das Haus lag wie ein kleiner dunkler Fleck zwischen unzähligen anderen in der großen Einsamkeit der Waldnacht.

Franziska war mit dürftiger Kleidung in ihre neue Stellung eingetreten, und obgleich Richard bei seiner ersten Verhandlung mit dem Vormunde in dieser Beziehung alle Fürsorge auf sich genommen hatte, so war bei dem abwehrenden Wesen des Mädchens doch noch kein Augenblick gekommen, in dem er Näheres hierüber hätte mit ihr reden mögen. Freilich war auch dies Gepräge der Armut und nicht weniger die Scham, womit er sie bemüht sah, es ihm zu verdecken, nur zu einem neuen Reiz für ihn geworden; ein süßes, schmerzliches Licht schien ihm bei solchen Anlässen von ihrem jungen, sonst ein wenig herben Antlitz auszustrahlen. – Jetzt aber durfte es so nicht länger bleiben.

Drei Meilen südlich von ihrem Waldhäuschen lag eine große Handelsstadt, und eines Morgens in der Frühe hielt draußen vor dem Tore ein leichter, wohlbespannter Wagen, um sie dorthin zu bringen. Leo war im Hinterhause eingesperrt worden. Frau Wieb, nachdem sie von beiden noch einige freundliche Worte durch ihr Hörrohr in Empfang genommen hatte, nickte munter nach dem Wagensitz hinauf, und fort rollten sie über die holperigen Geleise der Heide in die Welt hinaus.

Auf halbem Wege waren sie in einem Dorfkruge abgestiegen. Als die Wirtin die bestellte Milch brachte, fragte sie, auf Richard zeigend: »Der Herr Vater nimmt doch auch ein Glas?«

»Freilich«, wiederholte Franziska, »der Herr Vater nimmt das andere Glas.«

Mit übermütiger Schelmerei blickte sie zu ihm hinauf.

Es war noch früh am Vormittage, als sie die große Stadt erreichten.

Zuerst wurde für die Oberkleider eingekauft; klare, feingeblümte Stoffe für die heißen, weiche, einfarbige Wollenstoffe für die kalten Tage. Die Anfertigung der Kleider wurde in demselben Geschäfte besorgt, und Franziska mußte mit einer Schneiderin in ein anliegendes Kabinett gehen, um sich die Maße nehmen zu lassen. Zuvor aber waren von Richard, unter lebhafter Mißbilligung der Verkäufer, die einfachsten Schnitte zur Bedingung gemacht: »Fürs Haus und für den Wald!« Und Franzi hatte die mitleidigen Blicke, womit die jungen Herren des Ladens sie über den Eigensinn des »Herrn Vaters« zu trösten suchten, ohne eine Miene zu verziehen, über sich ergehen lassen.

Sie gaben ihre Adresse ab und gingen weiter.

Nachdem unterwegs Franziskas Malgerät vervollständigt und bei einer Modistin zwei einfache, aber zierliche Strohhüte eingehandelt waren, traten sie in ein Weißwarengeschäft. Bevor noch Franziska ein Wort dareinreden konnte, hatte er ein Dutzend fertiger Hemden eingekauft.

»Sie sind ein Verschwender!« sagte sie; »das hätt' ich alles selber nähen können.«

»Du hast recht!« erwiderte er und kaufte das Zeug zu einem zweiten Dutzend.

»Wenn Sie so fortfahren, Richard, so gehe ich in keinen Laden mehr.«

»Nur noch zum Schuhmacher! – Aber was soll das Sie? Bist du mir böse, Franzi?«

»Nein, du; aber du siehst mir heut so vornehm aus.«

»Weiter!« sagte er.

Bald darauf standen sie in dem elegantesten Schuhwarenmagazin; und die Ladendame, nachdem sie etwas herabsehend die unscheinbare Gestalt des Mädchens gemustert hatte, breitete gleichgültig einen Haufen Schuhwerk vor ihnen aus.

Ein Zug der Verachtung spielte um Franzis Lippen, als sie auf diese Mittelware blickte; denn sie besaß eine Schönheit, welche an diesem

Orte als die höchste gelten mußte, und deren sie sich vollständig bewußt war. Aber sie setzte sich gleichwohl auf den bereitstehenden Sessel und zog ihr Kleid bis an die Knöchel in die Höhe.

Das Frauenzimmer, das mit dem Schuhwerk vor ihr hingekniet war, stieß einen Ruf des Entzückens aus. »Ah! Welch ein Aschenbrödelfüßchen! Da muß ich Kinderschuhe bringen.«

Wie eine Fürstin saß Franzi auf ihrem Sessel; Richard, der diesen Sieg vorausgesehen hatte, verschlang den triumphierenden Blick, den sie zu ihm hinaufsandte.

Die Ladendame aber erschien ganz wie verwandelt; ihre Käufer waren offenbar plötzlich in die Aristokratie der Kundschaft hinaufgerückt; sie holte eifrig eine Menge zierlicher Stiefelchen von allen Farben und Arten aus den Glasschränken hervor, die aber sämtlich nach dem Gebot der Mode mit hohen Absätzen versehen waren.

»Nein, nein«, sagte Richard lächelnd, »das mag für gewöhnliche Damenfüße gut genug sein; Füße aus dem Märchen dürfen nicht auf solchen Klötzen gehen!«

»Sie haben recht, mein Herr«, sagte die Ladendame, »aber für die gewöhnliche Kundschaft müssen wir uns nach der Mode richten.« Dann kramte sie wieder in ihren Schränken; und nun brachte sie Stiefelchen, so leicht, so weich; die Elfen hätten darauf tanzen können; gleich das erste Paar glitt wie angegossen über Franzis schlanke Füßchen.

Noch einige Paare wurden ausgesucht, auch für die gemeinschaftlichen Wanderungen zu hoch hinaufreichenden ledernen Waldstiefelchen das Maß genommen; dann trieben die beiden weiter durch die wimmelnde Menschenflut der großen Stadt. Sie hing an seinem Arm; er fühlte mit Entzücken jeden ihrer leichten Schritte, und unwillkürlich ging er immer rascher, als wolle er den Vorübergehenden jeden Blick auf das bezaubernde Geheimnis dieser Füßchen unmöglich machen, die nur ihm und keinem anderen je gehören sollten.

Mit sinkendem Abend hielt der Wagen wieder vor dem Hause des Waldwinkels.

– – Einige Tage später brachte die Botenfrau große Packen aus der Stadt; alle Bestellungen waren auf einmal eingetroffen. Franziska trug die Herrlichkeiten auf ihr Zimmer und schloß sich darin ein. Als sie nach geraumer Zeit in die Wohnstube trat, ging sie auf Richard zu, nahm ihn schweigend um den Hals und küßte ihn; dann lief sie in die Küche, um Frau Wieb heraufzuholen.

Es war aber nur noch ein Teil der Sachen und nur das Einfachste, das jetzt, auf Bett und Kommode ausgebreitet, der gutmütigen Alten zur Bewunderung vorgezeigt wurde. Dagegen hatte Franziska derzeit nicht vergessen, Richard an den Einkauf eines guten Kleiderstoffs und einer bunten Sonntagshaube für die Alte zu erinnern. Und jetzt, trotz deren Bitten, sie möge ihr eigen Weißzeug darum nicht versäumen, gab sie keine Ruhe, bis sie zu dem neuen Staat ihr Maß genommen hatte und anderen Tags schon zwischen zerschnittenen Stoffen und Papiermustern in Frau Wiebs Kämmerchen am Schneidertische saß. So geschickt wußte sie es der alten Frau vorzustellen, daß sie noch keineswegs zu alt sei, um hier eine Rosette, dort eine Puffe oder Schleife angesetzt zu bekommen, daß diese immer öfter aus ihrer Küche in die Zauberwerkstatt hinüberlief und ihrem Herrn beteuerte, die Franziska mache sie noch einmal wieder jung.

Richard schien kaum dies Treiben zu beachten; nur einmal, als er dem Mädchen auf dem Flur begegnete, da sie eben mit allerlei Nähgerät die Treppe herabgekommen war, hielt er sie an und sagte: »Aber Franzi, was stellst du denn mit unserer guten Alten auf? Sie wird ja eitel wie Bathseba auf ihre alten Tage.«

Franziska ließ eine Weile ihre Augen in den seinen ruhen. »Laß nur«, sagte sie dann, »die Alte muß auch ihre Freude haben!« Und schon war sie durch die Kammertür verschwunden.

Sie wohnten zwischen der Heide und dem Walde, in welche seit hundert Jahren keine Menschenhand hineingegriffen hatte; rings um sie her waltete frei und üppig die Natur.

Die Menschen waren fern, nur die Bienen kamen und summten einsam über die Heide. Einmal zwar war der alte Inspektor eingekehrt und hatte wegen der nötigen Feuerung mit der alten Frau Wieb eine Zwiesprache in deren Stübchen abgehalten; dann ein paar Tage später war ein mächtiges Fuder schwarzen Torfes durch den Wald dahergekommen und vor dem Hause abgeladen worden; einmal auch hatte der Krämer aus der Stadt mit seinen neugierigen Augen sich herangedrängt, hatte glücklich ein Geschäft gemacht, war dann aber mit der

Weisung entlassen worden, daß in Zukunft alles brieflich solle bestellt werden. Sonst war niemand da gewesen als die Botenfrau, die zweimal wöchentlich Briefe und Blätter, und was ihr sonst zu bringen aufgetragen war, unten in der Küche niederlegte. Einen Besuch auf dem jenseit des Waldes liegenden Schlosse hatte Richard den Junkern zwar versprochen, aber er wurde immer wieder hinausgeschoben. So kam auch von dort niemand herüber. Selbst die Zeitungen, welche von draußen aus der Welt Kunde bringen sollten, wurden seit Wochen ungelesen in einem unteren Fache des Schreibtisches aufgehäuft.

– – Aber an jedem Morgen fast schritten jetzt die beiden miteinander in die würzige Sommerluft hinaus; Franzi in ihren hohen ledernen Waldstiefelchen, die Kleider aufgeschürzt, über der Schulter eine kleine Botanisiertrommel, die er für sie hatte anfertigen lassen. Meistens sprang auch der große Hund an ihrer Seite; mitunter aber, wenn der Himmel mit Duft bedeckt war, wenn still, wie heimlich träumend, die Luft über der Heide ruhte und der Wald wie dämmerndes Geheimnis lockte, dann wurde wohl der Löwengelbe, wenn er neben ihnen aus der Haustür stürmte, in schweigendem Einverständnis von ihnen zurückgetrieben; hastig warfen sie dann das schwere Hoftor zurück und achteten nicht des Winselns und Bellens, das von dem verschlossenen Hofe aus hinter ihnen herscholl. Eilig gingen sie fort, und endlich zwischen Busch und Heide erreichte es sie nicht mehr. Nichts unterbrach die ungeheure Stille um sie her, als mitunter das Gleiten einer Schlange oder von fern das Brechen eines dürren Astes; im Laube versteckt saßen die Vögel, mit gefalteten Flügeln hingen die Schmetterlinge an den Sträuchern.

Am Waldesrande waren jetzt in seltener Fülle die tiefroten Hagerosen aufgebrochen. Wenn gar so schwül der Duft auf ihrem Wege stand, ergriffen sie sich wohl an den Händen und erhoben schweigend die glänzenden Augen gegeneinander. Sie atmeten die Luft der Wildnis, sie waren die einzigen Menschen, Mann und Weib, in dieser träumerischen Welt.

– – Einmal, nach langer Wanderung, da die Sonne funkelte und schon senkrecht ihre Mittagsstrahlen herabsandte, waren sie unerwartet an den Rand des Waldes gekommen. Sanft ansteigend breitete ein unabsehbares Kornfeld sich vor ihnen aus; es war in der Blütezeit des Roggens; mitunter wehten leichte Duftwolken darüber hin; bis gegen den Horizont erblickte man nichts als das leise Wogen dieser bläulich silbernen Fluten.

Da klang von fern das Gebimmel einer Glocke; weit hinten, drüben aus dem Grunde, wo wohl das Schloß gelegen sein mochte; gleich einem Rufen klang es durch die stille Mittagsluft, und wie hingezogen von den Lauten schritt Franziska in das wogende Ährenfeld hinein, während Richard, an einen Buchenstamm gelehnt, ihr nachblickte. – Immer weiter schritt sie; es wallte und flutete um sie her; und immer ferner sah er ihr Köpfchen über dem unbekannten Meere schwimmen. Da überfiel's ihn plötzlich, als könne sie ihm durch irgendwelche heimliche Gewalt darin verlorengehen. Was mochte auf dem unsichtbaren Grunde liegen, den ihre kleinen Füße jetzt berührten? – Vielleicht war es keine bloße Fabel, das Erntekind, von dem die alten Leute reden, das dem, der es im Korne liegen sah, die Augen brechen macht! Es lauert ja so manches, um unsere Hand, um unseren Fuß zu fangen und uns dann hinabzureißen. – – »Franzi!« rief er; »Franzi!«

Sie wandte den Kopf. »Die Glocke!« kam es zurück. »Ich will nur wissen, wo die Glocke läutet!«

»Das gilt nicht uns, Franzi; das ist die Mittagsglocke auf dem Schloß!«

Sie wandte sich um und kam zurück. Er schloß sie leidenschaftlich in die Arme. »Weißt du nicht, daß es gefährlich ist, so tief in ein Ährenfeld hineinzugehen?«

»Gefährlich?« Sie sah ihn seltsam lächelnd an. Dann tauchten sie in ihren Wald zurück.

– – Ein andermal, nach einem schwülen Tage, waren sie erst spät am Nachmittag hinausgegangen. – Als der Abend schon tief herabsank, ruhten sie am Ufer eines großen Waldwassers, das rings von hohen Buchen eingefaßt war. Zu ihren Füßen, trotz der regungslosen Stille, schwankte das Schilf mit leisem Rauschen aneinander; drüben hinter dem jenseitigen Walde, der seine Schatten auf den Wasserspiegel warf, zuckte dann und wann ein Wetterschein empor; Irisduft wehte über den See, und ein lautloser Blitz erleuchtete ihn.

Er hatte sich über sie gebeugt und ließ es wie ein Spiel an sich vorübergehen, wenn ihr blasses Antlitz aus dem Dunkel auftauchte und wieder darin verschwand. »Weißt du«, sagte er – »es heißt, man solle in den Augen eines Weibes noch mitunter das Schillern der Paradiesesschlange sehen. Eben, da der Blitz flammte, sah ich es in deinen Augen.«

»Schillerte es denn schön?« fragte sie und hielt ihre Augen offen ihm entgegen.

»Betörend schön.«

Und wieder flammte ein Blitz.

»Du bist ein Tor, Richard!«

»Ich glaube es selber, Franzi.«

Und er legte den Kopf in ihren Schoß, und zu ihr emporblickend, sah er wieder und wieder die Wetterscheine in ihren dunklen Augen zucken.

– – So floß die Zeit dahin. Eines Vormittags aber, als von den Fenstern des Wohnzimmers aus vor dem niederrauschenden Regen der Tannenwald nur noch wie eine graue Nebelwand erschien und die Drachenköpfe unaufhörlich Wasser von sich spien, stand Richard sinnend und allein an seinem Schreibtische, nur mitunter wie abwesend in den trüben Tag hinausblickend.

Franzi trat herein; er hatte sie heute noch nicht gesehen; am Frühstückstische hatte er vergebens auf sie gewartet. Jetzt ging sie schweigend auf ihn zu, drückte ihre Augen gegen seine Brust und hing an seinem Halse, als sei sie nur ein Teil von ihm. Er legte seinen Arm um sie, aber er küßte sie nicht; seine Gedanken waren bei anderen Dingen. Er merkte es kaum, als sie plötzlich wieder aus seinem Arm und aus dem Zimmer sich hinweggestohlen hatte.

Als bald darauf wegen einer wirtschaftlichen Bestellung Frau Wieb ins Zimmer trat, fand sie ihren Herrn vor einer aufgezogenen Schieblade stehen, aus der er allerlei Papiere auf die Tischplatte hervorgekramt hatte. Es waren zum Teil Scheine, deren Vorlegung bei gewissen Lebensakten die bürgerliche Ordnung von ihren Mitgliedern zu verlangen pflegt.

»Sag' mir, Wieb«, rief er der Eintretenden zu, »in welcher Kirche bin ich denn getauft? Du bist ja damals dabei gewesen.«

»Wie?« fragte die Alte und hielt ihr Hörrohr hin. »In welcher Kirche?«

»Nun ja; mir fehlt der Taufschein; man muß seine Papiere doch in Ordnung haben.«

Nachdem er noch einmal in das Hörrohr gerufen hatte, nannte sie ihm die Kirche.

Aber er hörte schon kaum mehr darauf.

»Nein, nein!« sagte er mit leisen, aber scharfen Lauten vor sich hin, indem er wie abwehrend seine Hand ausstreckte. »Wen geht's was an! Es soll mir niemand daran rühren!«

Als er sich umwandte, stand seine alte Wirtschafterin noch im Zimmer; das Muster der Tapete, das sie mit Aufmerksamkeit betrachtete, schien sie festgehalten zu haben. Er fragte sie: »Was siehst du denn an den verblichenen Blumen, Wieb?«

Die Alte nickte. »Die sitzen da nicht von ungefähr«, erwiderte sie. »Der Herr Inspektor, da er neulich wegen der Feuerung da war, hat es mir erzählt. Vergessen und Vergessenwerden, Herr Richard!

Wer lange lebt auf Erden,
Der hat wohl diese beiden
Zu lernen und zu leiden!

Der alte Herr vom Schlosse drüben – der Großvater ist's gewesen von dem jetzigen – hat nur einen Sohn gehabt, den aber hat er fast übermäßig geliebt und ihn nimmer, auch da er schon in die reiferen Jahre gekommen war, aus seiner Nähe lassen wollen; der junge Herr wäre darüber fast zum Hagestolz geworden. Endlich gab's denn doch noch eine Hochzeit, und wie der Vater in ihn, so ist der Sohn in seine junge Frau vernarrt gewesen. Der alte Herr aber hat es nicht verwinden können, daß seines Kindes Augen jetzt immer nur nach einer Fremden gingen; er hat den beiden das Schloß gelassen und hat sich in die Einsamkeit hinausgebaut. Die Tapete hier in diesem Zimmer, wo er noch jahrelang gelebt, ist derzeit von ihm selber ausgewählt; es seien die Blumen des Schlafes und der Vergessenheit, so soll er oft gesagt haben. – Haben Sie noch etwas zu befehlen, Herr Richard?«

Er hatte nichts.

Als die Alte hinausgegangen war, blickte auch er noch eine Weile auf die roten und violetten Mohnblumen; dann fielen seine Augen auf ein

Wandgemälde, das oberhalb der vom Flur hereinführenden Tür die Tapetenbekleidung des Zimmers unterbrach.

Es war eine weite Heidelandschaft, vielleicht die an dem Waldwinkel selbst belegene, hinter welcher eben der erste rote Sonnenduft heraufstieg; in der Ferne sah man, gleich Schattenbildern, zwei jugendliche Gestalten, eine weibliche und eine männliche, die Arm in Arm, wie schwebend, gegen den Morgenschein hinausgingen; ihnen nachblickend, auf einen Stab gelehnt, stand im Vordergrunde die gebrochene Gestalt eines alten Mannes.

Als Richard jetzt von dem Bilde auf die Umrahmung desselben hinüberblickte, trat ihm dort, halb versteckt zwischen allerlei Arabesken, eine Schrift entgegen, die bei näherem Anschauen in phantastischen Buchstaben um das ganze Bild herumlief.

Dein jung Genoß in Pflichten
Nach dir den Schritt tät richten;
Da kam ein andrer junger Schritt,
Nahm deinen jung Genossen mit;
Sie wandern nach dem Glücke,
Sie schaun nicht mehr zurücke.

So lauteten die Worte. Lange stand Richard vor dem Bilde, das er früher kaum beachtet hatte.

Würde das Antlitz jenes einsamen Alten, wenn es sich plötzlich zu ihm wendete, die Züge des Erbauers dieser Räume zeigen, oder war diese Gestalt das Alter selbst, und würde sie – nur eines vermessenen Worts bedurfte es vielleicht – sein eigenes Angesicht ihm zukehren? – Wehte nicht schon ein gespenstisch kalter Hauch von dem Bilde zu ihm herab? – Unwillkürlich griff er sich in Bart und Haar und richtete sich rasch und straff empor. – Nein, nein; es hatte ihn noch nicht berührt. Aber wie lange noch, so mußte es dennoch kommen. Und dann? – –

Er wandte sich langsam ab und trat an seinen Schreibtisch. Die Papiere, die dort noch umherlagen, legte er in die Schublade zurück, aus der er sie vorhin genommen hatte. – Draußen strömte unablässig noch der Regen.

In den nächsten Tagen schien wieder die Sonne; nur der Wald war noch nicht zu begehen. Aber durch die Heide hatten Richard und Franziska am Nachmittage einen weiten Ausflug gemacht; auf dem Riesenhügel, in welchem Meister Reineke wohnte, hatten sie ihr mitgenommenes Vesperbrot verzehrt, während Leo, der diesmal nicht zurückgetrieben war, an den Eingängen des geheimnisvollen Baues seine vergeblichen Untersuchungen fortgesetzt hatte.

Mit der Dämmerung waren sie heimgekehrt. –

Als Franzi in das Wohnzimmer trat, ging sie schon wieder in den leichten Stiefeln, die sie stets im Hause zu tragen pflegte.

»Du bist blaß«, sagte Richard; »es ist zu weit für dich gewesen.«

»Oh, nicht zu weit.«

»Aber du bist ermüdet, komm!« Und er drückte sie in den großen Polsterstuhl, der dicht am Fenster stand.

Sie ließ sich das gefallen und legte den Kopf zurück an die eine Seitenlehne; die schmächtige Gestalt verschwand fast in dem breiten Sessel.

»Wie jung du bist!« sagte er.

»Ich? – Ja, ziemlich jung.«

Sie hatte ihr Füßchen vorgestreckt, und er sah wie verzaubert darauf hinab. »Und was für eine Wilde du bist«, sagte er; »da geht schon wieder quer über den Spann ein Riß!« Er hatte sich gebückt und ließ seine Finger über die wunde Stelle gleiten. »Wieviel Paar solcher Dinger verbrauchst du denn im Jahr, Prinzeßchen?«

Aber sie legte nur ihren kleinen Fuß in seine Hand, löste ihre schwere Haarflechte, die sie drückte, so daß sie lang in ihren Schoß hinabfiel, und streckte sich dann mit geschlossenen Augen in die weichen Polster.

Im Zimmer dunkelte es allgemach; draußen in der Wiesenmulde stiegen weiße Dünste auf, und drüben im Tannenwalde war schon die Schwärze der Nacht. – Da schlug draußen im Hofe der Hund an, und Franzi fuhr empor und riß ihre großen grauen Augen auf.

Nein, es war wieder still; aber von jenseit des Waldes kam jetzt mit dem Abendwind Musik herübergeweht.

»Laß doch«, sagte Richard, »das kommt nicht zu uns.«

Aber sie hatte sich vollends aufgerichtet und sah neugierig in die Abenddämmerung hinaus.

»Es ist nur eine Hochzeit, Franzi, sie werden mit der Aussteuer drüben am Waldesrand herumfahren.«

»Eine Hochzeit! Wer heiratet denn?«

»Wer? Ich glaube: des Bauernvogts Tochter; ich weiß es nicht. Was kümmert es uns; wir kennen ja die Leute nicht.«

»Freilich.«

Sie standen jetzt beide am Fenster; er hatte den Arm um sie gelegt, sie lehnte den Kopf an seine Brust. Ein paarmal, aber immer schwächer, wehten noch die Töne zu ihnen her; dann wurde alles still, so still, daß er es hörte, wie ihr der Atem immer schwerer ging.

»Fehlt dir etwas, Franzi?« fragte er.

»Nein; was sollte mir fehlen?«

Er schwieg; aber sie drängte ihr Köpfchen fester an seine Brust. »Du!« sagte sie, als brächte sie es mühsam nur hervor.

»Ja, Franzi?«

»Du – warum heiraten *wir* uns nicht?«

Es durchfuhr ihn wie ein elektrischer Schlag; eine Kette qualvoller Erinnerungen tauchte in ihm auf; die Welt streckte ihre grobe Hand nach seinem Glücke aus.

»*Wir,* Franzi?« wiederholte er scheinbar ruhig. »Wozu? – Was würde dadurch anders werden?«

»Freilich!« Sie sann einen Augenblick nach. »Aber wir lieben uns ja doch!«

»Ja, Franzi! Aber« – er blickte ihr tief in die Augen, und seine Stimme sank zu einem Flüstern, als wage er die Worte nicht laut werden zu lassen – »es könnte einmal ein Ende haben – plötzlich!«

Sie starrte ihn an. »Ein Ende? – Dann müßte ich wohl fort von hier!«

»Müssen, Franzi? Weh mir, wenn du es müßtest!«

Sie schwiegen beide.

»Wie alt bist du, Franzi?« begann er wieder.

»Du weißt es ja, ich werde achtzehn.«

»Ja, ja, ich weiß es, achtzehn; ich bin ein Menschenalter dir voraus. Über diesen Abgrund bist du zu mir hinübergeflogen, mußt du immer zu mir hinüber. – Es könnte ein Augenblick kommen, wo dir davor schauderte.«

»Was sprichst du da?« sagte sie. »Ich verstehe das nicht.«

»Verstehe es nimmer, Franzi!«

Aber während sie atemlos zu ihm emporblickte, zuckte es plötzlich um ihren jungen Mund; es war, als flöhe etwas in ihr Innerstes zurück. Hatten seine Worte die Schärfe ihres Blicks geweckt und sah sie, was ihr bisher entgangen war, einen Zug beginnenden Verfalls in seinem Antlitz? – Doch schon hatte sie sein Haupt zu sich herabgezogen und erstickte ihn fast mit ihren Küssen. Dann riß sie sich los und ging rasch hinaus.

Als sie fort war, machte er sich an seinem Schreibtische zu tun. Mit einem besonders künstlichen Schlüssel öffnete er ein Fach desselben, in welchem er seine Wertpapiere verwahrt hielt. Er nahm aus den verschiedenen Päckchen einzelne hervor, schlug einen weißen Bogen darum und setzte eine Schrift darauf. Als das geschehen war, nahm er einen zweiten, dem, womit er das Fach geöffnet hatte, völlig gleichen Schlüssel, paßte ihn in das Schlüsselloch und legte ihn dann neben die Papiere auf die Tischplatte.

Der Abend war schon so weit hereingebrochen, daß er alles fast im Dunkeln tat; über den Tannen drüben war schon der letzte Hauch des braunen Abenddufts verglommen.

Als Franziska nach einer Weile mit der brennenden Lampe hereingetreten war und schweigend das Zimmer wieder verlassen wollte, ergriff er ihre Hand und zog sie vor den Schreibtisch.

»Kennst du das, Franziska?« fragte er, indem er einige der Papiere vor ihr entfaltete.

Sie blickte scharf darauf hin. »Ich kenne es wohl«, erwiderte sie; »es ist so gut wie Geld.«

»Es sind Staatspapiere.«

»Ja, ich weiß; ich habe bei dem Magister einmal zu solchen ein Verzeichnis machen müssen.«

Er zeigte ihr ein Konvolut, worauf in frischer Schrift ihr Name stand, und nannte ihr den Betrag, der darin enthalten war. »Es ist dein Eigentum«, sagte er.

»Nein, das viele Geld?« Sie blickte mit scharfen Augen auf das verschlossene Päckchen.

»Versteh' mich, Franzi«, begann er wieder; »schon jetzt ist es dein; am allermeisten aber« – und er verschlang die junge Gestalt mit seinen

Blicken – »in dem Augenblicke, wo du selber nicht mehr mein bist. Du wirst dann völlig frei sein; du sollst es jetzt schon sein.«

Er sah sie an, als erwartete er von ihr eine Frage, eine Bitte um Erklärung; da sie aber schwieg, sagte er in einem Tone, der wie scherzend klingen sollte: »Da du jetzt eine Kapitalistin bist, so muß ich dir auch den nötigen Eigentumssinn einzupflanzen suchen.«

Und er nahm eine von den Zeitungen, die umherlagen, zog die Geliebte auf seinen Schoß und begann die Rubrik der Kurse mit ihr durchzugehen. Dann aber, als sie ihm aufmerksam zuzuhören schien, lachte er selbst über sein schulmeisterliches Bemühen. »Es ist spaßhaft! Du und Staatspapiere, Franzi! Du hast natürlich kein Wort von allem dem verstanden!«

Aber sie lachte nicht mit ihm; sie war von seinem Schoße herabgeglitten und begann eingehende Fragen über das eben Gehörte an ihn zu richten.

Er sah sie verwundert an. »Du bist gefährlich klug, Franzi!« sagte er.

»Magst du lieber, daß ich's nicht verstehe, wenn du mich belehrst?«

»Nein, nein; wie sollte ich!« – –

Sie wollte gehen, aber er rief sie zurück. »Vergiß den Schlüssel nicht!« Und indem er sie an den Schreibtisch führte, setzte er hinzu: »Dieses Fach enthält jetzt mein und auch dein Eigentum. Möge es nie getrennt werden!«

Sie hatte indessen eine Schnur von ihrem Halse genommen, woran sie eine kleine goldene Kapsel mit den Haaren einer frühverstorbenen Schwester auf der Brust trug, und war eben im Begriff, daneben auch den Schlüssel zu befestigen; aber ihre geschäftigen Hände wurden zurückgehalten.

»Nein, nein, Franzi«, sagte er. »Was beginnst du!« – Er hatte das Mädchen zu sich herangezogen und küßte sie mit Leidenschaft. – »Leg' ihn fort, weit fort! zu deinen anderen Dingen. Was denkst du denn! Soll ich den Kassenschlüssel an deinem Herzen finden?«

Sie wurde rot. »Was du auch gleich für Gedanken hast!« sagte sie und stecke den Schlüssel in die Tasche.

Es war in der ersten Hälfte des August. Schwül waren die Tage; trübselig in der Mauser saßen die Vögel im Walde, nur einzelne prüften schon das neue Federkleid zum weiten Abschiedsfluge; aber desto schöner waren die Nächte mit ihrer erquickenden Kühle. Draußen im Waldwasser, wo vordem die Iris blühten, wie auf dem Hofe in der Tiefe des offenen Brunnens spiegelten sich jetzt die schönsten Sterne; im Nordosten des nächtlichen Himmels ergoß die Milchstraße ihre breiten, leuchtenden Ströme.

Richard hatte während einiger Tage den nächsten Umkreis des Waldwinkels nicht verlassen; ein Körperleiden aus den Jahren seiner Kerkerhaft, die nicht nur im Kopfe des Winkeladvokaten spukte, war wieder aufgetaucht und hatte wie eine lähmende Hand sich auf ihn gelegt.

Jetzt saß er, die linde Nacht erwartend, auf einer Holzbank, welche draußen vor der Umfassungsmauer angebracht war; an seiner Seite lag sein löwengelber Hund. Stern um Stern brach über ihm aus der blauen Himmelsferne; er mußte plötzlich seines Jugendglücks gedenken. – Wo – was war Franziska zu jener Zeit gewesen? – Ein Nichts, ein schlafender Keim! – Wie lange hatte er schon gelebt! – – Die Talmulde entlang begann ein kühler Hauch zu wehen; er hätte wohl lieber nicht in der Abendluft dort sitzen sollen.

Da schlug der Hund an und richtete sich auf. Gegenüber aus den Tannen ließen sich Schritte vernehmen, und bald erschien die schlanke Gestalt eines Mannes, rasch auf dem Fußsteige hinabschreitend. »Ruhig, Leo!« sagte Richard, und der Hund legte sich gehorsam wieder an seine Seite.

Der Fremde war indessen nähergekommen, und Richard erkannte einen jungen Mann in herkömmlicher Jägertracht, mit dunkelm, krausem Haar und kecken Gesichtszügen; sehr weiße Zähne blinkten unter seinem spitzen Zwickelbärtchen, als er jetzt, leichthin die Mütze rückend, »guten Abend« bot.

»Sie wünschen etwas von mir?« sagte Richard, indem er sich erhob.

»Von Ihnen nicht, mein Herr; ich wünschte das junge Mädchen in Ihrem Hause zu sprechen.«

Es war eine Zuversichtlichkeit des Tons in diesen Worten, die Richard das Blut in Wallung brachte. »Und was wünschen Sie von ihr?« fragte er.

»Wir jungen Leute haben auf Sonntag einen Tanz im Städtchen drüben; ich bin gekommen, um sie dazu einzuladen.«

»Darf ich erfahren, wem sie diese Ehre danken sollte? Ihrer Sprache nach sind Sie nicht aus dieser Gegend.«

»Ganz recht«, erwiderte in seiner unbekümmerten Weise der andere; »ich verwalte nur während der Vakanz die erledigte Försterei der Herrschaft.«

»Aber Sie irren sich, Herr Förster; die junge Dame, die in meinem Hause lebt, besucht nicht solche Tänze.«

»Oh, mein Herr, es ist die anständigste Gesellschaft!«

»Ich zweifle nicht daran.«

Der andere schwieg einen Augenblick. »Ich möchte doch die junge Dame selber fragen!«

»Es wird nicht nötig sein.«

Richard wandte sich nach der Pforte. Da der Förster auf ihn zutrat, als wollte er ihn zurückhalten, streckte der Hund seinen mächtigen Nacken und knurrte ihn drohend an.

»Bemühen Sie sich nicht weiter, Herr Förster!« sagte Richard.

Ein scharfer Blitz fuhr aus den Augen des jungen Gesellen; er biß in seinen Zwickelbart; dann rückte er, wie zuvor, leichthin die Mütze und ging, ohne ein Wort zu sagen, den Fußsteig, den er gekommen war, zurück. Auf halbem Wege wandte er sich noch einmal und warf einen Blick nach den Fenstern des Waldwinkels; bald darauf verschwand er drüben in dem schwarzen Schatten der Tannen.

– Während der Hund, wie zur Wache, noch unbeweglich an dem Rand der Wiesenmulde stand, war Richard ins Haus zurückgegangen. Als er oben in das Wohnzimmer trat, sah er Franziska am Fenster stehen, die Stirn gegen eine der Glasscheiben gedrückt; ein Staubtuch, das sie vorher gebraucht haben mochte, hing von ihrer Hand herab.

»Franzi!« rief er.

Sie kehrte sich, wie erschrocken, zu ihm.

»Sahst du den jungen Menschen, Franzi?« fragte er wieder. »Es war derselbe, der uns in letzter Zeit ein paarmal im Oberwald begegnet ist.«

»Ja, ich bemerkte es wohl.«

»Hast du ihn sonst gesehen?« In Richards Stimme klang etwas, das sie früher nie darin gehört hatte.

Sie blickte ihn forschend an. »Ich?« sagte sie. »Wo sollte ich ihn sonst gesehen haben?«

»Nun – er war so gütig, dich zum Tanze zu laden.«

»Ach, Tanzen!« Und ein Blitz von heller Jugendlust schoß durch ihre grauen Augen.

Er sah sie fast erschrocken an. »Was meinst du, Franzi?« sagte er. »Ich habe ihn natürlich abgewiesen.«

»Abgewiesen!« wiederholte sie tonlos, und der Glanz in ihren Augen war plötzlich ganz erloschen.

»War das nicht recht, Franzi? Soll ich ihn zurückrufen?«

Aber sie winkte nur abwehrend mit der Hand. – Ohne ihn anzusehen, doch mit jenem scharfen Klang der Stimme, der sich zum erstenmal jetzt gegen ihn wandte, fragte sie nach einer Weile: »Hast *du* je getanzt, Richard?«

»Ich, Franzi? Warum fragst du so? – Ja, ich habe einst getanzt.«

»Nicht wahr, und es ist dir eine Lust gewesen?«

»Ja, Franzi«, sagte er zögernd, »ich glaube wohl, daß ich es gern getan.«

»Und jetzt«, fuhr sie in demselben Tone fort, »jetzt tanzest du nicht mehr?«

»Nein, Franzi; wie sollte ich? Das ist vorbei. – Aber du nimmst mich ja förmlich ins Verhör!« Er versuchte zu lächeln; aber als er sie anblickte, standen die grauen Augen so kalt ihm gegenüber. »Vorbei!« sagte er leise zu sich selber. »Der Schauder hat sie ergriffen; sie kommt nicht mehr herüber.«

Er ließ es still geschehen, als sie nach einer Weile an seinem Halse hing und ihm eifrig ins Ohr flüsterte: »Vergib! Ich habe dumm gesprochen! Ich will ja gar nicht tanzen.«

Richards Unwohlsein hatte in einigen Wochen so zugenommen, daß er das Zimmer nicht verlassen konnte. Ein Arzt wurde nicht zugezogen, da ihm aus früheren Zufällen die Behandlung selbst geläufig war; sogar Frau Wiebs aus Wachs und Baumöl gekochte Salben wurden unerbittlich zurückgewiesen. Besser wußte Franziska es zu treffen. Sie saß neben seinem Lehnstuhl, wo er, an einem künstlich von ihr aufgebauten Pulte, einen Aufsatz über hier aufgefundene seltene Doldenpflanzen begonnen hatte; sie holte ihm die betreffenden Exemplare aus dem mit ihrer Hilfe angelegten Herbarium oder aus der Bibliothek die Bücher, deren er bedurfte; sie suchte darin die einschlagenden Stellen für ihn auf und las sie vor. »Wenn ich noch einmal Professor werde«, sagte er heiter, »welch einen Famulus besitz' ich schon!« Aber sie war nicht nur sein Famulus, sie war auch das Weib, deren stille Nähe ihm wohltat, die schweigend seine Hand, wenn sie von der Arbeit ruhte, in die ihre nahm, die ihm die Polster und den Schemel rückte und ihm mit sanfter Stimme den Trost auf baldige Genesung zusprach.

Heute – es war am Nachmittag – hatte er sie fortgeschickt, um ein buntes Lippenblümchen aufzusuchen, das nach seiner Rechnung sich jetzt erschlossen haben mußte; am Waldwasser, das sie beide zu allen Tageszeiten oft besucht hatten, standen hier und da die Pflänzchen. – Er selbst war in seinem Lehnsessel bei der begonnenen Arbeit zurückgeblieben; auf allen Stühlen um ihn her lagen Bücher und Blätter, von Franziskas Hand vor ihrem Weggange sorgsam nahegerückt und geordnet. Eben hatte er eine ihrer Zeichnungen hervorgesucht, die nach seiner Absicht dem Aufsatze beigedruckt werden sollte; aber seine Gedanken gingen über das Blatt nach der Malerin selbst, die jetzt dort drüben der Wald vor ihm verbarg. Ihre hingebende Sorge an seinem Krankenstuhle wollte ihm auf einmal fast unheimlich scheinen; denn – er konnte es sich nicht verhehlen – Franzi hatte sich in der letzten Zeit ihm zu entziehen gesucht; sie war fast wieder scheu geworden wie ein Mädchen. Sollte dies demütige Dienen ein Ersatz sein? Es war etwas Müdes in ihrem ganzen Tun und Wesen.

Richard hatte den Kopf zurückgelehnt und blickte aus dem Fenster, in dessen Nähe seine Krankenstatt aufgeschlagen war. Durch die klare Luft flog eben ein Zug von Wandervögeln; als der verschwunden war, fielen seine Augen auf einen Vogelbeerbaum, der drüben vor den Tannen an der Wiesenmulde stand; eine Schar von Drosseln tummelte sich flatternd und kreischend zwischen den schon roten Traubenbüscheln, die in dem scharfen Strahl der Nachmittagssonne aus dem Grün hervorleuchteten. Fern aus dem Walde hallte ein Schuß.

»Bartholomäustag!« sagte Richard bei sich selbst. – »Die Junker haben ihre Jagd eröffnet. – Wenn nur Franzi schon zurück wäre!«

Eine ungeduldige Sehnsucht nach ihr ergriff ihn. Er hatte ihr etwas versagt, woran sie nur einmal und nie wieder erinnert hatte; aber es schien ihm plötzlich klar geworden, dies Versagen drückte sie. Wenn er nur erst gesund wäre! Sie konnten hier nicht ewig bleiben; auch er fühlte jetzt mitunter eine Beklommenheit in dieser Stille, einen Drang, an den Dingen da draußen wieder frischen Anteil zu nehmen. Dann, wenn sie unter Menschen lebten, mußte schon alles nachgeholt sein; was er ihr und sich selber einst entgegengesetzt hatte, er schalt es kranke Träume, die den Dünsten des öden Moors entstiegen seien. Nein, nein! Sein junges Weib zur Seite, wollte er wieder ins volle Leben hinaus; ein ganz froher Mann, befreit von allem grauen Spinngewebe der Vergangenheit. »Franzi, süße Franzi!« rief er und streckte beide Arme nach ihr aus.

Aber sie kam noch nicht.

Er versuchte es, seine Arbeit wieder aufzunehmen, er blätterte in den umherliegenden Büchern, er schrieb eine Zeile, dann legte er die Feder wieder hin. – Von den Eichbäumen, die zu Westen der Umfassungsmauer standen, fielen die Schatten schon über den ganzen Hof; nur seitwärts durch die oberen Scheiben drang noch ein Sonnenstrahl ins Zimmer. Da sah er es drüben aus den Tannen schimmern; Franziska trat aus dem Dunkel und schritt langsam auf dem Fußsteige hin; ein paarmal blieb sie wie aufatmend stehen, während sie durch die Wiesenmulde heraufkam.

Als sie dann zu ihm ins Zimmer getreten war, legte sie einen Strauß von blauem Enzian und Heideblüten vor ihn hin; auch ein Stengel jenes Lippenblümchens war dabei, aber die Knospen waren noch nicht erschlossen; vergebens – so sagte sie – habe sie sich überall nach einer aufgeblühten Pflanze umgesehen; aber morgen oder übermorgen werde sie gewiß schon eine bringen können.

Ihre Augen glänzten, ihre Wangen waren heiß. Er ergriff ihre Hand und wollte sie an sich ziehen.

»Du hast wohl sehr weit umher gesucht?« sagte er.

Aber er fühlte ein leises Widerstreben. »Oh, ziemlich weit! Es war ein wenig feucht, ich muß die Schuhe wechseln.«

»So tue das erst, komm aber bald zurück! Ich habe fast um dich gesorgt.«

»Um mich? Das war nicht nötig.«

»Ja, Franzi, wenn man krank im Lehnstuhl sitzt! – Ich hörte schießen, drüben vom Waldwasser her. Hast du es nicht gehört?«

»Ich? Nein, ich hörte nichts.« Sie hatte im selben Augenblicke den Kopf gewandt. »Ich komme gleich zurück«, sagte sie, ohne umzusehen, und ging rasch zur Tür hinaus.

Als sie gegangen war, kam der Hund herein, der es bald gelernt hatte, mit seiner breiten Pfote die Zimmertür zu öffnen. Er legte den Kopf auf seines Herrn Schoß und blickte ihn wie fragend mit den braunen Augen an. Richard ließ seine Hand liebkosend über den Rücken des schönen Tieres gleiten.

»Sei ruhig, Leo!« sagte er, »wir beide bleiben doch beisammen!« – Er teilte mit den Fingern das seidenweiche Haar unter dem Behang des Kopfes. »Laß sehen! Hast du denn die Narbe noch? – Das war ein wilder Strauß mit dem lombardischen Strauchdieb damals! So tolle Wege gehen wir nun nicht mehr! – Aber schön wird doch auch die neue Fahrt mit deiner jungen Herrin, wenn sie mit ihren lichten Falkenaugen in die vorüberfliegende Landschaft blickt, und du, mein Hund, voran in weiten Sprüngen, wie einstens, da wir noch allein die Welt durchstreiften! Denn hinaus wollen wir wieder, weit hinaus, und du, mein Tier – gewiß, wir bleiben beieinander!«

Er hatte sich hinabgebeugt, aber Leo schloß wie beruhigt seine Augen, und nur die Fahne des mächtigen Schweifes bekundete in sanften Bewegungen die Zufriedenheit seines Inneren. So saßen sie still beisammen, wie sie es sonst so oft getan, tags an der offenen Landstraße, wie abends im behaglichen Quartier. Der reichbegabte Mann und die scheinbar so weit von ihm getrennte Kreatur – in diesem Augenblicke legte sich das Gefühl der gegenseitigen Treue wie erquickender Tau auf beider Haupt.

– – Richard war nicht dazu gekommen, Franzi seinen so freudig gefaßten Entschluß mitzuteilen; auch als sie bald darauf wieder eintrat, und selbst in den folgenden Tagen gelangte er nicht dazu. – Franzi ging wiederholt in den Wald hinaus. Sie brachte ihm die erschlossene Blume, um derentwillen sie zuerst hinausgegangen war; sie brachte auch andere, die zu seiner Arbeit in Beziehung standen; jedesmal hatte sie etwas Neues vorzulegen. In der Vase, welche auf dem Schreibtische stand, ordnete sie fast täglich einen neuen Strauß von Gräsern und wilden Blumen, zwischen denen jetzt auch schon Zweige mit roten und schwarzen Beeren glänzten.

Wenn sie ihn verlassen hatte, fühlte er eine Unruhe, die er sich selber zu gestehen schämte. Denn was konnte ihr geschehen hier im Walde! – Einen Schuß hatte er nicht wieder gehört; die Jagd mußte, wenn sie überhaupt betrieben wurde, nach einem entfernteren Teile des Reviers verlegt sein.

Aber allmählich und immer rascher fühlte er sich genesen; bald ging er im Hause, bald mit Leo oder Franzi auch schon draußen in der nächsten Umgebung desselben umher; mit vollen Zügen atmete er die klare, würzige Herbstluft. Und jetzt erfaßte ihn aufs neue eine Ungeduld, bevor noch hier die Blätter fielen, seine Pläne zu verwirklichen. Mit raschem Entschluß setzte er sich an den Schreibtisch und teilte seinem Freunde, dem Bürgermeister, seine Absicht nebst einer dessen Persönlichkeit entsprechenden Begründung mit, zugleich kündigte er seinen Besuch auf die nächsten Tage an. Neben ihm unter dem Briefbeschwerer lag die jüngst verfaßte Arbeit, in sauberer Reinschrift von Franziskas Hand und fertig zur Versendung an die Redaktion einer botanischen Zeitschrift. Alles sollte noch heute die Botenfrau zur Post bringen.

Als er die Abhandlung hervorzog, um sie einzusiegeln, kreuzte beim flüchtigen Einblick ein Gedanke seinen Kopf, der ihn antrieb, noch einmal ein in seiner Bibliothek befindliches Fachwerk nachzuschlagen.

Gleich nachdem er das Zimmer verlassen hatte, kam Franziska durch die Außentür herein. Als sie den offenen, frisch geschriebenen Brief auf dem Tische liegen sah, trat sie auf leisen Sohlen näher; vorsichtig reckte sie den Kopf, und ihre Augen flogen darüber hin, als wollten sie die Schrift einsaugen. Ein paar Sekunden stand sie noch, ihre Finger fuhren an die Zähne, ein heftiges Erschrecken lag auf ihrem Antlitz. Dann, als nebenan in der Bibliothek sich Schritte rührten, floh sie aus dem Zimmer, aus dem Hause und draußen über den Hof; an die Mauer gedrückt, lief sie in die Heide hinaus, die an der Rückseite des Gebäudes lag. Eine Weile saß sie hier zwischen dem Eichengebüsch auf dem Boden, die Hände um die Knie gefaltet; ihre Blicke flogen von den Wetterfahnen des Hauses, welche goldschimmernd in der Morgensonne aus dem Laub hervorragten, nach dem Wald hinüber und vom Wald zurück zu dem alten Gemäuer, das dort so friedlich in dem Grün der Bäume stand. Plötzlich sprang sie auf; die ganze schmächtige Gestalt bebte, aber ihre Augen blickten entschlossen nach dem Walde hinüber. Durch das Gebüsch der Heide lief sie seitwärts an der Wiesenmulde entlang. Als sie beim Zurückblicken das Haus nicht mehr gewahren konnte, ging sie durch die wuchernden Kräuter in dieselbe hinab und verschwand dann jenseits zwischen den Stämmen der Waldbäume.

– Als sie nach reichlich einer Stunde wieder ins Haus trat, schien jede Spur einer Aufregung aus ihrem Angesicht verschwunden.

»Bist du endlich da, Franzi?« sagte Richard, der ihr auf dem Flur entgegenkam; »ich suche dich seit einer Stunde.«

Franziska drückte ihm leicht die Hand. »Verzeih, daß ich dir's nicht sagte. Mir war der Kopf benommen, ich mußte einen Gang ins Freie machen.«

Er legte ihren Arm in seinen. »Komm!« sagte er und zog sie mit sich die Treppe hinauf nach dem Wohnzimmer. Hier faßte er sie an beiden Händen und blickte sie lang und liebevoll mit seinen ernsten Augen an.

Sie senkte den Kopf ein wenig und fragte: »Was hast du, Richard? Du bist so feierlich.«

»Franzi«, sagte er, »gedenkst du wohl noch der Hochzeitsmusik, die abends vom Waldesrand zu uns herüberwehte?«

Sie nickte, ohne aufzusehen.

»Und jener Worte, die ich damals zu dir sprach? – Ich war ein Tor, Franzi; die ungewohnte Einsamkeit hatte mir den Mut gelähmt. Doch jetzt bin ich ein eigensüchtiger Mensch; ich kann nicht anders, ich muß dich halten, unauflöslich fest, auch wenn du gehen wolltest! Ich ertrag's nicht länger, daß du frei bist. – Das ist Selbsterhaltung, Franzi, ich kann nicht leben ohne dich.«

Immer inniger ruhten seine Augen auf ihr, immer mehr hatte er sie an sich gezogen.

Bebend hing sie in seinen Armen. »Wann«, sagte sie, »wann denkst du, daß es sein sollte?«

»Macht's dich beklommen, Franzi?« – Er legte seine Hand auf ihre dicke seidene Flechte und drückte ihren Kopf zurück, daß er ihr Antlitz sehen konnte. »Ich hab' dich überrascht, besinne dich! – Wir brauchen keine Hochzeitsmusik; in dieser Stille, wo du mein geworden bist, mag auch die Außenwelt ihr Recht bekommen. Die alte, gute Wieb, ihr Freund, der Inspektor; wir brauchen keine anderen Zeugen! Und übermorgen reise ich zu deinem Vormund, zu unserem Freund, dem Bürgermeister; die paar Tage noch bist du Strohwitwe; dann, Franzi, dann verlassen wir uns nicht mehr.« Er schwieg.

Sie öffnete die Lippen; aber es war, als wenn die Worte nicht hinüberwollten. »Und wann«, sagte sie endlich, »wirst du wiederkommen?«

»Am Sonnabend reise ich; am Dienstag bin ich wieder da. Dann hoff' ich alles mitzubringen: die nötigen Scheine, die Lizenz, das Hochzeitskleid. – – Ja, Franzi, die Tage deiner Freiheit sind gezählt! Du wirst mir doch indes nicht etwa fortgeflogen sein?« –

Mit dem glücklichsten Lächeln blickte er sie an. »Und nun geh, mein geliebtes Weib! Ich hab' noch mancherlei für uns zu ordnen.«

Die letzte Nacht vor der Abreise war gekommen. – Die drei Bewohner des Waldwinkels befanden sich in ihren Schlafgemächern; Leo, der treue Wächter, lag, wie stets um diese Zeit, unten im Flur quer vor der Haustür hingestreckt. Im Hause war alles still, wenn nicht mitunter ein Husten der alten Frau Wieb aus deren Gardinenbett hervorbebte oder droben im Wohnzimmer der Uhrenkuckuck von Stunde zu Stunde die Stationen der Nacht in die schweigenden Räume hinausrief. – Draußen aber wühlte der Wind in den Bäumen; die Wetterfahnen kreischten auf dem Dache, und allerlei Stimmen schwebten, wenn der Sturm zu neuem Zuge den Atem anhielt, aus dem Walde herüber.

– – Horch! Klang da nicht ein Fenster! Das einzige an der Westseite des Hauses, wo die Eichenzweige die Mauer fast berühren?

Nein, nur in den Lüften brauste es stärker; es schien sich weiter nichts zu rühren; die alte Frau Wieb hustete; oben rief der Kuckuck: Eins! – Die Nacht rückte weiter; nichts, was nicht sonst auch da war, ließ sich hören. Die wenigen Sterne, die durch die vorüberjagenden Wolken blinkten, erblichen nach und nach.

– – In der ersten Dämmerung stand Franziska vor Richards Bette. Er schlief noch; sie kniete nieder und küßte seine Hand, die über den

Rand des Bettes herabhing; und als er die Augen aufschlug, sagte sie: »Du mußt aufstehen, Richard; der Wagen wird bald da sein!«

»Franzi!« rief er, die Augen zu ihr aufschlagend, und nach einer Weile, da der Nebel des Schlafs von seiner Stirn gewichen war, setzte er hinzu: »Hast du den Eulenschrei gehört, heut nacht? Auf der Uhr drinnen rief es just zu eins.«

Sie zuckte leise in den Schultern. »Das hören wir ja jede Nacht«, sagte sie leise.

»Nein, nein, Franzi; es war nicht der Waldkauz, den wir hier herum haben; es klang ganz anders, seltsam! Ich zweifelte zuerst, ob's auch nur einer seiner Vettern sei; drunten vom Flur herauf hörte ich, wie Leo sich aufrichtete und einige Male hin und wieder ging.«

»Ich hab' es nicht bemerkt«, sagte sie leise.

»Dann hast du fest geschlafen, Franzi; den das Tier muß in einem der nächsten Bäume hier gesessen haben.«

Sie saßen noch beim Frühstück miteinander, aber Franzi brachte kaum ein Krümchen über ihre Lippen. Dann stieg er in den Wagen. »Vergiß es nicht; drei Tage!« rief er ihr noch zurück, und fort rollte das Gefährte über die Heide; mit lautem Bellen sprang der Hund voraus.

Lange stand sie und blickte mit unbeweglichen Augen hinterher, bis nur noch die dunkle Linie des Steppenzuges sich am Horizonte abhob.

Am Nachmittag trat Richard zu seinem Freunde, dem Bürgermeister, in das Zimmer.

»Nun, Waldmensch!« rief dieser, ihm drohend die kleine runde Hand entgegenschüttelnd, »was treibst du denn für Streiche?«

»Du hast also meinen Brief erhalten?«

»Freilich! Wie du einen alterieren kannst! Es sind natürlich lauter Scherze!«

»Ich bin im vollen Ernst zu dir gekommen.«

»Höchst merkwürdig!« sagte der Bürgermeister; »romantisch, ganz romantisch! – Ich wette, du weißt noch nicht einmal, wer Vater und Mutter zu dem Mädchen gewesen sind.«

»Was geht das mich an!«

»Nun, nun; du brauchst aber doch einen Taufschein –«

»Ich brauche noch mehr, Fritz! Vielleicht gar deine obervormundschaftliche Hilfe, wenn der wackere Schuster seine Mündel etwa wieder bei einem reichen Bäcker sollte in Versorgung geben wollen.«

»Meine Hilfe, Richard? Nein, nein; wo denkst du hin? Das ginge denn doch gegen mein Gewissen.«

Richard lächelte. »Aber du bist ja nicht *mein* Obervormund; ist dir der Mann nicht gut genug für deine Mündel?«

»Bei Gott, du hast recht, Richard! Mir war in diesem Augenblick, als seist du noch mein Leibfuchs. Da werd' ich freilich nichts dagegen machen können.« Der Bürgermeister hatte seine goldene Brille von der Nase genommen, putzte die Gläser mit seinem gelbseidenen Schnupftuche und sah dabei den Freund kopfschüttelnd aus seinen kleinen Augen an. »Hm, solch ein Schwärmer!« sagte er; »es ist doch seltsam, daß eure Sorte immer – –«

Aber Richard ergriff den kleinen, guten Mann bei beiden Händen. »Du disputierst sie mir nicht ab«, sagte er innig. »Laß gut sein, Fritz; sprich lieber, wie steht es mit dem Herrn Magister?«

»Er sitzt!« erwiderte der Bürgermeister mit einem höchst fröhlichen Erwachen seiner Stimme.

»Aber sein Prozeß?«

»Still; weck' ihn nicht! Der schläft.«

»Und Franziska?«

»Wird nicht mehr beunruhigt werden. Die Akten sind eingesandt; das Urtel kommt schon zu seiner Zeit.«

»Nun, Fritz, so hilf mir und laß uns alles rasch besorgen!«

– – Und alles wurde besorgt; schon am nächsten Vormittage hatte Richard die Lizenz und alle nötigen Scheine in seinen Händen. Es war sein Plan gewesen, die Reise noch auf jene Großstadt auszudehnen; aber wieder befiel ihn eine fast angstvolle Sehnsucht und trieb ihn nach dem Wald zurück; die beabsichtigten Einkäufe ließen sich ja auch am besten in Gemeinschaft mit Franziska machen.

So befahl er denn die Heimkehr.

»Frisch zu, Kutscher«, sagte er; »es gilt ein doppeltes Trinkgeld.«

Der Kutscher brauchte seine Peitsche; noch am Nachmittag erreichten sie das Dorf; aber auf dem holperigen Steinpflaster lief ein Rad von der Achse, und zur Ausbesserung bedurfte es einer halbstündigen

Arbeit in der Dorfschmiede. Richard, von Leo begleitet, war nach dem Krug hinübergegangen. Bei seinem Eintritt in die Außendiele stieß der Hund ein dumpfes Knurren aus, und in demselben Augenblick ging der junge Förster, der eben aus der Gaststube trat, ohne Gruß an ihm vorüber aus der Haustür; nur ein flüchtiger Blick der blanken Augen hatte ihn gestreift.

Richard blieb unwillkürlich stehen. Als er durch die offene Haustür wahrnahm, daß der andere den Hof verlassen hatte, ging auch er wieder hinaus und sah ihn eilig auf dem nach Norden führenden Landwege dahinschreiten. Der Mensch war ihm verhaßt; er wußte selber kaum, weshalb er hier am Wege stand, ihm nachzublicken.

Er wandte sich rasch wieder nach dem Hause. Dort hörte er von der Gaststube aus lebhaftes und vielstimmiges Gespräch, wovon er bei seiner ersten Einkehr nichts bemerkt hatte. Als er mit seinem Hunde eintrat, fand er viele Gäste an den Tischen sitzen, denn es war Sonntagnachmittag. Aber das Gespräch verstummte plötzlich; statt dessen kam der Wirt ihm entgegen und erkundigte sich geflissentlich nach seiner Reiseangelegenheit. Von einem der Tische her hörte er noch den Namen des Försters, den er zufällig erfahren hatte; doch der Sprecher erhielt von seinem Nachbar einen Stoß mit dem Ellenbogen; und allmählich kam wieder ein lautes Gespräch in Gang, wie es die Bauern über Ernte und Fruchtpreise um solche Jahreszeit zu führen pflegen.

Endlich war die Achse hergestellt, und der Wagen rollte fort. Richard saß in sich versunken; eine unklare, unbehagliche Stimmung hatte ihn ergriffen; er konnte sich nicht freuen auf die Heimkehr, formlose gespenstische Gebilde aus irgendeinem fernen grauen Nebel drangen auf ihn ein. Wenn er nur erst da wäre, nur erst Franziskas Antlitz wiedersähe!

Und weiter ging es, und immer näher kam er zu den Wäldern. Schon rumpelte der Wagen zwischen dem Eichenbusch über den harten Heideboden, und endlich stieg das Dach des Hauses vor ihm auf, und er sah die Wetterfahnen in der Abendsonne schimmern.

Aber dort, was seitwärts aus dem Schatten des Waldes trat, das war sie ja selbst; ihr helles Kleid, ihr Strohhütchen, ganz deutlich hatte er es erkannt. Sie schien den Wagen nicht bemerkt zu haben, denn sie schlug die Richtung nach dem Hause ein; aber er beugte sich vor und rief über die Heide »Franzi! Franzi!« – Da blieb sie stehen, und als er noch einmal gerufen hatte, wandte sie sich und kam langsam näher. Endlich konnte er ihr Antlitz sehen; die Augen standen so groß und dunkel über den blassen Wangen; er meinte, sie noch niemals so gesehen zu haben. Bevor der Wagen hielt, war er schon hinabgesprungen und schloß sie in die Arme. »Gott sei gedankt!« rief er und atmete auf, als fiele eine Bergeslast von seiner Brust; »mir war, als könnt' ich dich verloren haben!«

Sie sagte nur: »Was du für Träume hast!«

Aber während ihr Kopf an seinem Herzen lag, waren ihre Augen auf den an ihrer Seite stehenden Hund gefallen. Der hatte die Nase nach dem Walde ausgestreckt, der Richtung nach, in welcher Franzi ihn soeben verlassen hatte, und schnoberte immer heftiger in der Luft umher. Fast mechanisch griff ihre kleine Hand in das metallene Halsband des Tieres. »Laß uns heim, Richard«, sagte sie hastig; »und halte den Hund, damit er nicht wie neulich nach den Rehen jagt.«

Er sah nicht hin, er hatte nur Augen für die junge Gestalt, die er in seinen Armen hielt, die er wie ein Kind jetzt in den Wagen hob. Dann pfiff er seinem Hunde, und bald hatten sie die kurze Strecke bis zum Hause zurückgelegt.

Er fand dort alles in gewohnter Ordnung; die alte Wieb trat im saubersten Sonntagsanzug ihm entgegen, voll Freude über seine unerwartet schnelle Heimkehr. Aber er sagte ihr, daß der Wagen schon auf morgen wieder bestellt sei, daß er in der großen Stadt zu tun habe und daß Franziska mit ihm reisen werde. Und dieser flüsterte er zu: »Du bist es doch zufrieden, Franzi! Wir gehen wieder zu der entzückten Ladendame; kleine seidene Stiefelchen soll sie dir anmessen! Du sollst dir alles selber aussuchen – doch nein! Du bist zu anspruchslos, du würdest doch nur *Kleider* für dich kaufen. – Ich aber – in weißen Duft will ich dich hüllen, so leicht wie ein Nichts, so zart, daß auch eine Wolke davon das Leuchten einer Rose nicht verbergen könnte.«

Er sah es nicht, wie sie die weißen Zähnchen aufeinanderbiß und wie ihre Lippen zitterten.

»Nun, Franzi?« fuhr er fort, »was meinst du, bist du es zufrieden?«

Sie zog schweigend seine Hand an ihre Lippen; dann sagte sie mit jenem scharfen Klang der Stimme: »Ich meine, daß du wieder einmal verschwenden willst, und daß du dich täuschest über mich arme Dirne, die ich bin.«

»Und ich meine, daß *du* jetzt die Törin bist.«

Der Abend kam. Richard hatte wie gewöhnlich das äußere Bohlentor und die Haustür abgeschlossen; vor der letzteren auf dem Hausflur lag der Hund, der große Schlüssel zu dem ersteren hing an dem Türpfosten in seinem Schlafgemache. Dann legte er sanft den Arm um Franzis Leib, die müßig am Fenster des Wohnzimmers stand und nach dem dunkeln Wald hinüberschaute, und führte sie durch die Bibliothek bis an die Schwelle ihrer Kammer. Sie war ihm wieder eine unberührte Braut, er überschritt die Schwelle nicht. »Schlaf süß, meine Franzi!« sagte er. »Mir ist auf einmal wieder, als stünde das Glück mir noch in ungewisser Ferne.«

Sie hatte schon die Tür geöffnet; da riß er sie noch einmal an sich. »Gute Nacht, gute Nacht, Franzi!«

Dann war sie fort; nur ihre kleinen, leichten Schritte hörte er noch hinter der geschlossen Tür.

Langsam ging er durch das Wohnzimmer. Im Vorübergehen hob er die brennende Kerze, welche er dort vom Tisch genommen hatte, gegen das alte Türbild und warf einen flüchtigen Blick darauf; dann trat er in sein Schlafgemach.

Und bald, nach den Ermüdungen dieser letzten Tage, lag er in festen Schlaf gesunken. Weder das Rauschen der Wälder draußen in der dunkeln Herbstnacht noch der Zeitruf des kleinen Kunstvogels aus der nebenan liegenden Stube drang in die Tiefe seines Schlummers. Schon war die höchste Stufe der Nacht erklommen; zwölfmal hatte es drüben von der Uhr gerufen; er schlief traumlos weiter, und weiter rückte die Nacht. Eins rief es von der Uhr – dann zwei – dann drei! Da kamen die Träume; und was am Tage nur wie beängstigender Nebel vor seinem Blick geschwommen, jetzt wurde es zu farbigen Gestalten, von grellem oder fahlem Licht beleuchtet, das keiner Zeit des Tages angehörte. – Wie bleich ihm Franzi in den Armen hing! Und seltsam, immer wollten ihre Augen ihn nicht ansehen! Aber dort hinter den Bäumen stand der Jäger. – – Stöhnend warf er sich umher auf seinem Lager; aus seinem Munde brachen heftige, zusammenhangslose Laute.

Plötzlich fuhr er empor und saß aufgerichtet in den Kissen, der Nachhall irgendeines Schalles lag in seinen Ohren; und jetzt schon wußte er es, vom Hofe drunten mußte es gekommen sein. Im selben Augenblick stand er auch am Fenster, kaum die erste graue Dämmerung war angebrochen; aber dennoch sah er es, wie eben das schwere Hoftor zuschlug. Wie noch im Traume hatte er eine seiner beiden Pistolen von der Wand gerissen; eine Fensterscheibe klirrte, und klatschend fuhr die Kugel drunten in das Bohlentor.

Dann blieb alles still. Er riß die andere Pistole von der Wand, und ohne Kleidung, im nackten Hemde, stürzte er aus dem Zimmer; im Hinausgehen griff er nach dem Haken an der Tür, aber der Schlüssel fehlte.

»Leo, Leo!« rief er auf der Treppe draußen. »Mein Hund, wo bist du?« – Nichts regte sich. Noch einmal rief er und stieg dann in den noch dunklen Hausflur hinab.

Da wurden seine Füße durch etwas aufgehalten, was nicht weichen wollte; als er sich bückte, fuhr seine Hand über langes, seidenweiches Haar. – Er stieß einen lauten Schrei aus. Noch einmal bückte er sich; dann rannte er – er wußte selbst nicht weshalb – in die Kammer seiner alten Dienerin; aber die taube alte Frau lag ruhig atmend in ihrem Bette; er nahm das auf dem Tische stehende Licht, zündete es an und trat wieder auf den Flur hinaus. Da lag sein Hund, die Beine steif gestreckt, die braunen Augensterne groß und offen. Er warf sich nieder und leuchtete mit der Kerze dicht hinan; ein bläulicher Flor schien den Glanz der Augen zu bedecken; kalt und wie in stummer Klage starrten sie ihn an. – – Auf einmal war ihm, als würden die Mauern durchsichtig, als sähe er zwei jugendliche Gestalten über die Heide fliehen und im brennenden Morgenschein verschwinden.

Er sprang auf und stand im nächsten Augenblicke in Franziskas Kammer. – Sie war leer, das Bett nur leicht berührt; man sah, sie hatte nur zu flüchtiger Rast sich auf die Decke hingestreckt; das Kissen zeigte noch den Eindruck, wo sie ihren Arm gestützt hatte. Er hätte es nicht lassen können, er legte seine Hand hinein, als liebkoste er noch diese letzte Spur ihres Lebens. Da klirrte durch eine zufällige Berührung die Waffe in seiner anderen Hand, und jäh schoß ein neuer Gedankenstrom durch seinen Kopf. Schon war er draußen auf der Treppe; aber er kam nicht weiter. – Was wollte er denn noch? – Schon einmal waren seine Hände rot geworden. Langsam stieg er die Treppe hinauf nach seiner Schlafkammer; er hängte die Schußwaffe an ihren Platz; dann kleidete er sich völlig an. Als er fertig war, trat er in das Wohnzimmer, zog die Vorhänge der Fenster auf und öffnete dann mit seinem Schlüssel das Fach des Schreibtisches, worin die Wertpapiere ihren Platz hatten.

Er wußte vorher schon, was er finden würde. Was ihm gehörte, lag unberührt; das Päckchen mit Franziskas Namen war verschwunden. – Eine Weile suchte er noch nach einem Zettelchen von ihrer Hand, einem Wort des Abschieds oder was es immer sei; er räumte das ganze Fach aus, aber es fand sich nichts. –

Durch die Fenster brach der erste Morgenschein und ließ das alte Türbild aus der Dämmerung hervortreten. Als er zufällig den Blick dahinwarf, überkam ihn ein wunderlicher Sinnentrug; der einsame Alte dort am Wege hatte ja den Kopf gewandt und sah ihn an.

Die Sonne stieg höher, an den Tapeten leuchteten die Blumen der Vergessenheit. Richard hatte die Augen noch immer nach dem Bilde. Es war sein eigenes Angesicht, in das er blickte.

Der Oktober war ins Land gekommen. Im Kruge zu Föhrenschwarzeck saßen eines Nachmittags der Wirt und der kleine Krämer aus der Stadt sich gegenüber. Der ganze Tisch war voll von Kreidezahlen; sie hatten wieder einmal Quartalstag gehalten, das Fazit war gezogen und genehmigt worden; die noch übrige Zeit gehörte vergnüglicheren Gesprächen, und sie waren auch schon in vollem Gange.

Kasper-Ohm begann soeben von dem Boden der gemeinen Wirklichkeit emporzusteigen. »Ihr mögt mir's glauben«, sagte er geheimnisvoll, »es ist sein eigen Blut gewesen; freilich hat er's nicht Wort haben wollen, denn sie ist auf den Namen Fedders getauft und bei einem Magister aufgezogen worden; sogar einen eigenen Vormund hat er ihr von Gerichts wegen setzen lassen!«

»Kasper-Ohm!« sagte der kleine Krämer. »Ihr seid wieder einmal bei Eurem Advokaten in der Stadt gewesen!«

»Nun, nun, Pfeffers, glaubt's oder glaubt's nicht! Der Vormund ist selbst bei mir eingekehrt gewesen; da, wo Ihr jetzt sitzt, hat er gesessen und seinen Schnaps getrunken; sie haben's drüben im ›Narrenkasten‹ eben mitsammen fertiggehabt, daß das arme Kind einen reichen Bäckermeister freien sollte, so einen alten wurmstichigen Mehlkneter; denn sie ist was wild gewesen, und die alte Waisenwieb hat nicht recht mehr mit ihr hausen können. – Nun, Pfeffers, was soll man dazu sagen, daß sie lieber mit dem schwarzen Krauskopf – –« Er nickte dem Krämer zu und blies bedeutsam durch seine ausgespreizten Finger.

»Das ist eine gewaltige Geschichte, die Ihr da erzählt, Kasper-Ohm«, meinte der andere, »und stimmt nicht ganz mit dem Kalender; denn der Doktor ist bei der Geburt des Mädels ja schon drei Jahr außer Landes gewesen! Aber laßt uns einmal anstoßen, und freut Euch, daß der Krauskopf Eure Ann-Margaret nicht auch noch mitgenommen hat; denn er sah mir just nicht aus, als wenn er lange mit einer einzigen zufrieden wäre.«

Kasper-Ohm lachte und blickte durch die Fensterscheiben. »Da kommt auch der Inspektor!« sagte er.

Der Genannte war eben in Begleitung seines Pudels unter der alten Eiche durchgegangen, in deren Wipfel jetzt das leere Nest zwischen den schon gelichteten Zweigen sichtbar war.

Der Wirt empfing ihn an der Stubentür. »Nun, Herr Inspektor«, rief er munter, »alles wieder auf dem alten Stand?«

»Ausgekehrt und abgeschlossen!« erwiderte der Alte, indem er den großen Schlüssel zum Außentor des Waldwinkels auf den Tisch und sich selbst auf einen Stuhl warf. »Gestern ging das letzte Fuder nach der Stadt, um dort unterm Hammer weggeschlagen zu werden; all das schöne Ingut! Die alte Lewerenz bekommt das ganze Geld dafür.«

»Und der Herr Doktor?« fragte der Wirt. »Wo ist denn der geblieben?«

»Weiß nicht«, sagte der Alte, »kümmert mich auch nicht – fort – in die weite Welt.«

Der kleine Pfeffers nahm den Schlüssel von der Tischplatte und hielt ihn über den Köpfen der beiden anderen: »Wer bietet auf den ›Narrenkasten?‹ – Nummer eins: der alte Herr; Nummer zwei: der Herr Botanikus – wer bietet zum dritten auf den ›Narrenkasten‹?«

»Laßt die Possen, Pfeffers!« sagte der Alte und nahm ihm den Schlüssel aus der Hand. »Mir tut's nur leid um den Löwengelben; ich sag' Euch, es war ein Kapitalvieh; er ging noch über meinen Phylax.«

Psyche

Es war an einem Vormittage im August, und die Sonne schien; aber das Wetter war rauh, der Wind kam hart aus Nordwest, und Wind und Flut trieben ungestüm die schäumenden Wellen in den breiten Meeresarm, der zwischen zweien Deichen von draußen an die Stadt hinanführte. Die Brettergebäude der beiden Badeflöße, welche in einiger Entfernung voneinander am Ufer angekettet lagen, hoben und senkten sich; im Binnenlande würde man wohl von einem Sturm gesprochen haben, und selbst hier an der Küste schien dieselbe Ansicht zu herrschen, denn der sonst so belebte Badeplatz war heute gänzlich leer. Nur dort vor dem Schuppen, der auf dem Vorlande neben dem der Stadt am fernsten Floße lag, stand die knochige Gestalt der alten Badefrau; die langen Bänder ihres großen verschossenen Taffethuts flatterten knitternd in der Luft, den Friesrock hielt sie sich mit beiden Händen fest. Sie hatte nichts zu tun; Badekappen und Handtücher der Damen und Kinder lagen drinnen im Schuppen ruhig in ihren Fächern. »Ich geh' nach Haus«, sagte sie bei sich selber; »'s kommt niemand in dem Mordwetter.«

Sie haschte ihre Hutbänder, die ihr über die Augen flogen, und sah am Deich entlang nach der Stadt hinab. Die Schafe, welche auf dem Vorlande angetüdert waren, hatten, so weit die Stricke reichten, sich gruppenweise mit dem Rücken gegen den Wind gestellt; sonst war nichts zu sehen. – – Aber doch! Dort auf dem Deiche kamen zwei Männer angegangen und stiegen dem nächsten Badefloße gegenüber, das der Uferbeschaffenheit wegen der Männerwelt hatte überlassen werden müssen, an der Außenseite des Deiches herab; ihre Leintücher, die sie mit sich führten, ließen sie dabei mit erhobener Hand über ihren Köpfen fliegen; ihre jugendlichen Stimmen, ihr helles Lachen konnte nicht zu der Alten dringen, denn der Wind nahm es ihnen vom Munde und verwehte es in der Richtung nach der Stadt zu.

»Hätten auch zu Haus bleiben können«, brummte die Alte, als sie die beiden in eine der Türen des Badefloßes hatte verschwinden sehen; »aber 's kümmert mich nicht; ich geh' nach Haus!« Sie holte eine große tombakene Taschenuhr hinter ihrem Gürtel hervor und zählte mit den Fingern die Zahlen auf dem Zifferblatt. »Es könnt' nur *eine* kommen bei dem Unwetter, aber ihre Zeit ist schon vorüber; die Flut muß bald eine halbe Stunde stehen, und *die,* die kann schon immer nicht 'nmal das erste Wasser abwarten.«

Schon hatte sie die gegen Norden nach dem Deiche zu befindliche Tür des Schuppens in der Hand, als sie bei einem Blick, den sie noch zur Stadt hinüberwarf, mit beiden Händen an ihren Taffethut fuhr. »Heilige Mutter Maria!« rief sie; »man könnte katholisch werden! Da kommt ein Frauenzimmer, da kommt sie!«

Und wirklich, es war ein Frauenzimmer, das dort auf dem Deiche von der Stadt herkam; es war sogar ein Mädchen, ja, es war nur eine Mädchenknospe; und sie kam rasch trotz Wind und Wetter näher. Der flache Strohhut war ihr längst vom Kopfe gerissen, und sie trug ihn am Bande in der Hand; den Knoten des sonnenblonden Haares hatte der Wind gelöst, daß es frei von dem jungen Nacken wehte; immer rascher ging sie, und ihre dunkeln Augen spähten in die Ferne. Als sie die knochige Gestalt der Alten, die noch immer vor dem Schuppen stand, erkannt hatte, flog sie an der Seite des Deiches hinunter und dann über das Vorland zu ihr hinüber. »Kathi«, rief sie, »Kathi, ich konnt' nicht eher kommen; ich fürchtete schon, du seist nach Haus gegangen!«

»Ja, ja«, murmelte die Alte; »wär' ich nur so klug gewesen!«

»Kathi! Nicht brummen!« Und während sie drohend den Finger gegen die Alte erhob, schaute sie ihr fast zärtlich in die Augen.

»Aber 's geht ja doch nicht, Frölen!« meinte noch einmal die Alte, indem sie dem Mädchen das blonde Haar von der Stirn zurückstrich.

»Aber es geht erst recht, Kathi! Heute gibt's hier weder Wickelkinder noch alte Tanten; ganz allein hab' ich heut das Reich, ich und über mir die Vögel in der Luft! Sieh nur da die schöne Silbermöwe! Hurra, Kathi, 's wird 'ne Lust!«

»Ja, ja, Frölen, selbst das Vogelzeug fliegt heut ans Land.«

»Oder vielmehr, sie werden vom Wind dahingeworfen! Aber ich, Kathi; so etwas lasse ich mir nicht gefallen!«

Die Alte sah sie voller Staunen an. »Aber, Kind, so sehen Sie doch nur, das Floß wippelt ja wie ein Schaukelpferd; der Weg dahin ist fußtief unter Wasser!«

Die junge Dame hob sich auf den Zehen und blickte zum Strand hinab. »Freilich«, sagte sie, lustig nickend, »ich muß mir Schuh und

Strümpfe in deinem Schuppen ausziehen.« In der Abteilung desselben, welche die beiden jetzt betraten, sah es in diesem Augenblicke wohnlich genug aus. Freilich waren auch drinnen nur die nackten Bretterwände; aber der Tür gegenüber stand eine mit bunten Polstern belegte Ruhebank, an der einen Seite befand sich neben den Fächern für die Badeutensilien ein mit braunen Kaffeekännchen, Dosen und Tassen besetztes Regal, und durch das der Stadt zu gelegene kleine Fenster schien die Mittagssonne und erwärmte und erleuchtete den ganzen Raum.

»Hm«, sagte das Mädchen und nickte lächelnd nach dem Regal hinauf, »die Frau Kammerrätin und die Frau Kriegsrätin und die Frau Baronin, die haben alle die Schlüssel zu ihren Kaffee- und Zuckerdosen in ihren Taschen; schau' nur, da baumeln allenthalben die Vorhängeschlösser; da können wir nicht daran, Kathi.«

»Aber Frölen, Sie trinken ja doch keinen Kaffee nach dem Bade, wie die drei alten Damen«

»Nein, ich nicht, Kathi; aber du, wie bekommst du denn deine Tasse?«

»Ich, Frölen? Ich hab' zu Haus meinen Zichorie; dann kriegt der Kater auch sein Teil.«

Die Mädchenknospe aber langte in den Schlitz ihres Kleides und legte gleich darauf zwei zierliche Papiertüten auf den unter dem Tassenregal stehenden Tisch. »Mokka«, sagte sie feierlich, »und – feinste Raffinade! Mama hat's mir eigens für dich eingewickelt; sie wußte wohl, daß du für mich allein heut Wache stehen müßtest. Und nun zünd' dir die Spritmaschine an und koch' dir deinen Kaffee, und – deinen Kater lass' ich grüßen!«

Sie hatte sich aufs Sofa gesetzt und begann sich Schuhe und Strümpfe auszuziehen. Die alte Frau stand vor ihr und sah sie zärtlich an; aber sie dankte ihr nicht mit Worten, sie sagte nur: »Mama vergißt mich nicht«, und nach einer Weile: »Aber, Frölen, wollte denn Mama Sie gehen lassen?«

»Mich gehen lassen? – Mama ist nicht so ein Hasenfuß wie du! Sollt'st dich schämen, Kathi, so ein langer Kerl, wie du bist!«

»Ja, ja, Frölen, ich streit' auch nicht. – Ich vergess' es nimmer – da ich Kindsmagd bei Ihrem Großvater, beim alten Bürgermeister war – die Angst, die ich oftmals ausgestanden; die Frau Mama – sie wird's mir nicht verübeln – war dazumalen grad' nicht anders als wie das junge Frölen heute!«

Das junge Frölen hatte die nackten Füßchen zu sich auf die Sofakante gezogen und ließ sich behaglich von dem warmen Sonnenschein beleuchten. »Erzähl's nur noch einmal, Kathi!« sagte sie.

Die Alte hatte sich neben sie auf das Sofa gesetzt. »Ja, ja, Frölen; ich hab' s Ihnen schon oft erzählt. Aber ich seh' sie noch immer vor mir, die Frau Mama; will sagen, das acht- oder neunjährige Dingelchen. Ebenso schöne gelbe Haare wie das Frölen!«

»*Gelbe,* Kathi! – Dank' dir auch vielmals!«

»Sind sie nicht gelb, Frölen? – Nun, aber schön sind sie doch?«

»Ja, Kathi! Aber Mama ihre sind noch heut viel schöner als meine. Nicht wahr? Sie trug sie immer in zwei langen, dicken Zöpfen?«

Die Alte nickte. »Und wie die flogen, wenn sie lief und sprang!«

»Aber Kathi, *ging* sie denn niemals ordentlich, so wie ich und andere Menschen?«

»Das Frölen meint, so wie vorhin den Deich herunter?« Und die Alte streichelte mit ihrer zarten Hand den Kopf des schönen Mädchens, das lachend zu ihr aufblickte. »Ja, ja, es hat richtig genug nachgeerbt! – Aber einmal, eines Morgens, da ging's mit dem Springen noch nicht hoch genug! Auf der sieben Fuß hohen Gartenmauer saß das Dingelchen mit ihrem Lehnstühlchen, mit ihrem Kindertischchen und ihrem ganzen Puppenteeservice darauf. An der Mauer stand ein alter krummer Syringenbaum; daran hatte sie das alles hinaufgearbeitet und sich selber auch; und nun saß sie da, wie in 'ner Laube, mitten zwischen all den Blüten, die just damals aufgebrochen waren.«

– Die Mädchenknospe neckte ihre alte Freundin nicht mehr; nicht nur die kleinen Ohren, auch der geöffnete Mund und die dunkeln Augen schienen die Geschichte mitzuhören. –

»Ich war die Kindsmagd für das jüngere Schwesterchen, für die Frau Tante Elsabe«, fuhr die Alte fort; »ich sollt' wohl auch nach der Mama sehen; doch wer konnt' allzeit den Wildfang hüten? Und das Stück Mauer war ganz unten in dem großen Garten, wo nicht alle Tage einer hinkam. – Aber heute, just da das Spiel am schönsten war, mußten wir nun doch dahinkommen; der Herr Bürgermeister hatte noch seinen geblümten Schlafrock an und die Zipfelmütze auf dem Kopfe. Er war immer ein leutseliger Herr gewesen. ›Komm, Kathi‹, rief er; ›nimm die kleine Elsabe auf den Arm; ich will euch mein Ranunkelbeet da oben an der Mauer zeigen!‹ – – Aber, was sahen wir, Frölen, was sahen wir!« – Das Frölen nickte. – »Da saß das feine Dingelchen auf der halsbrechenden Mauer, wie die Prinzeß im Kinderdöntje, und die Blumen hingen um sie herum; sie rührte eben mit einem Löffelchen in der kleinen Tasse, die sie in der Hand hielt, und brachte sie dann an den Mund, als wenn sie wirklich tränke, und nickte ihrer großen Puppe zu, die auch, in einem Korbstühlchen, ihr gegenüber an dem Tische saß. – Es schlug mir durch die Glieder; ich hätte bald das Tantchen Elsabe aus meinen Armen fallen lassen, und dem Herrn Bürgermeister stiegen die Haare und die Zipfelmütze in die Höhe; da stand er in seinem schönen Schlafrock und wagte weder A noch B zu sagen. – Doch nun war sie uns gewahr geworden: ›O Papa! – Papa und Kathi!‹ sagte sie erstaunt und drehte ganz zierlich das Hälschen zu uns hin. – Aber Papa winkte nur stumm mit seinen Händen. – ›Was soll ich, lieber Papa? Soll ich zu dir hinunterkommen? – Gleich, gleich! Aber dann fang', Papa!‹ – Und eh' wir's uns versahen, warf sie dem Herrn Bürgermeister alle ihre Puppentäßchen und Löffelchen zu, und er sagte gar nichts und suchte sie nur, so gut er konnte, einzufangen. Und dann, als das Tischchen leer war, nahm sie ihre Puppe in den Arm, ging wie ein Seiltänzer ein paar Schritte auf der runden Mauer hin, und – Herr Jesus! ich und der Herr Bürgermeister und das Tantchen Elsabe schrien alle miteinander auf – da flog der kleine Unband mit der großen Puppe selbst herab und mitten in des Herrn Bürgermeisters Ranunkelbeet hinein!«

Die Augen des jungen Mädchens glänzten. »Weißt du, Kathi«, sagte sie, »Mama muß reizend gewesen sein! Hätte ich sie so nur einmal sehen können! – Meine Mama ist noch reizend, und jung, Kathi! Ich glaub', sie könnt' noch heute von der Mauer springen.«

Die Alte schüttelte den Kopf. »Was das Frölen für Gedanken hat! Aber freilich, dazumalen gab's Tag für Tag was Neues mit dem hübschen Kindchen.«

Sie hatte eben zu weiterem Erzählen die Hände übers Knie gefaltet, als die Tür des Schuppens von einem Windstoß aufgerissen wurde; ein vorbeifliegender Brachvogel stieß seinen weithinschallenden Schrei aus; vom Ufer herauf konnte man das Wasser klatschen hören.

Die leichte Gestalt des Mädchens stand plötzlich hoch aufgerichtet vor der Alten. »Oh, du betrügerische Kathi«, rief sie und hob drohend ihre kleine Faust; »nun merk' ich's erst, du wolltest mich hier fest-erzählen, bis deine große Tombakuhr auf eins marschierte und ich dann zu Mama nach Hause müßte! Aber diesmal, Kathi!« – – Noch einen anmutigen Knicks vor der Alten, und schon war sie draußen und machte mit den kleinen Händen eine Schwimmbewegung in die Luft.

Die Alte war mit hinausgelaufen; aber sie sah ihr Spiel verloren. »Nur ums Himmels willen, Kind! Sie wollen doch heut nicht aus dem Floß hinausschwimmen?«

»Und warum nicht, Kathi? Du weißt ja, ich versteh's! Und ich sag' dir, es wird 'ne Lust!

Der Fisch und der Vogel,
Der Wind und die Wellen
Sind alle meine Spielgesellen.«

Und singend schritt sie über das grüne Vorland zum Ufer hinab, den schönen Kopf dem Winde zugewandt; über den nackten Füßchen flatterte das leichte Sommerkleid.

Kopfschüttelnd ging die Alte in ihren Schuppen zurück. Strümpfe und Schühchen ihres Lieblings, die diese allerdings vor der Ruhebank hatte liegen lassen, legte sie fein beiseit; dann goß sie aus einem Kruge Wasser in einen kleinen Blechkessel und zündete die Spritmaschine an. »Das Kind wird heute auch wohl eine Tasse nehmen«, sagte sie, indem sie eins der braunen Kännchen von dem Regal herabnahm und den Inhalt des Kaffeetütchens in den daraufgesetzten Trichter leerte.

Aber es ließ ihr doch keine Ruhe; ihr war wie der Henne, die einen Wasservogel ausgebrütet hat. Ein paarmal hatte sie schon den Kopf zur Tür hinausgestreckt, jetzt lief sie vollends an den Strand hinab. Der Steg zum Badefloß war völlig überschwemmt, so daß das schaukelnde Bretterhaus ohne alle Verbindung mit dem Lande schien. Weithin dehnte sich die grüne, wogende Wasserfläche; das jenseitige Vorland war so weit überflutet, daß ihre Augen nur noch undeutlich dort den grünen Ufersaum erkennen konnten. – »Frölen!« rief sie, »Frölen!«

Es kam keine Antwort, der Wind hatte vielleicht ihren Ruf verweht, aber ein Plätschern scholl jetzt aus dem Floß herauf. Und zufrieden nickend, trabte die Alte wieder in ihren Schuppen.

Drüben auf dem ersten Floß in dem gemeinsamen Ankleideraum hatten indes die jungen Männer auch geplaudert. Der größere mit dem braunen Lockenkopf war ein junger Bildhauer und erst vor einem Vierteljahre aus Italien und Griechenland in die norddeutsche Hauptstadt, seinen Geburtsort, zurückgekehrt; vor einigen Tagen war er noch eine Strecke weiter nördlich, in diese Küstenstadt, gegangen, um endlich den Freund wiederzusehen, mit dem er während beider Studienzeit im südlichen Deutschland im innigsten Verkehr gelebt hatte. Die Tage ihres jetzigen Beisammenseins hatten noch lange nicht gereicht, die Fülle der Erlebnisse zu erschöpfen, die es sie beide drängte, einander mitzuteilen.

»Und du willst wirklich schon heute abend wieder fort und mich in meinem Aktenstaub allein lassen, nachdem du diese Fülle der Gesichte vor mir heraufbeschworen hast?«

Halb lächelnd, halb sinnend blickte der junge Künstler auf den Freund. »Warum griffest du nicht selbst zu Meißel oder Pinsel? Jetzt nimm es als dein Schicksal und trag' es, wie dein Stammbaum dich!«

»Aber das ist kein Grund, mich heut schon zu verlassen!«

»Ich muß, Ernst! Ich habe meiner Mutter versprochen, spätestens morgen wieder bei ihr zu sein; und überdies – du weißt ja, meine Brunhild beunruhigt mich.« Er fuhr mit der Hand durch seine braunen Locken, und über den grauen, hellblickenden Augen faltete sich seine Stirn wie in beginnender geistiger Arbeit.

»Brunhild!« wiederholte der andere, »ich begreife doch noch immer nicht, wie du gerade an die geraten bist!«

»Du meinst, was ist mir Hekuba? – Ich weiß es nicht; einmal, in einer Stunde, hatte sie, wie ich glaubte, es mir angetan; aber – –«

»Aber«, unterbrach ihn sein Freund, »du wirst einen Kommentar in den Sockel deiner Statue einmeißeln müssen! Warum in so entlegene Zeiten greifen? Als wenn nicht jede Gegenwart ihren eigenen Reichtum hätte!«

»Warum? – Erneste! Du sprichst ja fast wie, ich weiß nicht, welcher große Kritikus über Immermanns Tristan und Isolde. Was geht den Künstler die Zeit, ja was geht der Stoff ihn an? – Freilich, aus dem Himmel, der über uns Lebenden ist, muß der zündende Blitz fallen, aber was er beleuchtet, das wird lebendig für den, der sehen kann, und läge es versteinert in dem tiefsten Grabe der Vergangenheit.«

Wie drüben die Augen des schönen Mädchens in ihrer kindlichen Liebe, so glänzten jetzt die Augen des jungen Künstlers in Begeisterung.

»Wir wollen heut nicht streiten«, sagte der andere und blickte herzlich zu ihm auf; »aber – wann leuchtet dieser Blitz?«

»Sei nur fromm und ehre die Götter! – Es gilt dann nur, das neu erwachte Leben in das Licht des Tages hinaufzuschaffen, und ich dächte, auch du hättest mir es zugegeben, daß ein paarmal schon meine Augen sehend und meine Hände stark und keusch genug gewesen sind. – Aber das ist es eben«, fuhr er fort, während der Freund ihm seinen stolzen Glauben durch einen Händedruck bestätigte, »ich fürchte, ich habe dieses Mal nicht recht gesehen, oder – ich war zu kurz noch in der Heimat; die furchtbare Walküre des Nordens verschwindet mir noch immer vor dem heiteren Gedränge der antiken Götterwelt; selbst aus diesen grünen Wellen der Nordsee taucht mir das Bild der Leukothea empor, der rettenden Freundin des Odysseus. – Laß mich jetzt – ich tauge dir doch nicht mehr!«

Sie hatten während dieses Gespräches ihre Kleider abgeworfen und traten nun auf die offene Galerie hinaus, bereit, sich in das Meer zu stürzen.

Man hätte wünschen mögen, daß nicht eben der Künstler der noch Schönere von ihnen gewesen wäre, oder lieber noch, daß außer ihnen noch ein anderes Künstlerauge hätte zugegen sein können, um sich zu künftigen Werken an der Schönheit dieser jugendlichen Gestalten zu ersättigen.

Noch standen sie gefesselt von dem Anblick der bewegten Wasserfläche, die sich weithin vor ihnen ausdehnte. Rastlos und unablässig rollten die Wellen über die Tiefe, wurden flüchtig vom Sonnenstrahl durchleuchtet und verschäumten dann, und andere rollten nach. Die Luft tönte vom Sturmeshauch und Meeresrauschen; zuweilen schrillte dazwischen noch der Schrei eines vorüberschießenden Wasservogels. Eine starke Woge zerschellte eben an dem Gerüst, worauf die jungen Männer standen, und übersprühte sie mit ihrem Schaum.

»Holla, sie werden ungeduldig!« rief der junge Aktenmann. »Komm jetzt, und wie Tritonen wollen wir durch den grünen Kristall hindurchschießen!«

Aber sein Freund, der Künstler, blickte in die Ferne und schien ihn nicht zu hören.

»Was hast du, Franz?«

»Dort! Vom Frauenfloß her! Sieh doch!« Und er wies mit ausgestrecktem Arm auf die schäumende Wasserfläche hinaus.

Der andere stieß einen Laut des Schreckens aus. »Ein Weib! – Ein Kind!«

»So scheint es; aber keine Okeanide!«

»Nein, nein; sie kämpft vergebens mit den Wellen. Und das meerbesänftigende Muschelhorn hat leider ja nur der alte Vater Triton!«

Er machte Miene, sich hineinzustürzen, aber mit rascher Hand hielt ihn sein Freund zurück. »Du nicht, Ernst! Du weißt, ich bin der bessere Schwimmer, und einer ist genug. Lauf zu der alten Badehexe dort am Schuppen und sag' ihr, was zu sagen ist!«

Kaum war das letzte flüchtige Wort gesprochen, so spritzten auch schon die Wasser hoch empor, und bald, auf Armeslänge von dem Floß, tauchte der braune Lockenkopf des Schwimmers auf. Mit den kräftigen Armen die Wellen teilend, flog er dahin; überall vor seinen Augen flirrte und sprühte es; aber je nach ein paar Schlägen stieg er mit der Brust über die Flut empor, und seine hellen Blicke flogen über die schäumenden Wasser.

Noch fern von ihm spielten die Wellen mit schönen sonnenblonden Haaren; zwei kleine Hände griffen noch mitunter durch den beweglichen Kristall, aber auch mit ihnen spielten schon die Wellen. Eine Seeschwalbe tauchte dicht daneben in die Flut, erhob sich wieder und schoß, wie höhnend ihren rauhen Schrei ausstoßend, seitwärts vor dem Wind über die Wasserfläche dahin.

Die alte Frau Kathi war vor ihrer brodelnden Kaffeemaschine doch auch wieder von ihrer Unruhe befallen worden. Der Sturm rüttelte an den Brettern ihres Schuppens, dann und wann schlug von draußen aus der Luft ein verwehter Vogelschrei herein; es litt sie nicht mehr auf ihrem Holzstuhle. Sie war wieder hinausgegangen, ja sie hatte ebenfalls ihr Schuhzeug abgetan, um zum Floß hinüberzuwaten, und stand jetzt dort, mit ihrer harten Hand bald an diese, bald an jene Badezelle pochend. »Frölen, ach, liebes Frölen, so antworten Sie mir doch!«

Aber es kam keine Antwort; nicht einmal ein Plätschern ließ sich drinnen hören; nur das Rauschen und Klatschen der Wellen zog eintönig, unablässig ihrem Ohr vorüber.

Als sie ratlos nach dem Land zurückblickte, sah sie einen Mann auf ihren Schuppen zulaufen, und gleich darauf hörte sie ihn rufen. – »Frau Kathi! Frau Kathi Wulff!« rief er durch den Wind hindurch.

»Hier! Um Gottes willen, hier!« – Und eilig watete die Alte über den schaukelnden Steg ans Land zurück. »Oh, mein Gott, Herr Baron, Sie sind es! Ach, das Kind, das Kind!«

Er faßte sie, ohne etwas zu sagen, an den Armen, drehte sie mit einem kräftigen Ruck herum und wies mit der Hand auf die offene Wasserfläche hinaus.

»Ist das der andere Herr? Sucht er das Kind?«

Der junge Mann nickte.

»Allbarmherziger Gott! Man soll nicht räsonieren! Ich räsonierte, Herr Baron, als ich vorhin Sie beide da auf dem Deich herauskommen sah! Man soll nicht räsonieren; nein, niemals, niemals!«

Der Baron antwortete nicht; er sah mit gespannten Augen auf die Flut hinaus. Ein paar Augenblicke noch – weit von draußen her ließ sich der dumpfe Donner der offenen See vernehmen –, und er packte wieder den Arm der Alten: »Jetzt, Frau Kathi, da sehen Sie hin! Nun sucht er sie nicht mehr; er trägt sie schon in seinen Armen.«

Die Alte stieß einen lauten Schrei aus.

Da tauchte die Gestalt des Schwimmers mit der breiten Brust aus den schäumenden Wogen auf, und bald darauf sah man ihn langsam, aber sicher an dem abschüssigen Ufer emporsteigen. In seinen Armen, an seiner Brust ruhte ein junger Körper, gleichweit entfernt von der Fülle des Weibes wie von der Hagerkeit des Kindes; ein Bild der Psyche, wenn es jemals eins gegeben hatte. Aber der kleine Kopf war zurückgesunken; leblos hing der eine Arm herab. – Aus der Mittagshöhe des Himmels fiel der volle Sonnenschein auf die beiden schimmernden Gestalten.

»Wie in den Tagen der Götter!« murmelte der junge Mann, der atemlos diesem Vorgange zugesehen hatte. – »Aber jetzt, Frau Kathi, an den Strand hinab! Nehmen Sie das Kind in Empfang; ich laufe zur Stadt und bringe einen Arzt; er könnte nötig sein!«

Noch eine kurze, eindringliche Anweisung über die zunächst von der Alten vorzunehmenden Dinge, dann eilte er fort; nicht einmal den Namen des Mädchens hatte er erfahren.

Einige Minuten später lag drinnen im Schuppen die zarte Gestalt in ihrer ganzen Hilflosigkeit auf dem Ruhebette, bis zur Brust von dem roten Umschlagetuch der Alten zugedeckt. Zitternd, ihr lautes Schluchzen gewaltsam niederkämpfend, stand diese vor ihr; sie hatte eben ein Leintuch genommen und schickte sich an, mit dem jungen Körper alles vorzunehmen, was ihr von dem einen wie dann auch von dem anderen der beiden Männer eingeschärft worden war. Nur noch einmal bückte sie sich, um ihrem Liebling ins Gesicht zu sehen.

– »Kathi!« –

Die jungen Lippen hatten es gerufen, und die jungen Augen blickten sie voll und lebenskräftig an. »Kathi, ich bin ja nicht ertrunken!«

Die Alte stürzte vor ihr nieder und bedeckte unter hervorströmenden Tränen die Hände, die Brust, die Wangen des Kindes mit ihren Küssen. »Ach, Frölen, Herzenskindchen, was haben Sie uns für Angst gemacht! Wenn nun der liebe junge Herr nicht gewesen wäre! Und ich räsonierte, ich alte Einfalt, als ich ihn auf dem Deich herauskommen sah!«

Das Mädchen streckte mit einer jähen Bewegung ihr die Hand entgegen. »Um Gottes willen, Kathi, schweig! Ich will seinen Namen nicht wissen, nie!«

»Frölen, ich weiß ihn ja selber nicht; ich hab' den jungen Herrn ja nimmer noch gesehen; er muß wohl nicht von hier sein.«

Die junge Gestalt richtete sich auf und starrte düster vor sich hin, indem sie den Kopf in ihre Hand stützte. »Kathi«, sagte sie, »Kathi – ich wollte, er wäre tot.«

»Kind, Kind!« rief die Alte, »versündige dich nicht! – Ach, Frölen, der gute junge Mann; er hat ja doch auch sein Leben um Sie gewagt!«

»Sein Leben! Wirklich, sein Leben? – Ach, ich habe nicht daran gedacht!«

»Nun, Frölen, hätten Sie nicht beide da versinken können?«

»Beide! Wir beide!« – – Und sie schloß wie im Traum die Augen; aber dennoch sah sie ein schönes blasses Jünglingsantlitz, das in Angst und Zärtlichkeit auf sie herniederblickte.

Die Alte hatte wieder das Tuch genommen und begann ihr das lange feuchte Haar zu trocknen; mitunter strich sie leise mit ihrer harten Hand über die weiße Stirn des Mädchens.

»Kathi«, begann diese wieder, »nein, nicht er, aber ich! – O, meine arme Mutter!« Und dabei drängte sich eine Träne nach der andern durch die geschlossenen Wimpern. »Kathi! Ich kann ihm nicht danken! Nie, niemals! O, wie unglücklich bin ich!«

»Nun«, meinte Kathi begütigend, »Sie brauchen das ja auch nicht zu tun, Frölen; Mama wird das ja alles schon besorgen.«

»Mama!« rief das Mädchen.

»Mein Gott, Frölen, hat Sie das erschreckt?«

Aber das Kind saß da, die nackten Arme vor sich hingestreckt, in ihrer hilflosen Schönheit selbst für die Augen des armen alten Weibes ein bezaubernder Anblick. »Mama!« rief sie abermals. »Ja, ja, Kathi, die würde es tun; und wenn ich sie noch soviel bäte, sie würde es dennoch tun. – Kathi, sie darf es nie erfahren; versprich es mir, schwöre es mir, Kathi!« Sie hatte die Arme um den Hals der alten Frau gelegt, die neben ihr niedergekniet war.

»Ja, ja, Frölen, wenn Sie nur ruhig werden, ich will schweigen wie das Grab.«

»Nein, Kathi, schwöre es mir ordentlich! Sage: Bei Gott! daß du schweigen willst.«

»Nun, Frölen: bei Gott! – Es hätt's auch ohne dies getan.«

»Ich danke dir, alte Kathi! Aber es war noch einer da. – War es nicht?«

»Ja, Frölen, es war – –«

»Nein, nein, nicht seinen Namen, Kathi!« Und sie verschloß den Mund der Alten mit ihrer kleinen kalten Hand. »Sage nur, hat er mich erkannt, kann er mich erkannt haben?«

»Ich glaube nicht, Frölen. Als Sie auf den Deich gegangen kamen, war er mit dem anderen drüben auf dem Floß. Nachher war er zu weit entfernt; auch ist er gleich zur Stadt zurückgegangen.«

Das Mädchen nickte und legte sich, wie um auszuruhen, auf das harte Kissen der Ruhebank zurück, die Hände hinten um den Kopf gefaltet.

Die Alte war aufgestanden. »Ich komme gleich zurück«, sagte sie; »ich geh' nur, um dem anderen Herrn zu sagen, daß das Frölen munter ist, und daß wir keinen Doktor brauchen.«

»Aber vergiß nicht, Kathi!«

»Nicht doch, Frölen; ich hab' es ja geschworen.«

– – Als die Alte nach einiger Zeit zurückkam, fand sie ihren jungen Gast schon völlig angekleidet, eben damit beschäftigt, ein weißes Schnupftuch sich um den Kopf zu knoten. Aber die gute Alte ließ sie so nicht fort; der Kaffee war ja noch heiß, und das Kind, da es so fror, ließ sich eine Tasse schon gefallen. »Und nun«, sagte die Alte, »wenn Frölen warten wollen, können wir gleich zusammen gehen.«

Aber das Frölen wollte nicht auf dem geraden Weg nach der Stadt zurück; das Frölen wollte den weiten Umweg durch den Koog machen. Die Alte meinte zwar: »Um Gottes willen, Kind, wenn Sie so bange sind vor dem jungen Herrn – er wird gleich von dem Floß herauskommen; wir warten nur ein Weilchen, dann ist er lange vor uns schon zur Stadt!«

Aber das Frölen wollte doch nicht.

»Nun«, sagte die Alte, »so geh' ich mit Ihnen; bei mir zu Haus wartet keiner als mein Hinz, und der wartet auch nicht, der schläft unterm Kachelofen – Sie können da nicht allein gehen, über all die Stege und durch all das Viehzeug hindurch.«

Aber das Frölen wollte auch das nicht; sie wollte eben ganz allein gehen. »Kathi, alte Kathi!« sagte sie und streichelte mit ihrer kleinen Hand die runzligen Wangen der alten Frau; »die Küh' und Ochsen tun mir nichts. Siehst du, ich bin ja ganz in Weiß; kein Läppchen Rot an mir!« Und sie schlug mit beiden Händen das luftige Sommerkleid zurück. »Da ist ja festes Land; ich laufe rasch hindurch; dann schlüpf' ich hinten in unseren Garten, und – siehst du, niemand hat mich gesehen als du, alte Kathi; und du – du hast geschworen!«

Die Alte schüttelte den Kopf. Aber schon war sie zur Tür hinaus, und wie ein scheuer Vogel flog sie die Grasdecke des Deiches hinan und ebenso an der Binnenseite wieder hinunter. Einen Augenblick stand sie still, als sei sie hier geborgen; aber der alte Mutwille, der der

Alten gegenüber noch eben auf ihrem Antlitz gespielt hatte, war ganz verschwunden. Als das sinnende Köpfchen sich von der Brust emporhob, blickten die großen Augen fast mehr als ernst über die grüne Marschniederung, die sich unabsehbar ihr zur Seite dehnte. Es war nicht viel zu sehen dort; zwischen den blinkenden Wassergräben, die auf eine Strecke hinaus ihrem Auge sichtbar blieben, ragte nichts aus der ungeheuren Fläche als die zerstreut auf ihr weidenden Rinder und die niedrigen Heckpforten, welche von einer Fenne zur anderen führten; sie kannte das alles, sie hatte es oft gesehen. Und jetzt ging sie, die Stadt im Rücken lassend, auf dem schmalen Wege weiter, der zwischen den zu ihrer Rechten sich hinziehenden Gräben und dem hohen Deiche entlang führte. Da der Wind aus Nordwest kam, so war sie demselben hier noch mehr als an der Seeseite des Deiches ausgesetzt. Einmal wurde der Strohhut, den sie auch jetzt in der Hand trug, ihr entrissen und gegen den Deich geschleudert; ein paarmal mußte sie stehenbleiben, um das flatternde Tuch sich fester unter das Kinn zu knüpfen. Dann blickte sie ängstlich hinter sich zurück, aber kein Mensch war zu sehen; nur ihr zu Häupten schoß mitunter ein Strandvogel von draußen in das Land hinein, oder ein Kiebitz flog schreiend aus dem Kooge auf.

Und jetzt legte sich ein dunkles Wasser vor ihren Weg; vor Hunderten von Jahren hatte die Flut den Deich durchbrochen und hier sich eingewühlt. Aber der Deich, wie er gegenwärtig lag, war vor dem Rand der Wehle zurückgetreten; das Wasser spritzte auf den Weg, als das Mädchen daran vorübereilte; zwei graue Tauchenten, die inmitten der schwarzen Tiefe sich auf den Wellen schaukeln ließen, verschwanden lautlos unter der Oberfläche.

Hinter der Wehle machte der Deich gegen Westen einen Bogen, und bald führte von hier aus ein schmaler, grasbewachsener Weg zwischen Gräben in den Koog hinein. Als das Mädchen das Ende desselben erreicht hatte, von wo aus es nur noch von Heck zu Heck über die Fennen zur Stadt hinaufging, gewahrte sie unten am Ausgang des Deiches die Gestalt eines Mannes; fern, fast nur wie einen Schatten.

Wie von einem jähen Schreck fuhr sie zusammen; ihr Fuß, der schon den Brettersteig am Heck betreten hatte, zuckte zurück, während ihre Arme wie zum Halt sich um den Heckpfahl schlangen. Gleich einem vom Sturm geworfenen Vogel hing sie an dem morschen Holze; ihre Lippen waren regungslos geöffnet, nur ihre dunkeln Augen waren lebendig; sie folgten wie gebannt dem fernen Schatten, wie er mehr und mehr auf dem Hintergrunde der Stadt verschwand. Einen Laut, so leise wie das Springen einer Knospe, verwehte der Wind von den jungen Lippen in die leere Luft; dann schwang sie sich über den Steg und ging wie träumend weiter. Mitunter kamen die Rinder erhobenen Schweifes auf sie zugerannt; aber sie sah es nicht, und die Tiere standen und glotzten sie mit ihren dummen Augen an, bis sie vorüber war.

– Drüben auf dem Deiche stand, unbeachtet von den jungen Augen, noch eine andere Gestalt und hob sich wie eine riesige Silhouette von dem hellen Mittagshimmel ab; es war eine weibliche, die nach oben zu in einem ungeheuren Hute abschloß, wie ihn die Damenwelt vor etwa dreißig Jahren trug.

Dieser Hut stand so lange am Himmel, bis drunten aus dem Kooge das weiße Kleid verschwunden war.

Es war inzwischen Winter geworden. – Der erste Streifen des Dezember-Morgenrotes stand am Himmel und warf seinen Schein in die Dämmerung einer Künstlerwerkstatt. Abgüsse antiker Bildwerke und einzelne Modelle von des Künstlers eigener Hand standen überall umher; an der einen Wand hingen Reliefstücke eines Bacchuszuges, an der anderen von den inneren Friesen des Parthenon; aber alles warf noch tiefe Schatten, nur einem Flöte spielenden Faun waren von dem jungen Licht des Morgens die Wangen rosig angehaucht. In der Ecke rechts vom Eingange ragte, aus dunklem Ton geformt, die übermenschliche Gestalt einer nordischen Walküre aus der dort noch herrschenden Dämmerung hervor; aber nur der obere Teil mit dem einen Arm, den sie dräuend in die Luft erhob, war vollendet; nach unten zu war noch die ungestalte Masse des Tons, als wäre die Gestalt aus rauhem Fels emporgewachsen. Es mochte die furchtbare Brunhilde selber sein, die hier finsteren Auges auf die heiteren Griechenbilder herabsah.

– – Von draußen drehte sich ein Schlüssel in der Eingangstür. Der Künstler selbst war es, der jetzt in seine Werkstatt trat, ein schlanker, jugendlicher Mann mit grauen, hellblickenden Augen und dunklem

Lockenkopf. Doch weder fremde noch eigene Gebilde schienen heute seinen Blick zu reizen; achtlos ging er an ihnen vorüber und griff wie mit sehnsüchtiger Hast nach einem offenen Briefe, der auf der Scheibe eines Modellierblockes lag; dann warf er sich in einen danebenstehenden Sessel und begann zu lesen. Aber nur an einer bestimmten Stelle des Briefes, die er gestern schon mehr als einmal gelesen hatte, hafteten seine Augen.

»Du traust es mir wohl zu, Franz« – so las er heute wieder –, »daß ich unseren beschworenen Vertrag gehalten habe. Weder einem profanen noch einem heiligen Ohre habe ich Deine Tat verraten; gewissenhaft habe ich jede Begierde zur Nachforschung über Person und Namen Deiner Geretteten in mir ertötet; ja selbst als eines Tages das Geheimnis mir so nahe schien, daß ich nur einen Gartenzaun auseinanderzubiegen brauchte, bin ich, wenn auch zögernd, mit katonischer Strenge vorübergegangen. – Auch auf der anderen Seite ist alles stumm geblieben, und selbst unserer alten Badehexe muß durch irgendwelche Zauberkraft der Mund wie mit sieben Siegeln verschlossen sein. – Und dennoch, ohne mein Zutun beginnt der Schleier sich vor mir zu heben.

Es gibt eine sehr junge Dame in unserer Stadt, kühn wie ein Knabe und zart wie ein Schmetterling. Obgleich sie erst mit den letzten Veilchen aus der Schulstube ans Tageslicht gekommen ist, so mag doch schon so mancher junge Gesell in schwüler Sommernacht davon geträumt haben, sie winters im geschlossenen Ballsaal an den Flügeln zu haschen; und ich will ehrlich sein – und zürne mir nicht –, zu diesen kühnen Träumern habe auch ich gehört. Die alte Bürgermeisterin – mir ist das zufällig zu Ohren gekommen –, die eine Art von Götzendienst mit diesem Kinde treibt, hatte mit vorausberechnender Kunst eine weiße Kamelie für sie gezogen, und das Glück war diesmal günstig gewesen, eben am Tage vor dem Balle war sie aufgeblüht. – Aber weder die Kamelie noch das blonde Götterkind selbst erschienen bei dem Feste; keine silbernen Füßchen berührten den Boden, nur die Alltagsmenschenkinder mit erhitzten Gesichtern flogen, keines Künstlerauges würdig, durcheinander.

Und so ist es fortgegangen. Auch auf dem gestrigen Balle blieb alles dunkel; nichts als der gewöhnliche Erdenstaub. – Nur in den vertrautesten Kreisen, zu denen ich leider nicht gehöre, soll sie zu erblicken sein; ja, schon seit dem Nachsommer soll sie das Haus und den Garten ihrer Mutter fast nicht mehr verlassen haben; auf dem Deiche und am Strande ist seit jenem Tage eine gewisse sehr jugendliche kühne Schwimmerin nicht wiedergesehen worden.

Geredet wird viel darüber. Einige meinen, sie sei schon in der Wiege irgendeinem in unbekannter Abwesenheit lebenden Vetter verlobt worden, der weder das Tanzen noch das Schwimmen leiden könne, und der nun plötzlich seine Rechte geltend mache; andere sagen einfach, sie sei – verliebt. Nur für mich liegt alles in deutlicher Folge wie unter einem durchsichtigen Schleier.

Nein, nein; fürchte nicht, daß ich den Namen nenne! Ich kenne Dich ja. Der grelle Tag soll die Dämmerung Deiner Phantasie mit keinem Strahl durchbrechen; Deine leiblichen Augen sollen sie nie gesehen haben! So seid ihr beide sicher, Du in Deinem Künstlertum und sie in ihrer heiligen Jungfräulichkeit, die Du mir übrigens – o rätselhafter Widerspruch des Menschenherzens! – mit fast eigennützigem Eifer zu behüten scheinst.«

– – Er las nicht weiter; er hatte den Brief aus der Hand fallen lassen und stand jetzt, die Hände auf dem Rücken, vor dem düsteren Bilde seiner nordischen Walküre. Aber sie war ihm in diesem Augenblicke nichts als nur der Hintergrund, auf dem vor seinem inneren Auge ein anderes, lichtes Bild sich abhob. Langsam wandte er sich ab und trat ans Fenster.

Das Haus lag in einer der Vorstädte, welche die nordische Hauptstadt umgürten, und gewährte noch den freien Ausblick über Hecken und Felder, bis zum fernen Rand des Himmels, der jetzt ganz von leuchtendem Morgenrot überflutet war. Ein Schimmer des rosigen Lichtes lag auf dem Antlitze des jungen Künstlers selbst, der regungslos hinausschaute, als sähe er dort fern am Horizonte, was sich in seinem Inneren leis empordrängte und mehr und mehr Gestalt gewann. – – »Arme Psyche!« sprach er bei sich selber; »armer gaukelnder Schmetterling! Von der blumigen Wiese, die deine Heimat war, hattest du dich aufs fremde Meer hinausgewagt. – – – Nein, Franz!« und es war, als ob er tiefer ins Morgenrot hineinschaute. – »betrüge dich nicht selbst; du täuschest es doch nicht mehr hinweg! – Psyche, die knospende Mädchenrose, das schlummernde Geheimnis aller Schönheit, sie war es selbst. -- Wie gierig die Wellen nach ihr leckten! Wie sie mit den zarten Libellenflügeln spielten! – – War ich's denn wirklich, der auf diesen Armen sie emportrug?«

– Er war ins Zimmer zurückgetreten; unwillkürlich hatten seine Hände einen auf der Modellierscheibe liegenden Klumpen weichen Tons ergriffen; dann bald auch eins der Modellierhölzchen, die dicht danebenlagen. –

»Wie erzählt nur Apulejus das anmutige Märchen? – Psyche, das arme, leichtgläubige Königskind, hatte den neidischen Schwestern ihr Ohr geliehen: ein Ungeheuer sei der Geliebte, der nur in purpurner Nacht bei ihr verweilen wolle. Nach dem Rate der Argen, mit brennender Lampe und mit scharfem Stahl bewehrt, war sie an das Lager des Schlafenden getreten und erkannte, bebend vor Entzücken, den schönsten aller Götter. Aber die Lampe schwankte in der kleinen Hand, ein Tropfen heißen Öls erweckte den Schlafenden, und zürnend entriß der Gott sich ihren schwachen Armen und hob sich in die Luft. Aus dem Wipfel einer Zypresse schalt er die törichte Geliebte; dann breitete er aufs neue die Schwingen aus und flog zu unsichtbaren Höhen. – – – O süße Psyche! Als im leeren Luftraum dein Auge ihn verlor, da hörtest du die Wellen des nahen Stromes rauschen; da sprangst du auf und stürztest dich hinein; dein zartes Leben sollte untergehen in den kalten Wassern!

Doch der Gott des Stromes, fürchtend den mächtigeren Gott, der selbst das Meer erglühen macht, trug dich auf seinen Armen sanft empor und legte dich auf die blühenden Kräuter seines Ufers. – – Nahmen nicht oft die Götter die Gestalt der Menschen an? – Vielleicht nahm er die meine, und mir träumte nur, ich sei es selbst gewesen. O süße Psyche, ich hätte dich an keinen Gott zurückgegeben!«

Nur in seinem Inneren, unhörbar hatte er alle diese Worte gesprochen. – Draußen am Himmel war das Morgenrot verschwunden, und dem schönen Aufgang war ein grauer Tag gefolgt. Der Flöte spielende Faun, wie alles andere, stand jetzt im kalten Schein des Winterhimmels; nur auf dem Antlitz des Künstlers selber schien noch ein Abglanz des jungen Lichts zurückgeblieben. Aber aus dem bunten Szenenwechsel, der vor seinem inneren Auge vorbeigezogen war, sah ihn stumm und rührend, wie um Gestaltung flehend, das eine Bild nur an. – Und seine Hände hatten nicht gerastet; schon war aus dem ungestalten Tonklumpen ein zarter Mädchenkopf erkennbar, schon sah man die geschlossenen Augen und die Wölbung des kleinen, leicht geöffneten Mundes.

Die Mittagshelle des Wintertages war heraufgezogen; da klopfte es von draußen mit leisem Finger an die Tür. – Er merkte es nicht; Ohr und Auge waren versunken in die eigene Schöpfung, die er aus dem Chaos an das Licht emportrug. – Da klopfte es noch einmal; dann aber wurde die Tür geöffnet.

Eine alte Frau war eingetreten. »Aber Franz, willst du denn gar kein Frühstück?«

»Mutter, du!« – Er war aufgesprungen und hatte hastig ein neben ihm liegendes Tuch über das junge Werk geworfen.

»Soll ich's nicht sehen, Franz? Hast du ein neues Werk begonnen? Du bist ja sonst nicht so geheimnisvoll.«

»Ja, Mutter, und diesmal fühl' ich's, ist's das rechte. – Aber deshalb – noch nicht sehen! Auch du nicht, meine liebe alte Mutter!«

Der Sohn hatte den Arm um sie gelegt. So führte er sie aus seiner Werkstatt, während sie zärtlich nickend zu ihm aufblickte, und bald traten die beiden in das freundliche Wohnzimmer, wo seit lange der Frühstückstisch für ihn bereit stand.

Es war Winter gewesen und Frühling geworden; aber auch der und der halbe Sommer waren schon dahingegangen; die Linden in der breiten Straße der Hauptstadt standen bestaubt, mit fast verdorrten Blättern. Statt der Natur, die hier so früh schon ihre Herrlichkeit zurücknahm, hatte die Kunst ihre Schätze ausgebreitet. Es war das Jahr der Kunstausstellung; die Tore des Akademiegebäudes hatten schon seit einigen Wochen dem Publikum offengestanden.

Unter den Werken der Bildhauerkunst war es besonders eine in halber Lebensgröße ausgeführte Marmorgruppe, welche die Teilnahme von alt und jung in Anspruch nahm. Ein junger, schilfbekränzter Stromgott, an abschüssigem Ufer emporsteigend, hielt eine entzükkende Mädchengestalt auf seinen Armen. Trotz des zurückgesunkenen Hauptes und der geschlossenen Augenlider der letzteren sah man fast wie lauschend die Menschen an das Bild herantreten, als ob sie in jedem Augenblick den erst neu erwachten Atemzug in der jungen Brust erwarten müßten. *»Die Rettung der Psyche«* war das Werk im Katalog bezeichnet.

Der Name des noch jungen Künstlers ging von Mund zu Mund; fortwährend war sein Werk von einer Menge von Bewunderern umdrängt; die Neugierigen, wo sie ihn erwischen konnten, plagten ihn auch wohl mit Fragen. »Nicht wahr, Verehrtester«, meinte ein alter Kunstmäzen, der vor dem Ausstellungsgebäude seinen Arm erhascht hatte und ihn nun innig festhielt, »das ist noch ein Motiv aus Ihrem römischen Aufenthalt? Wo haben Sie nur das allerliebste Köpfchen aufgefischt?«

Auf die erste Frage blieb der Künstler die Antwort schuldig; auf die zweite gab er bereitwillig Auskunft. »Ich liebe es, im Winter über Land zu schweifen; da sah ich eines Tages den Vorhang des Olympos wehen und war so glücklich, einen Blick hineinzutun.«

Der Alte sah ihn schelmisch an. »Sie wollen mir ausweichen. Nun – es muß ein langer Blick gewesen sein!«

Der junge Künstler schüttelte den Kopf.

»Aber, Verehrtester, Sie schauen ja plötzlich ganz melancholisch drein!«

»Ich? Nun, vielleicht – Sie wissen wohl, man schaut nicht ungestraft ein Götterantlitz.«

»Ja, ja, Sie haben recht!« Und der Alte ließ sein Opfer für dieses Mal entwischen.

Wie es zu geschehen pflegt, nachdem die Bewunderung sich satt gesprochen, kam auch der Tadel dann zu Worte. Man fand das Ganze zu wenig stilvoll, das Herabhängen des einen Armes der Psyche insbesondere zu naturalistisch.

»Aber, ihr Männer, könnt ihr denn gar nicht sehen?« rief eine muntere, hellblickende Dame, die im Angesichte des Kunstwerks eben mit solchen Bemerkungen unterhalten wurde; »dieser schöne Arm ist eine Reminiszenz! Glauben Sie mir, das hat seine lebendige Geschichte, das Bildwerk ist ein Denkmal; vielleicht – –«

»Auf dem Grabe einer Liebe?«

»Vielleicht! Wer weiß!«

»O, gnädige Frau, Sie wissen mehr; verraten Sie es nur!«

»Ich weiß nichts, und wenn ich wüßte, so etwas wird von keiner Frau verraten.«

»Aber da wären wir ja mit aller Kritik am Ende!«

»Ich dächte, ja!«

Noch andere Ohren hatten dies Gespräch gehört. Ein junger Maler, ein Freund des Künstlers, trat bald danach in dessen Werkstätte und erstattete getreulichen Bericht.

Der Bildhauer hatte auffallend schweigend zugehört. Er lehnte mit dem Rücken gegen das Fenster, die Arme ineinander geschränkt, gleich einem Mann, der seine Arbeit für getan hält. In der Ecke am Eingange stand, noch immer unvollendet, die dräuende Walküre, neben dem Bacchuszuge blies der Faun noch seine Flöte; die Morgensonne leuchtete hell herein, aber Spuren eines neuen Werkes waren nicht zu sehen.

»Willst du noch weiterhören, Franz?« fragte der Maler. »Es gibt des Unsinns noch einen ganzen Haufen mehr.«

Der andere bewegte leicht den Kopf.

»Nun also, zunächst! –Warum ist dein bekränzter Stromgott, gleich der Psyche, so entzückend jung? Die Wirkung durch den Gegensatz wäre ja doch unendlich packender und das Gefühl des dezenten lieben Publikums zugleich so schön gesichert gewesen, wenn du statt dieser gefährlichen Jugend einen alten Stromian genommen hättest, so einen mit ellenlangem Schilfbart, in dem ein Dutzend Krebse und Garnelen auf und ab geklettert wären! – Du siehst nun, Franz, du bist ein höchst kurzsichtiger und einfältiger Patron gewesen!«

Der Bildhauer antwortete auch jetzt nicht; aber er war leise in sich zusammengezuckt. An einen alten Stromgott hatte er weder bei der Entstehung noch bei der dann rasch erfolgten Ausführung seines Werkes gedacht; die jugendliche Gestalt desselben war ihm der gegebene Stoff gewesen.

»Und nun«, fuhr der Maler fort, »nun kommt der letzte Trumpf; der junge Stromgott sollst du selber sein! – – Nein, nicht du selber gerade; aber die Ähnlichkeit will man unverkennbar finden!«

»Was sagst du? Eine Ähnlichkeit mit mir?« Die stumme Gestalt am Fenster war plötzlich lebendig geworden. Unruhig begann er in seiner Werkstatt auf und ab zu gehen; er bestritt es heftig, ja er suchte es Zug für Zug zu widerlegen.

Der Maler sah ihn fragend an. »Du scheinst dir das sehr zu Herzen zu nehmen.«

Der andere verstummte wieder.

Als gleich darauf das Dienstmädchen mit einer Bestellung hereinkam, fragte er sie hastig: »Sind keine Briefe für mich da?«

Aber der Postbote war noch nicht vorbeigekommen.

Der Maler, da nicht wie sonst ein Gespräch zwischen ihnen in Fluß kommen wollte, hatte sich bald entfernt. Der Zurückbleibende war ans Fenster getreten und blickte durch die Lücken der Bäume in das Feld hinaus. Es stand jetzt kein Wintermorgenrot am Horizont; der Himmel war eintönig weiß von der Mittagssonne des Nachsommers.

In seinen Gedanken wiederholte sich ein Gespräch, das er in den letzten Tagen mit seiner Mutter gehabt hatte. »Du solltest ein wenig reisen, Franz«, hatte sie gesagt; »du bist ermüdet von der angestrengten Arbeit.« – – »Ja, ja, Mutter«, hatte er erwidert, »es mag sein.« – – »Und daß du nach deiner Art mir jetzt nicht gleich was Neues anfängst!« – – »Meinst du! Aber mir ist im Gegenteil, es wäre das vielleicht das beste.« – – Fast ein wenig unwillig war die Mutter geworden. »Was red'st du denn, Franz! Du widersprichst dir selbst.« – – »Sorge nicht, Mutter! ich *kann* nichts Neues machen.« – Es war ein so seltsamer Ton gewesen, womit er das gesprochen; die kleine Frau hatte sich an seinen Arm gehangen: »Aber, mein Sohn, du suchst mir etwas zu verbergen!« – – Und liebevoll sich zu ihr niederbeugend, hatte er erwidert: »Für wen, als für dich Mutter, habe ich zuerst das Tuch von meiner Psyche aufgehoben? Laß es auch hier noch eine kurze Zeit bedeckt, solang' nur, bis ich weiß, ob es Gestalt gewinnen kann. Wenn nicht – –« Er hatte den Satz nicht ausgesprochen; aber die beiden Arme der Mutter hatten den großen Mann umfangen. »Vergiß es nicht, daß du noch immer unter meinem Herzen liegst!« – Ein paar Tränen hatte sie sich abgetrocknet; dann aber hatten ihre Augen ganz mutig zu ihm aufgeblickt. »Aber du mußt dennoch reisen, Franz! Dein Freund da unten an der Nordsee, der paßt für dich und hat ein heiteres Gemüt; er hat dich ja schon wieder dringend eingeladen.«

Unbewußt hatte die Mutter ein erschütterndes Wort gesprochen;

der Sohn hatte ihr nicht geantwortet, er hatte es vor plötzlichem gewaltigem Herzklopfen nicht gekonnt; aber noch am selben Abend war ein Brief nach der Küstenstadt der Nordsee abgegangen.

Die Antwort darauf konnte er heute schon erwarten. Und jetzt wurde wieder die Tür geöffnet. Da war der Brief. – »Von Ernst!« Aus beklommener Brust hatte er es herausgestoßen; die Hülle flog zu Boden, und seine Augen verschlangen die vertraute Schrift des Freundes.

»Ich wußte wohl« – so schrieb der junge Aktenmann – ,»ich wußte wohl, daß Du mir kommen würdest. – Seitdem Dein Marmorbild die Stille Deiner Werkstatt verlassen hat und aller Welt zur Schau steht, ist es nicht mehr *sie;* es ist, wie anderes, nur noch eine Schöpfung Deiner Kunst. Nun streckst Du nach der Lebendigen Deine Arme aus; der Verlauf ist so natürlich, daß jeder Arzt ihn Dir vorausgesagt hätte.

Ob Du unerkannt ihr würdest nahen können, ob die Gewalt der Wellen – oder welche andere? – ihr damals tief genug die hellen Augen geschlossen hat – wer möchte das entscheiden! Glaub' es immerhin! Ich rufe Dir Deinen eigenen Wahlspruch zu: Sei nur fromm und ehre die Götter.

Dein Zimmer und Freundeshände sind für Dich bereit. Aber, Franz – und jetzt höre mich ruhig an! – Du weißt es wohl noch, denn Du hast ja auch Deinen Ovid gelesen – irgendwo in der Welt, an der dreifachen Scheide von Erde, Luft und Wasser, steht auf einsamem Gipfel das eherne Haus der Fama; unzählbare Eingänge hat es, die tags und nächtens offenstehen; keine Ruh' ist drinnen, in keinem Winkel ein Schweigen; wie ein Schwarm unsichtbarer Schlänglein läuft an den Decken der Säle das Gemurmel; ewig dröhnt es vom Geräusch aus- und einziehender Stimmen; kein noch so leises Flüstern, kein Seufzer einer Menschenbrust, und wenn aus tausend Meilen weiter Ferne, dessen letzter Hall hier nicht aufgefangen würde, den hier die tönenden Wände nicht hin und wider werfen und verdoppelt und verzehnfacht an das gierige Ohr der Welt hinaussenden.

Von dort muß es gekommen sein; denn die alte Bade-Kathi sieht mir nicht aus wie eine Schwätzerin. Aber sie wissen es, wissen es wirklich; sie reden davon, alle und überall; nur Deinen Namen – vielleicht hat das Wellenrauschen ihn derzeit übertönt – scheint das eherne Haus nicht mit hinabgesandt zu haben. Ich habe meine gerechte Schadenfreude, wie sie mit den Nasen in der Luft forschen, wie vor Gier ihre Ohren in den Urzustand zurückkehren und wieder beweglich werden und dennoch nichts erhaschen.

Aber hundert täppische und tückische Hände griffen nach Deinem schönen Schmetterling, um ihm den Schmelz von seinen Flügeln abzustreifen.

Da hat er sich denn einfach aufgeschwungen und ist davongeflogen; wohin, das hat auch mir die Fama bis jetzt noch nicht verraten wollen.«

– – Schon längere Zeit hatte die Mutter vor dem Lesenden gestanden und ihm in das erregte Angesicht geblickt. Jetzt wandte er ihr langsam seine Augen zu.

»Ich werde meine Psyche von der Ausstellung zurückziehen«, sagte er düster, »und dann, Mutter, reise ich; aber nicht nach der nordischen Küstenstadt.«

Der andere Tag war angebrochen. Soviel stand fest, er wollte fort; er hatte das Bedürfnis, ganz mit sich allein zu sein; kein Sohn einer Mutter, kein Freund eines Freundes. Er dachte an den Spreewald mit seinem Netz von hundert stillen Wasserarmen, in dessen Schatten er sich einmal mit seinem Freunde, dem Maler, einen schönen Sommermonat lang verloren hatte. Auf einsamem Nachen unter überhängenden Erlen hinzufahren, zwischen flüsterndem Schilfrohr oder durch die breiten schwimmenden Blätter der Wasserlilie – wie erquickende Kühle wehte es ihn an. Er ging rascher unter den bestaubten Linden der Hauptstadt dahin; er konnte morgen, ja schon heute abreisen. Nur noch einmal wollte er seine Psyche sehen und dann einem diensteifrigen Freunde alles übrige wegen Zurücknahme des Werkes übertragen.

Die Sonne stand noch schräg am Himmel. Die Säle des Akademiegebäudes waren zwar schon offen, aber die herkömmliche Stunde des Besuches war noch nicht gekommen. Nur in dem oberen Stockwerke, in welchem die Gemäldeausstellung ihren Platz hatte, standen einzelne Fremde hie und da vor einem Bilde; in den unteren Räumen, wo sich die Werke der Bildhauerkunst befanden, schien noch alles leer. Da sie gegen Westen lagen, auch ein paar Kastanienbäume unweit der Fenster ihre laubreichen Zweige ausbreiteten, so entbehrten sie noch des helleren Lichtes; es war noch etwas von der unberührten Morgenfrühe in diesen hohen Sälen, und die Marmorbilder standen da in einsamer Schönheit und wie in feierlichem Schweigen.

Und doch, auch hier mußte schon ein Besucher sich eingefunden haben; denn ein leiser, tastender Schritt war eben in dem letzten der drei Säle verschollen, als der junge Bildhauer die Tür des Eingangssaales hinter sich geschlossen hatte. Auch er trat, wenngleich sicher wie im eigenen Hause, so doch behutsam auf, als scheue er sich, den Widerhall zu wecken, der nur leicht in diesen Räumen schlief.

Im mittleren Saale blieb er vor einer Venus stehen, die aus einer eben geöffneten Muschel zum erstenmal in die Welt des Sonnenlichts hinauszublicken schien. Aber seine Augen lagen nur wie abwesend auf der üppigen Gestalt, die hier von sinnentrunkener Künstlerhand geschaffen war; er hätte wohl selber nicht zu sagen gewußt, weshalb er vor diesem ihm so fremden Bild verweilte. Sein eigenes Werk befand sich nebenan im letzten Saale; er war ja nur gekommen, um einmal noch zu prüfen, wieviel von seinem Geheimnis es ihm unbewußt verraten haben könne, vielleicht auch – um in dem Marmorbild noch einen Abschied von der Lebenden zu nehmen. War es ihm doch plötzlich, als sei es in der lautlosen Stille dieser Hallen noch einmal wieder sein geworden, ja fast, als müsse er durch die offene Flügeltür das Atmen des schönen Steins vernehmen.

Da – es war keine Täuschung – schlug von dort ein leiser Klagelaut ihm an das Ohr; nur einmal, aber im freien Walde von einer verwundeten Hindin, meinte er solchen Ton gehört zu haben.

Rasch war er auf die Schwelle getreten; aber er kam nicht weiter. Dort an einer der großen Porphyrsäulen, welche hier die Decken der Säle tragen, lehnte ein Mädchen, noch immer eine Mädchenknospe, wie in sich zusammenbrechend, und starrte mit aufgerissenen Augen seine Marmorgruppe an; ein kleiner Sonnenschirm, ein Sommerhut lagen am Boden neben ihr.

Nun wandte sie den Kopf, und ihre Augen trafen sich. Es war nur wie ein Blitz, der blendend zwischen ihnen aufgeleuchtet; aber das schöne, ihm zugewandte Mädchenantlitz war von einem Ausdruck des Entsetzens wie versteinert. Den schlanken Körper wie zur Flucht gebogen, und doch mit niederhängenden Armen, stand sie da; nur ihre Augen irrten jetzt umher, als ob sie einen Ausgang suchten.

Vergebens! Dort auf der Schwelle, die allein zur Freiheit führte, stand der schöne, furchtbare Mann, dem – seit wie lange schon! – selbst ihre Gedanken zu entfliehen strebten; zwar, wie sie selbst, noch immer unbeweglich, aber seine Arme waren nach ihr ausgestreckt.

Noch einmal wagte sie, ihn anzublicken; dann wie ein ratloses Kind, vergrub sie das Gesicht in ihren Händen; all ihre Kühnheit hatte sie verlassen.

– – Und nur einen Augenblick noch schwankte das Zünglein der Wage zwischen Tod und Leben; aber dann nicht länger.

»Psyche! Süße, holde Psyche!« – Seine Lippen stammelten; und an beiden Händen hielt er sie gefangen.

Sie bog den Kopf zurück, und wie zwei Sterne sah er ihre Augen untergehen. Er ließ sie nicht; in trunkenem Jubel hob er sie auf seine Arme; er bog den Mund zu ihrem kleinen Ohre nieder, und leise, aber mit einer Stimme, die vor Entzücken bebte, sprach er, was er einst nur fern von ihr gedacht: »Nun lass' ich dich nicht mehr; ich gebe dich an keinen Gott heraus!«

Da regte auch der schöne Mund des Mädchens sich. »Sage: *nie!*« kam es wie ein Hauch zu ihm herauf; »sonst muß ich heute noch vor Scham erblinden!«

»Nie!« rief er laut; und wie Donner des Weltgeschickes hallte es von den Wänden des hohen Saales ihm zurück. »Nie, so lang' ich hier im Lichte wandle!«

»Nein; sage: nie in alle Ewigkeit!«

»Nie in alle Ewigkeit! – Auch drunten, unter den flüsternden Schatten will ich bei dir sein!«

Seine Augen ruhten auf dem süßen Antlitz, das sie noch immer mit geschlossenen Lidern ihm entgegenhielt. Nun aber schlug sie leise die Wimpern auf; erst noch ein wenig zögernd, dann immer vertrauender blickte sie ihn an, und immer sonniger wurde der Ausdruck ihres lieblichen Gesichtes.

Wie lange er sie so an seiner Brust gehalten? – Wer könnte es sagen! – Ein Vogel, der von draußen aus den Kastanienbäumen gegen die Fensterscheiben flog, brachte den ersten Laut der Außenwelt zu ihren Ohren.

Da ließ er sie sanft zu Boden gleiten; nur mit einem Arm noch hielt er die leichte Gestalt umfangen. »Aber du!« sagte er – und es war, als wenn er plötzlich mit Erstaunen sie betrachte –, »du schöne Lebendige, wie bist du nur hierhergeraten? Oder versteht vielleicht das Glück sich ganz von selbst?«

Sie wies mit scheuem Finger auf die Marmorgruppe und barg zugleich den Kopf an seiner Brust. »Das da«, sagte sie. »Sie sprachen davon, daß es das Lieblichste von allem sei.« – Und kaum hörbar, so daß er sich tief zu ihrem Munde neigte, setzte sie hinzu: »Ich mußte es allein sehen, eh' die anderen mit mir kamen. Mich trieb eine Angst – – nein, frag' mich nicht! Ich weiß nicht, was! Aber hier hab' ich mich sehr gefürchtet.«

»Welche anderen?« fragte er.

»Die mit mir hier sind: mein Oheim und meine Mutter. Ich war mit ihnen oben in den Gemäldesälen; ganz heimlich bin ich ihnen fortgelaufen.«

Dann plötzlich schoß es wie ein Blitz des alten Übermutes über das ein wenig blasse Antlitz. »Aber«, rief sie, »wie heißt du denn? Mein Gott, ich weiß nicht einmal deinen Namen!«

»Ja, rat' einmal!«

Sie schüttelte das Köpfchen, daß die blonden Haare ihr in die Stirn fielen. »Nein, rate du zuerst!«

»Ich? Was soll ich raten?«

»Was du raten sollst? Als ob ich keinen Namen hätte!«

»Aber den kenne ich ja längst!« Er strich das seidene Haar ihr von der Stirn. »Sieh nur hin! Das bist du ja! Und glaub' es nur, ich habe jeden Tag zu dir gesprochen in all der langen, langen Zeit.«

Von dunkelm Purpur übergossen, schlang sie die Hände um seinen Hals und ließ ihn tief in ihre Augen blicken. »Oh, welch ein Glück, daß du der Künstler bist!«

Mit beiden Armen umfaßte er die Geliebte und küßte zum erstenmal den jungfräulichen Mund. – Dann aber flüsterten sie sich ihre Namen zu, ganz leise, als seien es Geheimnisse, die selbst die steinernen Gestalten um sie her nicht wissen dürften; und als sie seinen Namen hörte, rief sie: »Oh, wie schön! Du konntest gar nicht anders heißen!« Er aber blickte ganz träumerisch auf sie nieder; er konnte es nicht verstehen, daß sie »Maria« heiße.

Sie lachte, als er ihr das sagte, und flüsterte ihm zu: »Die alte Bürgermeisterin sagt es auch, ich sei verkehrt getauft.«

»Getauft!« wiederholte er fast staunend. »Wie seltsam doch, daß du getauft bist!«

Einen Augenblick sah sie ihn fragend an; dann, wie zwei glückliche Kinder, lachten beide miteinander.

Aber sie waren hier nicht mehr allein. Vom Eingange her nahten sich Schritte, und im mittleren Saale wurde eine noch immer schöne Frau am Arme eines älteren Mannes sichtbar.

»Dein Töchterchen«, sagte dieser, nicht ohne einen Ausdruck von Besorgnis, »scheint doch nicht hier zu sein.«

Die Frau an seinem Arme lächelte. »Du mußt dich schon daran gewöhnen, daß sie ihre eigenen Wege geht; sie wird wohl oben noch von irgendeinem Bild gefangen sein. Aber die gerettete Psyche, wo ist denn die?«

Sie erhielt keine Antwort; denn in demselben Augenblick hing auch das Kind an ihrem Halse. »Hier ist sie, Mutter; deine Tochter ist es! Oh, seid beide gut und freundlich!« Die jungen Augen glänzten; über die geöffneten Lippen ging schwer der Atem aus und ein.

»Mein Kind, mein liebes Kind!«

Die Mutter wollte sie beruhigen; aber schon hatte sie in freudiger Hast deren beide Hände ergriffen und zog sie über die Schwelle in den letzten Saal, wo der Geliebte in stummer Erwartung neben seinem Werke stand.

Daheim in der Werkstatt des Künstlers ging derweile zwischen den Statuen und Modellen eine kleine alte Frau umher. Sie schien so recht nicht etwas vorzuhaben, trotz des Staubtuches in ihrer Hand, mit dem sie hie und da an den umherstehenden Dingen sich zu tun machte. Endlich hatte sie sich in den Sessel neben der Modellierscheibe niedergelassen, ein stiller Seufzer ging über ihre Lippen, ein Seufzer, daß doch die großen Kinder, ja, auch die allerbesten, sich von dem Mutterherzen lösten. Sinnend blickte sie auf die leere Stelle, die noch vor kurzem das letzte Werk ihres Sohnes eingenommen hatte.

Da wurden Schritte und Stimmen auf dem Hausflur laut, und noch bevor sie aus ihren schweren Gedanken sich emporgearbeitet hatte, waren durch die geöffnete Tür zwei Paare zu ihr eingetreten. Das ältere war ihr gänzlich unbekannt, aber hinter diesem der junge Mann, an dessen Arm das schöne Mädchen hing – so konnten ihre alten Augen sie nicht trügen –, das war denn doch ihr Sohn!

Voll Verwirrung war sie aufgestanden; aber schon hatten die jungen schönen Menschen sich ihr genähert und ihre Hand gefaßt. »Mutter«, sagte der Sohn, »hier hast du mein Geheimnis! Dies Kind behauptet zwar, daß sie Maria heiße; aber du siehst ja wohl, daß es die Psyche ist, die lebendige, *meine* Psyche, durch die nun ich und meine Werke leben werden!« Und sich freudig aufrichtend und drüben seinem unvollendeten Werke zunickend, setzte er hinzu: »Auch dich, Walküre, wird sie aus deinem Bann erlösen!«

Die alte Frau aber hielt jetzt die Psyche an ihren beiden kleinen Händen; sie betrachtete sie aufmerksam, ja fast mit Staunen; aber immer inniger wurde dieser Blick, bis dann das ganz erschütterte Kind in ihren mütterlichen Armen lag.

Der junge Künstler stand wie träumend, das Haupt geneigt; ihm war, als höre er in weiter Ferne das Wellenrauschen der Nordsee. Und auch die Geliebte schien er mit sich dahingezogen zu haben; denn aus ihren Tränen wandte sie plötzlich den Kopf zu ihm empor und sagte: »Aber du, die alte Bade-Kathi muß doch mit zu unserer Hochzeit!«

Da löste sich die Stille in ein heiteres Lachen des Glückes; ganz vernehmlich blies der Faun auf seiner Flöte, und am Himmel draußen stand in vollem Glanz die Sonne, noch immer die Sonne Homers, und beleuchtete wieder einmal ein junges aufblühendes Menschenschicksal.

Am anderen Morgen aber flog mit dem ersten Bahnzuge, der nach Norden ging, ein kurzer jubelnder Brief nach der alten Stadt an der Meeresküste.

Im Nachbarhause links

»Wenn du es hören willst«, sagte mein Freund und streifte mit dem kleinen Finger die Asche von seiner Zigarre. »Aber die Heldin meiner Geschichte ist nicht gar zu anziehend; auch ist es eigentlich keine Geschichte, sondern nur etwa der Schluß einer solchen.«

»Danke es«, versetzte ich, »unserer heurigen Novellistik, daß mir das letzte jedenfalls besonders angenehm erscheint.«

»So? – Nun also!

Es sind jetzt dreißig Jahre, daß ich als Stadtsekretär in diese treffliche See- und Handelsstadt kam, in welcher die Groß- und Urgroßväter meiner Mutter einst als einflußreiche Handelsherren gelebt hatten. Das derzeit von mir gemietete Wohnhaus stand zwischen zwei sehr ungleichen Nachbarn: an der Südseite ein sauber gehaltenes Haus voll lustiger Kinderstimmen, mit hellpolierten Scheiben und blühenden Blumen dahinter; nach Norden ein hohes düsteres Gebäude; zwar auch mit großen Fenstern, aber die Scheiben derselben waren klein, zum Teil erblindet und nichts dahinter sichtbar, als hie und da ein graues Spinngewebe. Der einstige Ölanstrich an der Mauer und der mächtigen Haustür war gänzlich abgeblättert, die Klinke und der Messingklopfer mit dem Löwenkopf von Grünspan überzogen. Das Haus stand am hellen Tage und mitten in der belebten Straße wie in Todesschweigen; nur nachts, sagten die Leute, wenn es anderswo still geworden, dann werde es drinnen unruhig.

Wie ich von meinem Steinhofe aus übersehen konnte, erstreckte sich dasselbe noch mit einem langen Flügel nach hinten zu. Auch hier war in dem oberen Stockwerke, das ich der hohen Zwischenmauer wegen allein gewahren konnte, eine stattliche Fensterreihe, vermutlich einem einstigen Festsaal angehörig; ja, als einmal die Sonne auf die trüben Scheiben fiel, ließen sich deutlich die schweren Falten seidener Vorhänge dahinter erkennen.

Nur eine einzige Menschenseele – so sagte man mir –, die uralte Witwe des längst verstorbenen Kaufherrn Sievert Jansen, hause in diesen weitläuftigen Räumen; wenigstens glaube man, daß sie noch darin lebendig sei; gesehen wollte sie keiner von denen haben, welche ich zu befragen Gelegenheit hatte. Aber ich möchte nur aufpassen, ob nicht frühmorgens, bevor die anderen Häuser aufgeschlossen würden, eine alte Brotfrau dort an die Haustür komme. Dann werde diese, nachdem die Frau ein dutzendmal mit dem Löwenklopfer aufgeschlagen, eine Spalte weit geöffnet, und eine dürre Hand lange daraus hervor und nehme sich ein paar trockene Semmeln aus dem Korbe.

Ich habe diese Beobachtungen nicht angestellt. Doch ging bald darauf bei einer amtlichen Durchsicht der Depositen ein von meiner unsichtbaren Nachbarin bei dem Stadtgerichte niedergelegtes wohlversiegeltes Testament durch meine Hände. Sie lebte also und hatte ohne Zweifel auch noch ihre Beziehungen in das Leben; nur im Munde des Volkes war sie fast zur Sage geworden.

Als ich und meine Frau, der hier noch bestehenden guten Sitte folgend, der Kaufmannsfamilie in dem freundlichen Hause rechts unseren Nachbarbesuch abstatteten, wurden wir von den heiteren Leuten fast ausgelacht, daß wir es wagen wollten, auch zur Linken an die Nachbarstür zu klopfen.

›Sie kommen nicht hinein!‹ sagte der Hausherr; ›ich glaube, es ist seit Jahren niemand hineingekommen, denn, Gott weiß, wie sie es macht, aber die alte Dame wirtschaftet ganz allein. Wenn es Ihnen aber auch gelänge, den Eingang zu erzwingen, so würden Sie mit Ihrer Aufmerksamkeit nur den Verdacht erwecken, Sie hätten es auf die nachbarliche Erbschaft abgesehen!‹

›Aber ihr Testament‹, bemerkte ich, ›liegt ja seit Jahren schon im Stadtgerichte; und überdies – wie mir erzählt wurde – ein Viertel an die Stadt, drei Viertel an eine milde Stiftung; das lautet doch nicht eben menschenfeindlich.‹

Mein Nachbar nickte. ›Freilich! Aber zum ersten war sie durch das Testament ihres Seligen gezwungen; das andere – eine schöne Stiftung, dieses Land- und Seespital!‹

Ich fragte näher nach.

›Sie werden‹, fuhr der Nachbar fort, ›es bei der Kürze Ihres hiesigen Aufenthalts noch kaum gesehen haben: es ist eine reich dotierte Versorgungsanstalt für ausgebrauchte Seeleute und Soldaten, das heißt für die unterste Klasse derselben. Die Stiftung rührt von einem reichen kinderlosen Geschwisterpaare her, einem alten Major und einer Seekapitänswitwe. Unter den Linden vor dem schönen Hause, draußen auf einem Hügel vor dem Nordertore, das sie in den letzten Jahren gemeinschaftlich bewohnten, sieht man jetzt reihenweis die alten Burschen mit ihren blauroten Nasen vor der Tür sitzen; die einen in alten roten oder blauen Soldatenröcken, die anderen in schlotterigen Seemannsjacken, alle aber mit einem Pfeifenstummel im Munde und einem Schrotdöschen in der Westentasche. Bleibt man ein Weilchen auf dem Wege stehen, so sieht man sicher bald den einen, bald den anderen ein grünes oder blaues Fläschchen aus der Seitentasche holen und mit wahrhaft weltverachtendem Behagen an die Lippen setzen. Die Fläschchen, über deren Inhalt kein gerechter Zweifel sein kann, nennen sie ihre ‚Flötenvögel'; und für diese Vögel, welche – getreu dem Willen der Stifter – nur zu oft gefüllt werden, sind jene drei Viertel des ungeheuren Vermögens bestimmt worden.‹

›Und welches Interesse‹, fragte ich, ›kann die Testatrix an diesen alten Branntweinsnasen haben?‹

›Interesse? – Ich denke, keins, als daß das Geld aus einem Rumpelkasten in den anderen kommt.‹

›Hm! Die Alte muß doch eine merkwürdige Frau sein; ich denke, wir versuchen dennoch unsere Visite!‹

Man wünschte uns lachend Glück auf den Weg.

Aber wir kamen nicht hinein. Zwar öffnete sich die Haustür; aber nur eine Handbreit, so stieß sie auf eine von innen vorgelegte Kette. Ich schlug den Messingklopfer an und hörte, wie es drinnen widerhallte und in der Tiefe wie in leeren Räumen sich zu verlieren schien; dann aber folgte eine Totenstille. Als ich noch einmal hämmern wollte, zupfte meine Frau mich am Ärmel: ›Du, die Leute lachen uns aus!‹ Und wirklich, die Vorübergehenden schienen uns mit einer gewissen Schadenfreude zu betrachten.

So ließen wir es denn an unserer guten Absicht genug sein und kehrten in unser eigenes Heim zurück.

Gleichwohl sollte sich bald darauf eine gewisse Beziehung zwischen mir und der Nachbarin links ergeben.

Es war im Nachsommer, als ich und meine Frau in den Garten gingen, um uns das Vergnügen einer kleinen Obsternte zu verschaffen. Der Augustapfelbaum, an den ich schon vorher eine Leiter hatte ansetzen lassen, befand sich dicht an der hohen Mauer, welche unseren Garten von dem des Jansenschen Hauses trennte. Meine Frau stand mit einem Korbe in der Hand und blickte behaglich in das Gezweige über ihr, wo die roten Äpfel aus den Blättern lugten; ich selbst begann eben die Leiter hinaufzusteigen, als ich von der anderen Seite einen scharfen Steinwurf gegen die Mauer hörte und gleich darauf unser dreifarbiger Kater mit einem Angstsatz von drüben zu uns herabsprang.

Neugierig über dieses Lebenszeichen aus dem Nachbargarten, von wo man sonst nur bei bewegter Luft die Blätter rauschen hörte, lief ich rasch die Leiter hinauf, bis ich hoch genug war, um in denselben hinabzusehen.

– Mir ist niemals so ellenlanges Unkraut vorgekommen! Von Blumen oder Gemüsebeeten, überhaupt von irgendeiner Gartenanlage war dort keine Spur zu sehen; alles schien sich selbst gesät zu haben; hoher Gartenmohn und in Saat geschossene Möhren wucherten durcheinander: in geilster Üppigkeit sproßte überall der Hundsschierling mit seinem dunklen Kraute. Aus diesem Wirrsal aber erhoben sich einzelne schwer mit Früchten beladene Obstbäume, und unter einem derselben stand eine fast winzige zusammengekrümmte Frauengestalt. Ihr schwarzes verschossenes Kleid war von einem Stoffe, den man damals Bombassin nannte; auf dem Kopfe trug sie einen italienischen Strohhut mit einer weißen Straußenfeder. Sie stand knietief in dem hohen Unkraut, und jetzt tauchte sie gänzlich in dasselbe unter, kam aber gleich darauf mit einem langen Obstpflücker wieder daraus zum Vorschein, den sie vermutlich bei dem Angriff auf meinen armen Kater von sich geworfen hatte. – Obgleich sie das Ding nur mühsam zu regieren schien, stocherte sie doch emsig damit zwischen den Zweigen umher und brachte auch rasch genug eine Birne nach der anderen herunter, die sie dann scheinbar in das Unkraut, in Wirklichkeit aber wohl in ein darin verborgenes Gefäß mit einer gewissen feierlichen Sorgfalt niederlegte.

Ich beobachtete das alles mit großer Aufmerksamkeit und fühlte erst jetzt, daß meine Frau in ihrer weiblichen Ungeduld mich in höchst gefährlicher Weise von der Leiter zu schütteln suchte; aber ich blieb standhaft und umklammerte schweigend einen derben Ast, denn in demselben Augenblicke war der Alten drüben eine Birne aus ihrem Obstpflücker gefallen, und als sie sich wandte, um sie aufzuheben, war sie mich gewahr geworden. Sie war sichtlich erschrocken und blieb ganz unbeweglich stehen; aus dem verfallenen Antlitz einer Greisin starrten unter dem großen Strohhute mich ein Paar schwarze Augen so grellen Blickes an, daß ich fast gezwungen war, eine unverkennbar scharfe Musterung über mich ergehen zu lassen. Aber auch ich betrachtete mir indessen das Gesicht der alten Dame, das zu beiden Seiten der ziemlich feingeformten Nase mit einigen Rollen falscher Lokken eingerahmt war, wie sie vordem auch wohl von jüngeren Frauen getragen wurden. Als ich dann fast verlegen meinen Hut vom Kopfe zog, erwiderte sie dies Kompliment durch einen feierlichen Knicks im strengsten Stile, wobei sie ihren Obstbrecher wie eine Partisane in der Hand hielt.

Aber meine Frau begann wieder zu schütteln, und nun stieg ich als guter Ehemann zur Erde nieder.

Natürlich hatte ich Rechenschaft zu geben. ›Wo sind die Äpfel, Mann?‹

– ›Wo sie immer waren, droben im Baume.‹

›Aber, was hast du denn getrieben?‹

– ›Ich habe der Madame Sievert Jansen unsere Nachbarvisite abgestattet.‹ Und nun erzählte ich.

– – Am anderen Morgen in der Frühe brachte eine alte Frau, voraussetzlich die bewußte Brotfrau, uns einen Korb voll Birnen und eine Empfehlung von Madame Jansen: der Herr Stadtsekretär möge doch einmal ihre Moule-Bouches probieren; sie hätten immer für besonders schön gegolten.

Wir waren sehr erstaunt; aber die Birnen waren köstlich, und ich konnte es nicht unterlassen, meinem Nachbar zur Rechten diese kleinen Vorfälle mitzuteilen, als wir uns bald danach vor unseren Häusern begegneten.

›Das bedeutet den Tod der Alten‹, sagte er, ›oder aber‹ – und er betrachtete mich fast bedenklich von oben bis unten – ›Sie müssen einen ganz besonderen Zauber an sich haben!‹

›Der leider von jüngeren Augen bisher noch nicht entdeckt wurde‹, erwiderte ich.

Und wir schüttelten uns lachend die Hände.

Im Garten fiel schon das Laub von den Bäumen, und noch immer hatte ich einen Besuch nicht ausgeführt, den ich mir eigentlich als den allerersten vorgenommen hatte.

Er galt freilich nur einer Erinnerung.

Aus dem Flur meines elterlichen Hauses führten ein paar Stufen zu einem nach dem Garten liegenden Zimmer, dessen Fenster ich mir noch heute nicht ohne Sonnenschein und blühende Topfgewächse zu denken vermag. Der Pfleger derselben war ein schöner, milder Greis, der Vater meiner Mutter, welcher hier nach einem einst bewegten Leben die stillen Tage seines Alters auslebte. Wie oft habe ich als Knabe neben seinem Lehnstuhl gesessen, wie oft ihn gebeten, mir aus seinem Leben in fernen Ländern zu erzählen! Aber es dauerte immer nicht lange, so waren wir in seiner Vaterstadt, auf den Spielplätzen seiner Jugend. Das urgroßelterliche Haus mit allen Treppen und Winkeln kannte ich bald so genau, daß ich eines Tages die sämtlichen drei Stockwerke ohne alle Nachhilfe zu Papier gebracht hatte. Da leuchteten die Augen des alten Herrn. ›Wenn du einmal dahingelangen solltest‹, sagte er und legte die Hand auf meinen Kopf, ›geh nicht daran vorüber!‹

Plötzlich war er aufgestanden und hatte die Klappe seines an Erinnerungsschätzen reichen Mahagonischrankes aufgeschlossen. ›Sieh dir doch die einmal an!‹ Mit diesen Worten legte er ein Miniaturbild in silberner Fassung vor mir hin. ›Das war mein Spielkamerad, sie wohnte Haus an Haus mit uns. Auf ihrer Außendiele hing ein Ungeheuer, ein ausgestopfter Hai; da sah man gleich, daß ihr Vater Kapitän auf dem Großen Ozean war.‹

Ich hatte nichts geantwortet, aber meine Knabenaugen glühten; es war ein Mädchenkopf von bestrickendem Liebreiz.

›Gefällt sie dir?‹ fragte der Großvater. ›Aber hier ist sie als Braut gemalt; in deinen Jahren hättest du den kleinen wilden Schwarzkopf sehen sollen!‹

Und nun erzählte er mir von diesem hübschen Spielgesellen. – Allerlei Zeitvertreib, Schmuck und farbige Gewänder hatte der selten daheim weilende Vater dem einzigen Töchterlein von seinen Reisen mitgebracht; von ausländischen goldenen Münzen und Schaustücken hatte sie eine ganze Sparbüchse voll gehabt. In ihrem Garten war ein seltsames Lusthäuschen gewesen, das der Vater einmal aus den Trümmern eines früheren Schiffes hatte bauen lassen. ›Dort‹, sagte der Großvater, ›auf den Treppenstufen saßen wir oft zusammen, und ich durfte dann mit ihr den goldenen Schatz besehen, den sie aus der Blechbüchse in ihren Schoß geschüttet hatte.‹

Er ging, während er so erzählte, langsam auf und ab; an seinem Lächeln konnte ich sehen, wie eine Erinnerung nach der anderen in ihm aufstieg. ›Min swartes Mäusje!‹ sagte er. ›Ja, so pflegte der alte Seebär das verzogene Kind zu nennen; aber wenn sie so im goldgestickten griechischen Jäckchen, mit allerlei Federschmuck ausstaffiert, in ihrem Gärtchen umherstolzierte, dann hätte man sie wohl noch mehr einem bunten fremdländischen Vogel vergleichen mögen. O, und auch fliegen konnte sie! Über der Tür des Lusthauses war die frühere Gallion des Schiffes angebracht, eine schöne hölzerne Fortuna, die mit vorgestrecktem Leibe aus dem Frontispiz hervorragte. Dort oben auf deren Rücken war der Lieblingsplatz des Kindes; dort lag sie stundenlang, ein buntes chinesisches Schirmchen über sich, oder im Sonnenschein mit ihren goldenen Münzen Fangball spielend.‹

Noch vielerlei erzählte mir der Großvater, aber nur jenes eine Mal; auch das verführerische Bildchen zeigte er mir niemals wieder. Obgleich meine Augen oft begehrlich an dem Schranke hingen, so wagte ich doch nicht, ihn darum anzugehen; denn als er es mir damals endlich wieder aus der Hand genommen hatte, war der alte Herr so seltsam feierlich gewesen und hatte es in so viele Seidenpapierchen eingewickelt, daß das Ganze einer symbolischen Beisetzung nicht ungleich war.

– – Wie es nun geschieht, seit Monden war ich jetzt hier in der Geburtsstadt meines Großvaters, und doch, erst heute ging ich zu diesem Besuche der Vergangenheit in den schon winterlichen Tag hinaus.

Absichtlich hatte ich jede Erkundigung unterlassen; wenn auch der Name der Straße mir nicht mehr erinnerlich war, ich hoffte mich schon allein zurechtzufinden. So hatte ich schon verschiedene Stadtteile kreuz und quer durchwandert, als mir plötzlich durch eine offene Haustür die schwebende Ungestalt eines Haies in die Augen fiel. – Ich stutzte! – aber weshalb sollte denn der ausgestopfte Hai nicht noch am Leben sein? Das Haus sah völlig danach aus, als sei es mit allen seinen Raritäten von einem Besitzer auf den anderen fortgeerbt. Und richtig! als ich in die Höhe blickte, da drehte sich auch ein Schiffchen auf der Wetterstange des Daches! Das war das Haus des schönen Nachbarkindes; das urgroßelterliche mußte nun dicht daneben sein! Aber – es war überhaupt kein Haus mehr da; nur ein leerer Platz mit Mauerresten und gähnenden Kellerhöhlen; auch frisch behauene Granitblöcke zum Fundament eines Neubaues lagen ringsumher.

Ich sah es wohl, ich war zu spät gekommen. Sinnend schritt ich über die wüste Stätte, die einst für Menschen meines Blutes eine kleine Welt getragen hatte. Ich ging in den dahinterliegenden Steinhof und blickte in den Brunnen, mit dessen Eimer der Großvater einmal, wie er mir erzählt hatte, in die Tiefe hinabgeschnurrt war; dann trat ich auf einen Haufen Steine, von wo aus ich über eine Grenzplanke in den Nachbargarten sehen konnte. Und dort – kaum wollte ich meinen Augen trauen – stand, unverkennbar, noch das seltsame Lusthäuschen, und auch die hölzerne Fortuna streckte sich noch gar stattlich in die Luft; ja, die Wangen waren noch ganz ziegelrot, und lichtblaue Perlenschnüre zogen sich durch die gelben Haare; sie war augenscheinlich erst neulich wieder aufgemuntert.

Wie lebendig trat mir jetzt alles vor die Seele! Jener Efeu, der die Mauer des Gartenhäuschens überzog, war schon damals dort gewesen; an seinen Trieben war der kleine wilde Schwarzkopf auf- und abgeklettert; drüben von dem Rücken der Fortuna herab war ihr neckendes Stimmlein erschollen, wenn der gutmütige Nachbarsjunge unten im Gebüsche des Gartens nach ihr gesucht hatte. Ich mußte plötzlich eines Wortes gedenken, das der Großvater, so vor sich hin redend und wie mit einem Seufzer über Unwiederbringliches, seiner damaligen Erzählung beigefügt hatte. ›Sie war eigentlich schon damals eine kleine Unbarmherzige‹, hatte er gesagt; ›das eine Füßchen mit dem roten Saffianschühchen baumelte ganz lustig in der Luft; aber ich stand unten und mußte ihr die goldenen Stücke wieder zuwerfen, wenn sie bei ihrem Spiel zur Erde fielen, und oft sehr lange betteln, bis das Vögelchen zu mir herunterkam.‹

– Schon damals unbarmherzig? – Es war mir niemals eingefallen, den Großvater zu fragen, inwiefern oder gegen wen sie es späterhin gewesen, oder wie überhaupt das Leben seiner schönen Spielgenossin denn verlaufen sei. – Freilich hätte auch wohl der Knabe keine Antwort darauf erhalten, denn als nach seinem Tode das kleine Bild noch einmal durch meine Hand ging, vertraute mein Vater mir, daß dieses schöne Mädchen nicht nur die Jugendgespielin, sondern ganz ernstlich die Jugendliebe des alten Herrn gewesen sei. Zuletzt, als junger Kaufmann, sei er in Antwerpen mit ihr zusammengetroffen, habe aber bald darauf – wie es geheißen, durch ein Zerwürfnis mit ihr getrieben – einen Platz in einem überseeischen Handlungshause angenommen, von wo er erst in reiferen Mannesjahren zurückgekehrt sei. – Weiteres wußte auch er nicht zu berichten; nur daß die gute Großmutter, die er dann geheiratet habe, mitunter wirklich eifersüchtig auf das kleine Bild gewesen sei.

– – Voll Gedanken über das schöne schwarzköpfige Mädchen war ich zu Hause angelangt; immer sah ich sie vor mir, bald auf dem Rücken der Fortuna mit den goldenen Münzen spielend, bald in ihrer üppigen Mädchenschönheit, wie jenes Bild sie mir gezeigt hatte, mit dem übermütigen Füßchen den armen Großvater in die Welt hinausstoßend.

›Seltsam‹, sagte ich zu meiner Frau, ›woran ich als Knabe nie gedacht – jetzt brenne ich vor Begierde, noch einmal den Vorhang aufzuheben, hinter dem sich jenes nun wohl längst verrauschte Leben birgt.‹

›Vielleicht‹, erwiderte sie, ›wenn du die Ureinwohner dieser Stadt zu Protokoll vernimmst!‹

›Zum Beispiel, unsere Nachbarin links!‹ sagte ich lächelnd.

›Warum denn nicht? Sie wird ja doch einmal deine Visite *par distance* erwidern.‹

Wir sprachen nicht weiter von der Sache; aber im stillen dachte ich selber auch: ›Warum denn nicht?‹

Es war Winter geworden. Ein klingender Frost war eingefallen, der eisige Nordost blies durch alle Ritzen. Ich schüttelte eben eine Ladung Steinkohlen in meinen Ofen und verhandelte dabei mit meiner Frau, ob wir nicht aus schierer Barmherzigkeit unsere Hühner schlachten sollten, denen wir keinen warmen Stall zu bieten hatten; da – es war noch früh am Morgen – trat fast ohne Anklopfen mein jetzt verstorbener Freund, der Bürgermeister, in das Zimmer. Auf meine Frage, was ihn schon jetzt aus Schlafrock und Pantoffeln herausgebracht habe, erklärte er, meine Nachbarin, die alte Madame Jansen, sei soeben besinnungslos und fast verklommen auf ihrer Bodentreppe gefunden worden. ›Der alte Geizdrache‹, setzte er hinzu, ›heizt nur mit dem Fallholz aus dem Apfelgarten; es ist kein warmer Fleck in dem ganzen Rumpelkasten; und nachts, wenn ehrliche Leute in ihren Betten liegen, kriecht sie vom Boden bis zum Keller, um ihre Schätze zu beäugeln, die sie überall hinter Kisten und Kasten weggestaucht hat.‹

›So sagt man‹, ließ ich einfließen.

– ›Freilich, und so wird's auch sein! Wie ein toter Alraun hockte sie in dem dunklen Treppenwinkel, ein ausgebranntes Diebslaternchen noch in der erstarrten Hand. Das Schlimmste bei der Geschichte ist, sie hat das Leben wiederbekommen; aber nach Angabe des Polizeimeisters, der – glaub' ich – ein Verwandter von ihr ist, soll der Verstand zum Teufel sein; sonderbar genug, daß der die alte Hexe nicht auf einmal ganz geholt hat!‹

›Nun aber, Verehrtester‹, sagte ich, als der Bürgermeister innehielt, ›was können wir beide bei der Sache machen?‹

›Wir? – Hm, sie könnte in diesem Zustande Unheil anrichten; es wird schon der Stadt wegen unsere Pflicht erheischen, ihr *causa cognita* einen Kurator zu bestellen.‹

– ›Sie meinen des Vermächtnisses wegen? Aber ich dächte, das beruhe auf einer Disposition des seligen Herrn Sievert Jansen!‹

›Da liegt es gerade; die Sache ist nicht völlig außer Frage.‹

So mußte ich denn in den sauren Apfel beißen und versprach, die alte Dame noch heute zu besuchen.

Indem der Bürgermeister sich entfernte, fragte ich noch: ›Was war denn der Selige für ein Mann?‹

›Hm! Ich denke, ein Lebemann!‹ erwiderte er. ›Es ist einst flott hergegangen dort; man sagt, das Ehepaar habe sich einander nichts vorzuwerfen gehabt. Ich war damals ein Junge; aber sie sah noch nicht so übel aus, als der Alte in die Grube fuhr, und es gab noch manches Gläserklingen mit jungen vornehmen Herren in dem großen Saale des Hinterflügels; aber endlich – das Lustfeuerwerk ist verpufft, der schmucke Leib verdorrt; statt der Gläser läßt sie jetzt ihre Gold- und Silberstücke klingen.‹

– – Bald darauf trat ich ohne Hindernis in das Haus und in das Zimmer der Kranken, zu welchem letzteren eine von der Stadt bestellte Wärterin mir die Tür geöffnet hatte.

Es war ein seltsamer Anblick. Auf den Stühlen, von deren Polstern die Fetzen herabhingen, lagen auf den einen verschlissene Kleider und Hüte, auf den anderen standen Töpfe und Pfannen mit kärglichen Speiseresten; an der schweren Stuckdecke und an den gardinenlosen Fenstern hing es voll von Spinngeweben. Eine seltsam tote Luft hielt mich einen Augenblick zurück, so daß ich mich nur langsam dem großen an der einen Wand stehenden Himmelbette näherte.

Als die Wärterin die bestäubten Vorhänge zurückzog, hörte ich ein Klirren wie von einem schweren Schlüsselbunde, das, wie ich nun sah, von einer kleinen dürren Hand umklammert war, und eine winzige, in einen alten Soldatenmantel eingeknöpfte Gestalt suchte sich aus den Kissen aufzurichten. Das kleine runzelige Gesicht meiner Nachbarin starrte mich aus seinen grellen Augen an. ›Jag' die Hexe fort!‹ schrie sie und schlug mit den Schlüsseln gegen die Vorhänge, daß die Wärterin erschreckt zurücksprang; dann, sich zu mir wendend, setzte sie in hohem Ton hinzu: ›Sie wollten sich nach meinem Befinden erkundigen, Herr Nachbar; ich danke für Ihre Aufmerksamkeit, aber – man hat mir eine Person hier aufgedrängt; es scheint, als wolle man mich überwachen!‹

›Aber Sie hatten einen Unfall; Sie bedürfen ihrer!‹ sagte ich.

›Ich bedarf keiner bestellten Wärterin; ich kenne diese Person nicht!‹ erwiderte sie scharf. ›Allerdings, heute nacht – man hat mich berauben wollen; es tappte auf dem Hausboden, vermummte Gestalten stiegen zu den Dachluken herein; es klingelte im ganzen Hause –‹

›Klingelte?‹ unterbrach ich sie und mag dabei wohl etwas verwundert ausgesehen haben; ›das pflegen doch die Räuber nicht zu tun.‹

›Ich sage, es klingelte!‹ wiederholte sie mit Nachdruck. ›Mein Herr Neffe, der Chef der hiesigen Polizei – ich pflege ihn nur das Schaf der Polizei zu nennen – ist zu dumm, um die Spitzbuben einzufangen! Er war höchstpersönlich hier und suchte mir einzureden, daß ich das alles nur geträumt hätte. – Geträumte Spitzbuben!‹ – Ein unaussprechlich höhnisches Kichern brach aus dem zahnlosen Munde. – ›Er möchte wohl, daß auch mein Testament nur so geträumt wäre!‹

Der Polizeimeister hatte ein kinderreiches Haus und eine nicht zu große Einnahme. Ich dachte deshalb ein gutes Wort für die Blutsverwandtschaft einzulegen und fragte wider besseres Wissen: ›Ihr Herr Neffe befindet sich also nicht unter Ihren Testamentserben?‹

Die Alte fuhr mit dem Arm über die Bettdecke und öffnete und schloß die Hand, als ob sie Fliegen fange. ›Unter meinen Erben? – – Nein, mein Lieber; mein Erbe ist der, den ich zu bestimmen beliebe: – und ich habe ihn bestimmt!‹

Sie begann nun mit sichtlicher Genugtuung mir den Inhalt des Testamentes auseinanderzusetzen, wie er mir im wesentlichen schon bekannt war.

›Aber jene Stiftung‹, sagte ich, ›soll ja an sich sehr reich dotiert sein!‹

›So, meinen Sie?‹ erwiderte die Alte. ›Aber es ist nun einmal meine Freude! Die alten Taugenichtse sollen was Besseres in ihre Fläschchen haben; bis jetzt wird es wohl nur Kartoffelfusel gewesen sein. Nach meinem Abscheiden sollen sie Jamaika-Rum trinken, der dreimal die Linie passiert ist.‹

›Und die vielen hübschen Kinder Ihres Verwandten?‹

›Ja, ja!‹ sagte sie grimmig. ›Das vermehrt sich und will dann aus anderer Leute Beutel leben! Ich, mein Herr Stadtsekretär‹ – sie schnarrte das Wort mit einer besonderen Schärfe heraus –, ›ich habe *keine* Kinder.‹

Noch einmal strengte ich meine Wohlredenheit an: sie möge wenigstens ein Kodizill machen, um für die Aussteuer der armen Mädchen ein paar tausend Taler auszusetzen.

Aber da kam ich übel an.

›Tausend Taler!‹ Sie schrie es fast, und der greise Kopf zitterte auf und ab. ›Keinen Schilling sollen sie haben; keinen Schilling!‹

Sie legte sich erschöpft zurück, und ich betrachtete mit Grauen dies zerbrechliche Wesen, dessen Glieder nur noch in den Zuckungen des Hasses zu leben schienen. ›Keinen Schilling!‹ wiederholte sie noch einmal.

Der kleine runde Polizeimeister war ein Mann, der als armer Familienvater stark aufs Karrieremachen aus war, der aber sonst ganz hübsch im großen Haufen mitging. ›Was haben Sie gegen Ihren Herrn Neffen?‹ fragte ich. ›Hat er Sie irgendwie beleidigt?‹

›Mich? – Nein, mein Lieber‹, erwiderte sie. ›Im Gegenteil; er machte mir sogleich die feierliche Visite, als er nur eben seine segensreiche Wirksamkeit in dieser Stadt begonnen hatte; natürlich‹ – sie schien mit Behagen auf diesem Worte zu verweilen –, ›natürlich, um zu erbschleichen; aber das tut ja nichts zur Sache! O, ein ganz scharmanter Mann! Ich hatte vorher nicht das Vergnügen, ihn zu kennen; aber das ging so glatt: ‚Liebe Tante' hinten und ‚Liebe Tante' vorn.‹ Sie streckte einen Arm unter der Decke hervor und ließ die Hand wie eine Puppe gegen sich auf und ab knicksen.

›Ich habe ihn aber nicht eingeladen‹, fuhr sie fort; ›ich mache kein Haus mehr, es ist zu unbequem in meinem hohen Alter.‹

Es mochte ihren argwöhnischen Augen nicht entgangen sein, daß bei dieser Äußerung meine Blicke unwillkürlich die traurige Wüstenei des Zimmers überflogen hatten.

›Sie wundern sich wohl‹, sagte sie, ›wie es hier unten bei mir aussieht! Aber oben in der Beletage habe ich meine Prunkgemächer! Einst, mein Herr Stadtsekretär, waren sie oft genug geöffnet! Karossen mit Rappen und Isabellen hielten vor meiner Tür, und Grafen und Generalkonsuln fremder Staaten haben an meiner Tafel gesessen!‹

Dann sprang sie wieder auf jenen Antrittsbesuch ihres Neffen über. ›Er hatte mir auch sein ältestes Mädchen hergebracht – eine Dame, sag' ich Ihnen, o, eine ganze Dame! Das müssen reiche Leute sein, der Herr Neffe und seine Demoisellen Töchter; ein Kleid mit echten Spitzen, eine römische Kamee zur Vorstecknadel! Aber sagen tat sie just nicht viel; sie war auch wohl nur da, damit ich in das schmucke Lärvchen mich verliebe! – Ich!‹ – sie lachte voll Verachtung –, ›ich brauchte einst nicht aus der Tür zu gehen, um ganz was anderes zu erblicken! Aber das Mündchen wurde so süß, so unschuldsvoll – es tat einem leid, zu denken, daß dadurch auch die liebe Leibesnotdurft, gebratene Hühnchen und Krammetsvögelchen, hineinspazieren mußten. Nicht wahr, Herr Stadtsekretarius, ein schönes Weib ist doch auch nur ein schönes Raubtier?‹

Sie nickte vor sich hin, als gedächte sie mit Befriedigung einer Zeit, wo auch sie selber beides dies gewesen sei. Plötzlich aber den Kopf zu mir wendend, mit einem Aufblitzen der Augen, als käme es aus dem Abgrund, worin ihre Jugend begraben lag, sagte sie mit einem zitternden Pathos: ›Sehen Sie mich an; ich bin einst *sehr* schön gewesen!‹

Ich erschrak fast, als ich die kleine dürre Gestalt wie durch einen Ruck sich kerzengerade in den Kissen aufrichten sah; aber schon waren die großen Augen wieder grell und kalt.

›Nicht wahr, Sie sehen das nicht mehr? denn ich bin alt, und‹ – sie sprach das fast nur flüsternd – ›der Tod ist hinter mir her; des Nachts, immer nur des Nachts! Ich muß dann wandern; es ist nur gut, daß mein Haus so groß ist.‹

›Sie leiden an Schlaflosigkeit‹, sagte ich, ›es ist das Leiden vieler alten Leute!‹

Sie schüttelte den Kopf. ›Nein, nein, mein Lieber; ich halte mich gewaltsam wach; merken Sie wohl – gewaltsam! Ich fürchte den Hans Klapperbein auch nur im Schlaf; er hat schon manchen so erwürgt, aber – ich bin nicht so dumm, er soll mich noch so bald nicht kriegen! Die Herren von der Stadt hätten freilich nichts dagegen – aber sie sollen sich in acht nehmen! Am liebsten, glaub' ich, möchten sie mich gar noch unmündig machen.‹

Auf einmal schien ihr etwas aufzudämmern. ›Sie sind auch bei der Stadt angestellt, mein Lieber?‹ sagte sie und sah mich mit einem unbeschreiblich lauernden Blicke an.

›Sie wissen das‹, antwortete ich; ›Sie haben mich ja mehrfach mit meinem Amtstitel angeredet.‹

›Ja, allerdings!‹ Ihr Blick hatte mich noch immer festgehalten. ›Hat man Sie‹, fragte sie vorsichtig, ›vielleicht mit einem Auftrage zu mir geschickt?‹

Ich stutzte einen Augenblick, dann aber beschloß ich, ihr die ganze Wahrheit zu sagen. ›Man hatte freilich gefürchtet‹, sagte ich, ›daß Ihre Altersschwäche die Einleitung einer Kuratel erforderlich machen würde.‹

Sie wurde sehr aufgeregt. ›Schwach!‹ schrie sie, und es war eine dünne, gläserne Stimme, die mir in die Seele schnitt. – ›Nein, nicht schwach; reich bin ich – reich! Und plündern will man mich! Aber ich werde mein Haus vermauern lassen, und sollte ich darin verhungern!‹ Sie griff in die Vorhänge und suchte die Füße aus dem Bett zu stecken; sie wollte heraus, sie wollte zeigen, daß sie kräftig und gesund sei.

Die Wärterin kam herbei, ich redete ihr zu, aber wir suchten vergebens, sie zu beruhigen. Dabei hatte ich meinen Stuhl verlassen, auf dem ich bisher mit dem Rücken gegen die Fenster gesessen hatte, und stand jetzt so, daß mein Gesicht in der vollen Tagesbeleuchtung der Alten gegenüber war. Plötzlich wurde sie still, sie schien sogar meinen Worten zuzuhören. Ich konnte ihr jetzt sagen, daß nach meiner Ansicht zu einer Kuratel bei ihr keine Veranlassung sei, daß aber das unnütze Aufspeichern ihrer großen Zinsenernten den Verdacht einer Unfähigkeit zur eigenen Vermögensverwaltung erregen könne, und schlug ihr endlich vor, einem Mann, dem sie vertraue, dieselbe zu übertragen.

Schon während des Sprechens hatte ich gefühlt, daß ihre Augen fest auf mein Gesicht gerichtet waren, fast wie bei unserer ersten Begegnung in den beiderseitigen Gärten. ›Vertrauen! Ja, Vertrauen!‹ stieß sie ein paarmal hervor; dabei wand sie die Hände umeinander, als wenn sie einen inneren Kampf zu überstehen habe. Plötzlich griff die eine Hand nach meiner und hielt sie fest. ›*Sie!*‹ sagte sie hastig. ›Ja, wenn *Sie* es wollten!‹

›Ich, Madame Jansen! Sie kennen mich ja nicht!‹

Wieder sah sie mir musternd in die Augen.

›Nein‹, sagte sie dann; ›Sie sind ein junger Mann; aber ich weiß es, Sie werden ein armes altes Weib nicht hintergehen.‹

Ob das der Zauber war, den mein heiterer Nachbar bei mir voraussetzte! Aber ich gab meine Einwilligung und machte nur zur Bedingung, daß die Überlieferung unter Zuziehung eines Notars geschehen solle; Tag und Stunde möge sie mir selbst bestimmen.

Noch immer hielt sie meine Hand, und als ich jetzt gehen wollte, schien sie sie nur zögernd loszulassen.

Beim Abschiede fragte ich sie, ob ich ihr einen Arzt besorgen dürfe, damit sie rascher wieder zu Kräften komme.

Sie blickte mich an, als suche sie in meinen Augen die Bestätigung einer Teilnahme, die sie in dem Ton meiner Worte gefühlt haben mochte; dann aber streckte sie mir lachend ihre linke Hand entgegen, in der, wie ich jetzt sah, zwei Finger steif geschlossen lagen. ›Ein Meisterstück unseres berühmten Doktor Nicolovius!‹ sagte sie in ihrer alten bitteren Weise. ›Hat er denn noch nicht, wie seine Kollegen, die Quacksalber, einen trompetenden Hanswurst vor seiner Bude stehen? – – Nein, nein, mein Lieber, keinen Arzt! Ich selber kenne meine Natur am besten.‹

So war meine Aufgabe für heute denn beendet.

Wenigstens das rätselhafte Klingeln schien nicht nur geträumt zu sein. Eine große Schleiereule hatte sich – mit einigem Rechtsgrund, wie mir schien – auf den einsamen Böden einquartiert und mochte bei einer vergeblichen Mausjagd die Klingeldrähte gestreift haben, die durch das ganze Haus und auch dort hinaufliefen. Die alte Dame selbst war schon am zweiten Tage wieder aufgestanden, ja, sie hatte sich sogar mit Hilfe der Wärterin aus der Stange ihres Obstpflückers und einem Tonnenbande einen Ketscher angefertigt und solcherweise den keine Miete zahlenden Vogel wie einen Nachtschmetterling ebenso eifrig als vergeblich über alle Böden hin verfolgt.

Ich erfuhr dies alles, als ich eines Vormittags zu dem verabredeten Geschäfte mit einem befreundeten Notar wieder in das Haus trat. Wir wurden in den dritten Stock hinaufgeführt; hier öffnete die Wärterin eine Tür, an der von einer eisernen Krampe ein schweres Vorlegeschloß herabhing.

Es war eine mäßig große düstere Kammer; in deren Mitte stand die alte Madame Jansen vor einem Tische und sortierte emsig allerlei Päckchen, wie sich nachher ergab, mit den verschiedensten Wertpapieren; ringsherum an den Wänden, so daß nur wenig Platz neben dem Tische blieb, standen eine Menge straff gefüllter Geldbeutel, von denen die meisten aus den Resten alter, sogar seidener Frauenkleider angefertigt schienen.

So gesprächig die Alte bei meinem ersten Besuche gewesen war, so wortkarg war sie heute; mit zitternden Händen setzte sie einen Beutel nach dem anderen vor uns hin, mit stummen, fast schmerzlichen Blicken verfolgte sie das Zählen des Geldes, das Versiegeln der Beutel, das Numerieren der Etiketten. – Obwohl die einzelnen Münzsorten sorgsam voneinander gesondert waren, so dauerte die Aufnahme der Wertpapiere und des Barbestandes doch bis in den Abend hinein; zuletzt arbeiteten wir bei dem Lichte einer Talgkerze, die in einem dreiarmigen Silberleuchter brannte.

Endlich wurde der letzte Beutel ausgeschüttet. Er enthielt jene schon derzeit seltenen Vierschillingsstücke mit dem Perückenkopfe Christians des Vierten, welche in dem Rufe eines besonders feinen Silbergehaltes standen. Als auch der beseitigt war, fragte ich, ob das nun alles, ob nichts mehr zurück sei.

Die Alte blickte unruhig zu mir auf. ›Ist das nicht genug, mein Lieber?‹

– ›Ich meinte nur, weil sich gar keine Goldmünzen unter dem Barbestande finden.‹

›Gold? – In Gold bezahlen mich die Leute nicht.‹

– Somit wurde das Protokoll abgeschlossen, und nachdem die Alte in zwar unsicherer, aber immer noch zierlicher Schrift ihr ›Botilla Jansen‹ daruntergesetzt hatte, war das Geschäft beendet; die Wertpapiere wurden in eine Kiste gelegt, deren Schlüssel ich an mich nahm; diese selbst und die Barbestände sollten am anderen Tage in mein Haus geschafft werden.

Als ich mit dem Notar auf die Straße hinausgetreten war, bemerkte ich, daß mir ein silberner Bleistifthalter fehle, den ich bei dem Notieren der Geldsummen benutzt hatte. Ich kehrte sogleich um und lief rasch die Treppen wieder hinauf; aber ich prallte fast zurück, als ich nach flüchtigem Anklopfen die Tür der Kammer öffnete. Im Schein der Unschlittkerze sah ich die Alte noch immer an dem Tische stehen; ihre eine Hand hielt einen leeren Beutel von rotem Seidendamast, die andere wühlte in einem Haufen Gold, der vor ihr aufgeschüttet lag.

Sie stieß einen Schreckensruf aus, als sie mich erblickte, und streckte beide Hände über den funkelnden Haufen; gleich darauf aber erhob sie sie bittend gegen mich und rief: ›O, lassen Sie mir das! Es ist meine einzige Freude; ich habe ja sonst gar keine Freuden mehr!‹ Eine scharfe zitternde Stimme war es und doch der Ton eines Kinderflehens, was aus der alten Brust hervorbrach.

Dann griff sie nach meiner Hand, riß mich an die Tür und zeigte in das dunkle gähnende Treppenhaus hinab. ›Es ist alles leer!‹ sagte sie; ›alles! Oder glauben Sie, mein Lieber, daß die Tochter aus Elysium hier diese Stufen noch hinaufmarschiert? – Nur das Gold – nehmen Sie mir es nicht – ich bin sonst ganz allein in all den langen Nächten!‹

Ich beruhigte sie. Ich hatte kein Recht, zu nehmen, was sie mir nicht gab; und übrigens – das Spielwerk war zwar kostbar, aber weshalb sollte die reiche Frau es sich denn nicht erlauben! – Rasch nur noch meinen Bleistift, und dann fort aus dieser erdrückenden Umgebung, in die ich den ganzen Tag hineingebannt gewesen war.

Als ich im Vorbeigehen einen Blick auf die blinkenden Goldhaufen warf, bemerkte ich, daß auch Schaustücke und fremde, namentlich mexikanische und portugiesische Goldmünzen darunter waren. Das erinnerte mich an die Spielgesellin meines Großvaters: der reizende Mädchenkopf, der schon mein Knabenherz erglühen machte, tauchte plötzlich mit all dem erlösenden Zauber der Schönheit vor mir auf, und einen Augenblick dachte ich daran, jetzt meine Erkundigungen nach ihr anzustellen; aber die arme Greisin mir gegenüber befand sich in so fieberhafter Aufregung, daß ich nicht dazu gelangen konnte. Ich verschob es auf gelegenere Zeit und eilte, daß ich in die frische Winternacht hinauskam.

Es war inzwischen Frühling geworden; die Buchenwälder um die schönen Ufer unserer Meeresbucht lagen im lichtesten Maiengrün. Zwischen uns und der Familie des Polizeimeisters hatten sich gewisse Beziehungen ergeben; besonders hatte sich dessen älteste Tochter meiner Frau in jugendlicher Freundschaft angeschlossen Das frische Mädchen mit den weitblickenden Augen gefiel uns beiden wohl; mir niemals besser als an einem Sonntagmorgen, da wir mit einer größeren Gesellschaft auf einem Dampfschiffe über die blaue Föhrde hinfuhren.

An der Schanzkleidung standen junge Damen mit ebenso jungen Offizieren in einer jener wohlgezirkelten Unterhaltung, die meistens harmlos genug, mitunter aber auch um desto übler sind, je mehr die jungen Köpfe nur die gedankenlosen Träger der Armseligkeiten zu sein pflegen, die darin zutage kommen. Der Gegenstand mußte diesmal sehr anregend sein; die Gesichter der hübschen Frauenzimmer strahlten vor Entzücken.

Unsere junge Freundin – sie trug den etwas ungewöhnlichen Namen ›Mechthild‹ – war nicht darunter; sie stand unweit davon, die Hände auf dem Rücken, an dem Schiffsmast und wiegte wie im Wohlbehagen ihrer Jugendkraft den schlanken Oberkörper auf und ab, wie die Wellen das Schiff, von welchem sie getragen wurde. Die Stattlichkeit dieser Mädchengestalt war mir noch niemals so in die Augen gefallen wie hier unter dem blauen Frühlingshimmel, wo der Seewind ihr in Haar und Kleidern wühlte und ihre blauen Augen in die Ferne nach den waldbekränzten Ufern schweiften.

Drüben unter der jungen Gruppe war das Gespräch indessen lauter geworden: eine Majorstochter erzählte eben, Mama wolle noch eine große Tanzgesellschaft geben; einige Kaufmannstöchter würden dann natürlich auch mit eingeladen, aber das mache ja gar nichts! – O nein, das mache ja nichts, so in größerem Zirkel! Die jungen Damen hatten alle nichts dagegen. – Die jungen Herren vom Degen und ein junger, auf Besuch anwesender Gesandtschaftsattaché meinten auch, das gehe ja ganz vortrefflich! So zum Tanzen, und – was freilich nicht gesagt wurde – zum Heiraten, wenn sie reich seien; warum denn nicht!

Mechthild hatte den Kopf gewandt und schien aufmerksam zu lauschen. Ein überlegenes Lächeln spielte mehr und mehr um ihren schönen, aber keineswegs kleinen Mund; und jetzt mit allem Übermut der Jugend brach es hervor. Es war ein köstlicher Brustton, dieses Lachen; die jungen Damen drüben verstummten plötzlich wie erschrocken.

Dann rief eine zu ihr hinüber: ›Was hast du, Mechthild? Warum lachst du so?‹

– ›Ich freu' mich über euch!‹

›Über uns? Weshalb, was hast du wieder?‹

– ›Daß ihr so allerliebste Wachspuppen seid!‹

›Was soll denn das nun wieder heißen?‹

– ›O, ich meine nur! Und das so hier, unter des lieben Gottes offenem Angesicht.‹

›Ach was! Komm her und sei nicht immer so apart!‹

Aber sie kam doch nicht; ein wilder Schwan mit blendend weißen Schwingen flog, rasch unser Fahrzeug überholend, in der hohen Luft dahin; dem folgten ihre Augen. – Ich betrachtete sie: sie sah gar nicht aus wie die Tochter eines karrieremachenden Vaters; ja, ich schämte mich aufrichtig, mich so kleinlich um eine Aussteuer für sie mit dem alten Alraun umhergezankt zu haben.

Dennoch reizte es mich; ich trat zu ihr und fragte: ›Mechthild, möchten Sie wohl eine Erbschaft machen?‹

Sie sah mich groß an. ›Eine Erbschaft? Ach, das möcht' ich wohl!‹ Sie sagte das fast traurig, als ob eine Hoffnung daran hinge.

Die Stadt, von der wir uns mehr und mehr entfernten, war in der klaren Luft noch deutlich sichtbar. ›Sehen Sie zwischen den kleineren Häusern das hohe graue Gebäude?‹ fragte ich. ›Dort lebt eine alte Frau; die weiß, auch heute, nichts von Licht und Sonnenschein!‹

›Ja, ich sehe das Haus; wer wohnt darin?‹

›Eine Tante von Ihnen oder Ihrem Vater.‹

›O die! – das ist nicht meine Tante; meine Großmutter war nur Geschwisterkind mit ihr; wir sind auch einmal dort gewesen.‹ Sie schüttelte sich ein wenig. ›Nein, die möcht' ich nicht beerben.‹

›Aber sonst?‹ sagte ich und sah ihr forschend in die Augen.

›Sonst? Ach ja!‹ und die helle Lohe schlug dem schönen Mädchen ins Gesicht, daß ihre Augen dunkel wurden.

›Vertrauen wir den reinen Sternen, Mechthild!‹ sagte ich und drückte ihr die Hand. Ich hatte wohl gehört, daß sie einem jungen Offizier ihre Neigung geschenkt habe, daß aber die Armut beider einer näheren Verbindung im Wege stehe; jetzt wußte ich es denn.

›Mamas‹ große Tanzgesellschaft hatte richtig stattgefunden und unter anderem die praktische Folge gehabt, daß einer der Offiziere, der sogenannte ›blaue Graf‹ – ich weiß nicht, ob so genannt wegen seines besonders blauen Blutes oder weshalb sonst –, sich kurz danach mit einer der zu dieser Festlichkeit befohlenen reichen Kaufmannstöchter verlobt hatte. Die ganze Stadt, namentlich die junge Damenwelt, besprach den Fall auf das gewissenhafteste.

Aber die Folgen von ›Mamas Tanzgesellschaft‹ sollten sich noch weiter fortsetzen. Eines Morgens kam die bewußte Brotfrau, vermutlich die Hauptvermittlerin zwischen meiner verehrlichen Mandantin und der Außenwelt, und brachte mir eine Empfehlung von der Madame Jansen, ich möchte doch nicht unterlassen, noch heute bei ihr vorzusprechen.

Kurz danach trat ich in das bewußte Zimmer; das Haus hatte ich offen gefunden, obgleich die Wärterin schon seit lange von ihr entlassen war. Ich traf meine alte Freundin unruhig mit einem Krückstock auf und ab wandernd, trotz des heißen Junitages in ihren grauen Soldatenmantel eingeknöpft; dabei hatte sie eine schwarze Tüllhaube auf dem Kopfe, worin eine dunkelrote Rose nickte; die falschen Locken waren auch schon vorgebunden.

›Ich habe Wichtiges mit Ihnen zu besprechen‹, hub sie in ihrer feierlichen Weise an. ›Man hat mir gesagt, daß eine reiche Kaufherrntochter dieser Stadt einen Grafen heiraten wird. – Ich sehe nicht ein, warum meine Erbin nicht auch eine Grafenkrone tragen sollte?‹

›Aber ich dachte‹, wagte ich zu bemerken, ›die Spitalleute vor dem Nordertore – –‹

›Mein Herr Stadtsekretär‹, fiel sie mir ins Wort, ›wenn Sie gleich mein Mandatar sind – ich habe volle Gewalt, mein Testament zu ändern.‹

Ich bestätigte das nach Kräften. Die kleine Greisin schien in großer Aufregung; sie mußte oftmals innehalten beim Sprechen. ›Es soll hier ja noch so ein hungeriger Graf herumlaufen‹, begann sie wieder; ›dem könnte auch geholfen werden! Meine Nichte – –‹

›Sie meinen die älteste Tochter des Polizeimeisters!‹

›Freilich, die Tochter des Chefdirektors der hiesigen Polizei. Sie ist eine ganz andere Schönheit als die semmelblonde Grafenbraut von heute; sie erinnerte mich bei dem kurzen Besuche, wo ich das Vergnügen hatte, sie zu sehen, sogar an meine eigene Jugend; die junge Dame scheint eine vorzügliche Bildung genossen zu haben – ich werde ihr ein fürstliches Vermögen hinterlassen.‹

Ich war sehr erstaunt; aber ich hielt mich vorsichtig zurück und beschloß, der Kugel ihren Lauf zu lassen; die Mechthild sollte schon stillhalten, wenn ihr die Hunderttausende in den Schoß fielen, und der Graf – diese Luftspiegelung würde wohl von selbst verschwinden.

Während solcher Gedanken ersuchte mich die Alte, auf morgen alles Nötige zur Errichtung eines neuen Testamentes vorzubereiten. ›Denn es hat Eile‹, setzte sie hinzu. ›Meine Nichte könnte bei ihrer Schönheit sonst gar leicht eine Verbindung unter ihrem jetzigen Stande eingehen. – Schon in nächster Woche werde ich meine Prunkgemächer öffnen: ich werde den Herrn Grafen einladen und ihm meine Erbin vorstellen; mein Neffe, der Herr Chefdirektor, wird es übernehmen, die Honneurs zu machen! – – Aber jetzt, mein Lieber, begleiten Sie mich nach oben; wir wollen doch ein wenig revidieren!‹

Bei diesen Worten hatte sie das große Schlüsselbund unter dem Kopfkissen ihres Bettes hervorgeholt; dann steckte sie ohne weiteres ihre kleine Knochenhand unter meinen Arm, und so krochen wir miteinander die breiten Treppen zu dem oberen Stockwerk hinauf.

Es war ein großer nach hinten zu belegener Saal, den wir jetzt betraten, nachdem der Schlüssel sich kreischend und nur mit meiner Hilfe im Schloß herumgedreht hatte; die Wände mit einer verblichenen gelben Tapete bekleidet, in deren Muster sich kannelierte Säulen zu der mit Rosen verzierten Stuckdecke hinaufstreckten; die Möbel alle in den geraden Linien der Napoleonszeit, in den Aufsätzen der Spiegel jene Glasmalereien mit auffahrenden Auroras oder einem speerwerfenden Achilleus. Auf den Fensterbänken lagerte dicker Staub und eine Schar von toten Nachtschmetterlingen.

Die Alte erhob ihren Stock und zeigte nach den beiden Kronleuchtern von geschliffenem Glase und nach den Fenstern auf die verschossenen Seidengardinen, die vorzeiten gewiß im leuchtendsten Rot geprangt hatten; dann ließ sie meinen Arm los und begab sich an eine Untersuchung der mit Schutzdecken versehenen Stuhlpolster.

Mich hatte indes ein anderer Gegenstand gefesselt. An der Wand den Fenstern gegenüber hingen, je über einem Sofa, zwei lebensgroße gut gemalte Brustbilder. Das eine zeigte einen schon älteren, etwas korpulenten Mann mit fleischigen Wangen und kleinen genußsüchtigen Augen. Das andere war das Bild eines bacchantisch schönen Weibes; eine weiße Tunika umschloß die volle Brust, durch das dunkle kurz verschnittene Haar, von dem nur eine Locke sich über der weißen Stirn kräuselte, zog sich ein kirschrotes Band mit leichter Schleife an der einen Seite; darunter blitzten ein Paar Augen von unersättlicher Lebenslust.

Fast wie ein Schrecken hatte es mich befallen, als ich dieses Bild erblickte, denn ich kannte es seit langem ganz genau. Es konnte kein Zweifel sein, dies war das Original jenes kleinen Porträts aus der Stube meines Großvaters; es war Zug für Zug dasselbe, nur mit allen Vorzügen eines lebensgroßen und in unmittelbarer Gegenwart gemalten Bildes. Ein bestrickender Sinnenzauber ging von dem jugendlichen Antlitz aus, das hier in wahrhaft funkelnder Schönheit auf mich herabsah. Tausend Gedanken kreuzten sich in meinem Hirn, ich hatte fast vergessen, wo ich mich befand.

Da rührte der Krückstock der Alten an meinen Arm; sie mußte leise herangeschlichen sein und stand jetzt schmunzelnd neben mir. ›Es soll den höchsten Grad der Ähnlichkeit besessen haben‹, sagte sie pathetisch, mit ihrer Krücke nach dem schönen Weiberkopfe deutend, ›nur wurde derzeit die Meinung ausgesprochen, daß die Frische meiner Farben und der Glanz meiner Augen doch nicht ganz erreicht seien.‹

›Es ist Ihr Porträt?‹ fragte ich.

– ›Wessen sollte es denn sonst sein? – Der berühmte Hamburger

Gröger hat mich derzeit als Braut gemalt; mein Gemahl zahlte ihm später sechshundert Dukaten für die beiden Bilder.‹

Es war freilich eine müßige Frage, die ich getan hatte, aber ich war im Innersten verwirrt; seltsame Gedanken umschwirrten mich: als hätte ich möglicherweise nicht ich selber, als hätte ich der Enkel jener schönen Bacchantin sein können. Die Welt der Erscheinungen fing mir an zu schwanken; die Alte an meiner Seite flößte mir fast Grauen ein.

Aber ich wollte noch größere Gewißheit haben. ›Waren Sie je in Antwerpen?‹ fragte ich.

– ›In Antwerpen!‹ – Sie schien das Unvermittelte meiner Frage nicht zu fühlen; die alten Augen wurden noch greller als zuvor; mit beiden Händen auf der Krücke und vor Erregung mit dem Kopfe zitternd, stand sie vor mir. ›Ob ich in Antwerpen gewesen bin? – – In der höchsten Blüte meiner Schönheit! – Mein Vater führte eins der größten Kauffahrteischiffe dieser Handelsstadt; er nahm mich mit dahin, sechs Wochen lang verweilten wir dort im Hafen. Ob ich in Antwerpen gewesen bin!‹

Die Alte begann an ihrem Stabe in dem öden Saale auf und ab zu wandern, immer eifriger dabei erzählend: ›Es war derzeit ein außerordentliches Leben dort; eine russische Flottille lag auf der Reede, die Offiziere gaben Bälle auf den breiten Orlogschiffen; und gar bald hatten sie denn auch entdeckt, daß am Bord meines Vaters sich eine Schönheit ersten Ranges befinde, wie sie dieselbe unter den niederländischen Juffruwen auch mit der schärfsten Brille nicht hätten entdecken können. Bald war ich zu allen Bällen eingeladen – ich war die Königin des Festes!‹

Sie stieß heftig mit ihrem Stock auf den Fußboden, daß die Glasbehänge der Kronleuchter aneinanderklirrten. ›In einem mit farbigen Wimpeln und Bändern geschmückten Boote wurde ich von meines Vaters Schiff geholt! Unter den russischen Offizieren war ein griechischer Prinz; Konstantin Paläologus hieß er, der letzte Sprosse der alten byzantinischen Kaiserfamilie – er ließ es sich nicht nehmen, mich selbst auf seinen Armen von Bord zu heben und mich sanft auf den seidenen Polstersitz des Bootes niederzulassen. Nur in französischer Sprache konnten wir uns unterhalten: ‚*Rose du Nord!*‘ sagte er, indem er schmachtend zu mir aufblickte, und breitete mit eigenen Händen einen kostbaren Teppich unter meine Füße. – O mein Herr Stadtsekretär!‹ – sie schnarrte das Wort noch schärfer heraus als sonst –, ›wie damals das Meer und meine schwarzen Augen glänzten! Sie lagen alle zu meinen Füßen; alle! Der Prinz, die Offiziere, die Söhne der großen deutschen Handelshäuser, welche damals auf den Kontoren dort ihre Ausbildung erhielten, und von denen die vornehmsten auch zu diesen Bällen eingeladen wurden. – – Ich habe sie alle fortgestoßen, alle! – Und das freut mich noch!‹

Sie focht mit dem Stocke durch die Luft, daß der Soldatenmantel von ihrer Schulter glitt und sie nun in ihrer ganzen dürren Winzigkeit vor mir stand. In dem langen Spiegel drüben, wie in der Ferne, sah ich noch einmal eine solche Gestalt und mich an ihrer Seite stehen; noch einen zweiten Saal mit dem verblichenen Säulenmuster, den steifen Sofas und mit den großen Glaskronen, deren Kristallbehänge vergebens unter dem Staube zu glitzern suchten, womit still, aber emsig die Zeit sie überzogen hatte. Mir war, als befinde ich mich in einer gespenstischen Welt, deren Wirklichkeit seit lange schon versunken sei.

Als ich den Mantel aufgehoben und ihn der Alten wieder unter dem Kinn zugeknöpft hatte, sah sie mich lange schweigend an. Die runzeligen Wangen waren gerötet, aber dennoch sah sie erschreckend verfallen aus; und jetzt sagte sie mit einer so milden Stimme, daß ich sie dieser Menschenmumie nicht zugetraut hätte: ›Wissen Sie, mein Lieber, warum ich Ihnen mein Vertrauen schenkte? Gleich, da ich Sie sah – Ihnen allein von allen Menschen? – – Sie haben eine Ähnlichkeit‹, fuhr sie fort, als sie keine Antwort von mir erhielt, ›eine Ähnlichkeit! – – Unter den jungen deutschen Kaufleuten war einer; ich kannte ihn seit lange! – Junger Mann, haben Sie es schon erlebt, daß ein Menschenkind mit sehenden Augen sein bestes Glück mit Füßen von sich stieß? – War er nicht schön? – Ja, er war schön wie ein Johannes! – War er nicht reich? – Freilich, der da hatte mehr!‹ und sie wies mit dem Stabe auf das Seitenstück ihres Jugendbildes.

›Es ist das Bild Ihres seligen Mannes?‹ fragte ich dazwischen.

›Selig?‹ – Sie lachte grimmig in sich hinein; dann fuhr sie in ihrem Frage- und Antwortespiele fort: ›Und war er nicht auch gut?‹ Sie lachte wieder. ›Ja, ja, er war auch gut; aber da lag es! Ich glaube, ich konnte es nicht leiden, daß er gar so gut war! – – Und er hat mich geliebt, der arme Narr; ich weiß, er ließ sich heimlich eine Kopie von meinem Bilde machen und ging dann in die weite Welt. – – Vorbei, längst vorbei!‹ murmelte sie leise in sich hinein und begann wieder auf und ab zu wandern.

Plötzlich blieb sie stehen. ›Wenn ich wüßte, ob er noch am Leben sei oder seine Kinder oder seine Enkel!‹ Sie ließ den Krückstock fallen und faltete wie betend ihre Hände; ich sah, wie die ganze Gestalt der kleinen Greisin bebte. Ein namenloses Mitleid befiel mich, und schon öffnete ich die Lippen, um ihr zuzurufen: ich bringe dir den Gruß deiner Jugendliebe, ich bin seines Blutes, du sollst nicht sterben in der Verlassenheit des Hasses!

Da setzte sie hinzu: ›Wenn ich es wüßte, ich würde auch das schöne Lärvchen laufen lassen! *Sie,* keine anderen sollten meine Erben sein!‹

Das verschloß mir den Mund.

Sie nannte mir den Familiennamen meines Großvaters.

– ›Ich habe ihn nie gehört‹, sagte ich.

Die Greisin seufzte. Sie sah sich noch einmal in dem Saale um. ›Es ist alles vorzüglich wohlerhalten!‹ sprach sie dann wieder in ihrer alten hochtrabenden Weise; ›machen wir das Testament in Ordnung! – Aber, mein Lieber, keine fremden Leute mir ins Haus! Der Mann der alten Brotfrau und ihr Enkelsohn können Zeugen sein; die sind dumm genug dazu!‹

Sie nahm den Krückstock, den ich ihr aufgehoben hatte, und hing sich wieder an meinen Arm; aber sie umklammerte mich jetzt, als fürchte sie zu fallen, und da ich zu ihr hinabblickte, starrte eine wahre Totenmaske mir entgegen: die einstmals schöne Nase stand scharf und hippokratisch zwischen den großen grellen Augen.

Ich erschrak und suchte sie nochmals zu bewegen, sich einem Arzte anzuvertrauen; aber sie schüttelte nur den Kopf, obgleich ihre Kinnbacken wie im Fieber aneinanderschlugen. ›Die Ähnlichkeit!‹ hörte ich sie nochmals vor sich hinmurmeln; ›o die Ähnlichkeit!‹

Sie war so schwach, daß ich sie die Treppe fast hinuntertragen mußte; dennoch, als wir unten angelangt waren, schleppte sie sich an die Haustür, und ich hörte, wie sie hinter mir die Kette einhakte.

– – Beim Austritt aus dem Hause sah ich unsere junge Freundin Mechthild die Straße herabkommen. Schon verspürte ich eine Neigung, ihr womöglich zu entweichen – denn ich schämte mich etwas meines Jesuitismus zu ihren Gunsten –, als ich in ihrer heiteren Weise von ihr angerufen wurde.

›Nun, Herr Stadtsekretär? Sie kommen aus dem Hause meiner Tante?‹

›Freilich‹, erwiderte ich, ›die, wie Sie sagen, nicht Ihre Tante ist.‹

– ›Was hatten Sie dort zu tun? Am Ende sind Sie es, der mir die große Erbschaft wegfischt!‹

›Gewiß! Warten Sie nur noch ein paar Tage, da werden sich große Dinge offenbaren.‹

– ›Und Sie glauben wohl, ich werde Ihnen jetzt eine Szene weiblicher Neugierde zum besten geben! Sie irren sich, Herr Stadtsekretär! Aber‹ – und sie zeigte mit ihrem Sonnenschirm nach dem finsteren Hause –, ›wenn Sie dort Gewalt haben, reißen Sie doch einmal alle Fenster auf. Die arme alte Frau – das wird ihr wohltun, wenn diese Frühlingsluft das Haus durchweht!‹

Sie nickte mir zu und ging die Straße hinab.

Ich sah ihr lange nach und dachte: ›Komm du nur selbst hinein! Dir wird auf die Länge auch jenes arme alte Herz nicht widerstehen; du selber bist der rechte Frühlingsschein!‹

›Das Testament! Die Alte sagte, es habe Eile!‹ Mit diesem Gedanken war ich am anderen Morgen schon früh an meinem Schreibtisch, um einen möglichst vollständigen Entwurf desselben auszuarbeiten.

Während ich damit beschäftigt war, brachte meine Frau mir den Kaffee, den ich mir heute nicht Zeit ließ im Familienzimmer einzunehmen.

›Du‹, sagte sie, ›es soll die Nacht wieder recht unruhig gewesen sein im Hause links.‹

›Schön!‹ erwiderte ich. ›Nächstens soll es darin auch bei Tage unruhig werden!‹

›Nein, ohne Scherz! Die Mägde – ihre Kammer liegt ja nach jener Seite hin –, sie haben es klirren hören, als wenn ein schwerer Geldsack auf den Boden fiele.‹

›Torheit!‹ sagte ich und schrieb, ohne aufzusehen, weiter; ›die Alte hat gar keinen Geldsack mehr im Hause, nur einen Haufen goldener Spielmarken.‹

Da klopfte es.

Auf mein ›Herein‹ reckte sich ein alter Weiberkopf ins Zimmer. ›Keine Menschenmöglichkeit, bei der Madame Jansen 'reinzukommen!‹ sagte die Brotfrau, die jetzt völlig zu uns eintrat. ›Schon Glock' Sechsen hab' ich mit dem Klopfer aufgeschlagen, daß die Nachbarsleute vor die Tür kamen; es muß absolut was passiert sein, Herr Stadtsekretär!‹

Das machte mich doch von meinem Tische aufspringen, denn das Klopfen hatte ich freilich auch gehört.

Als wir auf die Straße kamen, war schon ein benachbarter Schlosser mit seinem Werkzeug angelangt. Ich hieß ihn die Haustür öffnen und, als das geschehen war, die innen vorgelegte Kette durchfeilen. Dann traten wir in das untere Zimmer.

Es sah noch wüster als gewöhnlich aus. Schränke und Kommoden waren von den Wänden abgerückt, das Bettzeug bis auf die unterste Strohmatratze ausgepackt; sogar der große Spiegel, wie beim Auflüpfen verschoben, hing fast quer vor den beiden Fenstern; es mußte hier allerdings recht unruhig zugegangen sein.

Aber noch mehr des nächtlichen Spukes bestätigte sich: der Fußboden war mit blanken Speziestalern wie besät; in der Mitte desselben lag der alte Soldatenmantel; ein offener, aber noch halbgefüllter Geldsack ragte daraus hervor, augenscheinlich das Füllhorn, dem diese blinkenden Schätze entrollt waren.

Eine Weile standen wir, ohne eine Hand zu rühren; dann bückte sich der Schlosser und hob den Mantel auf. Ein kleiner zusammengekrümmter Leichnam lag darunter, die Leiche meiner Nachbarin Madame Sievert Jansen. – Das schöne übermütige Kind, das einst das Knabenherz des Großvaters mit so unvergänglicher Leidenschaft erfüllt hatte, das lebensprühende Frauenbild, dessen Scheingestalt noch jetzt von der Wand des öden Saales herabblickte – was hier zu meinen Füßen lag, es war der Rest davon.

Was soll ich weiter erzählen! Eine förmliche Haussuchung, die nach dem Begräbnis der alten Dame abgehalten wurde, ergab, daß überall, im Keller wie auf den Böden, hinter Dachsparren und Paneelen, noch mancher Jahrgang ihrer Zinsenernten versteckt lag; nur der rotseidene Beutel mit den fremden Goldmünzen ist niemals aufgefunden worden.

Das neue Testament war nicht zustande gekommen; und so ist das bedeutende, wenn auch nicht fürstliche Vermögen, wie vorher bestimmt war, mit drei Vierteln an das Land- und Seespital gefallen. – Ob die blaunasigen alten Burschen jetzt alten Jamaika-Rum in ihren Flötenvögeln haben, bin ich nicht in die Lage gekommen, zu untersuchen; nur weiß ich, daß sie jetzt in doppelten Reihen auf den Bänken sitzen und ihren Vogel nach wie vor recht fleißig aus der Tasche holen.

Und Mechthild? – Sie hat dennoch ihren Leutnant geehelicht, der jetzt sogar ein Oberstleutnant ist. Da sie bald nach ihrer Verheiratung unsere Stadt verließ, so vermag ich Näheres über sie nicht zu berichten; hoffen wir indes, daß sie auch in ihrem späteren Alter ein wenig höher geblieben ist als das um sie herum. Mitunter ist ja doch dergleichen vorgekommen.

In dem alten Hause spukt es selbstverständlich, zumal wenn sich die Todesnacht der armen Greisin jährt; dann hört man sie auf Trepp' und Gängen stöhnen, als jammere sie über die vergrabenen Schätze ihrer Jugend.

Und daß es noch dergleichen in der Welt gibt« – so schloß mein Freund seine Erzählung, indem er sich statt der längst in Rauch aufgegangenen eine neue Zigarre anzündete –, »das und den Dampf einer guten Importierten, beides finde ich unter Umständen außerordentlich tröstlich.«

Ein stiller Musikant

Ja, der alte Musikmeister! – Christian Valentin hieß er. – Zuweilen in der Dämmerstunde, wenn ich vor meinem Ofenfeuer träume, wandelt auch seine hagere Gestalt in dem abgetragenen schwarzen Tuchröckchen an mir vorüber; und wenn er dann gleich all dem anderen Besuch, den ich schweigend und ungesehen hier empfange, allmählich wieder meinem Blick entschwindet, zurückwandelnd in den dichten Nebel, aus dem er kurz zuvor emporgetaucht ist, so zittert oft etwas in meinem Herzen, als müßte ich die Arme nach ihm ausstrecken, um ihn zu halten und ihm ein Wort der Liebe auf seinem einsamen Wege mitzugeben. – –

In einer norddeutschen Stadt hatten wir beide mehrere Jahre nebeneinander gelebt, und der kleine Mann mit dem dürftigen blonden Haar und den blaßblauen Augen war ebensooft gesehen als unbeachtet an mir vorübergegangen, bis ich eines Tages in dem Laden eines Antiquars mit ihm zusammentraf. Von diesem Augenblick an begann unsere Bekanntschaft; wir waren beide Büchersammler, wenn auch jeder in seiner eigenen Art. Bei meinem Eintritt hatte ich eine illustrierte Ausgabe von Hauffs »Lichtenstein« in seiner Hand bemerkt, worin er, am Ladentische lehnend, sich mit Behagen zu vertiefen schien.

»Das ist ein liebes Buch, das Sie da haben«, sagte ich gleichsam als Erwiderung seines Grußes, mit dem er trotz seines eifrigen Blätterns mich empfangen hatte.

Er blickte mich an. »Wirklich!« sagte er mit einem Aufleuchten seiner blassen Augen, und ein wahres Kinderlächeln verklärte sein sonst wenig schönes Antlitz; »lieben Sie es auch? Das freut mich; ich kann es immer wieder lesen!«

Wir kamen nun ins Gespräch, und ich erzählte ihm, daß ich im vorigen Jahre den Ort der Dichtung besucht und zu meiner Freude die Büste des Dichters auf einem Felsenvorsprung neben der von ihm verherrlichten Burg gesehen hätte. Aber er war keineswegs damit zufrieden. »Eine Büste nur?« sagte er. »Dem Mann hätten sie doch wohl ein ganzes Standbild setzen können! Sie lachen über mich!« setzte er gleich darauf mit derselben bescheidenen Freundlichkeit hinzu. »Nun freilich, mein Geschmack mag wohl eben nicht der höchste sein.«

– – Ich lernte ihn später näher kennen. Sein Geschmack war keineswegs ein niedriger; aber wie er in der Musik bei seinem Haydn und seinem Mozart blieb, so waren es in der Poesie die klaren Frühlingslieder Uhlands oder auch wohl die friedhofstillen Dichtungen Höltys, die ich aufgeschlagen auf seinem Tische zu finden pflegte.

Wenn wir nach dieser Zeit uns wieder bei dem Antiquar oder auch nur auf der Straße trafen, so pflegten wir wohl noch ein Stückchen Weges miteinander zu verplaudern, und ich erfuhr nun, daß er hier in seiner Vaterstadt als Klavierlehrer lebe, aber nur in den Häusern des mittleren Bürgerstandes oder in mittellosen Beamtenfamilien seine Stunden gebe; auch verhehlte er mir nicht, daß sein Erwerb nur zu einer bescheidenen Wohnung ausreiche, welche er dicht vor der Stadt in dem Hause eines Bleichers schon seit Jahren innehabe. »Ei was!« sagte er, »es ist schon recht für einen alten Junggesellen; man soll sich nur keine dummen Gedanken machen! Wenn sie nicht mit Wäsche zugedeckt ist, sehe ich aus meinen Fenstern auf die schöne grüne Bleichwiese; ich hab' als Knabe schon darauf gespielt, wenn ich unseren Mägden die schweren Zeugkörbe dort hinaustragen half; und auch der Apfelbaum, der damals so oft für mich geschüttelt wurde, steht noch ganz auf seiner alten Stelle.«

Und in der Tat, ich fand das Stübchen so übel nicht, als ich eines Nachmittags nach einem gemeinsamen Spaziergange mit ihm dort eintrat; die Wiese war auch eben wäschefrei und sandte ihren grünen Schein ins Fenster. An der Wand über dem Sofa hingen zwei der bekannten Lessingschen Waldlandschaften, aus dem Nachlasse seines Vaters, wie er mir erzählte; über dem offenstehenden, wohlerhaltenen Klavier hing, umgeben von einem dichten Immortellenkranz, ein weiblicher Profilkopf in trefflicher Kreidezeichnung. Als ich betrachtend davor stehenblieb, trat er zu mir und begann fast schüchtern: »Ich muß es Ihnen wohl sagen, denn Sie würden es sonst kaum glauben, daß dieses edle Antlitz meiner lieben Mutter einst gehörte; aber es ist wirklich so.«

»Ich glaube es gern!« erwiderte ich; denn sein Antlitz stand vor mir, wie es mir nun schon oft von Freundlichkeit verklärt erschienen war.

Und als habe er meine Gedanken erraten, setzte er hinzu: »Lächeln hätten Sie sie sehen sollen; das Bild ist doch nur tot.«

Als wir später auf seine Lieblingskomponisten zu sprechen kamen, griff er gleichsam zur Erläuterung dann und wann ein paar Takte aus diesem oder jenem Satz auf den Tasten; da ich ihn dann aber ersuchte, nun doch weiterzuspielen, wurde er fast verlegen und suchte mir auszuweichen; endlich, als ich dringender wurde, sagte er ängstlich: »Oh, bitten Sie mich nicht darum, ich spiele seit vielen Jahren schon nicht mehr.«

»Aber hier!« erwiderte ich und wies auf eine Partitur der Jahreszeiten, die aufgeschlagen auf dem Pulpete lagen, »das können Ihre Schüler doch nicht spielen.«

Er nickte eifrig. »Ja, ja; aber das lese ich nur; man muß so etwas haben bei dem steten Elementarunterricht – es ist riesig, wie *ein* Mensch das alles so hat schreiben können!« Und er schlug begeistert die Blätter in dem großen Notenbuche hin und her.

Als ich nach einiger Zeit fortging, sah ich draußen an seiner Zimmertür einen Zettel mit Oblaten angeklebt, worauf einige Takte aus einem Mozartschen *Ave verum* in etwas stakigen Noten hingeschrieben waren; bei späterer Wiederholung meines Besuches bemerkte ich, daß dieser Zettel von Zeit zu Zeit erneuert wurde und entweder mit dem Spruch eines Schriftstellers oder, was meistens der Fall war, mit ein paar Takten aus irgendeinem älteren Tonwerk beschrieben war. Als ich ihn dann einmal wegen dieser Seltsamkeit befragte, sah ich wieder jenes Kinderlächeln in seinem Antlitz aufleuchten. »Ist das nicht ein guter Gruß«, sagte er herzlich, »wenn man müde in sein kleines Heim zurückkehrt!«

Wir hatten solcherweise schon längere Zeit in einem gewissen Verkehr gestanden, ohne daß ich Näheres von ihm erfahren hätte; da war es eines Herbstabends, als ich ihn beim Schein der Straßenlaterne, die eben angezündet wurde, aus dem Torweg eines großen Hauses kommen sah. Da ich nichts vorhatte, als nach angestrengter Arbeit mich durch ein weniges Straß-auf-und-abgehen zu erfrischen, so rief ich ihn an, und er nickte freundlich, da er mich erkannte.

»Seit wann, lieber Freund«, fragte ich, »geben Sie denn bei Präsidentens Stunde?«

Er lachte. »Ich? Sie scherzen wohl! Nein, die Stunden hat der junge

Leipziger Doktor. Sie kennen ihn doch! Ein exzellenter Musiker; er hat mir neulich wohl über eine Stunde vorgespielt; ich versichere Sie, ein herrlicher junger Mann!«

»Kennen Sie ihn schon so genau?« fragte ich lächelnd.

»O nein, nicht weiter; aber ein solcher Musiker muß auch ein guter Mensch sein!«

Dagegen war nichts einzuwenden.

»Können Sie ein wenig mit mir schlendern?« fragte ich.

Er nickte und ging schon die Straße mit mir hinab. »Ich gab soeben meine letzte Stunde«, sagte er; »der Tochter eines Schullehrers, der dort hinten auf dem Hofe wohnt. Das ist auch so ein goldenes Herz und ein Musikgenie dazu.«

»Aber lassen Sie die Kinder nicht in Ihre Wohnung kommen? Es ist ja nicht so weit dahin.«

Er schüttelte lachend den Kopf. »Nein, nein, das dürfte ich wohl nicht verlangen! Aber *sie* freilich, sie kommt auch zu mir heraus; nur ist sie eben jetzt aus einer schweren Krankheit aufgestanden. Sie fängt schon an, den Mozart zu traktieren; und eine Stimme hat sie! – Aber das ist fürs erste noch zu früh, denn sie zählt erst dreizehn Jahre.«

»Sie geben also auch Gesangunterricht?« fragte ich. »Da werden Sie der einzige hier sein, der das versteht!«

»Ei, Gott bewahre!« erwiderte er; »aber bei ihr, da der Schulmeisterstochter die großen Meister unerschwinglich sind, möchte ich es gleichwohl doch versuchen, wenn Gott uns Leben schenkt. – Ich habe früher einmal mit einer alten ausgebrauchten Sängerin unter einem Dache gewohnt, die einst zu Mozarts Zeiten eine Rolle gespielt und auch ihm selber wohl zu Dank gesungen hatte. Ihre arme alte Kehle war freilich jetzt nicht viel besser als eine Türangel; ja, ein mutwilliges Mädchen – es war die Tochter meines damaligen Wirtes«, setzte er leise hinzu –, »meinte sogar, sie gleiche der unseres gesangliebenden Haustieres, und nannte die gute Alte stets ›Signora Katerina‹; aber Signora Katerina wußte gleichwohl, was Gesang war, und wir beide haben manches fürchterliche Duo miteinander ausgeführt. Sie konnte nie genug davon bekommen; ich aber lernte dabei nach und nach ihre ganze Gesangsmethode kennen. ›Merken Sie wohl auf, Monsieur Valentin!‹ pflegte sie zu sagen, hob sich dabei auf den Zehen und faßte mit den

Fingerspitzen der einen Hand in ihre stets nicht eben saubere Tüllhaube: ›So wollte es der große Maestro!‹ Und dann schoß mit ungemeiner Sicherheit und oft überraschenden Akzenten eine Koloratur zu irgendeiner Mozartschen Arie aus dem alten dürren Halse. – Hatte ich nach ihrer Meinung meine Sachen gut gemacht, dann zog sie wohl ihr stets gefülltes kristallenes Naschdöschen aus der Tasche und steckte mir mit eigenen dürren Fingern eine Pfefferminzpastille in den Mund. – Gott hab' sie selig, meine alte Freundin!« sagte er mit plötzlich weicher Stimme. »Wer weiß! Vielleicht kann noch ein junges Leben von diesen letzten Anstrengungen einer Greisin profitieren; denn« – und er klopfte mit dem Finger gegen seine Stirn – »hier hab' ich alles wohlverwahrt, wie es einst der unsterbliche Meister von der jungen Primadonna gesungen haben wollte.«

– – »Sie haben mir«, begann ich, da mein Freund jetzt schwieg, »noch nie von Ihrer Jugendzeit gesprochen. Wurde in Ihrem Elternhause auch Musik getrieben?«

»Freilich«, erwiderte er; »weshalb wäre ich denn sonst ein Musiker geworden!«

»Nur deshalb, lieber Freund? Das glaube ich Ihnen nicht.«

»Nun, nun; es mag auch wohl mein wirklicher Beruf gewesen sein; aber eine Kopfschwäche hat mich immer sehr behindert; oh, Sie denken nicht, wie sehr! – Als ich in einer Dorfkirche zum erstenmal die Orgel hörte, brach ich in Schluchzen aus, daß man es gar nicht stillen konnte. Das war nicht die Gewalt der Musik; denn eine Türschelle, die unversehens über mir läutete, hatte ganz dieselbe Wirkung – es war mein armer schwacher Kopf, den ich schon als Knabe zwischen meinen Schultern trug.« – Er blieb einen Augenblick stehen, und ich hörte ihn seufzen, als wenn er eine Trauer niederkämpfe.

»Mein Vater«, fuhr er nach einer Weile fort, »wußte von solchen Dingen nichts; er war ein Mann auf den Punkt, ein angesehener, vielbeschäftigter Advokat in dieser Stadt. Meine liebe Mutter verlor ich schon in meinem zwölften Jahre; seitdem lebte ich mit ihm allein; denn meine Geschwister waren älter als ich und alle schon von Hause fort. Außer seinen Akten und einer ausgewählten geschichtlichen Büchersammlung, die ich trotz aller Ermahnung nicht zu benutzen verstand, hatte er nur eine Liebhaberei, und das war die Musik; ja, ich kann wohl sagen, daß ich meinen hauptsächlichen Unterricht von ihm erhalten habe. – Es wäre vielleicht besser von einem anderen geschehen. – – Sie werden mich nicht mißverstehen! Mir fehlt nicht das dankbare Gedächtnis für seine liebevollen Mühen; aber er wurde, wenn meine Kopfschwäche mich befiel, leicht ungeduldig, heftig, was mich doch nur ganz verwirrte. Ich habe derzeit viel dadurch gelitten; jetzt weiß ich's wohl, er konnte nicht dafür; bei seinem raschen Sinn konnte er nicht verstehen, was in mir vorging; er sah darin nichts als eine angeborene Trägheit, die nur aufgerüttelt werden müsse. Aber an einem Tage – ich stand schon vor der Konfirmation – da kam ihm dennoch das Verständnis. O, mein guter Vater, ich werde das nie vergessen!« Er streckte die Arme aus und ließ sie wieder sinken; dann fuhr er fort: »Wir saßen im Wohnzimmer am Klavier und spielten eine vierhändige Sonate von Clementi. Ich hatte am vorhergehenden Abend noch spät an einem schwierigen Kapitel der Harmonielehre gesessen und hatte davon, wie meine selige Mutter zu sagen pflegte, einen ›dünnen‹ Kopf in den anderen Tag hinübergenommen. Mitten im Rondo der Sonate verwirrten sich meine Gedanken, ich griff wiederholt falsch, und mein Vater rief heftig: ›Wie ist das möglich? Du hast das ja schon zwanzigmal gespielt.‹ – Er schlug die Blätter zurück, und wir begannen den Satz von neuem; aber es half nicht, ich kam über die verhängnisvolle Stelle nicht hinüber. Da sprang er auf und warf seinen Stuhl zurück. – – Ich weiß nicht, wie es in anderen Familien zugeht – bei all seiner Heftigkeit, ich hatte nie von meinem Vater einen Schlag erhalten. Es mag ihm wohl sonst noch etwas im Gemüt gelegen haben; denn jetzt, da ich schon fast kein Knabe mehr war, wurde er so von seinem Zorne hingerissen.

Die Noten waren vom Pulpet herab auf den Fußboden gefallen; ich hob sie schweigend auf; meine Wange brannte, und in der Brust quoll es mir auf, als solle das Blut über meine Lippen stürzen; aber ich setzte mich wieder zurecht und legte meine zitternden Hände auf die Tasten. Auch mein Vater saß wieder neben mir, und ohne daß ein Wort oder auch nur ein Blick zwischen uns gewechselt wäre, spielten wir die Sonate weiter. Ich weiß auch noch sehr wohl – und ich habe mich später oft selbst gefragt, ob wohl der große Schmerz für Augenblicke meine Kraft so wunderbar belebt habe –, aber es wurde mir plötzlich leicht, die Noten wurden wie von selbst zu Tönen, als wären gar keine weißen und schwarzen Tasten mehr dazwischen, die meine unbeholfene Hand zu treffen hatte.

›Siehst du‹, sagte mein Vater; ›wenn du nur willst!‹

Die Sonate war zu Ende; er legte, da es jetzt so ungewöhnlich glückte, gleich noch ein anderes Musikstück aufs Pulpet, das ich allein zu spielen hatte. – Ich fing auch tapfer an; aber da mein Vater nicht selbst mitspielte, sondern, mich scharf beobachtend, neben mir stand, so wurde ich verwirrt und mühte mich vergebens, die mich so plötzlich überkommene Sicherheit festzuhalten. Vielleicht auch, daß jener herbe Zauber überhaupt nicht weiter reichte! Es schwamm schon wieder wie Nebel um mich her, meine alte Angst befiel mich, und – da gingen die Gedanken hin; wie fliegende Vögel, die schon weit von mir in der grauen Luft verschwanden.

Ich spielte nicht mehr. ›Schlage mich nicht, Vater‹, rief ich und stieß mit beiden Händen gegen seine Brust; ›es fehlt mir etwas; es ist in meinem Kopf; ich kann ja nicht dafür!‹

Mein Vater, da ich so zu ihm aufblickte, sah mich heftig an; aber ich mag wohl totenblaß gewesen sein; ich hatte ohnedies nur wenig Farbe.

›Spiele es noch einmal für dich!‹ sagte er ruhig. Dann verließ er mich, und ich hörte, wie er den Gang hinauf nach seinem Zimmer ging.

Aber ich konnte nicht spielen. Eine Trostlosigkeit überfiel mich, wie ich sie nie empfunden hatte; ein Mitleid mit mir selber, als müsse es mir die Seele fortschwemmen. Über dem Klavier hing das Bildnis meiner Mutter, welches Sie neulich bei mir gesehen haben. Ich weiß noch, wie ich meine Hände dahin ausstreckte und in kindischem Unverstand ein Mal über das andere wiederholte: ›Ach, hilf mir, Mutter! O, meine liebe Mutter, hilf mir!‹ Dann legte ich den Kopf in meine Hände und weinte bitterlich.

Wie lange ich so gesessen habe, weiß ich nicht. Schon länger hatte ich es draußen auf dem Hausflur gehen hören, aber ich hatte mich nicht gerührt, obgleich ich wußte, daß hier vorne niemand außer mir im Hause war; endlich, da von draußen an die Tür geklopft wurde, stand ich auf und öffnete. Es war ein mir bekannter Handwerker, der meinen Vater in einer Geschäftssache zu sprechen wünschte. – ›Sind Sie krank, junger Herr?‹ fragte der Mann. Ich schüttelte den Kopf und sagte: ›Ich werde fragen, ob es paßt.‹

Als ich in meines Vaters Zimmer trat, stand er an einem seiner großen Bücherregale; ich hatte ihn oft so gesehen, das eine oder andere Buch hervorziehend, darin blätternd und es dann wieder an seinen Platz stellend; aber heute war es anders, er hatte den Arm auf eines der Borte gestützt und seine Augen mit der Hand bedeckt.

›Vater!‹ sagte ich leise.

– ›Was willst du, Kind?‹

›Es ist jemand da, der dich zu sprechen wünscht.‹

Er antwortete nicht darauf; er nahm die Hand von den Augen und rief leise meinen Namen.

Dann lag ich an meines Vaters Brust; zum erstenmal in meinem Leben. Ich fühlte, daß er zu mir sprechen wollte; aber er streichelte nur mein Haar und sah mich bittend an. ›Mein armer, lieber Junge!‹ war alles, was er über seine Lippen brachte. Ich schloß die Augen; mir war, als sei ich nun von aller Lebensnot geborgen. – Trotz meiner Mutter Tod vergaß ich immer wieder, daß alles stirbt und wechselt.

Aber es war eine glückliche Zeit, die ich von nun an noch zu Hause verlebte; mein Vater war nie wieder heftig gegen mich, eine Mutter hätte nicht zarter mit mir umgehen können; auch der Frühling brach damals in einer Schönheit an, wie ich mich dessen nicht wieder zu erinnern meine. – Hinter der Stadt zwischen Hecken und Wällen war ein wüster Platz, wo einst ein Gartenhaus gestanden hatte, um den sich aber niemand mehr zu kümmern schien. Von den Blumen, die dort einst gepflegt sein mochten, sah man nur noch die Veilchen, die hier schon in den ersten Frühlingstagen blühten. Ich ging oft dahin; auch später, wenn in der Hecke sich der Hagedorn mit seinem Blumenschnee bedeckte, oder wenn alles ausgeblüht hatte und nur noch die Hänflinge und der Emmerling durch die Büsche schlüpften. Manche Stunde habe ich hier im Grase gelegen; es war so still und feierlich; nur die Blätter und die Vögel sprachen. – Aber niemals sah ich diesen Ort in solcher Schönheit wie in jenem Frühling. Gleich mir waren auch die Bienen schon ins Feld hinausgezogen; wie Musik wob und summte es über tausend Veilchenkelchen, die wie ein blauer Schein aus Gras und Moos hervorbrachen. Mein ganzes Schnupftuch pflückte ich voll; mir war wie einem Seligen in diesem Duft und Sonnenschein. Dann setzte ich mich ins Gras, nahm etwas Bindfaden, den ich immer bei mir führte, und begann gleich einem Mädchen einen Kranz zu binden; über mir im Blauen sang so herzkräftig eine Lerche. ›Du liebe, schöne Gotteswelt!‹ dachte ich; und dann geriet ich sogar ins Versemachen. Freilich, es waren nur kindische Gedanken in den hergebrachten Reimen; aber mir war sehr froh dabei zu Sinne.

– – Als ich nach Hause kam, hing ich den Kranz in meines Vaters Stube; ich weiß noch wohl, wie glücklich ich mich fühlte, daß ich mir jetzt solche Allotria bei ihm erlauben durfte.

– Noch eines muß ich sagen! Später, in seinem Nachlaß, fand ich ein Sparkassenbuch auf meinen Namen und über eine große Summe; die erste Post derselben war, wie das Datum auswies, an jenem unglücklich-glücklichen Tage von ihm belegt worden. Es hat mich sehr erschüttert, als ich das Buch bei seinem Testamente fand; zum Glück bedurfte ich der Unterstützung nicht.«

– – Wir waren eben aus entlegeneren Gassen, die wir bei unserem Gespräche unwillkürlich aufgesucht hatten, wieder in eine der Hauptstraßen eingebogen. Während ich fast verstohlen den schon alternden Mann an meiner Seite betrachtete, legte er plötzlich die Hand auf meinen Arm. »Wollen Sie es einmal ansehen!« sagte er. »Hier wohnten wir, als meine Eltern lebten; es war unser eigenes Haus; aber nach unseres Vaters Tode mußte es verkauft werden.«

Als ich aufblickte, sah ich, daß die stattliche Fensterreihe des oberen Stockwerks hell erleuchtet war.

»Ich hätte einmal ein paar schöne Unterrichtsstunden dort bekommen können«, begann er wieder; »aber ich mochte es mir nicht zuleide tun; ich fürchtete, ich könne einmal auf der Treppe drinnen einem armen blassen Jungen begegnen, einem Menschen, aus dem nicht viel geworden ist.« – – Er schwieg.

»Sprechen Sie nicht so!« sagte ich. »Ich habe bisher geglaubt, Sie seien nicht weniger glücklich als wir anderen Menschen.«

»Nun ja!« versetzte er fast verlegen und lüftete ein paarmal seinen grauen Filzhut; »ich bin's ja auch, ich bin's ja auch! Es war nur so ein Einfall; ich weiß sonst wohl, daß man sich keine dummen Gedanken machen soll!«

Schon längst hatte ich bemerkt, daß diese letzte Phrase ihm gleichsam als Riegel diente, um alle vergeblichen Hoffnungen und Wünsche von sich abzusperren.

– – Eine Viertelstunde später befanden wir uns auf meinem Zimmer, wohin ich ihn, mein Abendbrot zu teilen, eingeladen hatte. Während ich mich bemühte, über meiner Spiritusmachine ein Kännchen nordischen Punsches zu brauen, stand er an meinem Bücherbrett und besichtigte mit offenbarem Vergnügen die hübsche Reihe meiner Chodowiecki-Ausgaben. »Aber einer fehlt Ihnen doch!« sagte er. »Die Bürgerschen Gedichte mit dem langen Subskribentenverzeichnis! Es ist schon ein Spaß, unter all den alten Herrschaften die eigenen Urgroßväter aufzusuchen; von den Ihrigen würden Sie gewiß auch darunter finden.« Er sah mich mit seinem herzlichen Lächeln an. »Ich habe das Buch zufällig doppelt; wollen Sie sich das eine Exemplar gelegentlich bei mir abholen?«

Ich nahm das dankend an. Und bald saßen wir nebeneinander im Sofa, die dampfenden Gläser vor uns, er aus meiner längsten Pfeife rauchend, die er statt der vor ihm liegenden Zigarren sich erbeten hatte. – Als er den Probeschluck getan, hielt er das Glas noch in der Hand und sagte darauf hinnickend: »Das tranken wir zu Hause immer am Neujahrsabend; einmal als Knabe trank ich mir sogar einen argen Rausch darin, so daß mir viele Jahre ein Widerwille gegen dieses edle Kunstgebräu geblieben ist. Aber jetzt – jetzt schmeckt es wieder!« Er tat einen behaglichen Zug und setzte sein Glas dann auf den Tisch.

Wir rauchten, wir plauderten, und das Gespräch ging hin und her. – »Nein«, sagte er, »die Dinger, die man Konservatorien nennt, gab es derzeit wohl noch nicht in unserem Deutschland; ich ward zu einem tüchtigen Klaviermeister in die Lehre getan und habe mich dort ein paar Jahre lang mit Theorie und Technik redlich abgearbeitet. Außer mir war noch einer da, der schon nach kurzer Zeit den Hofpianistentitel in der Tasche hatte; und doch, wenn ich bisweilen so saß und seinem Spiele zuhörte, hab' ich mir's nicht ausreden können, daß ich, Christian Valentin, das alles noch viel besser machen würde, wenn – ja, wenn nur die Finger und die Gedanken bei mir so fix zusammengegangen wären. Sie sehen«, setzte er hinzu, indem er mit dem Daumen und kleinen Finger ein paar weite Spannungen auf der Tischdecke machte, »daran liegt es nicht; das sind die schulgerechten Klavizimbelschläger.«

»Vielleicht«, warf ich ein, »sind Sie gegen sich selber zu gewissenhaft gewesen; den gröberen Naturen kommt niemals etwas zwischen Finger und Gedanken.«

Er schüttelte den Kopf. »Es ist doch anders; und wenn auch – ich kann das nicht regieren. – – Bevor ich mich hier dauernd niederließ, habe ich längere Zeit in einer anderen Stadt als Musiklehrer gelebt; und da man keine Konzertvorträge von mir verlangte, so habe ich dort vielleicht das meinige geleistet. Auch war es mir trotz des damals überall nur mäßigen Honorars schon in den ersten Jahren gelungen, ein Sümmchen für die Zukunft hinzulegen; ob für ein einsames Junggesellenalter, oder ob – –«

Er nahm sein Glas und leerte es auf einen Zug. »So«, sagte er, »nun habe ich mir Mut getrunken! Ihnen erzähl' ich's gern; ja, mir ist, als könnt' ich Ihnen noch einmal meinen Mozart spielen!«

Er hatte meine beiden Hände ergriffen; seine blassen Wangen waren leicht gerötet. – »Ich wohnte damals bei einem Buchbindermeister«, begann er wieder, »der nebenbei ein kleines Antiquariat betrieb; oh, manches liebe Büchlein ist damals in meine Bibliothek gewandert! Wer mich aber auslachte, wenn ich mit solch einem Scharteklein wie mit einem kostbaren Raube nach meinem Zimmer hinaufstolperte, das war die eigene Tochter meines Antiquars; sie trug den schönen Namen Anna; aber sie hielt nicht viel von Büchern. Desto lieber sang sie; Volkslieder und Opernarien – Gott weiß woher ihre jungen Ohren das alles aufgefangen hatten! Und eine Stimme war das! Signora Katarina, die im selben Hause ein Mansardenstübchen inne hatte, war in stetiger Entrüstung, daß dieser ›Kindskopf‹ sich nicht von ihr wollte in die Schule nehmen lassen. ›Monsieur Valentin!‹ rief sie einmal, als die Anna nach einer langen Ermahnung lachend vor ihr stand; ›sehen Sie dieses Mädchen! Sie hat das Glück im Hause, aber sie stößt es mit ihren kleinen Füßen von sich, und dann – ja, ja, Kindchen; unversehens kommt das Alter! Wie ich hier vor Ihnen stehe, ich hätte Fürsten und Exzellenzen heiraten können!‹

›Und ich‹, sagte der Kindskopf, ›kann noch einen Prinzen heiraten; und ich tu's gewiß, wenn er erst in seiner goldenen Kutsche vorgefahren kommt! Aber, Signora, können Sie mir *das* nachmachen?‹ – Und nun sang sie mit der unglaublichsten Zungenfertigkeit eines jener aus sinnlosen Silben zusammengefügten Reimgesetze; vor- und rückwärts, hinauf und hinunter. ›Sehen Sie, Signora, das sind Naturgaben!‹

Die alte Kunstsängerin würdigte sie auf solchen Übermut meist keiner Antwort; auch jetzt wickelte sie sich schweigend in ihren roten Schal, den sie selbst im Hause nie von ihren Schultern ließ, und stieg mit würdevoll erhobener Nase nach ihrem Mansardenstübchen hinauf.

Als sie fort war, legte Ännchen die Hände auf den Rücken, und so vor mir stehend wie ein Vogel auf dem Zweige, hub sie aufs neue an zu singen: ›Schwäbische, bayrische Dirndel, juchhe!‹ Gleich einer Leuchtkugel stieg das Juchhe in die Luft! – Dann sah sie mich mit ihren braunen Augen an und fragte treuherzig: ›Das ist aber doch schön? Nicht wahr, Herr Valentin?‹

Wir befanden uns auf meiner Stube, wohin Ännchen mir immer mein Abendbrot heraufbrachte. Ich hatte mich ans Klavier gesetzt. ›Singen Sie weiter, Ännchen!‹ sagte ich; und so, während ich eine einfache Begleitung spielte, sang sie das Lied zu Ende, und dann ein zweites, ein drittes, und ich weiß nicht, wie viele ihrer hübschen und törichten Lieder noch. Ich weiß nur, mir war unsäglich wohl dabei. – ›Nein, wie ist's nur menschenmöglich‹, rief das liebe Kind; ›kennen Sie denn alle meine Lieder? Aber wissen Sie was, Herr Valentin? Das hat durchs ganze Haus geschallt! Die Signora Katerina sitzt gewiß droben ganz in ihren Schal verwickelt!‹

– – Seit jenem Tage gab es in Ännchens Kopfe keine musikalische Unmöglichkeit mehr für mich; ja, allmählich bestrickte auch mich selbst die einfältige Bewunderung und machte mich ganz zuversichtlich; einmal, da sie eben von mir gegangen war, setzte ich mich sogar hin und berechnete eifrig meine Vermögensumstände. Was soll ich's Ihnen lang erzählen! Das Mädchen, der Kindskopf, spukte mir plötzlich durch alle meine Gedanken. Aber – da kamen die Liedertafeln in die Mode!«

»Die Liedertafeln?« fragte ich verwundert, benutzte aber zugleich die Pause, um das Glas meines Freundes wiederum aus dem belebenden Quell zu füllen, den ich vor uns über dem blauen Flämmchen glühend erhielt.

»Leider, die Liedertafeln!« wiederholte er, indem er heftig an seiner Pfeife sog und große Dampfringe vor sich hinstieß. »Sie sind mir niemals recht gewesen, der ewige Männergesang! Es ist, als ob ich jahraus, jahrein nur immer in den unteren Oktaven spielen wollte! Auch war gar bald der Geruch der Bierbank von ihnen unzertrennlich. – Gleichwohl konnte ich nicht umhin, die mir angetragene Direktion der neuen Liedertafel zu übernehmen. Es war eine bunte Gesellschaft: Handwerker, Kaufleute, Beamte; sogar ein Nachtwächter, der ein ordentlicher Mann und ein außerordentlicher Bassist war, wurde aufgenommen. Und das mit Recht; denn die Kunst scheint mir so heilig, daß die Erdenunterschiede in ihr keine Geltung haben können. – –

– Ich muß sagen, daß die Übungen derzeit mit Ernst und Eifer vor sich gingen; während die eine Stimme geübt wurde, standen die anderen nicht zu schwatzen, sondern hatten hübsch das Buch vor der Nase und buchstabierten in Gedanken ihre Stimme mit. Solcherweise hatten wir denn auch schon zwei unserer Winterkonzerte glücklich hinter uns; da, einige Tage vor dem dritten, erkrankte der Haupt-Tenorsänger – ein weißer Rabe mit dem hohen b –, ohne den mehrere mühsam eingeübte Nummern ganz unmöglich wurden.

Ich ging umher und sann, wie die Lücken auszufüllen seien; aber Ännchen hatte längst für mich beschlossen: ›Lassen Sie Ihr Klavier in den Saal tragen und spielen Sie selber etwas! Was wollen Sie Ihre schöne Musik immer nur an mich dummes Ding und da droben an unsere alte Kunstfigur verschwenden!‹

Ich drohte ihr zwar mit dem Finger; aber es wurde dennoch so, wie sie es wollte.

Zu meinem Vortrage hatte ich mir die Mozartsche Phantasie-Sonate gewählt, die damals noch nicht so von allen Musikschülern abgeleiert war. Morgens vor und abends nach meinen Unterrichtsstunden saß ich eifrig übend am Klavier; und wenn ich so allein mich in das Werk vertiefte, war mir mitunter, als nicke mir der große Meister zu, und ich hörte ordentlich seine Stimme: ›Schon recht, schon recht, lieber Valentin! So hab' ich mir's gedacht, ganz geradeso!‹ – –

Einmal, da ich eben das Adagio geschlossen hatte, stand plötzlich die Signora Katerina in der offenen Stubentür und lachte gläsern mit ihrer zerbrochenen Sopranstimme, was mir damals höchst abscheulich klang; aber sie behauptete, noch immer lachend, ich habe selber und gar laut und andachtsvoll jene ermutigenden Worte ausgerufen. Dann wieder klopfte sie mir die Wangen mit ihrer vollberingten mageren Hand. ›Nun, nun, *caro amico*‹, sagte sie, ›der große Meister selbst ist nicht mehr da; aber seine Schülerin ist zugegen gewesen, und die ruft: *Bravo bravissimo!* Aber jetzt auch *Da capo!* Wir werden einiges zu bemerken haben!‹

Und jetzt, während ich das Adagio wiederholte, stand sie, leise Winke und Worte gebend, hinter meinem Stuhl; Sie glauben nicht, was für Musik in dieser alten Seele steckte! – – Und dennoch hatten fast alle Mühe, das Lachen zu verbeißen, wenn einmal in anderer Gegenwart die Wut des Gesanges sie befiel. Nur mich wandelte nie dergleichen an; mich erfüllte diese Wirkung, die sie mit all ihrer Kunst nur noch allein hervorzubringen vermochte – ich kann nicht sagen, mit Erbarmen – denn dessen bedurfte sie nicht – als vielmehr mit einem unerklärlichen Gefühl des Schreckens; fast als sei ich es selber, der dadurch preisgegeben wurde. – Sie freilich ahnte nichts von alledem; stolz wie eine Königin, mit ihrem roten Kaschmirschale sich drapierend, stellte sie sich in die Mitte des Zimmers und schmetterte ihre großen Arien herunter. Ja, ich muß gestehen, wenn wir beide allein waren, so hörte auch ich, in meinem Trieb zu lernen, mehr ihre Seele als ihre Kehle singen; denn was sie ausdrücken wollte und was ich bald genug herauszuhören verstand, schien mir fast immer das Rechte.

Und so saß ich auch jetzt am Vorabend des Konzertes als ihr gehorsamer und aufmerkender Schüler am Klavier; es störte mich selbst nicht, als ich draußen kleine bekannte Tritte die Treppe heraufkommen hörte; ja, ich sah nur kaum die strenge Handbewegung der Signora, mit der das leise eintretende Ännchen an die Tür verwiesen wurde. – Aber wie hergezogen war sie allmählich nähergekommen, und bald, beide Arme in ihr Schürzchen gewickelt, lehnte sie neben mir auf dem Klavier, und ich fühlte, wie sie mich mit ihren großen braunen Augen unverwandt betrachtete. Ich spielte voll Begeisterung weiter. Als ich zu Ende war, stieß Ännchen einen tiefen Seufzer aus. ›Das war schön!‹ sagte sie. ›Mein Gott, Herr Valentin, was können Sie doch spielen!‹ – Die Signora legte wie segnend die beringte Hand auf meinen Kopf. ›Mein Lieber, Sie werden einen schönen Sukzeß erringen!‹ Und im selben Augenblick fühlte ich auch eine Pfefferminzpastille zwischen meinen Zähnen.

Sie hatten gut reden: ein harmloses Kind, das im Bewundern seine Freude fand, die alte musikalische Seele, die mir studieren half, dann noch Ännchens Wachtelhund, der kleine schwarzgefleckte Polly, der, wie ich jetzt bemerkte, mäuschenstill auf der Türschwelle gesessen hatte – das war ein Publikum, wie ich es brauchen konnte. – Aber später, vor all den fremden Menschen!

Freilich, eine Beruhigung hatte ich: der berühmte Orgelspieler, den man zur Prüfung der neuen Kirchenorgel herberufen hatte, sollte erst am Tage nach dem Konzert eintreffen; ja, ich will es nur gestehen, ich selber hatte eine kleine List gebraucht, um die Dinge so zu schieben.

– – Etwas beklommener als sonst betrat ich am anderen Abend unseren Konzertsaal; er war so gedrängt voll, daß selbst einzelne Damen nicht zum Sitzen gelangen konnten. Aber die Gesänge, mit denen wir nun den Anfang machten, gingen bescheidenen Ansprüchen nach vortrefflich; denn war auch unser Tenor geschwächt, so besaßen wir immerhin noch Kräfte, um die mancher große Verein uns hätte beneiden können; schon der Nachtwächter und unser dicker Schulrektor waren ein paar Füllebässe, die in alle Ritzen quollen, welche die dünneren Stimmen offengelassen hatten. Es wurde lebhaft applaudiert; das singende und das hörende Städtchen waren im besten Einverständnis.

So rückte denn das Programm allmählich bis zur Phantasie-Sonate vor. Der Beifall nach Ludwig Bergers schönem Liede ›Als der Sandwirt von Passeyer‹ verhallte eben, als ich mich ans Klavier setzte; und eine erwartungsvolle Stille war eingetreten. Mit ein paar tiefen Atemzügen schlug ich die Noten auf; dann warf ich darüberhin einen flüchtigen Blick in den Saal; aber die vielen Gesichter, die mich alle anstarrten, übten eine Art von Schrecken auf mich aus. Da zum Glück entdeckte ich auch Ännchens braune Augen, die groß und freudig zu mir hinblickten; und im selben Augenblicke hatte das vielköpfige Ungeheuer sich in ein mir hold geneigtes Wesen umgewandelt. Mutig schlug ich ein paar Akkordfolgen an, um den Beginn meines Spieles anzukündigen; und dann: ›O heiliger Meister, ich will sie ihnen schon ans Herz legen, deine goldenen Töne! Alle, alle sollen durch dich selig werden!‹ So flog es durch mich hin; und ich begann meinen Mozart, das Adagio zuerst. – – Ich glaube wirklich, ich habe damals gut gespielt; denn mich erfüllte nichts als die Schönheit des Werkes und der begeisterte Drang, die Freude des Verständnisses auch anderen mitzuteilen; meine alte Meisterin hätte mich gelobt, so denke ich noch jetzt; aber sie besuchte niemals eine öffentliche Aufführung.

Schon war ich auf der letzten Seite des Andantino, als hie und da ein Flüstern aus dem Saale mir zwischen meine Töne drang. Ich erschrak: sie hörten nicht! Das lag an mir; am Mozart konnte es nicht liegen! – – Mit einem Gefühl von Unbehagen begann ich das Allegro der Sonate; um so mehr, da ich eine Stelle im zweiten Teile besonders hatte üben müssen. Aber ich beruhigte mich; es gab ja Menschen, denen nur Trompetenmusik verständlich war; was gingen sie mich an! Nur eines störte mich; der dicke Schulrektor war während meines Spieles mir immer näher auf den Leib gerückt. Er konnte allerlei böse Absichten hegen; er wollte vielleicht die Lichter putzen, wobei die große messingene Lichtschere auf die Tasten fallen konnte, oder gar mir die Notenblätter umwenden, was ich durchaus von keinem anderen leiden konnte! Ich eilte mich, die zweite Blattseite herunterzuspielen, damit nur seine dicke Hand mir nicht zu früh in meine Noten griffe. Das half; der Rektor blieb wie gebannt auf seinem Platze stehen; schon hatte ich umgeschlagen und spielte ganz mutig auf die heikle Stelle los – da hörte ich unten die Tür des Saales knarren und konnte nicht umhin, zu sehen, wie überall die Köpfe sich nach rückwärts wandten. Wieder wurde geflüstert, und mehr noch als zuvor – ich wußte nicht weshalb, aber der Atem stand mir still. Da hörte ich neben mir ganz deutlich eine Stimme sagen: ›Aber ich dachte, er käme erst morgen; wie hübsch, daß er heut schon da ist!‹ – Er war also dennoch angekommen! – Es war ein betäubender Schlag, der mich getroffen hatte. – Was konnte ich dem Manne, dem großen Künstler, mit meinem Spiel noch bringen! – Wo dort unten im Saale mochte er jetzt stehen oder sitzen? – Aus all den Hunderten von Gesichtern starrten mich seine Augen an; und nun – ich fühlte es – neigte er das Ohr, um jeden meiner Töne aufzufangen. Eine wahre Jagd von Angstgedanken raste durch meinen Kopf; noch ein paar Takte versuchten es meine plötzlich wie gelähmten Finger; dann überfiel mich eine ratlose Gleichgültigkeit, zugleich eine seltsame Entrüstung in längst vergangene Zustände. Mir war auf einmal, als stehe das Klavier auf seinem alten Platz im elterlichen Wohnzimmer; auch mein Vater stand plötzlich neben mir; und statt in die Tasten griff ich nach seiner Schattenhand.

Was weiter geschah, weiß ich kaum. Als ich mich wieder auf mich selbst besann, saß ich auf einem Stuhl in dem hinter dem Podium des Saales befindlichen Zimmer, in dem wir unsere Überkleider abzulegen pflegten. Ich sei krank geworden – so war mir, als hätte ich drinnen noch gesagt.

Ein Licht mit langer Schnuppe brannte auf dem Tische; die matt erleuchteten Wände des Zimmers, die vielen dunkeln Kleider, die überall umherlagen: es sah recht öde aus. – So hatte ich einst als Knabe gesessen, nur nicht so ganz vernichtet; auch fühlte ich, daß jetzt meine Augen trocken waren, und niemand pochte an, der mich zu meinem Vater schicken wollte. Ich war ja jetzt ein Mann – – ›Mein armer, lieber Junge!‹ – – wie lange war er tot, der diese Worte einst gesprochen hatte!

Da drang aus dem Saale drüben ein wirres Stimmgetöse zu mir her. – Ich weiß nicht, hatte ich es vorhin nur nicht gehört, oder war es eben erst hervorgebrochen; aber wie jähes Entsetzen fiel es mich an; es jagte mich aus dem Zimmer, aus dem Hause. Barhaupt, ohne Mantel rannte ich auf die Straße hinaus und weiter, ohne umzusehen, durch das Tor ins Freie. Der Stadt zunächst standen alte Lindenalleen; dann kam die breite, wüste Landstraße. Ich wanderte immer weiter, ohne Zweck, ohne Gedanken; nur die Angst vor der Welt, vor den Menschen fieberte mir im Gehirn.

Weit hinter der Stadt führte die Straße über eine Anhöhe, die nach der einen Seite jählings in die Tiefe schoß. Unten ging ein reißendes Wasser; es rauschte fortwährend neben mir dahin. Ich weiß noch wohl, im Osten stand die schmale Mondsichel; sie leuchtete nicht, aber sie zeichnete sich scharf auf dem dunklen Nachthimmel ab; es war fast finster auf der Erde. – Als ich den höchsten Punkt erreicht hatte, bemerkte ich einen großen Feldstein, der dort oberhalb des Wassers unter einem Baume lag; ich wußte nicht weshalb, aber ich setzte mich darauf. Es war noch früh im März; die Zweige über mir waren noch nackt und schlugen im Nachtwind aneinander; dann und wann fielen Tropfen in mein Haar und rieselten kühl über mein Gesicht. Aber hinter mir in der Tiefe rauschte das Wasser, unaufhörlich, eintönig, zum Schlaf verlockend wie ein Wiegenlied.

Ich hatte den Kopf gegen den feuchten Stamm gelehnt und lauschte der verführerischen Melodie der Wellen. ›Ja‹, dachte ich, ›schlafen! Wer nur schlafen dürfte!‹ – Und wie Stimmen tauchte es auf und rief zu mir empor: ›Ach, unten, da unten die kühle Ruh'!‹ Immer bestrickender in Schuberts süßen, schwermütigen Tönen drang es mir ans Herz. – Da hörte ich Schritte aus der Ferne, und plötzlich, wie wach geworden, sprang ich auf. Ich war ja nicht jener lyrische Müllergesell des Schubertschen Gesanges, ich war eines tüchtigen, praktischen Mannes Sohn; an so etwas durfte ich auch jetzt nicht denken!

Und immer näher von der Gegend der Stadt her kamen die Schritte auf mich zu; daneben erkannte ich noch andere trippelnde wie von einem kleinen Hunde. Ich zweifelte nicht mehr, sie war es, ihr kleiner Wachtelhund begleitete sie; es gab noch eine Menschenseele, die mich nicht vergessen hatte! Das Herz schlug mir in den Hals hinauf; ich weiß nicht, war's vor Freude oder war's die Angst, daß ich mich dennoch täuschen könne. Aber da kam schon aus dem Dunkel wie ein Lichtstrahl ihre liebe Stimme: ›Herr Valentin! Sind Sie es denn, Herr Valentin?‹

Und beschämt erwiderte ich: ›Ja, Ännchen, ich bin es freilich! – Wie kommen Sie hierher?‹

Sie stand schon vor mir und legte die Hand auf meinen Arm. ›Ich – ich habe in der Stadt gefragt; man hatte Sie aus dem Tore gehen sehen.‹

›Aber das ist kein Weg für Sie; so allein auf der wüsten Straße!‹

›Ich hatte solche Angst; Sie waren krank geworden. Mein Gott, warum sind Sie nicht nach Haus gegangen?‹

›Nein, Ännchen‹, sagte ich, ›ich bin nicht krank geworden; das war eine von den Lügen, welche die Not oder die Scham uns auf die Lippen treibt. Ich hatte nur etwas übernommen, wozu mir Gott die Fähigkeit versagt hat.‹

Da schlangen sich zwei junge Arme um meinen Hals, und Ännchens übermütiges Köpfchen lag schluchzend an meiner Brust. – ›Und wie Sie aussehen!‹ flüsterte sie. ›Sie haben keinen Hut auf dem Kopfe, keinen Mantel!‹

– ›Ja, Ännchen – ich habe das wohl vergessen, da ich fortging.‹

Und die kleinen Hände umschlossen mich noch fester. – Es war so stille im weiten dunklen Felde; der kleine Hund hatte sich zu unseren Füßen gelagert. Wenn eines Menschen Auge uns jetzt erblickt hätte, er würde geglaubt haben, es sei ein Bund fürs Leben hier geschlossen worden. Und es war doch nur ein Abschied.« – Der stille Mann blickte bei diesen Worten in sein Glas, das er vorhin ergriffen hatte, als könnten aus dessen Grunde die Träume seiner Jugend auferstehen. – Durch das Fenster, dessen einer Flügel offen stand, tönte aus der Luft herab der Schrei eines vorüberziehenden Vogels. –

Er blickte auf. »Hörten Sie das?« sagte er. »Ein solcher Schrei von Wandervögeln trieb uns auch in jener Nacht nach Hause. Wir gingen dann den ganzen Weg noch Hand in Hand.

– – Am anderen Morgen stieg auch die alte Signora Katerina aus ihrem Mansardenkäfig zu mir herab. Sie war völlig außer sich. ›Und vor diesen Kleinstädtern!‹ rief sie. ›Sie wissen nur nicht aufzutreten, Monsieur Valentin! Sehen Sie, so – so trat ich zu meinen Zeiten vor die Lampen!‹ Und sofort stand sie, mit ihrem Schal drapiert, in einer heroischen Attitüde vor mir da. ›Ich möchte den sehen, der mir die Kehle hätte zuschnüren wollen! Selbst vor dem großen Meister hab' ich nur ein weniges gezittert.‹

Allein, was half das mir! – Noch am selben Tage erfuhr ich überdies, daß mein alter Lerngenosse sich ebenfalls als Musiklehrer dort niederzulassen gedachte. Es mochte ihm mit seinem Virtuosentum auf die Dauer nicht geglückt sein; aber er besaß doch, was mir fehlte. Ich wußte wohl, ich mußte gehen.

Schon nach wenigen Tagen half Ännchen mir meine kleinen Kisten packen, und manche Träne aus ihren mitleidigen Augen fiel dabei auf meine alten Bücher; ich mußte zuletzt sie gar noch selber trösten.

– Wohin ich meine Schritte richten sollte, darüber war ich nicht in Bedenken; ich besaß hier in meiner Vaterstadt zwar nicht Haus und Hof, aber eben vor dem Tor doch meiner Eltern Grab. – Als ich, hier angelangt, meine Habseligkeiten wieder aus den Kisten packte, fand ich unter meinen Noten das wohlbekannte Kristalldöschen bis zum Rande voll von Pfefferminzpastillen. – Die gute Signora Katerina – sie hatte mir doch den Ehrenpreis noch reichen wollen.

Aber es ist spät«, sagte er, jetzt plötzlich aufstehend, indem er eine große goldene Uhr aus seiner Tasche zog; »weit über Bürgerbettzeit! Was werden meine alten Bleichersleute denken!«

»Und Ännchen?« fragte ich. »Was ist aus der geworden?«

Er war eben beschäftigt, die lange Pfeife wieder an den Haken zu hängen, von dem ich sie vorhin für ihn herabgenommen hatte. Jetzt wandte er sich zu mir, und in seinem Antlitz stand wieder das stille, kindliche Lächeln, das ihn so sehr verschönte.

»Aus Ännchen?« wiederholte er. »Was immer aus einem übermütigen jungen Mädchen werden sollte, eine ernste Frau und Mutter. Nachdem sie unserer Signora ihren schweren Abtritt von der Erdenbühne durch treue Pflege, wie ich es hoffen will, ein wenig tröstlicher gemacht hatte, hat sie zwar keinen Prinzen, aber doch, was sie auch noch der alten Freundin demütig eingestanden, einen braven Schullehrer geheiratet. Sie wohnen seit Jahren hier am Ort; vorhin, da Sie mich trafen, kam ich just aus ihrer Wohnung.«

»So ist also Ännchen die Mutter Ihrer Lieblingsschülerin?«

Er nickte. »Nicht wahr, das Leben ist ganz leidlich mit mir umgegangen? – Aber nun gute Nacht, vergessen Sie den Bürger nicht!« Er nahm seinen grauen Hut und ging.

Ich hatte mich ins offene Fenster gelegt und rief ihm noch eine »Gute Nacht!« zu, als er unten aus der Haustür trat, und sah ihm nach, wie er zwischen den schwachbrennenden Laternen die Straße hinabeilte und endlich in der Finsternis verschwand.

Die nächtliche Stille war schon völlig eingetreten. Zwischen dem Dunkel der Erde und der dunkeln Kluft des Himmels lag das schlummernde Menschenleben mit seinem ungelösten Rätsel.

Etwa acht Tage später befand ich mich auf dem Wege nach dem Bleicherhäuschen. Schon ehe ich es erreicht hatte, hörte ich von dort her Klaviermusik. »Ei«, dachte ich, »jetzt fängst du ihn in voller Begeisterung über seinem Mozart!« Als ich aber durch die offene Haustür eingetreten und vor dem Zimmer meines Freundes stehengeblieben war, hörte ich, daß drinnen Schuberts *moments musicals* gespielt wurden; auch war es keine Männerhand, welche diese Töne hervorrief.

»*Portamento,* nicht *staccato!*« sagte jetzt die Stimme meines Freundes.

Aber eine andere, jugendliche, von besonders reinem Klange antwortete: »Ich weiß wohl, Onkel; aber klingt das *staccato* hier nicht viel, viel schöner!«

»Ei, du Guckindiewelt!« hieß es wieder, »schreib' erst selber so etwas, dann kannst du's halten, wie du willst.«

Noch eine kleine Stille; dann folgte ein *Portamento*, ich sah es ordentlich, wie die jungen Finger den Ton von einer Taste zu der anderen trugen.

»Und nun noch einmal, ob du's sicher hast!«

Und nun kam es noch einmal, und in vollkommener Sicherheit.

Vor mir an der Tür klebte heute ein augenscheinlich neuer Zettel:

»Und sie genas! Wie sollt' ich Gott nicht loben;
Die Erde ist so schön,
Ist herrlich doch, wie seine Himmel oben,
Und lustig drauf zu gehn!«

Der Vers war aus dem Wandsbecker Boten; ich kannte ihn wohl, aber Freund Valentin hatte sich diesmal eine kleine Änderung gestattet; denn der alte Asmus sprach in jenem Gedichte doch nur von seiner eigenen Genesung.

Als ich, solches erwägend, die Tür öffnete, sah ich neben Valentin ein noch kindliches Mädchen am Klavier sitzen, die mit großen aufmerkenden Augen zu ihm aufblickte.

Mit seinem lieben, jetzt etwas verlegenen Lächeln war er aufgestanden.

»Unsere kleine Sitzung neulich ist Ihnen doch wohl bekommen?« fragte ich, ihm die Hand reichend.

»Mir?« erwiderte er »Oh, vortrefflich! Aber Ihnen? Ich mag recht viel erzählt haben; Sie wissen, so zu zweien und beim guten Glase!« Er sagte das fast flüsternd und als müsse er Entschuldigung für sich erbitten, während seine blaßblauen Augen mit einem unbeschreiblichen Ausdruck von Innigkeit auf mich gerichtet waren.

»Im Gegenteil«, sagte ich, »ich bin noch nicht zufrieden; Sie werden noch mehr erzählen müssen! Aber«, fügte ich leise hinzu, »erst beenden Sie Ihre Stunde mit Ihrem Liebling dort! – denn sie ist es ja doch wohl! – Ich suche mir derweil den Bürger von Ihrem Bücherbrett.«

Er nickte eifrig. »Wir sind gleich zu Ende!« Und ging wieder zu seiner Schülerin.

Ich suchte unter seinen kleinen Bücherschätzen und hatte bald die beiden Chodowiecki-Bürger gefunden, von denen ich auf gut Glück das eine Exemplar für mich herauszog. Während ich das Titelbild betrachtete, wo der große Balladendichter in einer Allongeperücke auf offenem Markt die Harfe schlägt, und dabei die *moments musicals* mir in die Ohren tönten, war eine Magd mit Kaffeegeschirr und Kuchenteller in die Stube eingetreten.

Sie spreitete eine blütenweiße Serviette über den Sofatisch und setzte alles dort zurecht; zwei blau und weiße Tassen standen bald neben der Bunzlauer Kaffeekanne; aber auf einen sehr geschickt von Valentin gegebenen Wink erschien noch eine dritte. Das hatte ich noch bemerkt, als ich auf dem vorgebundenen weißen Blatte meines Büchleins ein geschriebenes Gedicht entdeckte, das meine ganze Aufmerksamkeit in Anspruch nahm; es waren nur kindliche, einfältige Verse, und dennoch, wie Frühlingsatmen wehte es mich daraus an.

»Du liebe schöne Gotteswelt,
Wie hast du mir das Herz erhellt!
So schaurig war's noch kaum zuvor,
Da taucht ein blauer Schein empor;
Der Rasen hauchet süßen Duft,
Ein Vogel singt aus hoher Luft:
›Wer treuen Herzens fromm und rein,
Der stimm' in meine Lieder ein!‹
Da sang auch ich in frohem Mut:
Ich wußte ja, mein Herz war gut!«

Ich las es wieder und wieder; das waren jene Verse von dem Veilchenplatze! Der ganze Valentin war darin; so kannte ich ihn, so mußte auch der junge einst gewesen sein.

Und da stand er selber vor mir, das schlanke, etwas blasse Mädchen mit dem glänzend braunen Haar an seiner Hand. »Ja«, sagte er, »das ist meine liebe Marie; wir feiern heut zum erstenmal wieder unseren Sonntagnachmittag; und, in der Tat, es macht mir riesig Freude, daß auch Sie dazu gekommen sind!« Dann aber, das Buch mit dem beschriebenen Blatt in meiner Hand erblickend, errötete er plötzlich wie ein Mädchen. »Nehmen Sie das andere Exemplar für sich«, sagte er, »ich bitte darum, die Stiche sind ungleich kräftiger.«

Aber ich suchte meinen Besitz zu behaupten. »Darf ich nicht dies behalten? Oder trennen Sie sich nicht davon? Ich seh', es ist aus Ihrer Knabenzeit.«

Er blickte mich fast dankbar an. »Ist das Ihr Ernst?« sagte er. »So ist es in guten – in den allerbesten Händen.«

Dann saßen wir zu dreien um den sonntäglichen Kaffeetisch; die kleine Dame machte gar anmutig die Wirtin und hörte im übrigen schweigend unseren Gesprächen zu.

»Also, Freund Valentin«, sagte ich, »noch eins müssen Sie erzählen; auch dieser braune Trank öffnet ja die Lippen der Menschen. Was ist aus Ihrem Veilchenplatz geworden? Sieht ihn die Frühlingssonne noch, oder ist er, wie so manches Schöne, in einen Kartoffelacker umgewandelt?«

Über Valentins Gesicht glitt ein frohes, fast ein wenig schlaues Lächeln. »Sie wissen wohl noch nicht«, sagte er, »daß ich ein heimlicher Verschwender bin!«

»Oho, Freund Valentin!«

»Doch, doch! Der Platz gehörte einem alten Sonderling. Ich bin sein Erbe geworden; das heißt, ich habe aus seinem Nachlaß dieses unnütze Grundstück um blankes Silbergeld erstanden. – Aber nicht wahr, Marie?« und er nickte seinem Liebling zu, »wir beide kennen seinen Wert, wir wissen auch, zu welchem Geburtstage wir notwendig dort die Veilchen pflücken müssen!«

Da legte das schlanke Mädchen den Kopf auf seine Schulter und schlang die Arme um seinen Hals. »Zu Mutters Geburtstage«, sagte sie leise; »aber Onkel, das ist jetzt noch lange hin.«

»Nun, nun, es wird ja wieder Frühling werden!«

»Das wolle Gott, Freund Valentin!« sagte ich. »Darf ich dann mitgehen und die Kränze binden helfen?«

Zwei Hände streckten sich mir entgegen: die eine war schlank und schön und jung, die andere – ich wußte es, das war eine treue Hand.

Ich bin nicht hingekommen; noch bevor der Winter zu Ende ging, hatte mich das Leben weit von dieser Stadt hinweggetrieben. Noch einmal durch einen gemeinsamen Bekannten erhielt ich einen Gruß von Valentin; noch einige Male, wenn es Frühling wurde, dachte ich an seinen Veilchenplatz, und dann nicht mehr. Andere Gestalten drängten sich herbei, hinter denen allmählich die des stillen Musikanten ganz verschwunden war.

Etwa zehn Jahre später kam ich auf einer längeren Reise durch eine der größeren mitteldeutschen Städte, deren Orchesterverein damals auch in weiteren Kreisen eines wohlverdienten Rufes genoß; nicht allein durch die eigenen tüchtigen Leistungen, sondern ebensosehr, weil die Direktion es verstand, mit ihren verhältnismäßig bescheidenen Mitteln fast für jedes Konzert auch von außen her irgendeinen bedeutenden Künstler mit heranzuziehen.

Es war im Spätherbst und schon Abend, als ich ankam. Ein dort wohnender musikliebender Freund, der mich am Bahnhof erwartet hatte, kündigte mir an, es sei Orchestervereinskonzert heute abend; ich müsse sogleich mit ihm kommen, es sei die höchste Zeit. Ich wußte aus Erfahrung, gegen diesen Enthusiasten war nicht aufzukommen, und so übergab ich denn meinen Gepäckschein nebst überschüssigem Reisegerät dem Diener irgendeines Hotels; gleich darauf saßen wir in einer Droschke, die uns gegen doppelten Fuhrlohn in raschem Trabe nach dem mir schon früher bekannten »Museum« brachte. Unterwegs hatte ich noch erfahren, daß für den heutigen Abend eine junge Sängerin gewonnen sei, eine Art von Unikum für klassische Musik, die außerdem die Schrulle habe, sich stets als die Schülerin eines gänzlich unbekannten Menschen aufzuführen.

Das Konzert hatte bei unserer Ankunft schon begonnen, und wir mußten an der geschlossenen Tür des Saales warten, bis die letzten Takte der Hebriden-Ouvertüre verklungen waren. Als die Türen wieder geöffnet wurden, steckte mein Freund mir ein inzwischen von ihm besorgtes Programm in die Brusttasche meines Rockes, zog mich bei der Hand in den gefüllten Saal und hatte bald, ich weiß nicht wie, zwei Plätze für uns frei gemacht. Neben mir saß ein alter weißhaariger Herr mit ein paar dunkeln Augen in dem feingeschnittenen Gesichte. »Nun also Mozart!« sagte er vor sich hin und faltete die Hände auf dem gelbseidenen Taschentuche, das er über seine Knie gebreitet hatte.

Bald darauf, während ich bei dem hellen Licht der Gaskronen die einfach, aber mit besonderem Farbensinn dekorierten Wände des Saales betrachtete, war gegenüber auf dem Podium die Sängerin aufgetreten: ein blasses Mädchen mit ein Paar dunkeln Flechten an den Schläfen. Das Orchester intonierte die ersten Takte zu der Arie der Elvira aus dem zweiten Akte des Don Juan, und nun hob sie das Notenblatt in ihrer Hand: »*In quali eccessi, o numi!*« Mir war, als hätte ich niemals einen zugleich so anspruchslosen und so ergreifenden Gesang gehört; der alte Herr an meiner Seite nickte immer nachdrücklicher mit dem Kopfe; das war die Kunst, die alles Erdenleid in Wohllaut löste! Aber dann – wie alles Schöne – war es schon zu Ende, als eben das Ohr am trunkensten lauschte.

Ein paar scharf akzentuierte Bravos flogen durch den Saal, ein vereinzeltes Händeklatschen; aber der Beifall war nicht allgemein. Der flott frisierte Kopf eines vor uns sitzenden jungen Mannes bog sich nach dem alten Herrn zurück. »Was sagst du, Onkel? Hübsche Stimme; aber etwas seltsam; autodidaktisch!«

Der Alte blickte ihn mit sehr feinen Augen an. »So, mein Herr Neffe«, sagte er, »hast du das herausgehört!« Und mit einer höflichen Bewegung sich zu mir wendend, setzte er fast feierlich hinzu: »Das war der Mozart, wie ich ihn in meiner Jugend hörte!«

Aber das Konzert ging weiter. »Nun kommen die Kunstversuche des Vereins!« flüsterte an der andern Seite mein Freund mir in die Ohren.

Und so war es in der Tat: Ein Geigenquartett von einem lebenden Meister kam zur Aufführung, aber alle Sorgfalt und Sicherheit der Spielenden konnte diesen Kunstfiguren keine Seele einhauchen; ein müdes, zweckloses Umschauen ging durch die Reihen der Zuhörer. Der alte Mozartianer an meiner Seite hatte schon ein paarmal den Ansatz eines Gähnkrampfes in seinem gelbseidenen Schnupftuche verbissen; endlich war denn auch der dritte Satz, und zwar im Fünfachteltakte, glücklich an uns vorbeigehüpft.

Die Spieler traten ab, und die Pulte wurden zurückgesetzt; im Zuhörerraume aber saßen die meisten mit sehr dummen Gesichtern; sie wußten offenbar nicht, was sie aus der Sache machen sollten. – Da trat die junge Sängerin wieder auf das Podium, eine kleine Notenrolle in der Hand. Ihr Antlitz trug einen schalkhaften, fast siegesbewußten

Ausdruck, und mir kam schon der Verdacht, sie wolle den modernen Geigencancan durch ein noch entschiedeneres Bravourstück der *Vox humana* aus dem Felde schlagen. –

Ich hatte mich zum Glück geirrt. Es galt ja auch noch nicht einmal eine Orchesterbegleitung: nur der Kapellmeister saß am Flügel, der inzwischen in den Vordergrund geschoben war. Ein paar einleitende Akkorde wurden angeschlagen, und dann begann ein Vorspiel von ebenso großer Einfachheit als süßem Wohllaut; wie cin frohes Aufleuchten flog es plötzlich durch den ganzen Saal, und dann kam es, mit der stillen Gewalt der Menschenstimme:

»Du liebe schöne Gotteswelt,
Wie hast du mir das Herz erhellt!«

Aber was war denn das? Das kannte ich; das stand ja vorn auf dem weißen Blatt in meinem »Bürger«; das waren ja die Worte meines alten Musikmeisters Christian Valentin. Mein Gott, wie lange hatte ich nicht an ihn gedacht! Von reinen jugendlichen Tönen getragen, klang es durch den Saal; eine unbeschreibliche Rührung befiel mich. Ob er denn auch die Melodie zu seinen Worten selbst gefunden hatte? – Die Notenrolle in der herabhängenden Hand, stand die Sängerin da; eine Begeisterung, eine hingebende Liebe sprach aus ihrem jungen Antlitz; und jetzt in unaussprechlich süßen Tönen erschollen die letzten Worte:

»Da sang auch ich in frohem Mut:
Ich wußte ja, mein Herz war gut!«

Eine lautlose Stille herrschte, als sie geendet hatte. Dann aber brach ein stürmischer, nicht endenwollender Beifall los; der alte Herr an meiner Seite hatte, ohne daß ich es bemerkte, meine Hand ergriffen und drückte sie jetzt aufs zärtlichste. »Das ist Seele – Seele!« sagte er und wiegte seinen grauen Kopf. Ich aber riß hastig das Programm aus meiner Tasche; und richtig, da stand der Name meines alten Freundes, zweimal stand er da: zuerst bei dem der jungen Sängerin, die sich als seine Schülerin bezeichnete, dann als Komponist des Liedes, das soeben diesen Raum belebt hatte.

Ich war aufgestanden und blickte um mich her; mir war, als müßte ich irgendwo unter den Zuhörern doch auch ihn selbst entdecken, sein altes liebes Gesicht, um dessen Mund noch immer ein Kinderlächeln spielte. – Es war eine Täuschung: mein alter Freund hatte den süßen Lerchenton seines Jugendliedes nicht gehört, aber auf dem Antlitz der Zuhörer lag es wie eine stille Freude; mir selber war, als sei ich eben nun doch noch mit dem stillen Meister auf seinem Veilchenplatze gewesen.

Von dem noch übrigen Teil des Konzertes hatte ich nicht viel vernommen. Aber auf dem verhaßten Schrägpfühl des Hotelbettes, worauf ich bald wie ein Gekreuzigter ruhte, trösteten mich bis zum endlichen Einschlummern die lieblichen Töne jenes Liedes, die zwischen dem vor den Fenstern tosenden Oktobersturm wie mit Kinderstimmen immer wieder vor meinem inneren Ohre hallten. Dabei gaukelte vor den geschlossenen Augen das etwas blasse Antlitz der Sängerin. – – So hatte er es also doch erreicht! Die ganze Kunst der alten Signora Katerina sang mit Glockenstimme aus diesem jungen Menschenkind! Denn keinen Augenblick war ich in Zweifel, wen ich hatte singen hören, obgleich ich mich der Züge jenes zwiefach geliebten Kindes nicht mehr erinnerte und auch der Familienname desselben niemals mir bekannt geworden war. Ich nenne ihn auch hier nicht. Zwar machte sie damals von sich reden, ja sie stellte sogar für eine kurze Zeit die neue und die alte Musikwelt einander in hellem Streite gegenüber; bald aber tauchte sie in die große Menge derer zurück, die ihr Leid und Freud' in kleinem Kreise ausleben, von denen nicht geredet wird.

Mein erster Gedanke am anderen Morgen war selbstverständlich, sie aufzusuchen und Nachricht von dem fast vergessenen Freunde einzuholen; aber eine unvorhergesehene Verlängerung einiger Geschäfte hinderte mich daran. Da half der Freund, der mich gestern so entschlossen ins Konzert geführt hatte und nach Beendigung desselben ziemlich treulos von mir verlassen war. In seinem Hause traf ich abends mit ihr zusammen.

Es waren viele Gäste dort versammelt; wie ich bald bemerkte, lauter Musikfreunde reinsten Stiles; auch mit dem alten Mozartianer von gestern vollbrachte ich ein verständnisvolles Händeschütteln.

Aber dort stand sie selbst, freundlich plaudernd mit einem hübschen Töchterchen des Hauses, von dem sie, wie es schien, soeben als Gegenstand der Anbetung eingefangen war.

Als ich, nach Begrüßung der Hausfrau, ihr von meinem Freunde vorgestellt wurde, legte sie den Arm um den Nacken des Kindes und zog es zärtlich an sich. Eine Weile ruhte ihr Blick prüfend auf meinem Antlitz; dann reichte sie mir die Hand.

»Nicht wahr«, sagte ich. »Sie sind es? Wir feierten einstmals einen Sonntagnachmittag zusammen?«

Sie nickte lächelnd. »Ich habe es nicht vergessen! Mein alter Freund und Lehrer hat noch oft von Ihnen gesprochen; besonders wenn es Frühling ward; Sie wollten ja mit uns nach seinem Veilchenplatze!«

»Mir ist«, erwiderte ich leise, »als seien gestern abend wenigstens wir beide dort gewesen.«

Ein herzlicher Blick flog zu mir hinüber. »Sie waren im Konzert? Oh, das freut mich!« Dann schwiegen wir eine Weile, während sie sich zu dem Kinde hinabbeugte, das sich noch immer an sie schmiegte.

– »Sie haben sich«, begann ich wieder, »im Programm als seine Schülerin bezeichnet; es ist sonst nicht die Weise der Künstlerinnen, mit einem alten Lehrer ihren Ruhm zu teilen!«

Sie errötete tief. »Oh«, rief sie, »ich habe an so etwas nicht gedacht! Ich weiß nicht, weshalb ich es getan; es verstand sich so von selbst, mir ist, als werde ich noch immer von seiner Hand gehalten; ich danke ihm so viel!«

»Aber er selbst«, erwiderte ich, »unser Meister Valentin, was meinte er dazu?«

Sie sah mich mit ihren stillen Augen an. »Das ist es eben«, sagte sie, »er ist schon lange nicht mehr auf dieser Erde.«

Auch die junge Sängerin habe ich nicht wiedergesehen. Hoffentlich ist sie seit Jahren eine glückliche Mutter; und in der Dämmerstunde, wenn die Arbeit ruht und die heilige Stille der Nacht sich vorbereitet, dann öffnet sie wohl auch einmal den Flügel und singt ihren Kindern das süße Lerchenlied des längst verstorbenen Freundes.

Und auch das ist ein gesegnetes Andenken.